NEUE WISSENSCHAFTLICHE BIBLIOTHEK 43
LITERATURWISSENSCHAFTEN

STRUKTURALISMUS IN DER
LITERATURWISSENSCHAFT

Neue Wissenschaftliche Bibliothek

Strukturalismus in der Literaturwissenschaft

Herausgegeben
von
Heinz Blumensath

Kiepenheuer & Witsch Köln

Alle Rechte vorbehalten
Verlag Kiepenheuer & Witsch Köln
Gesamtherstellung Boss-Druck und Verlag Kleve
Printed in Germany 1972
Broschiert ISBN 3 462 00814 5
Leinen ISBN 3 462 00813 7

Inhalt

DRITTER TEIL

STRUKTURALE FILMTHEORIE

Editorische Notiz

Der Titel des Bandes, *Strukturalismus in der Literaturwissenschaft*, gibt seine Thematik nur unvollständig wieder, vereint die Auswahl doch neben strukturalen Arbeiten zur Mythen- und Folkloreforschung sowie einem Essai zur Filmtheorie auch Versuche, Verfahren der generativen Transformationsgrammatik für die Literaturwissenschaft zu erschließen.

Der Band erscheint zu einem Zeitpunkt, da die Philologien, in Deutschland insbesondere die Germanistik, in ihrem methodischen Selbstbewußtsein verunsichert, bereit scheinen, mit Hilfe der Linguistik ihre Disziplin als Literatur*wissenschaft* zu sichern. Die hier vorgelegte, nach Forschungsgegenständen geordnete Auswahl wendet sich daher primär an Literaturwissenschaftler und erst sekundär an Linguisten, deren Problemstellungen und Lösungsversuche sowohl eine andere Gliederung wie eine wesentlich umfassendere Auswahl notwendig gemacht hätten. Dem Literaturwissenschaftler werden im Hauptteil zunächst theoretische Arbeiten vorgelegt, die das Verhältnis von struktureller Linguistik und generativer Transformationsgrammatik zu Literaturwissenschaft und Poetik betreffen. Ihnen folgen sich z. T. aufeinander beziehende konkrete Lyrik-, Prosa- und Dramenanalysen. Aufgenommen wurden insbesondere schwer zugängliche oder bisher nur fremdsprachig vorliegende Arbeiten zum Thema des Bandes. Nicht aufgenommen wurden leicht zugängliche Aufsätze vor allem deutscher Wissenschaftler wie Baumgärtner und Bierwisch (vgl. Bibliographie).

Kapitel 1 und 3 verweisen auf zu Unrecht von der Literaturwissenschaft vernachlässigte Forschungsgegenstände. In diesen Kapiteln wird, wenn auch nur andeutungsweise, der methodologische Bezug zu den Sozialwissenschaften deutlich. Der minuziösen immanenten Strukturanalyse der kulturellen Produkte müßte die Analyse von deren Funktion im gesellschaftlichen System entsprechen.

Frühjahr 1970   Heinz Blumensath

ERSTER TEIL

Strukturale Mythen- und Folkloreforschung

Die Folklore als eine besondere Form des Schaffens

P. BOGATYREV UND R. JAKOBSON

Die für die theoretische Denkweise der zweiten Hälfte des 19. Jahrhunderts besonders charakteristische, naiv-realistische Deviation ist von den neueren Richtungen des wissenschaftlichen Denkens bereits überwunden worden. Allein im Bereiche derjenigen humanistischen Disziplinen, deren Vertreter durch das Sammeln von Material und durch spezielle konkrete Aufgaben so sehr in Anspruch genommen waren, daß sie zur Revision der philosophischen Voraussetzungen keine Neigung hatten und deshalb natürlich in ihren theoretischen Prinzipien zurückgeblieben sind, setzte sich die Expansion des naiven Realismus fort und verstärkte sich sogar des öfteren noch im Anfang unseres Jahrhunderts.

Mag die philosophische Weltanschauung des naiven Realismus den modernen Forschern (wenigstens dort, wo sie nicht zu einem Katechismus, zu einem unumstößlichen Dogma geworden ist) vollkommen fremd sein, nichtsdestoweniger lebt eine ganze Reihe von Formulierungen, die eine unmittelbare Folgerung der philosophischen Voraussetzungen der Wissenschaft in der zweiten Hälfte des 19. Jahrhunderts darstellen, auf verschiedenen Gebieten der Kulturwissenschaft als durchgeschmuggelter Ballast, als die Entwicklung der Wissenschaft hemmendes Überbleibsel fort.

Ein typisches Produkt des naiven Realismus war die weitverbreitete These der Junggrammatiker, daß die individuelle Sprache einzig und allein die reale Sprache sei. Epigrammatisch zugespitzt besagt diese These, daß letzten Endes nur die Sprache einer bestimmten Person zu einem bestimmten Zeitpunkt eine wirkliche Realität darstellt, während alles übrige nur eine theoretisch-wissenschaftliche Abstraktion sei. Nichts ist aber den modernen Bestrebungen der Sprachwissenschaft in einem solchen Grade fremd wie gerade diese These, die zu einem der Grundpfeiler der Junggrammatik wurde.

Neben dem individuellen, partikulären Sprechakt – nach der Terminologie von F. de Saussure *parole* – kennt die moderne Sprachwissenschaft noch die *langue*, d. h. »eine Gesamtheit von Konventionen, die von einer bestimmten Gemeinschaft angenommen wurden, um das Verstehen der Parole zu sichern«. In dieses traditionelle, außerpersönliche System kann der eine oder der andere Sprechende persönliche Änderungen hineintragen, die aber nur als individuelle Abweichungen von der langue und nur mit Rücksicht auf die letztere interpretiert werden können. Sie werden zu Tatsachen der langue, nachdem die Gemeinschaft, der Träger der gegebenen langue, sie sanktioniert und sie als allgemeingültig angenommen hat. Darin besteht der Unterschied zwischen den Sprachveränderungen einerseits und den individuellen Sprechfehlern (lapsus), den Produkten der individuellen Laune, des

Aus: *Donum Natalicium Schrijnen*, Utrecht 1929, S. 900–913. Abdruck mit der freundlichen Genehmigung des Autors.

starken Affektes oder der ästhetischen Triebe des sprechenden Individuums andrerseits.

Kommen wir zur Frage über die »Empfängnis« dieser oder jener sprachlichen Neuerung, so können wir solche Fälle annehmen, wo die Sprachveränderungen infolge einer Art Sozialisierung, Verallgemeinerung der individuellen Sprechfehler (lapsus), der individuellen Affekte oder ästhetischen Deformationen der Rede stattfinden. Aber auch auf eine andere Weise können Sprachveränderungen entstehen, und zwar so, daß sie als eine unvermeidliche, gesetzmäßige Folge bereits vorangegangener Veränderungen der Sprache auftreten und unmittelbar in der langue verwirklicht werden (die Nomogenesis der Biologen). Wie auch immer die Bedingungen einer sprachlichen Veränderung geartet sein mögen, wir können von einer »Geburt« der sprachlichen Neuerung als solcher erst von dem Augenblick an reden, wo sie als eine soziale Tatsache besteht, d. h. wo die Sprachgemeinschaft sie sich angeeignet hat.

Wenn wir nun vom Gebiete der Sprachwissenschaft zu dem der Folklore übergehen, so stoßen wir hier auf parallele Erscheinungen. Die Existenz eines Folkloregebildes als solches beginnt erst, nachdem es von einer bestimmten Gemeinschaft angenommen wurde, und es existiert von ihm nur das, was sich diese Gemeinschaft angeeignet hat.

Nehmen wir an, ein Mitglied einer Gemeinschaft hätte etwas Individuelles gedichtet. Sollte dies mündliche, von diesem Individuum geschaffene Werk aus einem oder anderen Grunde für die Gemeinschaft unannehmbar sein, sollten die übrigen Mitglieder der Gemeinschaft es sich nicht aneignen, so ist es zum Untergang verurteilt. Nur die zufällige Aufzeichnung eines Sammlers kann es retten, indem er es aus der Sphäre der mündlichen Dichtung in die der schriftlichen Literatur überträgt.

Der französische Dichter der sechziger Jahre des vorigen Jahrhunderts, Comte de Lautréamont, bietet ein typisches Beispiel der sogenannten poètes maudits, d. h. der von den Zeitgenossen abgelehnten und totgeschwiegenen, nicht anerkannten Dichter. Er gab ein Büchlein heraus, das aber keiner Beachtung gewürdigt wurde und keine Verbreitung fand, wie auch seine übrigen Werke, die ungedruckt geblieben sind. Im Alter von 24 Jahren ereilte ihn der Tod. Es vergehen Jahrzehnte. In der Literatur kommt die sogenannte surrealistische Bewegung auf, die mit der Poesie von Lautréamont in mancher Beziehung gleichklingend ist. Lautréamont wird rehabilitiert: seine Werke werden herausgegeben, er wird als Meister gefeiert und gewinnt Einfluß. Was wäre aber mit Lautréamont geschehen, wenn er nur der Verfasser von Werken mündlicher Dichtung gewesen wäre? Seine Werke wären mit seinem Tode spurlos verschwunden.

Wir haben hier den äußersten Fall angeführt, wo ganze Werke abgelehnt wurden. Es können aber nur einzelne Züge, formelle Besonderheiten, einzelne Motive von den Zeitgenossen abgelehnt oder nicht angenommen werden. Das Milieu stutzt sich in diesen Fällen das geschaffene Werk zurecht und wiederum alles vom Milieu Zurückgewiesene existiert als Tatsache der Folklore einfach nicht, es wird außer Gebrauch gesetzt und stirbt ab.

Eine Heldin von Gontscharow sucht, bevor sie einen Roman liest, die Lösung des Knotens desselben zu erfahren. Nehmen wir an, daß zu einer bestimmten Zeit der Massenleser ebenfalls so verfährt. Er kann auch z. B. beim Lesen eines Werkes alle Naturschilderungen, die er als hemmenden, langweiligen Ballast empfindet, auslassen. Wie auch immer ein Roman durch den Leser entstellt sein konnte, wie auch immer es durch seine Komposition den Forderungen der jeweiligen Literaturschule widersprechen und in welch immer lückenhafter Gestalt es von denselben wahrgenommen werden würde, führt er dennoch seine potenzielle Existenz in intakter Form weiter fort; es wird eine neue Zeit kommen, die eventuell die einst abgelehnten Züge rehabilitieren wird. Wollen wir aber diese Tatsachen in die Sphäre der Folklore übertragen: nehmen wir an, die Gemeinschaft verlangt, daß die Lösung des Knotens im voraus bekanntgegeben wird, und wir sehen, jede durch dieses Milieu gehende, folkloristische Erzählung eignet sich unvermeidlich die Komposition von der Art an, wie sie uns in Tolstois Erzählung *Der Tod des Iwan Iljitsch* entgegentritt, wo die Lösung des Knotens der Erzählung vorangeht. Wenn der Gemeinschaft die Naturschilderungen mißfallen, werden sie in dem folkloristischen Repertoire gestrichen usw. Mit einem Worte, in der Folklore erhalten sich nur diejenigen Formen, die sich für die gegebene Gemeinschaft funktionell bewähren. Dabei kann die eine Funktion der Form selbstverständlich durch eine andere abgelöst werden. Sobald aber eine Form funktionslos wird, stirbt sie in der Folklore ab, während sie in einem Literaturwerke ihre potentielle Existenz bewahrt.

Noch ein literarhistorisches Beispiel: die sogenannten »ewigen Gefährten«, die Schriftsteller, die im Laufe der Jahrhunderte von verschiedenen Richtungen verschieden interpretiert werden, von jeder nach ihrer Art und in einer neuen Weise. Manche Besonderheiten dieser Schriftsteller, die den Zeitgenossen fremd, unbegreiflich, unnötig unerwünscht gewesen sind, erhalten in der späteren Zeit einen hohen Wert, werden plötzlich aktuell, d. h. sie werden zu produktiven Faktoren der Literatur. Auch dieses ist nur auf dem Gebiete der Literatur möglich. Was wäre z. B. in der mündlichen Dichtung mit dem kühnen und »unzeitgemäßen« sprachlichen Schaffen Leskows geschehen, das erst nach mehreren Jahrzehnten zum produktiven Faktor – in der literarischen Tätigkeit Remizows und der nachfolgenden russischen Prosaiker – geworden ist? Das Leskowsche Milieu hätte seine Werke von seiner bizarren Stilistik gereinigt. Mit einem Worte, schon der Begriff der literarischen Überlieferung an sich unterscheidet sich tiefgehend von dem der folkloristischen. Im Bereiche der Folklore ist die Möglichkeit der Reaktualisation der poetischen Tatsachen bedeutend geringer. Sind die Träger einer bestimmten dichterischen Tradition ausgestorben, so kann diese nicht mehr belebt werden, während in der Literatur Erscheinungen von hundertjährigem, ja sogar mehrhundertjährigem Alter neu erstehen und wieder produktiv werden![1]

Aus dem oben Gesagten geht deutlich hervor, daß die Existenz eines Folklorewerkes eine es aufnehmende und sanktionierende Gruppe zur Voraussetzung haben muß. Bei der Untersuchung der Folklore muß man stets als Grundbegriff – die *Präventivzensur der Gemeinschaft* im Auge behalten. Wir gebrauchen bewußt den Ausdruck »Präventiv«, denn bei der Betrachtung einer folkloristischen Tatsache handelt es sich nicht um die der Geburt vorausgehenden Momente ihrer Biographie, nicht um die »Empfängnis«, nicht um das embryonale Leben, sondern um die »Geburt« der folkloristischen Tatsache als solcher und um ihr weiteres Schicksal.

Die Folkloreforscher, insbesondere die slavischen, die vielleicht über das lebendigste und reichhaltigste Folklorematerial Europas verfügen, vertreten öfters die These, daß zwischen der mündlichen Dichtung und der Literatur kein prinzipieller Unterschied besteht, und daß wir in dem einen wie in dem anderen Falle mit unzweifelhaften Produkten des individuellen Schaffens zu tun haben. Diese These verdankt ihre Entstehung gerade der Suggestion des naiven Realismus: das kollektive Schaffen ist uns in keiner anschaulichen Erfahrung gegeben, deshalb sei es notwendig, einen individuellen Schöpfer, einen Initiator, anzunehmen. Ein typischer Junggrammatiker sowohl in der Sprachwissenschaft als auch in der Folkloristik, Vsevolod Miller, äußert sich in bezug auf die Folklore-Sujets folgendermaßen: »Von wem sind sie erdacht worden? Durch das kollektive Schaffen der Masse? Allein dies ist wiederum eine Fiktion, da die menschliche Erfahrung niemals ein solches Schaffen beobachtet hat.« Hier kommt unzweifelhaft der Einfluß unserer alltäglichen Umgebung zum Ausdruck. Nicht das mündliche Schaffen, sondern das Schrifttum ist für uns die geläufige und am meisten bekannte Form des Schaffens und so werden die gewohnten Vorstellungen egozentrisch auch ins Gebiet der Folklore projiziert. So gilt als die Geburtsstunde eines Literaturwerkes der Augenblick seiner Festlegung auf dem Papier durch seinen Verfasser, und nach Analogie wird auch der Augenblick, in dem das mündliche Werk zum ersten Male objiziert, d. h. vom Verfasser vorgetragen wird, als seine Geburtsstunde interpretiert, während in Wirklichkeit das Werk zu einer Tatsache der Folklore erst im Augenblick seiner Annahme durch die Gemeinschaft wird.

Die Anhänger der These vom individuellen Charakter des folkloristischen Schaffens sind geneigt, an Stelle des Kollektivbegriffes den Anonymbegriff zu setzen. So wird z. B. in einem bekannten Handbuch der russischen mündlichen Dichtung folgendes gesagt: »Es ist klar, daß, wenn uns auch bei einem rituellen Liede unbekannt ist, wer der Schöpfer des Ritus gewesen ist, wer das erste Lied komponiert hat, dies dennoch nicht dem individuellen Schaffen widerspricht, sondern nur dafür zeugt, daß der Ritus so alt ist, daß wir weder den Verfasser noch die Umstände der Entstehung des ältesten mit dem Ritus aufs engste verbundenen Liedes feststellen können, und weiter dafür, daß es in einem Milieu entstanden ist, wo die Persönlichkeit des Verfassers kein Interesse erweckt hatte, weshalb auch die Erinnerung an sie sich nicht erhalten hat. Auf diese Weise hat die Idee vom ›kollektiven‹ Schaffen hier nichts zu suchen.« (M. Speranskij). Hier ist nicht berücksichtigt worden, daß es einen Ritus ohne Sanktion durch die Gemeinschaft nicht geben kann, daß dies eine contradictio in adiecto ist und daß, wenn auch im Keime dieses oder jenes Ritus eine individuelle Äußerung lag, der Weg von dieser bis zum Ritus ebenso weit ist, wie der Weg von der individuellen Deformation der Rede bis zur grammatikalischen Sprachmutation.

Das über die Entstehung des Ritus (bzw. eines Werkes der mündlichen Dichtung) Gesagte kann auch in bezug auf die Evolution des Ritus (bzw. der folkloristischen Evolution überhaupt) angewandt werden. Die von der Linguistik gebrauchte Unterscheidung zwischen der Veränderung der Sprachnorm und der individuellen Abweichung von derselben, eine Unterscheidung, die nicht nur quantitative, sondern auch prinzipielle, qualitative Bedeutung hat, ist der Folkloristik noch fast völlig fremd.

Eines der wesentlichen Unterschiedsmerkmale zwischen der Folklore und der Literatur ist schon der Begriff des Seins eines Kunstwerkes.

In der Folklore ist das Verhältnis zwischen dem Kunstwerk einerseits und seiner Objektivierung, d. h. den sogenannten Varianten dieses Werkes beim Vortragen durch verschiedene Personen andererseits vollkommen analog dem Verhältnis zwischen der langue und der parole. Gleich der langue ist das Folklorewerk außerpersönlich und führt nur eine potentielle Existenz, es ist nur ein Komplex bestimmter Normen und Impulse, ein Canevas aktueller Tradition, die die Vortragenden durch die Verzierungen des individuellen Schaffens beleben, gleich wie es die Erzeuger der Parole gegenüber der Langue tun[2]. Inwiefern diese individuellen Neuerungen in der Sprache (bzw. in der Folklore) den Forderungen der Gemeinschaft entsprechen und die gesetzmäßige Evolution der langue (resp. der Folklore) antizipieren, insofern werden sie sozialisiert und bilden Tatsachen der Langue (resp. Elemente des Folklorewerkes).

Das Literaturwerk ist objektiviert, es existiert konkret, unabhängig von dem Leser und jeder nachfolgende Leser wendet sich unmittelbar an das Werk. Es ist dies nicht der Weg des Folklorewerkes vom Vortragenden zum Vortragenden, sondern ein Weg vom Werke zum Vortragenden. Die Interpretation der vorangegangenen Vortragenden kann zwar berücksichtigt werden, sie ist aber nur eine von den Ingredienzen der Aufnahme des Werkes und keineswegs die einzige Quelle wie in der Folklore. Die Rolle eines Vortragenden der Folklorewerke darf in keiner Weise weder mit der des Lesers noch mit der des Rezitators der Literaturwerke, auch nicht mit der des Verfassers derselben identifiziert werden. Vom Standpunkt des Vortragenden eines Folklorewerkes aus betrachtet, stellen diese Werke eine Tatsache der Langue, d. h. eine außerpersönliche, bereits unabhängig von diesem Vortragenden gegebene, wenn auch Deformation und Einführung neuen dichterischen und alltäglichen Stoffes zulassende Tatsache dar. Für den Verfasser eines Literaturwerkes erscheint ein solches als Tatsache der Parole; es ist nicht a priori gegeben, sondern unterliegt einer individuellen Verwirklichung. Gegeben ist nur ein Komplex der augenblicklich wirksamen Kunstwerke, auf deren Hintergrunde, d. h. auf dem Hintergrunde ihres formellen Requisites, das neue Kunstwerk (indem es die einen von diesen Formen sich aneignet, die anderen umgestaltet und die dritten verwirft) geschaffen und wahrgenommen werden soll.

Ein wesentlicher Unterschied zwischen der Folklore und der Literatur besteht darin, daß für die erstere die Einstellung auf die langue, für die letztere die auf die parole spezifisch ist. Nach der richtigen Charakteristik der Sphäre der Folklore durch

Potebna hat hier der Dichter selbst keinen Grund, sein Werk als das seine, die Werke anderer Dichter desselben Kreises, als fremde anzusehen. Die Rolle der von der Gemeinschaft ausgeübten Zensur ist, wie bereits oben bemerkt wurde, in der Literatur und in der Folklore verschieden. In der letzteren ist die Zensur imperativ und bildet eine unumgängliche Voraussetzung für die Entstehung von Kunstwerten. Der Schriftsteller nimmt mehr oder weniger auf die Forderungen des Milieus Rücksicht, allein, möchte er wie auch immer sich an dasselbe anpassen, es fehlt hier die unzertrennbare Verschmelzung der Zensur und des Werkes, die für die Folklore charakteristisch ist. Ein Literaturwerk ist durch die Zensur nicht im voraus bestimmt, kann nicht aus ihr völlig abgeleitet werden, es ahnt nur annähernd – teils richtig, teils unrichtig – ihre Forderungen; manche Bedürfnisse der Gemeinschaft werden von ihm überhaupt nicht berücksichtigt.

Auf dem Gebiete der Nationalökonomie bietet eine nahe Parallele zum Verhältnis der Literatur zum Konsumenten die sogenannte »Produktion auf Absatz«, während die Folklore der »Produktion auf Bestellung« näher steht.

Das Mißverhältnis zwischen den Forderungen des Milieus und einem Literaturwerke kann die Folge eines Fehlers, aber auch einer bewußten Intention des Verfassers sein, der die Absicht hat, die Forderungen des Milieus umzugestalten und dieses literarisch neu zu erziehen. Solch ein Versuch des Verfassers, die Nachfrage zu beeinflussen, kann auch erfolglos bleiben. Die Zensur gibt nicht nach, zwischen ihren Normen und dem Werke entsteht eine Antinomie. Man ist geneigt, die »Verfasser der Folklore« nach dem Vorbild und der Ähnlichkeit mit einem »Literaturdichter« sich vorzustellen, allein diese Transponierung ist unzutreffend. Im Gegensatz zum »Literaturdichter« schafft der »Folkloredichter« – nach der trefflichen Bemerkung von Aničkow – »kein neues Milieu«, ihm ist jede Intention zur Umbildung des Milieus völlig fremd: die absolute Herrschaft der Präventivzensur, die jeden Konflikt des Werkes mit der Zensur fruchtlos macht, schafft einen besonderen Typ von Teilnehmern am dichterischen Schaffen und zwingt die Persönlichkeit, auf jeden auf die Überwältigung der Zensur gerichteten Anschlags zu verzichten.

In der Deutung der Folklore als einer Äußerung des individuellen Schaffens hatte die Tendenz zur Aufhebung der Grenze zwischen der Geschichte der Literatur und der der Folklore ihren Höhepunkt erreicht. Wir glauben aber, wie aus dem oben Gesagten hervorgeht, daß diese These einer ernsten Revision unterzogen werden muß. Soll diese Revision eine Rehabilitierung der romantischen Konzeption, die von den Vertretern der erwähnten Doktrin so scharf angegriffen wurde, bedeuten? Ohne Zweifel. In der von den romantischen Theoretikern gegebenen Charakteristik des Unterschiedes zwischen der mündlichen Dichtung und der Literatur war eine Reihe richtiger Gedanken enthalten, und die Romantiker hatten Recht, insofern sie den Rudelcharakter des mündlich-dichterischen Schaffens unterstrichen und es mit der Sprache verglichen. Neben diesen richtigen Thesen gab es in der romantischen Konzeption aber auch eine Reihe von Behauptungen, die der zeitgenössischen, wissenschaftlichen Kritik nicht mehr gewachsen sind.

Zunächst überschätzten die Romantiker die genetische Selbständigkeit und die

Urwüchsigkeit der Folklore; erst die Arbeiten der nachfolgenden Generationen von Gelehrten zeigten, welche ungeheure Rolle in der Folklore die Erscheinung spielt, die in der modernen deutschen Volkskunde als »gesunkenes Kulturgut« bezeichnet wird. Es kann vielleicht den Anschein erwecken, daß durch die Anerkennung der bedeutenden, ja sogar manchmal direkt ausschließlichen Stelle, die dieses »gesunkene Kulturgut« in dem Volksrepertoire einnimmt, die Rolle des kollektiven Schaffens in der Folklore wesentlich eingeschränkt wird. Es ist dies aber nicht so. Die Kunstwerte, die durch die Volksdichtung von den höheren sozialen Schichten entlehnt werden, können an und für sich typische Erzeugnisse einer persönlichen Initiative und eines individuellen Schaffens sein. Allein die Frage nach den Quellen des Folklorewerkes liegt selbst schon ihrem Wesen nach außerhalb der Grenzen der Folkloristik. Jede Frage nach heterogenen Quellen wird nur in dem Falle zu einem der wissenschaftlichen Interpretation zugänglichen Problem, wenn sie vom Standpunkte des Systems, in das sie einverleibt wurden, d. h. in diesem Falle, vom Standpunkte der Folklore aus, betrachtet werden. Für die Folklorewissenschaft ist wesentlich nicht das außerhalb der Folklore liegende Entstehen und Sein der Quellen, sondern die Funktion des Entlehnens, die Auswahl und die Transformation des entlehnten Stoffes. Von diesem Standpunkte aus verliert die bekannte These »das Volk produziert nicht, es reproduziert« ihre Schärfe, da wir nicht berechtigt sind, eine unüberwindliche Grenze zwischen der Produktion und der Reproduktion zu ziehen und letztere als gewissermaßen minderwertig zu deuten. Reproduktion bedeutet keine passive Übernahme, und in diesem Sinne besteht zwischen Molière, der die altertümlichen Schauspiele umgestaltet hat, und dem Volke, das, um den Ausdruck Naumanns zu gebrauchen, »ein Kunstlied zersingt«, kein prinzipieller Unterschied. Die Umbildung eines, zur sogenannten monumentalen Kunst gehörenden Werkes in das sogenannte Primitiv ist ebenfalls ein Akt des Schaffens. Das Schaffen äußert sich hier sowohl in der Auswahl der übernommenen Werke als auch in ihrer Zurechtlegung für andere Gewohnheiten und Forderungen. Die feststehenden Literaturformen werden nach ihrer Übertragung in die Folklore zum Stoff, der der Transformation unterliegt. Auf dem Hintergrunde einer anderen poetischen Umgebung, einer anderen Tradition und eines anderen Verhältnisses zu den Kunstwerten wird das Werk auf neue Weise interpretiert und selbst dasjenige formelle Requisit, das auf den ersten Blick bei der Entlehnung erhalten zu sein scheint, darf nicht identifiziert werden: in diesen Kunstformen findet, nach dem Ausdruck des russischen Literaturforschers Tynjanow, eine Umschaltung der Funktionen statt. Vom funktionellen Standpunkt aus, ohne den das Verstehen der Kunsttatsachen unmöglich ist, sind das Kunstwerk außerhalb der Folklore und dasselbe, von der Folklore adoptierte Kunstwerk, zwei wesentlich verschiedene Tatsachen.

Die Geschichte des Puschkin-Gedichtes *Der Husar* bietet ein charakteristisches Beispiel dafür, wie die Kunstformen, die aus der Folklore in die Literatur und umgekehrt, aus der Literatur in die Folklore gelangen, ihre Funktion ändern[3]. Die typische, folkloristische Erzählung über die Begegnung eines einfachen Menschen mit der Welt des Jenseits (wobei der Schwerpunkt der Erzählung auf der Beschreibung der Teufelei liegt), ist von Puschkin unter Psychologisierung der handelndeń Personen und psychologischer Motivierung ihrer Handlungen zu einer Reihe von Genrebildern umgestaltet worden. Sowohl der Hauptheld – der Husar – als auch der Volksaberglaube sind von Puschkin mit humoristischer Färbung dargestellt. Das von Puschkin benutzte Märchen ist volkstümlich, in der Umgestaltung des Dichters dagegen ist die Volkstümlichkeit ein Kunstgriff, – sie wird sozusagen signalisiert. Die ungekünstelte Sprechform des Volkserzählers ist für Puschkin ein pikantes Material für eine versmäßige Gestaltung. Puschkins Gedicht kehrte in die Folklore zurück und wurde in einige Varianten des populärsten Bühnenstückes des russischen Volkstheaters »Zar Maximilian« aufgenommen. Es dient hier neben anderen Entlehnungen aus der Literatur zur Amplifikation der Einlageepisode, es gehört zu den Nummern des bunten Divertisments, das vom Helden dieser Episode, dem Husaren, vorgetragen wird. Die verwegene Prahlerei des Husaren entspricht ebenso dem Geiste der Gaukler-Ästhetik wie die humorvolle Darstellung des Teufelspuks. Selbstverständlich hat aber der zu der romantischen Ironie gravitierende Humor von Puschkin wenig gemeinsam mit der Gauklerposse des Zaren Maximilian, die dieses Gedicht sich assimiliert hat. Selbst in den Varianten, in denen Puschkins Gedicht verhältnismäßig wenig verändert wurde, wird es von dem, in der Folklore erzogenen Publikum, besonders beim Vortrag durch die Volksschauspieler und auf dem Hintergrunde der es umgebenden Nummern, sehr eigenartig interpretiert. In den anderen Varianten wird dieser Funktionenwechsel unmittelbar in der Form verwirklicht: der dem Gedichte von Puschkin eigentümliche, dialogische Sprechstil wird leicht in einen folkloristischen Sprechvers umgewandelt und von dem Gedichte selbst bleibt nur das von den Motivierungen entblößte Sujetschema übrig, an das eine Reihe von typischen Gauklerwitzen und Wortspielen aufgereiht ist.

Mögen die Literatur und die mündliche Dichtung in ihren Schicksalen miteinander verflochten sein, möge ihre gegenseitige Beeinflussung alltäglich und intensiv gewesen sein, möge die Folklore noch so oft mit dem Literaturstoff und umgekehrt, die Literatur mit dem Folklorestoff zu tun gehabt haben, wir sind trotz alledem nicht berechtigt, die prinzipielle Grenze zwischen der mündlichen Dichtung und der Literatur zugunsten der Genealogie zu verwischen.

Ein anderer bedeutender Fehler der romantischen Charakteristik der Folklore war neben der Behauptung von der Urwüchsigkeit die These, daß nur ein, in keine Klassen gegliedertes Volk eine Art Kollektivpersönlichkeit mit einer Seele, einer Weltanschauung, eine Gemeinschaft, die keine individuellen Äußerungen der menschlichen Tätigkeit kennt, der Verfasser der Folklore, das Subjekt des kollektiven Schaffens sein könne. Dieser unzertrennbaren Verknüpfung des kollektiven Schaffens mit einer »primitiven Kulturgemeinschaft« begegnen wir in unseren Tagen bei Naumann und seiner Schule, die sich in einer Reihe von Punkten mit den Romantikern berühren. »Einen Individualismus gibt es hier noch nicht. Man darf sich nicht scheuen, die Vergleiche aus dem Tierreich zu holen: es bietet in der Tat die nächsten Parallelen ... Echte Volkskunst ist Gemeinschaftskunst, aber nicht anders als Schwalbennester, Bienenzellen, Schneckenhäuser Erzeugnisse echter Gemeinschaftskunst sind.«⁴ »Von einer Bewegung werden sie alle ergriffen«, schreibt ferner Naumann über die Träger der Gemeinschaftskultur, »von den gleichen Absichten und Gedanken sind sie alle beseelt«.⁵ In dieser Konzeption steckt eine Gefahr, die einer jeden geradlinigen Schlußfolgerung von einer sozialen Äußerung zur Mentalität, z. B. von den Sprachformen zu denen des Denkens (wo die Gefahr einer ähnlichen Identifizierung durch Anton Marli trefflich aufgedeckt wurde) eigen ist. Dasselbe haben wir in der Ethnographie: die unbeschränkte Herrschaft der kollektivistischen Mentalität ist durchaus nicht eine unumgängliche Voraussetzung des kollektiven Schaffens, wenn auch eine solche Mentalität einen besonders günstigen Boden für die vollkommenste Verwirklichung des kollektiven Schaffens abgibt. Auch einer vom Individualismus durchsetzten Kultur ist das kollektive Schaffen durchaus nicht fremd. Es genügt nur, an die in den heutigen gebildeten Kreisen verbreiteten Anekdoten, an die legendenartigen Gerüchte und Klatschereien, an den Aberglauben und Mythenbildung, an die Umgangssitten und an die Mode zu denken. Andererseits können auch die russischen Ethnographen, die die Dörfer des Moskauer Gouvernements erforscht haben, vieles von der Verbindung eines reichen und lebendigen Folklorerepertoires mit einer mannigfaltigen sozialen, wirtschaftlichen, ideologischen, ja sogar sittlichen Differenzierung des Bauerntums berichten.

Das Bestehen einer mündlichen Dichtung (bzw. Literatur) läßt sich nicht nur psychologisch, sondern auch in bedeutendem Grade funktionell erklären. Vergleichen wir z. B. das Nebeneinanderbestehen der mündlichen Dichtung und der Literatur in denselben russischen gebildeten Kreisen im 16. und 17. Jahrhundert: die Literatur erfüllte hier die einen Kulturaufgaben, die mündliche Dichtung die anderen. In den städtischen Verhältnissen gewinnt natürlich die Literatur über die Folklore, die Produktion auf Absatz über diejenige auf Bestellung, die Oberhand; dem *konservativen* Dorfe aber ist die individuelle Dichtung als soziale Tatsache ebenso fremd wie die Produktion auf Absatz.

Die Annahme der These von der Folklore als einer Äußerung des kollektiven Schaffens stellt die Folkloristik vor eine Reihe konkreter Aufgaben. Ohne Zweifel hat die Übertragung der bei der Bearbeitung des literarhistorischen Stoffes gewonnenen Methoden und Begriffe auf das Gebiet der Folkloristik des öfteren die Analyse der Folklorekunstformen beeinträchtigt. Insbesondere wurde der bedeutende Unterschied zwischen einem Literaturtext und einer Aufzeichnung eines Folklorewerkes unterschätzt, die schon an und für sich dieses Werk unvermeidlich deformiert und es in eine andere Kategorie transponiert.

Es wäre eine Äquivokation, wollte man von den identischen Formen in bezug auf die Folklore und die Literatur sprechen. So unterscheidet sich z. B. der Vers, ein Begriff, der auf den ersten Blick die gleiche Bedeutung sowohl in der Literatur als auch in der Folklore zu haben scheint, in Wirklichkeit tiefgehend in funktioneller Beziehung. Der feinfühlige Erforscher des mündlichen, rhythmischen Stiles (style oral rythmique), Marcel Jousse, hält diesen Unterschied für so bedeutend, daß er die Begriffe »Vers« und »Poesie« nur für die Literatur reserviert, während er in bezug auf das mündliche Schaffen die entsprechenden Bezeichnungen »rhythmisches Schema« und »mündlicher Stil« anwendet, um das Hineinlesen des gewohnten literarischen Inhaltes in diese Begriffe zu vermeiden. Er deckt meisterhaft die mnemotechnische Funktion dieser »rhythmischen Schemen« auf. Den mündlichen rhythmischen Stil in einem »milieu des récitateurs encore spontanés« interpretiert Jousse folgendermaßen: »Stellen wir uns eine Sprache mit zwei- bis dreihundert gereimten Sätzen, mit vier- bis fünfhundert Typen rhythmischer Schemen vor, die genau fixiert, ohne die Modifikationen der mündlichen Tradition überliefert sind: die persönliche Erfindung würde dann darin bestehen, unter Anwendung dieser rhythmischen Schemen als Muster nach ihrer Analogie und mit Hilfe der Satzklischees andere rhythmische Schemen von ähnlicher Form, von gleichem Rhythmus, von gleicher Struktur . . . und womöglich vom gleichen Inhalt zu bilden[6]. Hier ist das Verhältnis zwischen der Tradition und der Improvisation, zwischen langue und parole in der mündlichen Dichtung deutlich umschrieben. Der Vers, die Strophe und die noch komplizierteren Kompositionsstrukturen sind in der Folklore einerseits eine mächtige Stütze der Tradition und andrerseits (was mit dem ersteren eng verbunden ist) ein wirksames Mittel der Improvisationstechnik[7].

Die Typologie der Folklorekunstformen muß unabhängig von der der Literaturformen aufgebaut werden. Eines der aktuellsten Probleme der Sprachwissenschaft ist die Ausarbeitung der phonologischen und morphologischen Typologie. Man sieht bereits, daß es allgemeine Strukturgesetze gibt, die von den Sprachen nicht verletzt werden: es stellt sich heraus, daß die Mannigfaltigkeit der phonologischen und morphologischen Strukturen beschränkt ist und auf eine verhältnismäßig geringe Zahl von Grundtypen zurückgeführt werden kann, was dadurch bedingt ist, daß die Mannigfaltigkeit der Formen des kollektiven Schaffens begrenzt ist. Die Parole läßt eine reichere Mannigfaltigkeit der Modifikationen als die langue zu. Man kann diesen Feststellungen der vergleichenden Sprachwissenschaft einerseits die für die Literatur bezeichnende Mannigfaltigkeit der Sujets und andrerseits die beschränkte Reihe von Märchensujets in der Folklore gegenüberstellen. Diese Beschränktheit kann weder durch die Gemeinsamkeit der Quellen noch durch die der Psychik und der äußeren Umstände erklärt werden. Ähnliche Sujets entstehen aufgrund der allgemeinen Gesetze der dichterischen Komposition (These von Viktor Sklovsky), die gleich den Strukturgesetzen der Sprache gegenüber dem kollektiven Schaffen gleichförmiger und strenger sind als gegenüber dem individuellen.

Die nächste Aufgabe der synchronistischen Folkloristik ist die Charakterisierung des Systems der Kunstformen, die das aktuelle Repertoire einer bestimmten Gemeinschaft – eines Dorfes, eines Bezirkes, einer ethnischen Einheit – bilden. Dabei muß das gegenseitige Verhältnis der Formen im System, ihre Hierarchie, der Unterschied zwischen produktiven Formen und solchen, die ihre Produktivität eingebüßt haben, u. a. berücksichtigt werden. Durch das Folklorerepertoire unterscheiden sich nicht nur ethnographische und geographische Gruppen, sondern auch Gruppen, die durch das Geschlecht (männliche und weibliche Folklore), durch das Alter (Kinder, Jugend, Greise), durch den Beruf (Hirten, Fischer, Soldaten, Räuber usw.) charakterisiert werden. Soweit die genannten Berufsgruppen die Folklore für sich selbst produzieren, können diese Folklorezyklen mit den professionellen Sondersprachen verglichen werden. Allein es gibt Folklorerepertoire, die zwar einer bestimmten Berufsgruppe angehören, aber für Konsumenten, die dieser Gruppe fernstehen, bestimmt sind. Die Produktion der mündlichen Dichtung ist in diesen Fällen eines der professionellen Merkmale der Gruppe. So werden z. B. in einem großen Teil von Rußland die geistlichen Gedichte fast ausschließlich von den »Kaliki perechožie« – den wandernden Bettlern, die des öfteren in speziellen Genossenschaften organisiert sind, vorgetragen. Das Vortragen der geistlichen Gedichte ist eine der Hauptquellen ihres Erwerbes. Zwischen einem solchen Beispiel der völligen Auseinanderreißung des Produzenten vom Konsumenten und dem entgegengesetzten äußersten Falle, wo beinahe die ganze Gemeinschaft gleichzeitig Produzent und Konsument ist (Sprichwörter, Anekdoten, Schnaderhüpfel, bestimmte Gattungen von rituellen und nicht rituellen Liedern) besteht eine Reihe von Zwischentypen. Aus einem bestimmten Milieu tritt eine Gruppe begabter Personen hervor, die die Erzeugung einer bestimmten Folkloregattung (z. B. der Märchen) mehr oder weniger zu ihrem Monopol macht. Es sind dies keine Professionale und die poetische Erzeugung bildet nicht ihre Hauptbeschäftigung, eine Quelle ihres Erwerbes; es sind dies vielmehr Dilettanten, die die Poesie in den Mußestunden betreiben. Man kann hier keine vollkommene Gleichheit zwischen dem Produzenten und Konsumenten feststellen; es gibt hier aber auch keine vollkommene Scheidung. Die Grenze ist schwankend. Es gibt Leute, die mehr oder weniger Märchenerzähler und doch zugleich auch Zuhörer sind; der Erzeuger-Dilettant wird leicht zu einem Konsumenten und umgekehrt.

Das mündliche, dichterische Schaffen bleibt auch im Falle der Scheidung der Produzenten von den Konsumenten kollektiv, nur daß das Kollektiv hier spezifische Züge annimmt. Es ist dies eine Gemeinschaft der Produzenten, und die »Präventivzensur« ist hier mehr emanzipiert vom Konsumenten als bei der Identität des Erzeugers und des Konsumenten, wo die Zensur in gleichem Maße die Interessen der Produktion und des Konsums wahrnimmt.

Nur unter einer Bedingung fällt die mündliche Dichtung ihrem Wesen nach aus dem Rahmen der Folklore heraus und hört auf, kollektives Schaffen zu sein: und zwar in dem Falle, wenn eine gut zusammengestimmte Gemeinschaft von Professionalen mit einer gesicherten, professionellen Überlieferung sich gegenüber bestimmten dichterischen Erzeugnissen mit einer solchen Pietät verhält, daß sie mit allen Mitteln bestrebt ist, dieselben ohne irgendwelche Änderungen zu bewahren. Daß dies mehr oder weniger möglich ist, zeigt eine Reihe historischer Beispiele. So wurden im Laufe der Jahrhunderte durch die Priester vedische Hymnen überliefert – von Mund zu Mund »korbweise« nach der buddhistischen Terminologie. Alle Bestrebungen waren darauf gerichtet, daß diese Texte nicht entstellt werden sollten, was abgesehen von unwesentlichen Neuerungen auch erreicht wurde. Dort, wo die Rolle der Gemeinschaft allein in der Aufbewahrung eines zu einem unantastbaren Kanon erhobenen dichterischen Werkes besteht, gibt es keine schöpferische Zensur, keine Improvisation, kein kollektives Schaffen mehr.

Als Seitenstück zu den Grenzformen der mündlichen Dichtung kann man auch die der Literatur erwähnen. So sind z. B. der Tätigkeit der anonymen Autoren und der Abschreiber des Mittelalters, ohne daß sie das Gebiet der Literatur verläßt, einige Merkmale eigen, durch die sie der mündlichen Dichtung zum Teil nähergebracht wird: der Abschreiber behandelte öfters das von ihm abgeschriebene Werk als ein der Umbildung unterliegendes Material u. a. Mag es aber noch so viel Übergangserscheinungen geben, die an der Grenze zwischen dem individuellen und dem kollektiven Schaffen stehen, wir werden doch nicht dem Beispiel des berüchtigen Sophisten Folge leisten, der sich den Kopf zerbrach über die Frage, wieviel Sandkörner von einem Sandhaufen weggenommen werden müssen, damit er aufhöre, ein Haufen zu sein. Zwischen zwei beliebigen, benachbarten Kulturgebieten gibt es stets Grenz- und Übergangszonen. Dieser Umstand erlaubt uns noch nicht, das Bestehen zweier verschiedener Typen und die Produktivität ihrer Trennung zu verneinen.

Wenn seinerzeit die Annäherung der Folkloristik an die Literaturgeschichte es erlaubt hatte, eine Reihe von Fragen genetischen Charakters aufzuklären, so wird die Trennung beider Disziplinen und die Wiederherstellung der Autonomie der Folkloristik es voraussichtlich erleichtern, die Funktionen der Folklore zu erläutern und ihre Strukturprinzipien und Besonderheiten aufzudecken.

ANMERKUNGEN

1. Wir wollen nebenbei bemerken, daß nicht nur die Überlieferung, sondern auch das gleichzeitige Bestehen von Stilarten als verschiedener Zielbestrebungen in einem Milieu in der Sphäre der Folklore viel beschränkter ist, d. h. der Mannigfaltigkeit von Stilarten in der Folklore entspricht meistenteils die Mannigfaltigkeit der Gattungen.

2. Man muß sich vor Augen halten, – bemerkt Murko – daß die Sänger nicht nach unserer Weise einen feststehenden Text deklamieren, sondern bis zu einem gewissen Grade immer von neuem schaffen.

3. Vgl. P. Bogatyrev, *Puschkins Gedicht »Der Husar«, seine Quellen und sein Einfluß auf die Volkspoesie (Očerki po poetike Puškina*, Berlin, 1923).

4. H. Naumann: *Primitive Gemeinschaftskultur*, S. 190.

5. Ibidem, S. 151.

6. *Etudes de Psychologie Linguistique*, Paris, 1925.

7. Anregende Hinweise auf die spezifischen Besonderheiten dieser Improvisationstechnik gibt G. Gesemann in seiner Untersuchung: Kompositionsschema und heroisch-epische Stilisierung, *Studien zur südslavischen Volksepik*, Reichenberg, 1926.

Die Struktur der Mythen

CLAUDE LÉVI-STRAUSS

»Man möchte sagen, daß die mythologischen Welten, kaum erst geschaffen, dazu bestimmt sind, zerstört zu werden, damit aus ihren Trümmern neue Welten entstehen.«
Franz Boas, Einleitung zu: James Teit, Traditions of the Thompson River Indians of British Columbia, *Memoirs of the American Folklore Society*, VI (1898), S. 18.

Seit etwa zwanzig Jahren scheint die Anthropologie trotz einiger verstreuter Versuche zunehmend mehr die Erforschung religiöser Zusammenhänge aufgegeben zu haben. Amateure verschiedenen Herkommens haben sich dies zunutze gemacht, um in das Gebiet der Religionsethnologie einzudringen. Sie tummeln sich jetzt auf dem Gelände, das wir haben brachliegen lassen, und ihre Ausschweifung gesellt sich zu unserer Enthaltsamkeit und stellt die Zukunft unserer Arbeiten in Frage.

Wie ist diese Situation entstanden? Die Begründer der Religionsethnologie, Tylor, Frazer und Durkheim, waren immer für psychologische Probleme aufgeschlossen; da sie aber selbst keine Fachpsychologen waren, konnten sie mit der raschen Entwicklung der psychologischen Forschung nicht Schritt halten und sie schon gar nicht voraussehen. Ihre Interpretationen waren ebenso schnell veraltet wie die von ihnen eingeführten psychologischen Postulate. Wir wollen ihnen indessen das Verdienst zuschreiben, begriffen zu haben, daß die Probleme der Religionsethnologie mit einer Bewußtseinspsychologie zusammenhängen. Man kann mit Hocart – der diese Feststellung schon am Anfang eines kürzlich veröffentlichten nachgelassenen Werkes traf – beklagen, daß die moderne Psychologie sich allzu wenig für die Bewußtseinsphänomene interessiert und das Studium des Gefühlslebens vorzieht: »Zu den Mängeln, die der psychologischen Schule anhaften, kam noch der Irrtum zu glauben, aus konfusen Emotionen könnten klare Ideen entstehen.«[1] Man hätte den Rahmen unserer Logik erweitern müssen, um darin Denkprozesse unterzubringen, die von den unseren anscheinend verschieden, aber genau so bewußt sind. Statt dessen hat man versucht, sie auf formlose und unaussprechliche Gefühle zurückzuführen. Diese unter dem Namen Religionsphänomenologie bekannte Methode hat sich allzuoft als unfruchtbar erwiesen.

An dieser Situation leidet von allen Bereichen der Religionsethnologie am meisten die Mythologie. Zwar kann man auf die hervorragenden Arbeiten von G. Dumézil und H. Grégoire hinweisen. Aber sie gehören eigentlich nicht zur Ethnologie. Wie vor fünfzig Jahren gefällt sich diese weiterhin im Chaotischen. Man frischt immer

Nach dem Originalartikel: The Struktural Study of Myth, A Symposium, *Journal of American Folklore*, Bd. 78, Nr. 270, 1955, S. 428–444. Abdruck der Übersetzung mit Erlaubnis des Suhrkamp-Verlages. Aus: *Strukturale Anthropologie*, Frankfurt, Suhrkamp-Verlag 1969, S. 226–254. Übersetzt mit einigen Ergänzungen und Abänderungen.

wieder die alten Interpretationen auf: Träumereien des Kollektivbewußtseins, Vergöttlichung historischer Gestalten oder umgekehrt. Wie man auch die Mythen betrachtet, sie scheinen sich immer auf ein grundloses Spiel oder eine grobschlächtige Form philosophischer Spekulation reduzieren zu lassen.

Haben wir denn zum Verständnis dessen, was ein Mythos ist, nur die Wahl zwischen Plattheit und Sophismus? Manche behaupten, jede Gesellschaft drücke in ihren Mythen Grundgefühle wie Liebe, Haß, Rache aus, die der ganzen Menschheit gemeinsam seien. Für andere wiederum stellen die Mythen Versuche dar, schwer begreifbare astronomische, meteorologische und ähnliche Phänomene zu erklären. Aber die Gesellschaften verschließen sich positiven Interpretationen nicht, selbst wenn sie falsche annehmen; warum sollten sie ihnen plötzlich so dunkle und komplizierte Denkarten vorziehen? Andererseits wollen die Psychoanalytiker und gewisse Ethnologen an die Stelle der kosmologischen und naturalistischen Interpretationen neue, der Soziologie und der Psychologie entlehnte Interpretationen setzen. Doch werden dabei die Dinge zu einfach. Daß ein mythologisches System einer bestimmten Person, sagen wir einer bösen Großmutter, einen wichtigen Platz einräumt, will man damit erklären, daß in dieser oder jener Gesellschaft die Großmütter ihren Enkeln gegenüber eine feindselige Haltung einnehmen; die Mythologie wird also als Reflex der Sozialstruktur und der sozialen Beziehungen betrachtet. Und wenn die Erfahrung der Hypothese widerspricht, wird man alsbald noch einschieben, daß das den Mythen Eigentümliche darin liege, den wirklichen, aber verdrängtenGefühlen eineAbleitung zu schaffen.Unabhängig davon,wie dieSituation in Wirklichkeit aussieht, wird eine Dialektik, die jedesmal gewinnt, das Mittel finden, die wahre Bedeutung zu erfahren.

Wir sollten allerdings erkennen, daß die Untersuchung der Mythen uns zu gegensätzlichen Feststellungen führt. In einem Mythos kann alles vorkommen; es scheint, daß die Reihenfolge der Ereignisse keiner Regel der Logik oder der Kontinuität unterworfen ist. Jedes Subjekt kann ein beliebiges Prädikat haben, jede denkbare Beziehung ist möglich. Dennoch entstehen diese anscheinend so willkürlichen Mythen mit denselben Charakterzügen und oft denselben Einzelheiten in den verschiedensten Regionen der Welt. Daher stellt sich das Problem: wenn der Inhalt des Mythos ganz zufällig ist, wie läßt sich dann verstehen, daß die Mythen von einem Ende der Welt zum anderen einander so sehr ähneln? Erst wenn man sich diese grundlegende Antinomie bewußt gemacht hat, die zum Wesen der Mythen gehört, kann man sich eine Auflösung versprechen. Tatsächlich gleicht dieser Widerspruch jenem anderen, den die ersten Philosophen, die sich für die Sprache interessierten, aufdeckten, und die Sprachwissenschaft mußte, um sich überhaupt als Wissenschaft konstituieren zu können, zuerst von dieser Hypothek befreit werden. Die antiken Philosophen redeten über die Sprache wie wir noch heute über die Mythologie. Sie konstatierten, daß in jeder Sprache gewisse Lautgruppen bestimmten Sinngehalten entsprechen, und suchten verzweifelt zu begreifen, welche innere Notwendigkeit diese *Sinngehalte* und diese *Laute* verbinden. Das Unterfangen war vergeblich, da die nämlichen Laute sich auch in anderen Sprachen fanden, dort aber mit ganz anderen

Sinngehalten verbunden waren. So wurde der Widerspruch erst behoben, als man merkte, daß die Bedeutungsfunktion der Sprache nicht direkt an die Laute selbst gebunden ist, sondern an die Art und Weise, wie die Laute miteinander kombiniert werden.

Viele neuere Theorien über die Mythologie entstanden aus einer analogen Konfusion. Nach C.G. Jung wären genaue Bedeutungen an bestimmte mythologische Themen gebunden, die er Archetypen nennt. Das heißt nach Art der Sprachphilosophen folgern, die lange Zeit überzeugt waren[2], daß die verschiedenen Laute eine natürliche Affinität zu diesem oder jenem Sinngehalt besäßen: So hätten etwa die »liquiden« Halbvokale die Funktion, an den entsprechenden Zustand der Materie zu erinnern, die offenen Vokale wären danach vorzugsweise ausgewählt, um die Namen großer, dicker, schwerer oder klingender Objekte zu bilden, und so weiter. Saussures Prinzip vom *willkürlichen Charakter der sprachlichen Zeichen* bedarf sicherlich einer Überprüfung und einer Korrektur[3]; doch sind alle Sprachforscher einmütig der Auffassung, daß es vom historischen Standpunkt aus eine unerläßliche Etappe der sprachwissenschaftlichen Reflexion war.

Es genügt nicht, den Mythologen aufzufordern, seine eigene ungewisse Situation mit der des Sprachforschers einer vorwissenschaftlichen Epoche zu vergleichen. Denn wenn wir da stehenblieben, würden wir von einer Schwierigkeit in die andere geraten. Den Mythos mit der Sprache zu vergleichen, hilft gar nichts: Der Mythos ist ein Bestandteil der Sprache; durch die Sprache ist er uns bekannt, er hängt mit der Rede zusammen.

Wollen wir uns über die spezifischen Merkmale des mythischen Denkens Rechenschaft geben, so müssen wir verifizieren, daß der Mythos gleichzeitig in der Sprache und jenseits der Sprache ist. Auch diese neue Schwierigkeit ist dem Sprachforscher nicht fremd: Umfaßt die Sprache selbst nicht verschiedene Ebenen? Saussure hat, als er zwischen Sprache und Gesprochenem unterschied, gezeigt, daß die Sprache zwei komplementäre Aspekte hat: einen strukturalen und einen statistischen; die Sprache gehört ins Gebiet einer umkehrbaren Zeit, und das Gesprochene in das einer nicht umkehrbaren. Wenn es also möglich ist, diese beiden Ebenen in der Sprache voneinander zu trennen, so besagt das nicht, daß wir nicht noch eine dritte definieren könnten.

Man hat die *Sprache* und das *Gesprochene* mit Hilfe von Zeitsystemen unterschieden, auf die sich beide beziehen. Aber auch der Mythos läßt sich durch ein Zeitsystem definieren, das die Eigenschaften der beiden anderen kombiniert. Ein Mythos bezieht sich immer auf vergangene Ereignisse: »Vor der Erschaffung der Welt« oder »in ganz frühen Zeiten« oder jedenfalls »vor langer Zeit«. Aber der dem Mythos beigelegte innere Wert stammt daher, daß diese Ereignisse, die sich ja zu einem bestimmten Zeitpunkt abgespielt haben, gleichzeitig eine Dauerstruktur bilden. Diese bezieht sich gleichzeitig auf Vergangenheit, Gegenwart und Zukunft. Ein Vergleich mag uns helfen, diese grundlegende Doppelbedeutung genauer darzustellen. Nichts ähnelt dem mythischen Denken mehr als die politische Ideologie. In unseren heutigen Gesellschaften hat diese möglicherweise jenes nur ersetzt. Was tut aber der

Historiker, wenn er die Französische Revolution beschwört? Er bezieht sich auf eine Reihe von vergangenen Ereignissen, deren weitreichende Folgen zweifellos durch eine nicht umkehrbare Reihe von dazwischenliegenden Ereignissen hindurch noch immer spürbar sind. Aber für den Politiker und für seine Zuhörer ist die Französische Revolution eine Wirklichkeit ganz anderer Art; eine Folge von vergangenen Ereignissen, ja, aber auch ein Schema, das dauernde Wirkung besitzt, die es ermöglicht, die Sozialstruktur des heutigen Frankreich, die sich daraus ergebenden Antagonismen zu interpretieren und die Grundzüge der zukünftigen Entwicklung abzulesen. Michelet, ein politischer Denker und zugleich ein Historiker, drückt das folgendermaßen aus: »An jenem Tage war alles möglich ... Die Zukunft wurde gegenwärtig ... das heißt mehr Zeit, ein Blitz der Ewigkeit.«[4] Diese doppelte, zugleich *historische* und *ahistorische* Struktur erklärt, daß der Mythos sowohl in das Gebiet des *gesprochenen Wortes* gehört (und als solcher analysiert werden kann) wie in das der *Sprache* (in der er formuliert wird) und dabei auf einer dritten Ebene denselben Charakter eines absoluten Objekts hat. Diese dritte Ebene ist auch sprachlicher Natur, aber sie unterscheidet sich dennoch von den beiden anderen. Ich möchte mir hier eine Einfügung erlauben, um kurz die Originalität zu erläutern, die der Mythos in bezug auf alle anderen sprachlichen Phänomene zeigt. Man könnte den Mythos als jene Art der Rede umschreiben, in der der Wert der Formulierung *traduttore traditore* praktisch gegen Null strebt. In dieser Hinsicht steht der Mythos auf der Stufenleiter sprachlicher Ausdrucksweisen der Poesie genau gegenüber, was man auch gesagt haben mag, um sie einander nahezubringen. Die Poesie ist eine Form der Sprache, die nur unter großen Schwierigkeiten in eine andere Sprache übersetzt werden kann, und jede Übersetzung bringt zahlreiche Deformationen mit sich. Dagegen bleibt der Wert des Mythos als Mythos trotz der schlimmsten Übersetzung bestehen. Unsere Unkenntnis der Sprache und der Kultur der Bevölkerung, bei der man einen Mythos entdeckte, mag noch so groß sein, er wird doch von allen Lesern in der ganzen Welt als Mythos erkannt. Die Substanz des Mythos liegt weder im Stil noch in der Erzählweise oder der Syntax, sondern in der *Geschichte*, die darin erzählt wird. Der Mythos ist Sprache; aber eine Sprache, die auf einem sehr hohen Niveau arbeitet, wo der Sinn, wenn man so sagen darf, sich vom Sprachuntergrund ablöst, auf dem er anfänglich lag.

Fassen wir nun die vorläufigen Schlußfolgerungen, zu denen wir gelangt sind, zusammen. Es sind drei an der Zahl. Erstens: wenn die Mythen einen Sinn haben, kann dieser nicht an den isolierten Elementen hängen, die hier in ihrer Zusammensetzung erscheinen, sondern nur an der Art und Weise, in der diese Elemente zusammengesetzt sind. Zweitens: der Mythos gehört zur Ordnung der Sprache, bildet ihren integrierenden Teil; doch zeigt die Sprache, wie sie im Mythos angewandt wird, spezifische Eigenschaften. Drittens: diese Eigenschaften können nur *über* dem üblichen Niveau des sprachlichen Ausdrucks gesucht werden; anders gesagt, sie sind komplexer als die, die man sonst in einem sprachlichen Ausdruck findet.

Wenn man mit diesen drei Punkten einverstanden ist, sei es auch nur als Arbeitshypothesen, so ergeben sich zwei wichtige Folgerungen: erstens, der Mythos besteht wie jedes Sprachgebilde aus konstitutiven Einheiten; zweitens, diese Teileinheiten setzen das Vorhandensein solcher Einheiten voraus, die normalerweise in der Struktur der Sprache vorhanden sind, wie Phoneme, Morpheme und Semanteme. Aber sie verhalten sich zu diesen wie die letzteren zu den Morphemen und diese zu den Phonemen. Jede Form unterscheidet sich von der vorhergehenden durch einen größeren Schwierigkeitsgrad. Aus diesem Grunde nennen wir die Elemente, aus denen der Mythos letztlich besteht (und die die komplexesten von allen sind), große konstitutive Einheiten.

Wie wird man vorgehen, um diese konstitutiven Einheiten oder Mytheme zu erkennen und herauszulösen? Wir wissen, daß sie weder mit den Phonemen noch mit den Morphemen oder den Semantemen vergleichbar sind, sondern auf einem höheren Niveau liegen; sonst wäre der Mythos von einer beliebigen Form der Rede nicht zu unterscheiden. Man muß sie also auf dem Satzniveau suchen. Im vorbereitenden Stadium der Untersuchung wird man mit Annäherungswerten, Versuchen und Irrtümern arbeiten, indem man sich an die Prinzipien hält, die der Strukturanalyse aller Formen als Grundlage dienen: Sparsamkeit in der Erklärung; Einheitlichkeit der Lösung; Möglichkeit, das Ganze vom Fragment her aufzubauen und die späteren Entwicklungen aus den augenblicklichen Gegebenheiten abzuleiten.

Bisher haben wir folgende Technik angewandt: Jeder Mythos wird einzeln analysiert, indem man die Reihenfolge der Ereignisse in möglichst kurzen Sätzen wiedergibt. Jeder Satz wird auf eine Karteikarte geschrieben, die entsprechend ihrem Ort in dem Bericht eine Nummer trägt. Man sieht dann, daß jede Karte in der Zuweisung eines Prädikats zu einem Subjekt besteht. Mit anderen Worten, jede konstitutive Einheit ist ihrer Natur nach eine *Beziehung.*

Diese Definition ist noch unbefriedigend, und zwar aus zwei Gründen: Erstens wissen die Strukturalisten unter den Sprachforschern genau, daß alle Einheiten, auf welchem Niveau man sie auch herauslöst, aus Beziehungen bestehen. Welches ist also der Unterschied zwischen den *großen* Einheiten und den anderen? Und zweitens liegt die dargestellte Methode immer in einer nicht umkehrbaren Zeit, da die Karten in der Reihenfolge des Berichtes numeriert sind. Der spezifische Charakter, den wir der mythischen Zeit zuerkannt haben – seine Doppelnatur, die zugleich umkehrbar und nicht umkehrbar, synchronisch und diachronisch ist –, bleibt also ungeklärt.

Diese Feststellungen führen zu einer neuen Hypothese, die uns zum Kern des Problems bringt. Wir behaupten nunmehr, daß die wirklichen konstitutiven Einheiten des Mythos keine isolierten Beziehungen sind, sondern *Beziehungsbündel,* und daß jene nur in Form von Kombinationen solcher Bündel eine Bedeutungsfunktion erlangen. Beziehungen, die zum selben Bündel gehören, können in weiten Zwischenräumen erscheinen, wenn man sich auf einen diachronischen Standpunkt stellt; wenn wir sie aber in ihre »natürliche« Gruppierung eingliedern können, gelingt es uns, den Mythos aufgrund eines zeitlichen Bezugssystems anderer Art zu organisieren, das zugleich den Forderungen der Ausgangshypothese genügt. Dieses System hat somit zwei Dimensionen: eine diachronische und eine synchronische, und es vereinigt so die charakteristischen Eigenschaften der »Sprache« und des »Gesprochenen«. Zwei Vergleiche werden unseren Gedanken verdeutlichen. Stellen wir uns Archäologen späterer Zeiten vor, die von einem anderen Planeten auf die Erde heruntergekommen sind, wo alles menschliche Leben erstorben ist, und die eine unserer Bibliotheken durchwühlen. Diese Archäologen wissen überhaupt nichts von unserer Schrift, aber sie versuchen dennoch, sie zu entziffern, was die Entdeckung voraussetzt, daß das Alphabet, wie wir es drucken, von links nach rechts und von oben nach unten gelesen wird. Doch eine Kategorie von Bänden ist auf diese Weise nicht zu entziffern. Das sind die Orchesterpartituren, die in der Musikabteilung aufbewahrt werden. Unsere Gelehrten werden zweifellos alles daran setzen, die Notenreihen zu lesen, indem sie oben auf der Seite anfangen und der Reihenfolge nach weiterlesen; dann werden sie merken, daß bestimmte Notengruppen in gewissen Abständen immer wiederkehren, entweder ganz oder teilweise, und daß bestimmte melodische Gebilde, die sichtlich weit voneinander entfernt sind, einander ähneln. Vielleicht werden sie sich dann fragen, ob diese Gebilde, anstatt der Reihe nach gelesen zu werden, nicht besser wie Elemente eines Ganzen, die im Zusammenhang zu begreifen sind, behandelt werden müssen. Dann hätten sie das Prinzip dessen entdeckt, was wir *Harmonie* nennen: eine Orchesterpartitur hat nur Sinn, wenn sie diachronisch gemäß der einen Achse (Seite nach Seite von links nach rechts), zugleich aber auch synchronisch und gemäß der anderen Achse, von oben nach unten, gelesen wird. Anders ausgedrückt, alle Noten auf derselben Vertikalen bilden eine große Teileinheit, ein Beziehungsbündel.

Der andere Vergleich ist analoger, als es scheint. Nehmen wir einen Beobachter, der nichts von unseren Spielkarten weiß und längere Zeit einer Wahrsagerin zuhört. Er sieht die Klienten und teilt sie ein, rät ihr ungefähres Alter, ihr Geschlecht, ihr Aussehen, ihre gesellschaftliche Stellung und so weiter, wie ein Ethnograph, der etwas von der Gesellschaft weiß, deren Mythen er untersucht. Unser Beobachter wird also die Beratungen anhören, wird sie sogar auf ein Tonband aufnehmen, um sie in Muße untersuchen und vergleichen zu können, wie wir das auch bei unseren Eingeboreneninformanten tun. Wenn der Beobachter einigermaßen begabt ist und eine ausreichende Dokumentation gesammelt hat, wird er Struktur und Zusammensetzung des verwendeten Spiels rekonstruieren können, das heißt die Anzahl der Karten, 32 oder 52, die in vier homologen Serien ausgegeben werden und aus denselben Teileinheiten (den Karten) mit einem einzigen Unterscheidungsmerkmal (der Farbe) bestehen.

Nun wird es Zeit, die Methode etwas direkter zu erproben. Nehmen wir als Beispiel den Ödipusmythos, der den Vorteil hat, daß jeder ihn kennt, so daß man ihn nicht zu erzählen braucht. Sicher eignet sich dieses Beispiel schlecht für einen Beweis. Der Ödipusmythos ist uns in fragmentarischen und späten Fassungen überliefert, lauter literarischen Umsetzungen, die mehr von einem ästhetischen oder moralischen Interesse inspiriert worden sind als von der religiösen Tradition oder dem rituellen Brauch, falls eine solche Beschäftigung mit ihm überhaupt je existiert hat. Aber es handelt sich für uns nicht darum, den Ödipusmythos auf eine wahrscheinliche Art und Weise zu interpretieren, auch nicht darum, eine für den Fachmann annehm-

bare Erklärung von ihm zu bieten. Wir wollen mit diesem Beispiel – ohne daraus
eine Schlußfolgerung hinsichtlich dieses Mythos ziehen zu wollen – nur eine bestimmte Technik illustrieren, deren Verwendung in diesem besonderen Fall wegen
der bereits erwähnten Ungewißheiten wahrscheinlich nicht legitim ist. Der »Beweis«
soll also nicht in dem Sinne verstanden werden, den der Gelehrte ihm gibt, sondern
höchstens im Sinne des Marktschreiers: nicht ein Ergebnis zu erzielen, sondern so
rasch wie möglich das Funktionieren der kleinen Maschine zu erklären, die er den
Dummköpfen zu verhökern versucht.

Der Mythos wird also manipuliert werden wie eine Orchesterpartitur, die ein
verrückter Amateur Seite für Seite in Form einer kontinuierlichen melodischen
Reihe übertragen hat und die man nun in ihrer ursprünglichen Anordnung wiederherzustellen versucht. Ein wenig so, als ob man uns eine Folge ganzer Zahlen anböte,
etwa 1, 2, 4, 7, 8, 2, 3, 4, 6, 8, 1, 4, 5, 7, 8, 1, 2, 5, 7, 3, 4, 5, 6, 8, mit der Weisung,
alle 1, 2, 3 usw. in Form einer Tabelle zu ordnen:

$$
\begin{array}{ccccc}
1 & 2 & 4 & & 7 & 8 \\
 & 2 & 3 & 4 & 6 & 8 \\
1 & & 4 & 5 & 7 & 8 \\
1 & 2 & & 5 & 7 \\
 & & 3 & 4 & 5 & 6 & 8 \\
\end{array}
$$

Genauso wird man mit dem Ödipusmythos verfahren und nacheinander verschiedene Anordnungen der Mytheme ausprobieren, bis man auf eine stößt, die die
auf Seite 29 aufgezählten Bedingungen erfüllt. Nehmen wir ganz willkürlich an,
eine solche Anordnung wäre mit der nachfolgenden Tabelle gegeben (wobei, wie
gesagt, klar ist, daß es sich nicht darum handelt, diese den Spezialisten der klassischen
Mythologie, die sie sicher abändern, wenn nicht gar ganz verwerfen würden, auf-
zudrängen oder auch nur nahezulegen).

Wir stehen also vor vier senkrechten Spalten, die mehrere, zum selben »Bündel« ge-
hörende Beziehungen gruppieren. Müßten wir den Mythos *erzählen*, nähmen wir auf
diese Anordnung in Spalten keine Rücksicht und läsen die Zeilen von links nach
rechts und von oben nach unten. Aber sobald es darum geht, den Mythos zu *verstehen*, verliert eine Hälfte der diachronischen Reihenfolge (von oben nach unten)
ihren funktionellen Wert und die »Lektüre« erfolgt von links nach rechts, eine Spalte
nach der anderen, wobei jede Spalte als Ganzes behandelt wird.

Alle in einer Spalte gruppierten Beziehungen haben nach der Hypothese einen
Charakterzug gemein, den es herauszulösen gilt. So betreffen alle in der ersten Spalte
links gesammelten Zwischenfälle Blutsverwandte, deren nahe Verwandtschafts-
verhältnisse, so ließe sich vielleicht sagen, überreizt sind: diese Verwandten sind
Gegenstand einer intimeren Behandlung, als die sozialen Regeln zulassen. Stellen
wir also fest, daß der gemeinsame Zug der ersten Spalte in *überbewerteten Verwandtschaftsbeziehungen* besteht. Es wird alsbald sichtbar, daß die zweite Spalte dieselbe
Beziehung zeigt, aber behaftet mit den umgekehrten Vorzeichen: *unterbewertete* oder
entwertete Verwandtschaftsbeziehungen. Die dritte Spalte betrifft Ungeheuer und ihre
Vernichtung. Bei der vierten Spalte sind einige genauere Hinweise erforderlich.

Kadmos sucht seine von Zeus entführte Schwester Europa			
		Kadmos tötet den Drachen	
	Die Spartoi rotten sich gegenseitig aus		
			Labdakos (Vater von Laios) = »hinkend« (?)
	Ödipus erschlägt seinen Vater Laios		Laios (Vater von Ödipus) = »linkisch« (?)
		Ödipus bringt die Sphinx um	
Ödipus heiratet Jokaste, seine Mutter			Ödipus = »geschwollener Fuß« (?)
	Eteokles tötet seinen Bruder Polyneikes		
Antigone beerdigt Polyneikes, ihren Bruder, und übertritt das Verbot			

Auf den hypothetischen Sinn der Eigennamen in der väterlichen Sippe von Ödipus ist oft hingewiesen worden. Aber die Sprachforscher messen dem kaum Beachtung bei, da im allgemeinen der Sinn eines Ausdrucks erst zu definieren ist, wenn er in alle Rahmen, in denen er bezeugt wird, eingefügt werden kann. Eigennamen stehen aber ihrer Definition nach außerhalb eines solchen Rahmens. Die Schwierigkeit könnte bei unserer Methode weniger groß erscheinen, denn der Mythos ist da so neu organisiert, daß er sich selbst als Rahmen konstituiert. Nicht mehr der mögliche Sinn jedes für sich genommenen Namens stellt nun einen Bedeutungswert, sondern die Tatsache, daß die drei Namen einen Zug gemeinsam haben: sie enthalten hypothetische Bedeutungen, die alle eine *Schwierigkeit, aufrecht zu gehen*, hervorheben.

Ehe wir weitergehen, wollen wir die Beziehung der beiden Spalten rechts klären. Die dritte Spalte bezieht sich auf Ungeheuer: zuerst den Drachen, ein chthonisches Monstrum, das vernichtet werden muß, damit die Menschen aus der Erde geboren werden können; alsdann die Sphinx, die sich mit Hilfe von Rätseln, die sich auch auf die Natur des Menschen beziehen, bemüht, ihren menschlichen Opfern die Existenzmöglichkeit zu entziehen. Der zweite Terminus reproduziert also den ersten, der auf die *Autochthonie des Menschen* Bezug nimmt. Da die beiden Ungeheuer letzten Endes von Menschen besiegt werden, kann man sagen, daß das der dritten Spalte gemeinsame Merkmal die *Verneinung der Autochthonie des Menschen* ist[5].

Diese Hypothesen verhelfen dazu, den Sinn der vierten Spalte zu erfassen. In der Mythologie werden häufig die aus der Erde geborenen Männer so dargestellt, als seien sie im Augenblick ihres Auftauchens gleichsam noch unfähig zu gehen oder als gingen sie linkisch. So hinken bei den Pueblo-Indianern die chthonischen Wesen wie die Shumaikoli oder auch die Muyingwû[6], die an dem Auftauchen teilnehmen (man nennt sie im Text »Blutiger Fuß«, »Verwundeter Fuß«, »Weichfuß«). Dieselbe Beobachtung macht man bei den Koskimo der Kwakiutl-Mythologie: nachdem das chthonische Ungeheuer Tsiakish sie verschlungen hat, steigen sie zur Erdoberfläche empor, »wobei sie nach vorn stolpern oder seitwärts ausrutschen«. Das gemeinsame Merkmal der vierten Spalte dürfte also die *Beständigkeit der menschlichen Autochthonie* sein. Daraus ergäbe sich, daß die vierte Spalte die gleiche Beziehung zur dritten hätte wie die erste zur zweiten. Die Unmöglichkeit, Beziehungsgruppen miteinander in Verbindung zu bringen, ist überwunden (oder, genauer gesagt, ersetzt) durch die Bestätigung, daß zwei einander widersprechende Beziehungen identisch sind, soweit sie beide in sich widersprüchlich sind. Diese Art, die Struktur des mythischen Denkens zu formulieren, hat immer nur einen Näherungswert. Für den Augenblick genügt das.

Was bedeutet also dieser »amerikanisch« interpretierte Ödipusmythos? Er drückt eine Aporie aus, vor der eine Gesellschaft steht, die an die Autochthonie des Menschen zu glauben vorgibt (so Pausanias, VIII, xxix, 4: die Pflanze ist das Modell des Menschen), nämlich die Unmöglichkeit, von dieser Theorie zu der Anerkennung der Tatsache zu kommen, daß jeder von uns aus der Vereinigung eines Mannes mit einer Frau geboren wird. Die Schwierigkeit ist unüberwindlich. Aber der Ödipusmythos liefert eine Art logisches Instrument, das es ermöglicht, eine Brücke zu schlagen zwischen dem Ausgangsproblem – wird man aus einem oder aus zweien geboren? – und dem abgeleiteten Problem, das man etwa so formulieren kann: wird das Selbst aus dem Selbst geboren oder aus dem Anderen? Dadurch ergibt sich eine Korrelation: die Überbewertung der Blutsverwandtschaft verhält sich zu ihrer Unterbewertung wie die Bemühung, der Autochthonie zu entgehen, zu der Unmöglichkeit, dies zu erreichen. Die Erfahrung mag die Theorie in Abrede stellen, aber das soziale Leben bestätigt die Kosmologie in dem Maße, wie beide dieselbe kontradiktorische Struktur aufweisen. Also ist die Kosmologie wahr. Wir wollen hier zwei Bemerkungen einfügen.

Bei dem vorangegangenen Interpretationsversuch konnte eine Frage unberücksichtigt bleiben, die die Spezialisten in der Vergangenheit viel beschäftigt hat, nämlich das Fehlen gewisser Motive in den ältesten (homerischen) Versionen des Ödipusmythos, etwa der Selbstmord der Jokaste und die eigenhändige Blendung des Ödipus. Aber diese Motive verändern die Struktur des Mythos nicht, in der sie übrigens leicht Platz finden können, das erste als ein neues Beispiel von Selbstzerstörung (Spalte 3) und das zweite als ein weiteres Beispiel für Gebrechlichkeit (Spalte 4). Diese Zusätze tragen nur dazu bei, den Mythos zu verdeutlichen, da der Wechsel vom Fuß zum Kopf als Korrelat zu einem anderen Wechsel erscheint: von der geleugneten Autochthonie zur Selbstzerstörung.

Die Methode enthebt uns also einer Schwierigkeit, die bisher eines der Haupthindernisse für den Fortschritt der mythologischen Forschungen bildete, nämlich der Suche nach einer authentischen oder ursprünglichen Version. Wir schlagen stattdessen vor, jeden Mythos durch die Gesamtheit seiner Fassungen zu definieren. Mit anderen Worten: der Mythos bleibt so lange Mythos, wie er als solcher gesehen wird. Dieses Prinzip wird recht gut durch unsere Interpretation des Ödipusmythos illustriert, die sich auf die Formulierung Freuds stützen kann, und ist sicher auf sie anwendbar. Das von Freud in »ödipeischen« Ausdrücken aufgeworfene Problem ist zweifellos nicht mehr die Alternative zwischen Autochthonie und zweigeschlechtlicher Fortpflanzung. Aber es geht immer um die Frage, wie *einer* aus *zweien* entstehen kann: wie kommt es, daß wir nicht einen einzigen Erzeuger haben, sondern eine Mutter und dazu noch einen Vater? Man wird nicht zögern, Freud nach Sophokles zu unseren Quellen des Ödipusmythos zu zählen. Ihre Versionen verdienen dieselbe Glaubwürdigkeit wie andere, ältere und dem Anschein nach »authentischere«.

Aus dem Gesagten ergibt sich eine wichtige Konsequenz. Da ein Mythos aus der Gesamtheit seiner Varianten besteht, muß die Strukturalanalyse sie alle mit dem gleichen Ernst betrachten. Nachdem man die bekannten Varianten der thebanischen Fassung untersucht hat, wird man auch die anderen betrachten: die Berichte, die die zugehörige Sippe des Labdakos betreffen, die Agaue, Pentheus und Jokaste selbst umfaßt; die thebanischen Variationen über Lykos, wo Amphion und Zethos die Rolle der Stadtgründer spielen; und andere, entferntere, die Bezug haben auf Dionysos (den matrilateralen Vetter von Ödipus), und die athenischen Sagen, wo die Rolle, die von Theben dem Kadmos zugedacht ist, dem Kekrops zukommt, usw. Für jede dieser Varianten muß man eine Tabelle anlegen, auf der jedes Element eingeordnet wird, so daß man es mit dem entsprechenden Element der anderen Tabelle vergleichen kann: die Vernichtung der Schlange durch Kekrops mit der parallelen Episode der Geschichte des Kadmos; die Selbstaufgabe des Dionysos mit der des Ödipus; »Geschwollener Fuß« mit Dionysos *loxias*, das heißt schiefgehend; die Suche nach Europa mit der nach Antiope; die Gründung Thebens durch die Spartoi mit der durch die Dioskuren Amphion und Zethos; Zeus, der die Europa oder die Antiope entführt, mit der ähnlichen Episode, in der Semele das Opfer ist; den thebanischen Ödipus mit dem argivischen Perseus usw. So erhält man mehrere, jeweils einer Variante gewidmete zweidimensionale Tabellen, die man wie parallele Ebenen hintereinanderstellt, um zu einem dreidimensionalen Ganzen zu kommen, welches dann auf dreierlei Art »gelesen« werden kann, von links nach rechts, von oben nach unten, von vorn nach hinten (oder umgekehrt). Diese Tabellen werden nie ganz und gar identisch sein. Aber die Erfahrung zeigt, daß die differentiellen Abstände, die man immer beobachten kann, bezeichnende Korrelationen zeigen, die es gestatten, das Ganze durch allmähliche Vereinfachungen logischen Operationen zu unterwerfen, so daß man schließlich das Strukturalgesetz des betreffenden Mythos erhält.

Man wird vielleicht einwenden, ein derartiges Unternehmen dürfe nicht bis zum Extrem getrieben werden, da die verfügbaren Versionen die heute bekannten seien. Was würde eintreten, wenn eine neu hinzutretende Version die bisherigen Ergebnisse umwürfe? Die Schwierigkeit ist real, wenn man nur eine geringe Anzahl von

Versionen zur Verfügung hat, aber sie ist rein theoretisch, je mehr Versionen es
gibt. Die Erfahrung wird die ungefähre Größenordnung der notwendigen Anzahl
lehren; diese kann nicht sehr groß sein. Wenn wir das Mobiliar eines Zimmers und
seine Verteilung nur von den Bildern kennten, die von zwei an gegenüberliegenden
Wänden aufgehängten Spiegeln zurückgeworfen werden, gäbe es zwei Möglichkeiten. Bei genau parallel aufgehängten Spiegeln wäre die Zahl der Bilder theoretisch unendlich. Stünde dagegen ein Spiegel in einem Winkel zu einem anderen,
würde sich die Zahl der Bilder je nach der Größe des Winkels verringern. Aber selbst
im äußersten Fall würden vier oder fünf Bilder genügen, uns, wenn nicht eine absolut
genaue Information, so doch die Sicherheit zu geben, daß kein wichtiges Möbel
unbemerkt geblieben ist.

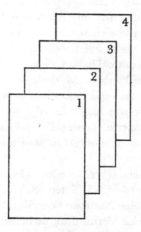

Man kann dagegen niemals genug darauf bestehen, daß es absolut notwendig ist,
alle überlieferten Varianten aufzunehmen. Wenn Freuds Kommentare zum Ödipus-
komplex einen – wie wir glauben – integrierenden Teil des Ödipusmythos bilden,
hat die Frage, ob die Cushingsche Übertragung des Ursprungsmythos der Zuñi
zuverlässig genug ist, um einbezogen zu werden, keinen Sinn mehr. Es gibt keine
»wahre« Fassung, im Verhältnis zu der die alle anderen Kopien oder deformierte Echos
wären. Alle Fassungen gehören zum Mythos.

Jetzt können wir verstehen, warum viele Untersuchungen der allgemeinen Mythologie so entmutigende Ergebnisse gezeitigt haben. Zuerst haben die Kompara-
tisten besonders wichtige Fassungen auslesen wollen, anstatt sie alle zu betrachten.
Dann hat man festgestellt, daß die Strukturalanalyse *einer* Variante *eines* Mythos,
die bei *einem* Stamm (zuweilen sogar bei *einem* Dorf) gefunden wurde, zu einem
zweidimensionalen Schema führt. Seit man mehrere Varianten des gleichen Mythos
für dasselbe Dorf oder denselben Stamm verwendet, wird das Schema dreidimen-
sional, und will man den Vergleich ausweiten, wächst die Zahl der Dimensionen so
rasch, daß es nicht mehr möglich ist, sie in anschaulichen Verfahren zu erfassen. Die

Verwirrungen und Banalitäten, zu denen die allgemeine Mythologie oft führt, hängen also mit der Verkennung der effektiv notwendigen mehrdimensionalen Bezugssysteme zusammen, an deren Stelle man naiverweise zwei- oder dreidimensionale Systeme setzen zu können glaubt. Es besteht wirklich wenig Hoffnung, eine vergleichende Mythologie zu entwickeln, wenn man nicht an einen Symbolismus mit mathematischer Inspiration appelliert, der sich auf mehrdimensionale Systeme, die für unsere herkömmlichen empirischen Methoden zu komplex sind, anwenden läßt.

Wir haben 1952–1954 versucht[7], die soeben in ganz allgemeinen Zügen dargelegte Theorie durch eine erschöpfende Analyse aller bekannten Lesarten der Ursprungs- und Entstehungsmythen der Zuñi zu bestätigen: Cushing, 1883 und 1896; Stevenson, 1904; Parsons, 1923; Bunzel ,1932; Benedict, 1934. Diese Analyse wurde vervollständigt durch einen Vergleich mit Ergebnissen, die bei ähnlichen Mythen anderer Pueblo-Gruppen, der östlichen wie der westlichen, erzielt worden waren; schließlich wurde noch eine vorläufige Sondierung bei den Mythologien der Steppenindianer durchgeführt. Jedesmal haben die Ergebnisse die Hypothesen bestätigt. Nicht nur, daß die nordamerikanische Mythologie aus dem Experiment strahlend wie der junge Tag hervorgegangen ist, man konnte schließlich auch logische Operationen eines lange genug vernachlässigten Typus oder solche, die in uns fernen Gebieten beobachtet wurden, erkennen und zuweilen definieren. Wir können hier nicht in die Einzelheiten gehen, sondern müssen uns darauf beschränken, einige Ergebnisse anzuführen.

Eine zweifellos äußerst vereinfachte Tabelle des Entstehungsmythos der Zuñi würde den folgenden allgemeinen Anblick bieten (S. 37, 38). Eine rasche Überprüfung dieses Schemas genügt, um seine Natur zu begreifen. Es ist eine Art logisches Werkzeug, das dazu bestimmt ist, eine Vermittlung zwischen Leben und Tod herzustellen. Der Übergang ist für das Denken der Pueblo schwierig, denn es begreift das menschliche Leben nach dem Muster des Pflanzenreichs (Entstehung aus der Erde). Diese Interpretation hat jenes Denken mit dem alten Griechenland gemein, und es ist nicht ganz willkürlich, wenn wir den Ödipusmythos als erstes Beispiel herausgegriffen haben. Bei dem hier betrachteten amerikanischen Fall wird das pflanzliche Leben nacheinander unter mehreren Aspekten, die vom einfachsten zum komplexesten reichen, analysiert. Die Landwirtschaft steht auf der obersten Stufe, doch zeigt sie einen periodischen Charakter, das heißt, sie besteht in dem Wechsel von Leben und Tod, im Gegensatz zu dem ursprünglichen Postulat.

Man darf diesen Widerspruch nicht außer Acht lassen, er geht übrigens auch aus der Tabelle hervor: die Landwirtschaft ist Nahrungsquelle, also Lebensquelle; die Jagd aber schafft auch Nahrung und ähnelt doch dem Kriege, der Tod bedeutet.

Es gibt also verschiedene Arten, das Problem zu behandeln. Cushing konzentriert sich auf eine Gegenüberstellung von nahrungsschaffenden Tätigkeiten, deren Ergebnis unmittelbar ist (Sammeln wilder Pflanzen), und solchen, deren Ergebnis nur für die Zukunft vorausberechnet werden kann. Anders gesagt, der Tod muß in das Leben hereingenommen werden, damit Landwirtschaft möglich ist.

Veränderung			*Tod*
Mechanische Verwendung der Pflanzen (Stufenleiter, um aus den niederen Welten herauszutreten)	Entstehen, geleitet von den Zwillingen Bien-Aimés	Inzest von Bruder und Schwester (Ursprung des Wassers)	Vernichtung der Kinder der Menschen durch die Götter (durch Ertränken)
Verwendung der Wildpflanzen als Nahrungsmittel	Wanderung, geleitet von den beiden Newekwe (zeremonielle Spaßmacher)		Magisches Turnier, dem Volke der Rosée dargeboten (Sammler gegen Gärtner)
		Opferung eines Bruders und einer Schwester (zur Erlangung des Sieges)	
Verwendung der Kulturpflanzen als Nahrungsmittel		Adoption eines Bruders und einer Schwester (im Tausch gegen Mais)	
Periodischer Charakter der landwirtschaftlichen Arbeiten			
			Krieg gegen die Kyanakwe (Gärtner gegen Jäger)
Verwendung des Wildbrets als Nahrung			
	Krieg, gelenkt von den beiden Kriegsgöttern		
Unvermeidbarkeit des Krieges			Heil des Stammes (Entdeckung des Mittelpunktes der Welt)
		Opferung eines Bruders und einer Schwester (um die Sintflut zu besiegen)	
Tod			*Dauer*

Bei Parsons wechselt man von der Jagd über zur Landwirtschaft, während Stevenson in umgekehrter Reihenfolge vorgeht. Alle weiteren Unterschiede zwischen den drei Versionen können in Korrelation zu den Grundstrukturen gesetzt werden. So beschreiben alle drei Versionen den großen Krieg der Vorfahren der Zuñi gegen eine mythische Völkerschaft, die Kyanakwe, führen aber in den Bericht folgende bezeichnende Varianten ein: 1. Bündnis mit den Göttern oder deren Feindseligkeit; 2. Zuerkennung des Endsieges an das eine oder das andere Lager; 3. die den Kyanakwe zugeschriebene symbolische Funktion; jene werden bald als Jäger beschrieben (und tragen dann mit Tiersehnen bespannte Bogen), bald als Landbebauer (ihre Bogen sind mit Pflanzenfasern umwickelt):

Cushing	*Parsons*	*Stevenson*
Götter ⎰ verbündet, Kyanakwe ⎱ pflanzliche Sehnen	Kyanakwe, allein, pflanzliche Sehnen	Götter ⎰ verbündet, Menschen ⎱ pflanzliche Sehnen
siegreich über:	*siegreich über:*	*siegreich über:*
Menschen, allein, Tiersehnen (vor der Ersetzung durch Fasern)	Menschen ⎰ verbündet, Götter ⎱ Tiersehnen	Kyanakwe, allein, Tiersehnen

Da die Pflanzenfaser (Landwirtschaft) immer der Tiersehne (Jagd) überlegen ist, und da (in einem geringeren Maße) das Bündnis mit den Göttern ihrer Feindseligkeit vorzuziehen ist, ergibt sich, daß bei Cushing der Mensch in doppelter Weise benachteiligt ist (feindselige Götter, Tiersehnen), bei Stevenson doppelt begünstigt (wohlwollende Götter, Pflanzenfasern), während Parsons eine dazwischenliegende Position beschreibt (wohlwollende Götter, aber Tiersehnen, da die primitive Menschheit von der Jagd lebt).

Gegenüberstellungen	*Cushing*	*Parsons*	*Stevenson*
Götter/Menschen	—	+	+
Faser/Sehne	—	—	+

Bunzel zeigt dieselbe Struktur wie Cushing. Aber sie unterscheidet sich von dieser wie von der Stevensons insofern, als beide die Entstehung als Ergebnis der Bemühungen der Menschen darstellen, ihrer elenden Lage im Inneren der Erde zu entgehen, wohingegen Bunzel die Entstehung als Folge eines Anrufs behandelt, der von den Mächten höherer Regionen an die Menschen gerichtet wurde. So folgen zwischen Bunzel einerseits, Stevenson und Cushing andererseits die zur Entstehung ins Werk gesetzten Verfahren einander in umgekehrt symmetrischer Reihenfolge. Bei Stevenson und Cushing von den Pflanzen zu den Tieren; bei Bunzel von den Säugetieren zu den Insekten und von den Insekten zu den Pflanzen.

In allen Mythen der Westpueblo bleibt die logische Formgebung die gleiche: Ausgangs- und Endpunkt der Überlegungen sind eindeutig, und die Doppeldeutigkeit erscheint im Zwischenstadium:

Leben (= Wachsen)		
(Mechanischer) Gebrauch des Pflanzenreichs, nur auf das Wachstum bauend		*Ursprung*
Verwendung des Pflanzenreichs als Nahrung, auf wilde Pflanzen beschränkt		*Sammlertätigkeit*
Verwendung des Pflanzenreichs als Nahrung umfaßt wilde und Kulturpflanzen		*Landwirtschaft*
Verwendung des Tierreichs als Nahrung, auf die Tiere beschränkt	(ab hier Widerspruch, da Negierung des Lebens = Vernichtung, daher:)	*Jagd*
Vernichtung des Tierreichs auf die Menschen ausgedehnt		*Krieg*
Tod (= Ent-Wachsen)		

Das Erscheinen eines widersprüchlichen Ausdrucks mitten im dialektischen Prozeß steht in Beziehung zu der Entstehung einer doppelten Reihe von Dioskurenpaaren, deren Funktion darin besteht, eine Vermittlung zwischen den beiden Polen zu bewirken:

1. 2 göttliche Boten	2 zeremonielle Spaßmacher		2 Kriegsgötter
2. homogenes Paar: Dioskuren (2 Brüder)	Blutsverwandte (Bruder und Schwester)	Paar (Mann und Frau)	heterogenes Paar (Großmutter, Enkel)

Also eine Reihe von Kombinationsvarianten, die in den verschiedenen Rahmen alle dieselbe Funktion erfüllen. So wird begreiflich, weshalb in dem Pueblo-Ritual den Spaßmachern Kriegsfunktionen zugeschrieben werden können. Das Problem, das oftmals als unlösbar angesehen wurde, verschwindet, wenn man erkennt, daß die Spaßmacher in bezug auf die Nahrungserzeugung (es sind Vielfraße, die ungestraft die Erzeugnisse des Landbaus mißbrauchen dürfen) dieselbe Funktion haben wie die Kriegsgötter (der Krieg erscheint im dialektischen Prozeß als *Mißbrauch* der Jagd: Jagd auf den Menschen anstatt auf die Tiere, die sich für den menschlichen Verbrauch eignen).

Manche Mythen der Zentral- und Ostpueblo verfahren anders. Sie beginnen damit, die grundlegende Identität von Jagd und Landbau zu behaupten. Diese Identifizierung geht zum Beispiel aus dem Mythos vom Ursprung des Maises hervor, der von dem Vater der Tiere erzielt wird, der anstelle von Körnern Hirschklauen säte. Man versucht also, gleichzeitig das Leben und den Tod aus einem umfassenden Ausdruck abzuleiten. Anstatt daß die extremen Ausdrücke einfach und die dazwischenliegenden verdoppelt sind (wie bei den Westpueblo), verdoppeln sich die Extreme (die zwei Schwestern der Ostpueblo), während ein einfacher vermittelnder Ausdruck in den Vordergrund tritt (der Poshaiyanne der Zia), ausgestattet mit doppeldeutigen Attributen. Dank diesem Schema kann man sogar die Attribute ablesen, die diesem »Erlöser« in den verschiedenen Versionen je nach dem Augenblick, in dem er im Laufe des Mythos auftritt, beigegeben werden: wohltätige, wenn er sich anfangs zeigt (Zuñi, Cushing), doppeldeutige in der Mitte (Zentralpueblo), bösartige am Ende (Zia); eine Ausnahme macht Bunzels Version des Zuñi-Mythos, wo, wie bereits gesagt, die Reihenfolge umgekehrt ist. Bei systematischer Anwendung dieser Methode der strukturalen Analyse gelangt man zur Einordnung aller bekannten Varianten eines Mythos in eine Reihe, die eine Art Tauschgruppe bildet, wo die an den beiden Enden der Reihe eingeordneten Varianten in bezug aufeinander eine symmetrische aber umgekehrte Struktur zeigen. Es wird also dort der Anfang einer Ordnung eingeführt, wo vorher Chaos herrschte, und man gewinnt zusätzlich noch die Möglichkeit, bestimmte logische Operationen freizulegen, die zur Grundlage des mythischen Denkens gehören[8]. Nunmehr können drei Typen von Operationen herausgelöst werden.

Die in der amerikanischen Mythologie allgemein *trickster* genannte Person blieb lange Zeit ein Rätsel. Wie wollte man erklären, daß fast in ganz Nordamerika diese Rolle dem Steppenwolf oder dem Raben zugeordnet wurde? Der Grund für diese Wahl wird erkennbar, wenn man weiß, daß das mythische Denken ausgeht von der Bewußtmachung bestimmter Gegensätze und hinführt zu ihrer allmählichen Ausgleichung. Nehmen wir also an, zwei Ausdrücke, zwischen denen der Übergang unmöglich scheint, würden zunächst durch zwei äquivalente Ausdrücke ersetzt, die einen weiteren als Zwischenstation zulassen. Danach würden einer der polaren Ausdrücke und der dazwischengeschaltete ersetzt durch eine neue Dreiergruppe, und so fort. Man erhielte dann eine Vermittlungsstruktur folgender Art:

Anfangspaar	Erste Triade	Zweite Triade
Leben		
	Landwirtschaft	
		Pflanzenfresser
		Aasfresser
	Jagd	
		Raubtiere
	Krieg	
Tod		

Diese Struktur steht für die implizite Überlegung: die Aasfresser sind wie die von Raub lebenden Tiere (sie fressen nur tierische Nahrung), aber auch wie die Erzeuger pflanzlicher Nahrung (sie töten nicht, was sie essen). Die Pueblo, für die das bäuerliche Leben viel »bezeichnender« ist als das Jagdleben, formulieren dieselbe Überlegung auf etwas andere Art: die Raben sind für die Gärten, was die vom Raub lebenden Tiere für die Pflanzenfresser sind. Aber es war schon möglich, die Pflanzenfresser als Vermittler zu behandeln; sie sind ja in der Tat gleichsam Sammler (Vegetarier) und liefern tierische Nahrung, ohne selbst Jäger zu sein. Man bekommt also Vermittler ersten, zweiten und dritten Grades usw., wobei jeder Ausdruck dem nachfolgenden durch Gegensatz und Wechselbeziehung zur Entstehung verhilft.

Diese Folge von Operationen tritt in der Mythologie der Steppenindianer, die in einer Reihe angeordnet werden kann, klar zutage:

Vermittler (ohne Erfolg) zwischen Himmel und Erde:
(Gattin von »*Star-husband*«)
Heterogenes Vermittlerpaar:
(Großmutter/Enkel)
Halbhomogenes Vermittlerpaar:
(»*lodge-boy/thrown-away*«)

Dahingegen hat die entsprechende Reihe bei den Pueblo (Zuñi) folgenden Typus:

Vermittler (mit Erfolg) zwischen Himmel und Erde:
(Poshaiyanki)
Halbhomogenes Vermittlerpaar:
(Uyuyewi und Matsailema)
Homogenes Vermittlerpaar:
(die beiden Ahaiyuta)

Wechselbeziehungen derselben Art können auch auf einer horizontalen Achse erscheinen (das trifft sogar für die sprachliche Ebene zu: so die zahlreichen Konnotationen der Wurzel *pose* in der Tewa-Sprache, nach Parsons: Steppenwolf, Nebel, Skalp usw.). Der Steppenwolf (der ein Aasfresser ist) steht zwischen Pflanzenfressern und Fleischfressern *wie* der Nebel zwischen Himmel und Erde; *wie* der Skalp zwischen Krieg und Ackerbau (der Skalp gehört zur »Ernte« des Kriegers); *wie* die Kornrade zwischen wilden Pflanzen und Kulturpflanzen (sie lebt auf den letzteren nach Art der ersteren); *wie* die Gewänder zwischen »Natur« und »Kultur«; *wie* der Unrat zwischen dem bewohnten Dorf und dem Busch; *wie* die Asche (und der Ruß) zwischen dem Herd (auf dem Erdboden) und dem Dach (dem Bild für das Himmelsgewölbe). Diese Vermittlerkette – wenn man so sagen darf – zeigt eine Reihe logischer Glieder, die erlauben, verschiedene Probleme der amerikanischen Mythologie zu lösen: weshalb der Gott des Taus auch der Herr der Tiere ist; weshalb der Besitzer reicher Gewänder oft ein männliches Aschenbrödel *(Ash-boy)* ist; weshalb die Skalps den Tau erzeugen; weshalb die Mutter der Tiere mit der Kornrade in Verbindung gebracht wird usw.

Aber man kann sich auch fragen, ob wir mit diesem Mittel nicht einen Universalmodus gefunden haben, die Gegebenheiten der sinnlich wahrnehmbaren Erfahrung zu organisieren. Man vergleiche mit den vorhergehenden Beispielen das französische *nielle* (Ackerwinde, Kornrade) lat. *nebula;* und die Rolle des Glücksbringers, die in Europa dem Unrat (alte Schuhe), der Asche und dem Ruß zugeschrieben wird (vgl. den Ritus, den Schornsteinfeger zu küssen); man vergleiche den amerikanischen Zyklus von *Ash-boy* mit dem indoeuropäischen von Aschenbrödel. Beide sind phallische Figuren (Mittler zwischen den Geschlechtern); Herren über den Tau und die wilden Tiere; Besitzer prächtiger Gewänder; soziale Vermittler (matrimoniale Verbindung zwischen Edlen und Gefolgsleuten, zwischen Reichen und Armen). Es ist aber unmöglich, von dieser Parallelerscheinung zu sagen, sie sei entlehnt (was man zuweilen getan hat), denn die auf *Ash-boy* und Aschenbrödel bezugnehmenden Märchen sind umgekehrt symmetrisch bis ins kleinste Detail, wohingegen das Märchen von Aschenbrödel, wie es effektiv von Amerika übernommen worden ist (vgl. das Zuñi-Märchen vom *Gänselieschen*), zum Prototyp parallel verläuft:

	Europa	*Amerika*
Geschlecht	weiblich	männlich
Familie	doppelte Familie (Vater wieder verheiratet)	keine Familie (Waise)
Äußeres	hübsches Mädchen	häßlicher Junge
Haltung	niemand liebt es	liebt unglücklich
Verwandlung	mit übernatürlicher Hilfe in prächtige Gewänder gekleidet	mit übernatürlicher Hilfe von seinem abstoßenden Äußeren befreit

Wie *Ash-boy* und Aschenbrödel ist auch der *trickster* ein Vermittler, und diese Funktion erklärt, daß er etwas von der Dualität zurückbehält, die zu überwinden seine Funktion ist. Daher sein zweiseitiger und doppeldeutiger Charakter. Aber der *trickster* ist nicht die einzig mögliche Ausformung des Vermittlers. Manche Mythen scheinen sich darauf zu beschränken, alle vorstellbaren Modalitäten des Übergangs von der Dualität zur Einheit auszuschöpfen. Vergleicht man alle Varianten des Entstehungsmythos der Zuñi, kann man eine Reihe ablösen, die sich nach Vermittlerfunktionen ordnen läßt, wobei sich jede aus der vorhergehenden durch Gegenüberstellung und Wechselbeziehung ergibt:
Erlöser > Dioskuren > *trickster* > zweigeschlechtliche Wesen > Paar von Blutsverwandten > Ehepaar > Großmutter/Enkel > Gruppe mit vier Bezeichnungen > Triade
Bei Cushing geht diese Dialektik mit dem Übergang aus einem räumlichen Milieu (Vermittlung zwischen Himmel und Erde) in ein zeitliches Milieu (Vermittlung zwischen Sommer und Winter, genau gesagt, zwischen Geburt und Tod) einher. Aber obgleich der Übergang sich vom Raum zur Zeit vollzieht, führt die letzte Formel (die Triade) den Raum wieder ein, da eine Triade hier in einem Dioskurenpaar besteht, das *gleichzeitig* mit einem Erlöser gegeben ist; wäre umgekehrt die Aus-

gangsformel in räumlichen Termini (Himmel und Erde) ausgedrückt worden, enthielte sie dennoch den Begriff der Zeit: der Erlöser fleht um Hilfe, *worauf* die Dioskuren vom Himmel herniedersteigen. Man sieht also, daß die logische Konstruktion des Mythos einen doppelten Funktionsaustausch voraussetzt. Wir kommen darauf noch zu sprechen, wenn wir einen anderen Operationstypus angesehen haben.

Mit dem zweiseitigen Charakter des *trickster* wird eine andere Charakteristik der mythologischen Wesen tatsächlich erklärbar. Wir haben hier die Dualität im Auge, die der Natur einer einzigen Gottheit eignet: bald wohlgesinnt, bald bösartig, je nachdem. Wenn man die Varianten des Hopi-Mythos vergleicht, der dem Ritual von Shalako zugrunde liegt, sieht man, daß es möglich ist, sie aufgrund der folgenden Struktur zu ordnen:

$$(\text{Masauwû} : x) \cong (\text{Muyingwû} : \text{Masauwû}) \cong (\text{Shalako} : \text{Muyingwû})$$
$$\cong (y : \text{Masauwû})$$

wobei x und y willkürliche Werte darstellen, die dennoch für die beiden »extremen« Versionen vorausgesetzt werden müssen. In diesen Versionen werden dem Gott Masauwû, der allein erscheint und nicht in Beziehung zu einem anderen Gott (Version 2) oder gar abwesenden Gott (Version 3) steht, Funktionen zugewiesen, die immerhin relativ bleiben. In der ersten Version ist Masauwû (allein) gegenüber den Menschen hilfsbereit, ohne es allerdings absolut zu sein; in der 4. Version ist er feindselig, könnte aber noch böser sein. Seine Rolle ist infolgedessen fest umrissen – jedenfalls implizit – durch Vergleich mit einer anderen möglichen und nichtspezifizierten Rolle, die hier durch die Werte x und y dargestellt wird. Dagegen ist Muyingwû in Version 2 relativ hilfsbereiter als Masauwû, wie in Version 3 Shalako relativ hilfsbereiter ist als Muyingwû. Es läßt sich nach den Keres-Versionen eines benachbarten Mythos formal eine analoge Reihe konstruieren:

$$(\text{Poshaiyanki} : x) \cong (\text{Lea} : \text{Poshaiyanki}) \cong (\text{Poshaiyanki} : \text{Tiamoni})$$
$$\cong (y : \text{Poshaiyanki})$$

Dieser Strukturtypus verdient eine ganz besondere Aufmerksamkeit, denn die Soziologen sind ihm schon auf zwei anderen Gebieten begegnet: im Unterordnungsverhältnis bei den Hühnervögeln und anderen Tieren *(pecking order);* und bei den Verwandtschaftssystemen, wo wir ihm den Namen *verallgemeinerter Austausch* gegeben haben. Wenn wir ihn nun auf einer dritten Ebene isolieren, der des mythischen Denkens, können wir hoffen, seine wahre Rolle in den sozialen Phänomenen besser zu unterscheiden und ihr eine theoretische Interpretation von größerer allgemeiner Bedeutung zu geben.

Denn wenn es gelingt, eine vollständige Reihe von Varianten in Form einer Gruppe von Tauschvorgängen anzuordnen, kann man vielleicht das Gesetz der Gruppe entdecken. Bei dem augenblicklichen Stand der Forschung wird man hier nur ungefähre Angaben machen können. Wie die genaueren Fassungen und Berichtigungen auch immer aussehen mögen, die der folgenden Formel hinzugefügt werden müssen, scheint es nun doch festzustehen, daß jeder (als Gesamtheit seiner Varianten gesehene) Mythos auf eine kanonische Beziehung des Typus

$$F_x \, (a) : F_y \, (b) \cong F_x \, (b) : F_{a-1} \, (y)$$

zurückzuführen ist, von der man, wenn gleichzeitig zwei Ausdrücke *a* und *b* sowie zwei Funktionen *x* und *y* dieser Ausdrücke gegeben sind, behaupten kann, daß eine Äquivalenzbeziehung zwischen zwei Situationen besteht, die durch eine Umkehrung der betreffenden *Ausdrücke* und der *Beziehungen* definiert werden, allerdings unter zwei Bedingungen: 1. daß einer der Ausdrücke durch sein Gegenteil (in der obigen Formulierung *a* und *a–1)* ersetzt wird, 2. daß eine auf Wechselbeziehung beruhende Umkehrung zwischen dem *Funktionswert* und dem *Ausdruckswert* zweier Elemente erfolgt (oben: *y* und *a*).

Die obige Formel erhält ihren vollen Sinn, wenn man sich erinnert, daß für Freud zwei Traumatismen (und nicht ein einzelner, wie man so oft anzunehmen geneigt ist) nötig sind, damit jener individuelle Mythos entstehen kann, aus dem eine Neurose besteht. Wenn man versucht, die Formel auf die Analyse dieser Traumatismen anzuwenden (von denen man annehmen könnte, sie erfüllten die betreffenden Bedingungen, die oben unter 1 und 2 gestellt sind), würde man zweifellos dahin kommen, das genetische Gesetz des Mythos genauer und strenger auszudrücken. Überdies wäre man in der Lage, die soziologische und psychologische Untersuchung des mythischen Denkens parallellaufend zu entwickeln, vielleicht sogar, dieses wie im Labor zu behandeln, indem man die Arbeitshypothesen einer experimentellen Prüfung unterwirft.

Bedauerlicherweise lassen es die prekären Bedingungen der wissenschaftlichen Forschung in Frankreich im Augenblick nicht zu, die Arbeit weiter voranzutreiben. Die mythischen Texte sind außerordentlich umfangreich. Ihre Zerlegung in Teileinheiten erfordert Teamarbeit und technisch geschultes Personal. Eine Variante mittleren Ausmaßes verlangt mehrere hundert Karteikarten. Um die günstigste Anordnung dieser Karten in Spalten und Reihen herauszufinden, müßte man vertikale Klassierer von ungefähr 2 m × 1,50 m haben, die mit Fächern versehen sind, auf die man die Karten nach Belieben immer neu verteilen kann. Und sobald man sich vornimmt, dreidimensionale Modelle auszuarbeiten, um mehrere Varianten vergleichen zu können, brauchte man ebenso viele Klassierer wie es Varianten gibt, sowie genügend Platz, um sie nach Belieben bewegen und anordnen zu können. Wenn dann schließlich das Bezugssystem mehr als drei Dimensionen verlangt (was schnell geschehen kann, wie wir oben gezeigt haben), muß man auf Lochkarten und Maschinen zurückgreifen. Ohne Aussicht, im Augenblick auch nur die Räume zu erhalten, die für die Zusammenstellung eines einzigen Arbeitsteams unerläßlich sind, begnügen wir uns damit, abschließend drei Feststellungen zu treffen:

Erstens hat man sich oft gefragt, weshalb die Mythen und ganz allgemein die mündlich überlieferte Literatur einen so häufigen Gebrauch von der Verdoppelung, Verdreifachung oder Vervierfachung ein und derselben Geschichte machen. Wenn man unsere Hypothesen annimmt, ist die Antwort einfach. Die Wiederholung hat eine Eigenfunktion, die die Struktur des Mythos manifest machen soll. Wir haben gezeigt, daß die synchro-diachronische Struktur, die den Mythos charakterisiert, es ermöglicht, seine Elemente in diachronischen Abfolgen (die Reihen unserer Tabellen) anzuordnen, die synchronisch gelesen werden müssen (Spalten). Jeder Mythos besitzt also eine Blätterstruktur, die in und durch den Vorgang der Wiederholung an der Oberfläche durchscheint, wenn man so sagen darf.

Und doch sind (zweitens) die einzelnen Blätter nicht ganz identisch. Wenn das Objekt des Mythos ein logisches Modell liefern soll, um einen Widerspruch aufzulösen (eine unlösbare Aufgabe, wenn der Widerspruch real ist), wird eine theoretisch unendliche Anzahl von Blättern erzeugt, jedes vom vorhergehenden etwas abweichend. Der Mythos entwickelt sich spiralenförmig, bis die intellektuelle Triebkraft, die ihn in die Welt gesetzt hat, verbraucht ist. Das *Wachstum* des Mythos ist also kontinuierlich, im Gegensatz zur *Struktur*, die diskontinuierlich bleibt. Wenn man uns ein gewagtes Bild gestattet, ist der Mythos ein Wortgebilde, das im Bereich des Gesprochenen einen ähnlichen Platz einnimmt wie der Kristall in der Welt der physikalischen Materie. Gegenüber der *Sprache* einerseits, dem *Gesprochenen* andererseits wäre seine Stellung der des Kristalls ähnlich: ein Objekt zwischen einem statistischen Aggregat von Molekülen und der molekularen Struktur selbst.

Die Soziologen schließlich, die sich die Frage nach dem Verhältnis von sogenannter »primitiver« Mentalität und wissenschaftlichem Denken stellten, haben sie im allgemeinen damit beantwortet, daß sie auf qualitative Unterschiede in der Art, wie der Geist hier oder dort arbeitet, hinwiesen. Sie haben aber nicht in Zweifel gezogen, daß in beiden Fällen der Geist sich immer auf die gleichen Objekte richtet.

Die vorangegangenen Ausführungen kommen zu einer anderen Auffassung. Die Logik des mythischen Denkens erschien uns ebenso anspruchsvoll wie die, auf der das positive Denken beruht, und im Grunde kaum anders. Denn der Unterschied liegt weniger in der Qualität der intellektuellen Operationen als in der Natur der Dinge, auf die sich diese Operationen richten. Übrigens haben die Technologen dies schon längst auf ihrem Gebiet festgestellt: eine eiserne Axt ist nicht wertvoller als eine Steinaxt, nur weil sie »besser gemacht« ist. Beide sind gleich gut gemacht, aber Eisen ist nicht dasselbe wie Stein.

Vielleicht werden wir eines Tages entdecken, daß im mythischen und im wissenschaftlichen Denken dieselbe Logik am Werke ist und daß der Mensch allezeit gleich gut gedacht hat. Der Fortschritt – falls dieser Begriff dann überhaupt angemessen ist – hätte nicht das Bewußtsein, sondern die Welt als Aktionsraum, in der eine mit konstanten Begabungen ausgestattete Menschheit im Laufe ihrer langen Geschichte mit immer neuen Objekten ringen mußte.

ANMERKUNGEN

1. A. M. Hocart, *Social Origins*, London, 1954, S. 7.

2. Diese Hypothese hat noch immer ihre Anhänger, wie zum Beispiel Sir R. A. Paget, The Origin of Language, *Journal of World History*, I, Nr. 2, Unesco, 1953.

3. Vgl. E. Benveniste, Nature du signe linguistique, *Acta Linguistica*, I, 1, 1939, und Kap. 5 von C. Lévi-Strauss, *Strukturale Anthropologie*, Frankfurt 1969, S. 95–111.

4. Michelet. *Histoire de la Révolution française*, IV, 1. Dieses Zitat stammt aus: Maurice Merleau-Ponty, *Les Aventures de la Dialectique*, Paris, 1955, S. 273.

5. Ohne uns mit den Spezialisten in eine Diskussion einlassen zu wollen, die unsererseits anmaßend und sogar gegenstandslos wäre, da hier der Ödipusmythos als ein ganz willkürlich behandeltes Beispiel steht, meinen wir doch, daß der der Sphinx zugeschriebene chthonische Charakter überrascht; wir führen das Zeugnis von Marie Delcourt an: »In den archaischen Legenden werden sie ganz sicher von der Erde selbst zur Welt gebracht« (*Oedipe ou la légende du conquérant*, Liège, 1944, S. 108). So weit auch die Methode von M. Delcourt und die unsere auseinanderliegen (das würde auch für unsere Folgerungen gelten, wenn wir befugt wären, das Problem gründlich zu behandeln), hat sie, scheint es, überzeugend den Charakter der Sphinx in der archaischen Tradition dargelegt: ein weibliches Ungeheuer, das junge Männer angreift und vergewaltigt, anders gesagt, die Personifizierung eines weiblichen Wesens mit Umkehrung des Vorzeichens, woraus sich erklärt, daß – in der schönen, von Marie Delcourt am Schluß ihres Werkes zusammengestellten Ikonographie – der Mann und die Frau immer in der umgekehrten »Himmel/Erde«-Position stehen.

Wir haben, wie wir später zeigen werden, den Ödipusmythos als erstes Beispiel ausgewählt aufgrund der bemerkenswerten Analogien, die zwischen einigen Aspekten des archaischen griechischen Denkens und dem Denken der Pueblo-Indianer, dem die folgenden Beispiele entlehnt sind, zu bestehen scheinen. Man wird an diesem Sujet feststellen, daß die Person der Sphinx, wie sie Marie Delcourt rekonstruiert hat, mit zwei Personen der nordamerikanischen Mythologie (die in Wirklichkeit nur eine bilden) übereinstimmt. Es handelt sich einerseits um die »old hag«, eine alte Hexe von abstoßendem Äußeren, die durch ihre äußere physische Erscheinung dem jungen Helden ein Rätsel aufgibt: wenn er dieses Rätsel löst – das heißt auf die Avancen der widerlichen Kreatur eingeht – wird er auf seinem Lager beim Erwachen eine strahlende junge Frau finden, die ihm zur Herrschaft verhelfen wird (in dieser Form gleichfalls ein keltisches Motiv). Noch mehr erinnert die Sphinx an die »child-protruding woman« der Hopi, eine phallische Mutter, wenn es das gäbe: diese junge Frau, die von den Ihren im Laufe einer schwierigen Wanderung gerade in dem Augenblick im Stich gelassen wurde, als sie niederkam, und die seither in der Wüste umherirrt, eine Mutter der Tiere, die sie den Jägern vorenthält. Wer ihr in ihren blutigen Gewändern begegnet, »ist so erschrocken, daß er eine Erektion verspürt«, die sie ausnutzt, um ihm Gewalt anzutun, ihn dann aber durch einen unfehlbaren Jagderfolg zu entschädigen (vgl. H. R. Voth, The Oraibi Summer Snake Ceremony, *Field Columbian Museum, Publ. Nr. 83, Anthropol. Series* Bd. III, Nr. 4, Chicago, 1903, S. 352–353 und 352, Anm. 1).

6. Und nicht Massauwù, dessen Name im englischen Text dieser Untersuchung an dieser Stelle infolge eines Tippfehlers erscheint.

7. Vgl. *Annuaire de l'Ecole pratique des Hautes Etudes*, Section des Sciences religieuses, 1952–1953, S. 19–21 und 1953–1954, S. 27–29.

8. Für eine weitere Anwendung dieser Methode vgl. unsere Untersuchung: On four Winnebago Myths, in der *Festschrift zum 75. Geburtstag Paul Radins*, 1958.

Elemente einer narrativen Grammatik
ALGIRDAS JULIEN GREIMAS

1. DIE NARRATIVITÄT UND DIE SEMIOTISCHE THEORIE

1.1 Historisches

Man muß das seit einigen Jahren immer stärker bekundete Interesse an Untersuchungen über Narrativität in Zusammenhang mit den Hoffnungen und Plänen für eine allgemeine Semiotik bringen, die mit jedem Tag präziser werden.

In den Anfängen hat der Vergleich der unabhängig voneinander gemachten Untersuchungen – von V. Propp[1] über die Folklore, von Lévi-Strauss[2] über die Struktur der Mythen, von Étienne Souriau[3] über das Theater – ermöglicht, die Existenz eines autonomen Forschungsbereichs zu festigen. Neue methodologisch vertiefende Arbeiten – von Claude Bremond[4] über die Erzählung aus der Perspektive einer Entscheidungslogik oder die von Alan Dundes[5], die der Anordnung der Erzählung die Form einer narrativen Grammatik geben wollte – haben dann die theoretischen Ansätze modifiziert. Unser eigenes Bemühen ging dahin, so weit wie möglich, das Anwendungsfeld der narrativen Analyse zu erweitern und zugleich dahin, die Teilmodelle, die im Laufe der Untersuchungen auftauchen, immer weiter zu formalisieren: es schien uns wichtig, die semio-linguistische Eigenschaft der in der Ausarbeitung dieser Modelle benutzten Kategorien über alle zu stellen, eine Eigenschaft, die für deren Universalität garantiert und Mittel für die Integration der narrativen Strukturen in eine generalisierte semiotische Theorie ist.

1.2 Die Narrativität und ihre Manifestation

Die methodologische Bereicherung der narrativen Analyse und die Möglichkeit, sie auf andere Bereiche als Folklore oder Mythologie anzuwenden, brachte beträchtliche Probleme mit sich, die die in der Linguistik allgemein zulässigen Konzeptionen in Frage stellen.

Man mußte zunächst zugeben, daß narrative Strukturen nicht nur in den Manifestationen des Sinnes, wie sie mittels der natürlichen Sprachen stattfinden, aufgefunden werden können: in den kinematographischen und Traumsprachen, in der figurativen Malerei usw. Aber das führte dazu, die Notwendigkeit einer grundsätzlichen Unterscheidung zwischen den beiden Ebenen der Darstellung und der

Im Original: Éléments d'une grammaire narrative, *Du sens, Essais sémiotiques*, du Seuil, Paris, 1970, S. 157–183. Vom Herausgeber um die Anmerkungen ergänzt. Aus dem Französischen übersetzt von Irmela und Jochen Rehbein. Druck mit freundlicher Erlaubnis des Autors.

Analyse zu erkennen und zu akzeptieren: eine *sichtbare Ebene* der Erzählung, auf
der ihre verschiedenen Manifestationen den besonderen Forderungen der sprachlichen Substanzen unterworfen werden, mit Hilfe derer die Erzählung sich ausdrückt, und eine *immanente Ebene*, die eine Art gemeinsamen strukturellen Stamm
bildet, in dem die Narrativität vor ihrer Manifestation plaziert und angeordnet ist.
Eine gemeinsame semiotische Ebene ist also von der linguistischen Ebene zu unterscheiden und geht letzterer logisch voraus, welche Sprache auch immer für die
Manifestation gewählt wird.

Wenn andererseits die narrativen Strukturen ihrer Manifestation vorausgehen,
muß diese, um wirksam zu werden, sprachliche Einheiten verwenden, deren Dimensionen umfangreicher sind als die von Aussagen: Einheiten, die »eine große
Syntagmatik« bilden – ein Ausdruck von Ch. Metz[6] aus seiner Semiotik des Films.
Den *narrativen Strukturen* entsprechen also auf der Ebene der Manifestation die
sprachlichen Strukturen der Erzählung; und zur narrativen Analyse kommt die Analyse
des Diskurses hinzu.

1.3 Die Narrativität und die Semiotik

Man sieht also: sofern man nur zugesteht, daß die Bedeutung ihren Darstellungs-
modi gegenüber indifferent ist, muß man eine autonome strukturelle Schicht annehmen, die der Organisationsraum umfangreicher Bedeutungsfelder ist und in
jede allgemeine semiotische Theorie einbezogen werden muß, sofern sie Artikulation und Manifestation des semantischen Universums qua Sinntotalität kultureller
und personeller Ordnung aufzuschließen gedenkt. Gleichzeitig wird die allgemeine
Ökonomie einer solchen Theorie auf den Kopf gestellt. Dachte man zuvor, daß
der Zweck der Linguistik darin besteht, einen kombinatorischen oder generativen
Mechanismus zu zeigen, der von einfachen Elementen und elementaren Kernen her
die Erzeugung einer unbegrenzten Zahl von Aussagen erklären würde, die sich
ihrerseits transformieren und kombinieren, um die Aussagefolgen zum Diskurs
zusammenzufügen – muß man dagegen nunmehr von den *ab-quo*-Instanzen der
Bedeutungsgenerierung ausgehen, nämlich von Sinnhäufungen, die möglichst
wenig artikuliert sind, um, schrittweise tieferzusteigend, zu immer feineren bedeu-
tungsmäßigen Artikulationen zu kommen und gleichzeitig die beiden Ziele zu
erreichen, zu denen der Sinn bei seiner Manifestation tendierte: als *artikulierter
Sinn* zu erscheinen, d. h. als Bedeutung und als *Diskurs über den Sinn,* d. h. als
große Paraphrase, die auf ihre Weise alle Artikulationen, die dem Sinn vorausgehen, entwickelt. Anders gesagt: die *Generierung der Bedeutung nimmt zunächst nicht
ihren Weg über die Produktion von Aussagen und ihre Kombination zu einem Diskurs; sie
wird bei ihrem Durchlauf auf narrative Strukturen umgeschaltet, und gerade diese bringen den
sinntragenden in Aussagen artikulierten Diskurs hervor.*

Die Ausarbeitung einer Theorie der Narrativität, die zu Recht die narrative
Analyse als einen methodologisch selbständigen Forschungsbereich legitimiert und

begründet, besteht fortan offenbar nicht nur in der Vervollkommnung und Formalisierung von narrativen Modellen, die man bei den immer zahlreicheren und dif-
ferenzierteren Beschreibungen erhalten hat, auch nicht in einer Typologie dieser
Modelle, die sie alle zusammenfassen würde, sondern auch, und vor allem, in der
Aufstellung von narrativen Strukturen als einer *autonomen Instanz* im Rahmen einer
allgemeinen Ökonomie der Semiotik, die als Wissenschaft von der Bedeutung verstanden wird.

1.4 Die Instanzen einer allgemeinen Semiotik

Zu diesem Zweck muß eine semiotische Theorie so angelegt werden, daß zwischen
den Tiefeninstanzen *ab quo*, in denen die semantische Substanz ihre ersten Artikulationen erhält und sich als bedeutende Form herausbildet, und den letzten
Instanzen *ad quem*, in denen sich die Bedeutung in vielfältigen Sprachen manifestiert, ein breiter Raum für die Aufstellung einer *Vermittlungs-Instanz* eingefügt
wird. Dort sollen semiotische Strukturen mit autonomem Status – unter ihnen die
narrativen Strukturen – plaziert sein. Orte, an denen die komplementären Artikulationen der Inhalte und eine Sorte von Grammatik ausgearbeitet werden, die eine
Allgemeine Tiefengrammatik ist und den Aufbau der artikulierten Diskurse leitet.
Der mit dieser Vermittlungsinstanz verbundene strukturale Zweck ist zweifach:
Einmal soll angedeutet werden, wie die Modelle der Artikulation der Inhalte
konstruiert sind, so wie sie auf dieser Ebene des Sinndurchlaufs vorstellbar sind,
und andererseits sollen formale Modelle aufgestellt werden, die diese Inhalte so
manipulieren und verteilen können, daß sie die Produktion und die Segmentierung
des Diskurses leiten und unter bestimmten Bedingungen die Manifestation der
Narrativität organisieren. Mit anderen Worten: die semiotische Theorie wird ihrer
Aufgabe nur genügen können, wenn sie in ihrem Inneren einen Platz für *eine Tiefensemantik und Tiefengrammatik* einrichtet.

1.5 Zu einer Tiefensemantik

Der Entwurf zu einer Tiefensemantik kann sich, im Unterschied zu der Semantik
der sprachlichen Manifestation (= Oberfläche), nur auf eine Theorie des Sinns
stützen. Er ist also direkt an die Bestimmung der Bedingungen, unter denen der
Sinn angeeignet wird, und an die *Elementarstruktur der Bedeutung* gebunden, die
davon abgeleitet werden kann, und die später die Form einer Axiomatik hat. Diese
Elementarstruktur, die oben beschrieben und analysiert worden ist, muß als die
logische Entwicklung einer binären semischen Kategorie des Typs *schwarz* vs *weiß*
begriffen werden; die Terme dieser Kategorie stehen zueinander in einer konträren
Relation; dabei kann jeder Term gleichzeitig einen neuen Term hervorbringen,
der seine Kontradiktion ist; die kontradiktorischen Terme können ihrerseits eine
Präsuppositionsrelation hinsichtlich des konträren opponierten Terms eingehen:

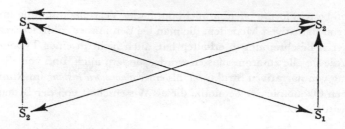

(→ bezeichnet die Präsupposition und ↔ die Kontradiktion).

Die zweite Forderung besteht darin, daß diese Elementarstruktur der Bedeutung ein semiotisches Modell liefert, daß die ersten Artikulationen des Sinns innerhalb eines *semantischen Mikro-Universums* aufklären kann.

Hier wird eine Präzisierung unserer Konzeption vom semantischen Universum notwendig. Zunächst hatten wir vorgeschlagen (vgl. unsere *Sémantique structurale*), es als die Totalität der »semantischen Substanz« zu betrachten, die nur durch ein Artikulationsnetz, das sie deckt, zur Bedeutungsmanifestation abberufen werden kann: der Sinn wird nur erfaßt, wenn er artikuliert ist. Diese Sinnartikulationen konnten, so meinten wir, als das Ergebnis einer Kombinatorik, die von einem begrenzten Inventar semischer Kategorien aus realisiert wird, erklärt werden. Heute kann man einen Schritt weitergehen, der eine etwas feinere Darstellung dieser Artikulationsüberdeckung nahelegt. Es ist doch vorstellbar, daß *jede konstitutive Kategorie der Kombinatorik*, – die sich ja jederzeit in eine Elementarstruktur entfalten kann, – *in ein konstitutionelles semiotisches Modell* transformiert werden kann und, indem es sich andere Kategorien desselben Inventars unterordnet, um ihm so als Sub-Artikulation zu dienen, und auf diese Weise ein weites Bedeutungsfeld zusammenfassen und als Überdeckung eines semantischen Mikro-Universums dienen kann. Das Tiefeninventar von semischen Kategorien, das für die Artikulation des semantischen Universums in seiner Totalität notwendig ist, ist konsequenterweise auch für alle denkbaren Mikro-Universen ein mögliches Inventar, kann doch jede Kultur, jede Persönlichkeit durch bestimmte Artikulationen das eine Mikro-Universum dem anderen vorziehen (die Weinkultur in Frankreich, die Ausnutzung des Quellwassers in der Türkei).

Das konstitutionelle Modell ist seitdem nur jene Elementarstruktur der Bedeutung, die als Form für die Artikulation der semantischen Substanz eines Mikro-Universums verwendet wird. Die Isotopie der Terme der Elementarstruktur verbürgt und begründet gewissermaßen das Mikro-Universum als Sinneinheit und ermöglicht, im Rahmen unseres axiomatisierenden Vorgehens, das konstitutionelle Modell als eine kanonische Form anzusehen, als Ausgangsinstanz zu einer Tiefensemantik.

Es ist hier nicht der Ort, die Bedingungen für eine solche Semantik zu untersuchen. Es geht allein darum, die beiden Ebenen – die semantische und die grammatikalische – bei der durchgeführten Erforschung deutlich zu unterscheiden. Es wäre daher vielleicht besser, diese Unterscheidung durch eine terminologische

Disjunktion zu kennzeichnen, und zwar von *Inhaltswerten,* wenn es sich um semische Einheiten handelt, die im Inneren des Mikro-Universums mit Hilfe der Artikulationen des konstitutionellen Modells herausgesondert werden, und den Ausdruck struktureller *Term* allein den formalen Einheiten des semiotischen Modells vorzubehalten.

1.6 *Für eine Tiefengrammatik*

Aber wenn die Elementarstruktur so Modell für die Artikulation der Inhalte ist – dies sind ja die semantischen Substanzen –, wenn sie den Sinn in Bedeutung umwandeln kann, so bleibt sie doch eine semiotische Form, die man auch außerhalb aller Bindung betrachten kann, und die jenes »semiotische Prinzip« darstellt, das nach Hjelmslev jede Sprache organisiert, im allgemeinsten Sinn dieses Wortes. Dies ist auch eine Erklärung dafür, daß die Elementarstruktur, obwohl als konstitutionelles Modell an der Basis der Organisation der Inhalte, zugleich das formale Modell ist, das dank seiner konstitutiven Kategorien die organisierten Inhalte manipuliert, ohne sich mit ihnen zu identifizieren. Wir haben übrigens bereits bemerkt, daß die für die Formalisierung der elementaren Bedeutungsstruktur notwendigen Kategorien dieselben epistomologischen Kategorien sind, die auch für die Konstruktion einer jeden semiotischen Theorie gebraucht werden. Mit diesen »Universalien der Sprache«, die als semiotisches Modell die ursprüngliche Instanz für jede Manipulation von Sinn sind, kann man an die Erarbeitung der ersten Prämissen einer Tiefengrammatik gehen.

2. ELEMENTE EINER TIEFENGRAMMATIK

2.1 *Der taxonomische Kern*

Augenblicklich ist es schwierig, eine Axiomatik zu erarbeiten, auf der die narrativen Strukturen beruhen; man müßte vorher eine fertige semiotische Theorie zur Verfügung haben. Unter Bezug auf die umfassende Konzeption einer solchen Semiotik können deshalb lediglich die hauptsächlichen artikulatorischen Instanzen und die voraussichtlichen operationellen Verkettungen einer geplanten narrativen Grammatik, skizziert werden.

Jede Grammatik hat, mehr oder weniger ausdrücklich, zwei Komponenten: eine Morphologie und eine Syntax. Die Morphologie hat den Charakter einer Taxonomie, deren Terme im Verhältnis zueinander definiert sind, und die Syntax besteht aus einer Menge von Operationsregeln bzw. Arten, nach denen die Terme der Morphologie gehandhabt werden.

Um zu erläutern, was ein taxonomisches Modell dieser Gattung leistet, sei auf die strukturale Analyse des Ödipusmythos verwiesen, die schon 1955 von Claude Lévi-Strauss[7] durchgeführt wurde und die auf die Konstruktion eines einfachen

achronischen Modells hinauslief, aus dem alle Ödipusmythen, auch der freudiani-
sche, erzeugt werden können. Als Resultat einer paradigmatischen Lesart des
mythischen Diskurses ist dieses Modell – wir haben es bei anderen Gelegenheiten
geprüft – definierbar als die Korrelation von paarweise kontradiktorischen Termen.

Ein solches Modell ist als Ganzes mit dem konstitutionellen Modell, von dem
wir bereits gesprochen haben, vergleichbar und mit denselben relationalen Kategorien zu interpretieren. Wird die Struktur, die zwei durch die kontradiktorische
Relation ($s_1 \leftrightarrow \bar{s}_1$ oder $s_1 \leftrightarrow \bar{s}_2$) vereinigte Terme umfaßt, *Schema* genannt und *Korrelation* die Beziehung zwischen zwei Schemata, deren Terme jeweils in konträrer
Beziehung zu den entsprechenden Termen des anderen Schemas stehen (cf. 1.5) –
dann kann man sagen, daß das taxonomische Modell eine *Struktur von vier Termen*
ist, die wechselseitig durch ein Netz von präzisen Relationen definiert sind, die
als die *Korrelation zwischen zwei Schemata* beschreibbar sind.

Bei C. Lévi-Strauss gibt ein solches Modell über die achronische Aneignung der
Bedeutung aller möglichen Erzählungen Aufschluß, die aus einem bestimmten
semantischen Mikro-Universum ableitbar sind. Dies ist ein formales mythisches
Modell: es bringt die investierten Inhalte lediglich zur Artikulation. Außerdem
ist es von seinem Manifestationsmodus unabhängig: der Diskurs, der den Mythos
manifestiert, kann eine mythische Erzählung sein, aber auch der didaktische
Diskurs wie bei Freud; er kann ebenso in verwischter Form in unabschließbaren
anthropologischen und psychoanalytischen Diskursen vorhanden sein.

Anders gesagt, von dieser ersten taxonomischen Instanz aus können auf statische
Weise die Wertsysteme oder *Axiologien* und die rekurrenten Werterzeugungsprozesse
oder *Ideologien* artikuliert und manifestiert werden. Obwohl die taxonomische
Instanz diskursive nichtnarrative Formen hervorzubringen vermag, ist sie gleichfalls als Basis für jeden dynamischen Prozeß erforderlich, der die *narrative Syntax*
generiert.

2.2 *Die Umwandlung der Taxonomie in Narrativität*

Das taxonomische Modell läßt sich wegen der Unveränderlichkeit der Beziehungen,
durch die seine strukturellen Terme definiert werden, als erster Kern einer Elementarmorphologie betrachten. Überprüft man die Bedingungen für die Aneignung
des Sinnes, dann wird allerdings klar, daß die Bedeutung als Artikulation von
stabilen Tiefenrelationen auftritt, soweit man sie im Gegenstand aufsucht; sobald
man sie als eine Aneignung oder als die Produktion des Sinns durch ein Subjekt
ansieht, kann sie auch eine dynamische Darstellung erhalten. Berücksichtigt man
diesen dynamischen Aspekt, läßt sich ein Netz von Äquivalenzen zwischen den für
das taxonomische Modell konstitutiven Tiefen*beziehungen* und den Projektionen derselben Beziehungen, oder *Operationen*, aufstellen, die diesmal für bereits eingeführte
Terme derselben Elementarmorphologie gelten; durch die Regeln der Operationen
wird die Syntax gebildet. So trägt die Kontradiktion als Relation auf der taxonomischen Ebene zur Aufstellung von binären Schemata bei; als Operation wird die

Kontradiktion auf der syntaktischen Ebene einen der Terme des Schemas negieren, um dessen kontradiktorischen Term zu bejahen. Wenn eine solche Operation über Terme mit bereits eingesetzten Werten ausgeführt wird, bewirkt sie die Transformierung der Inhalte, weil sie die, die aufgestellt wurden, negiert, und an deren Stelle neue deklarative Inhalte auftauchen läßt.

Man kann also einen ersten vorläufigen Richtsatz für eine Tiefensyntax aufstellen, nach dem sie die Erschütterung des taxonomischen Modells, indem sie die investierten Inhalte in die taxonomischenTerme, auf denen sie operiert, überführt.

Bemerkung: Die sogenannte achronische Aneignung des Mythos ist offenbar eine unstabile Instanz, ihre »dogmatische« Struktur ist in jedem Augenblick bereit, sich in Erzählung umzuwandeln. Die Untersuchungen über bestimmte kleinere Gattungen (Sprichworte, »Wellerismen«, Artikel über Lokalereignisse usw.) weisen auf ihre starke Instabilität und ihren ausgesprochenen Hang zur Narrativität bei diesen Gattungen hin, die zunächst als rein axiologische Manifestationen erscheinen.

2.3 Die Richtung der syntaktischen Operationen

Durch die Darstellung der Syntax als Folge von Operationen, die über die definierten Terme einer taxonomischen Struktur ausgeführt werden, kann man leichter diese neue Eigenschaft ableiten: *die syntaktischen Operationen sind gerichtet.*

So sind im Rahmen eines einzigen taxonomischen Schemas zwei syntaktische Operationen und zwei mögliche Inhaltstransformationen vorhersehbar:

$$\text{entweder:} \quad s_1 \Rightarrow \bar{s}_1$$
$$\text{oder:} \quad \bar{s}_1 \Rightarrow s_1$$

Da andererseits das taxonomische Modell von zwei Schemata gebildet wird, muß man nach der logischen Priorität der syntaktischen Operationen fragen: Die gerichteten Operationen können beginnen:

$$\text{entweder mit dem ersten Schema:} \quad s_1 \Rightarrow \bar{s}_1 \quad \text{oder} \quad \bar{s}_1 \Rightarrow s_1$$
$$\text{oder mit dem zweiten Schema:} \quad s_2 \Rightarrow \bar{s}_2 \quad \text{oder} \quad \bar{s}_2 \Rightarrow s_2$$

was bereits eine erste Kombinatorik syntaktischer Operationen ermöglicht.

Schließlich gibt die Kenntnis von den relationalen Eigenschaften der Elementarstruktur, die gleichzeitig auch Eigenschaften der syntaktischen Operationen sind, die Vorschrift, daß die Kontradiktionsoperation, die z. B. den Term s_1 negiert und zugleich den Term $\bar{s}_1$ setzt, von einer neuen Präsuppositionsoperation gefolgt werden muß, die in Konjunktion mit dem Term $\bar{s}_1$ den neuen Term s_2 entstehen läßt. – So sind die syntaktischen Operationen nicht nur gerichtet, sondern auch in logischen Reihen geordnet.

2.4 Die Merkmale einer Tiefengrammatik

Die Merkmale, die wir soeben bestimmt haben und die als Basis für die Ausarbeitung einer Tiefengrammatik geeignet sind, lassen sich folgendermaßen zusammenfassen:

1. Die narrative Grammatik enthält eine *Elementarmorphologie*, die vom taxonomischen Modell geliefert wird, und eine *Tiefensyntax*, die auf den taxonomischen vorgängigen *Termen operiert*, die sich zuvor gegenseitig definiert haben.

2. Die narrative Syntax besteht aus Operationen, die über den für die Einsetzung mit Inhaltswerten geeigneten Termen ausgeführt werden; daher transformiert und manifestiert die Syntax diese Terme durch Negation und Affirmation oder, was dasselbe ist, durch *Disjunktion* und *Konjunktion*.

3. Die syntaktischen, im taxonomischen Rahmen durchgeführten Operationen sind *gerichtet*, und daher vorhersehbar und berechenbar.

4. Diese Operationen sind außerdem *in Reihen geordnet* und konstituieren Vorgänge, die in *operationale syntaktische Einheiten* segmentierbar sind.

Diese Minimalbestimmungen, die, wenngleich unvollständige Bedingungen für eine Tiefengrammatik sind, erlauben, die Probleme bei der Konstruktion einer narrativen Oberflächengrammatik anzugehen.

3. ELEMENTE EINER NARRATIVEN OBERFLÄCHENGRAMMATIK

3.1 Das Problem der Grammatikebenen

Wenn man eine Tiefengrammatik hätte, wäre es möglich, sich die weiter »unten« liegenden Grammatikebenen vorzustellen, die sich vermöge weiterer Spezifikation der verwendeten Kategorien oder ihrer komplexeren Transkribierung schrittweise einer Grammatik annäherten, wie sie sich z. B. in den natürlichen Sprachen manifestiert. Stark vereinfachend darf man sagen: Damit die Tiefengrammatik, die ja *konzeptueller* Art ist, Erzählungen produzieren kann, die in *figurativer* Form manifestiert sind (in denen die menschlichen oder personifizierten Protagonisten Aufgaben erfüllen, Proben bestehen, Ziele erreichen), muß sie zunächst auf einer intermediären semiotischen Ebene eine *anthropomorphe* aber nicht figurative Repräsentation erhalten. Diese anthropomorphe Ebene bezeichnet man mit dem Namen *narrative Oberflächengrammatik*, wobei präzisiert werden muß, daß das Qualitativum »Oberflächen-« nicht abwertend ist, sondern nur darauf hinweist, daß es sich um eine semiotische Stufe handelt, deren Definitionen und grammatikalische Regeln mit Hilfe einer letzten Umkodierung in der Lage sind, unmittelbar in die sprachlichen Diskurse und Aussagen überzugehen.

Der Term *grammatikalische Ebene* erfordert zunächst eine Definition. Wenn wir sagen, daß eine Grammatik auf zwei verschiedenen Ebenen konstruiert werden kann, ist damit gemeint, daß man zwei verschiedene Metasprachen bilden kann, die über ein und dasselbe sprachliche Phänomen Auskunft geben, welches selbst auf einer dritten Ebene ist, in unserem Fall auf jener der Manifestierung. Gleichfalls sagt man, daß diese beiden Metasprachen *äquivalent* sind, weil sie isotop, aber nicht isomorph sind, wodurch man anzeigt, daß ein bestimmtes Segment der Metasprache in ein isotopes Segment einer anderen Sprache transkodiert werden kann, ohne daß darum die konstitutiven Elemente der beiden Segmente formal identisch sind.

Die konstitutiven Kategorien einer solchen Oberflächengrammatik unterscheiden sich, sagen wir, durch ihren *anthropomorphen Charakter* von dem *logischen Charakter* der Kategorien der Tiefengrammatik.

3.2   Die narrativen Aussagen

3.2.1 Das anthropomorphe Tun

Wenn also einer der Grundbegriffe der *Tiefen*grammatik der der syntaktischen *Operation* ist, entspricht diesen auf der *Oberflächen*ebene das syntaktische *Tun*.

Die Aufstellung der Äquivalenz zwischen der Operation und dem Tun führt wohl in die Grammatik die anthropomorphe Dimension ein. Diese Tatsache kann auf verschiedene Weise interpretiert werden:

a) Während eine logische Operation als ein autonomer metasprachlicher Vorgang verstanden wird, der das Subjekt der Operation in Klammern stellen kann (oder den Gebrauch eines Operators »irgendeiner« erlaubt), impliziert ein Tun, sei es praktisch oder mythisch, eben weil es Aktivität ist, ein *menschliches Subjekt* (oder wenigstens ein personifiziertes: »der Bleistift schreibt«). Anders gesagt, das Tun ist eine Operation, die durch Adjunktion des Klassems »menschlich« spezifiziert wird.

b) Wenn man von Tun spricht, ist es einleuchtend, daß man nicht an das »reale« Tun denkt, das auf der Ebene der Semiotik der natürlichen Welt steht, sondern an das *sprachliche Tun* (welche Sprache auch immer es ist, die natürliche oder nicht, in der es sich manifestiert), an ein in Nachricht transkodiertes Tun. Ob es durch Bezug auf das semiotische Referenzsystem um ein *gehandeltes Tun* oder um ein *gesprochenes Tun* geht, sein Status als meta-semiotisches Tun (weil beschriebenes) macht daraus den Gegenstand einer Nachricht innerhalb des Kommunikationsprozesses, der Sender und Adressaten impliziert.

Das Tun ist also eine doppelte anthropomorphe Operation: als Aktivität setzt sie ein Subjekt voraus; als Nachricht ist sie objektiviert und impliziert die Übertragungsachse zwischen Sender und Adressaten.

3.2.2 Einfache narrative Aussage

Die Konvertierung – der Übergang von einer grammatikalischen Ebene auf eine andere – kann also als Äquivalenz zwischen der Operation und dem Tun definiert werden; sie verleiht den Implikationen des Begriffs Tun die Form einer *einfachen narrativen Aussage:*

$$EN = F (A)[8],$$

wobei das Tun als Aktualisierungsvorgang *Funktion* (F) heißt und das Subjekt des Tuns als Potentialität des Vorgangs *Aktant* (A) genannt wird. Man sagt nun, daß jede Operation der Tiefengrammatik in eine narrative Aussage konvertiert werden kann, deren kleinste kanonische Form F (A) ist. Es bleibt jedoch selbstverständlich, daß die narrativen Aussagen syntaktische Aussagen sind, d. h. unabhängig von dem Inhalt, der in dieses oder jenes Tun eingesetzt werden kann, und daß die konstitutiven Elemente der Aussage F und A isotop sind: jede semantische Einschränkung von F wird notwendigerweise auf A zurückgespiegelt und umgekehrt. Um ein Beispiel zu geben: der Aktant ist mit seiner Funktion isotop wie das agentische Nomen mit dem entsprechenden Verb (vgl. Fischer – fischen).

3.2.3 Modale Aussagen und deskriptive Aussagen

So kann eine Typologie von narrativen Aussagen – und gleichzeitig von Aktanten – durch die schrittweise Einführung bestimmter semantischer Restriktionen gebildet werden. Wenn z. B. eine bestimmte Funktionsklasse durch die Hinzufügung des Klassems Wollen spezifiziert wird, bilden die Aktanten, die isotop mit diesen Funktionen sind, eine restriktive Klasse, die als die der *Aktanten-Subjekte* bezeichnet werden kann. Tatsächlich ist *Wollen* ein anthropomorphes Klassem (aber nicht notwendigerweise figurativ; vgl. »diese Regel fordert, daß« . . .), das den Aktanten als Subjekt einsetzt, d. h. als möglichen Operator des Tuns. Und von da aus kann man neben den deskriptiven Aussagen (ED) einen neuen Typus von narrativen Aussagen aufstellen: die *modalen Aussagen* (EM).

Tatsächlich ist vom linguistischen Standpunkt aus *Wollen* ein modales Prädikat, das die eigentlich deskriptiven Aussagen regiert, z. B.:

(1) Hans will, daß Peter abfährt

(2) Peter will abfahren

Wenn diese sprachlichen Aussagen in semantische Aussagen umgeschrieben sind, werden sie dargestellt als:

(1) F: Wollen/S: Hans; O (F: Abfahrt; A: Peter)/

(2) F: Wollen/S: Peter; O (F: Abfahrt; A: Peter)/

Linguistisch gesehen ist die Einführung des Klassems Wollen etwas anderes als die Überdeterminierung des Prädikats, weil sie die Konstruktion von zwei distinkten Aussagen erfordert, von denen die erste eine modale Aussage ist und die zweite eine deskriptive Aussage, die, hypotaktisch in bezug auf die erste, dieser als *Aktant-Objekt* dient. Wenn man im Augenblick die Tatsache nicht berücksichtigt, daß im ersten Beispiel die semantischen Subjekte der beiden Aussagen unterschiedlich und im zweiten Fall identisch sind, kann man die modale Aussage als »den Wunsch zur Realisierung« eines Programms interpretieren, das in der Form der deskriptiven Aussage gegenwärtig ist und gleichzeitig als Objekt Teil der modalen Aussage ist.

Das erlaubt uns schon, die modalen Aussagen formal zu spezifizieren als:

$$EM = F: \text{Wollen}/S; O/$$

Das sind die Aussageakte möglicher Programme, die im Rahmen von Aktanten-Objekten verdeutlicht wurden, wobei selbstverständlich ist, daß das Aktant-Objekt der modalen Aussage sofort in irgendeine deskriptive Aussage konvertiert werden kann.

Wenn man jetzt eine zusätzliche Restriktion einführt, mit der man postuliert, daß das semantische Subjekt der deskriptiven Aussage dasselbe wie das der modalen Aussage sein soll, ließe sich sagen, daß das syntaktische Tun gewissermaßen in der Transformation eines *virtuellen* Programms in ein *aktualisiertes* Programm besteht.

Da die deskriptive Aussage als unverändert bleibendes Programm verstanden wird, kann die Transformation als die Substituierung der modalen Aussage mit der Funktion »Wollen« durch eine *modale Existenzaussage* interpretiert werden, die bekanntlich implizite Präsupposition jeder deskriptiven Aussage ist.

3.2.4 Attributive Aussagen

Wenn man feststellt, daß der Gegenstand des Wunsches als Aktant-Objekt auftritt, in Wirklichkeit aber ein Aussageprogramm ist, muß man dies etwas erläutern. Andere Beispiele führen neue Merkmale dieser deskriptiven Aussagen ein:

(3) Peter will einen Apfel

(4) Peter will gut sein

Diese sprachlichen Aussagen können semantisch repräsentiert werden als:

(3) F: Wollen/S: Peter; O (F: Erwerb; A: Peter; O: Apfel)/

(4) F: Wollen/S: Peter; O (F: Erwerb; A: Peter; O: Güte)/

Die semantische Bestimmung ermöglicht offensichtlich, neben den bereits erwähnten Aussagen, deren Funktion von der *Ordnung des Tuns* ist, die Existenz von zwei anderen deskriptiven Aussagetypen festzustellen, die durch ihre Funktionen gekennzeichnet sind, die bald zur *Ordnung des Habens*, bald zur *Ordnung des Seins* gehören.

Man kann sie als Unterklasse der deskriptiven Aussagen attributive Aussagen (EA) nennen. Unterschieden werden diese beiden Aussagetypen auf der Ebene der semantischen Beschreibung weniger durch die Spezifizierungen ihrer Funktionen – es handelt sich in beiden Fällen um eine Attributionsrelation zwischen semantischem Subjekt und Objekt –, als durch externe oder interne Beschaffenheit der zu attribuierenden Objekte. Vereinigt man die Funktionen der beiden – modalen und deskriptiven – Aussagen, um sie zu interpretieren, so findet man, daß der Apfel ein externer Wert in bezug auf das Subjekt des Wunsches ist, während die Güte ein für das Subjekt interner Wunsch ist, sofern es richtig ist, daß der Wunsch nach Besitz den Gegenstand eines möglichen Besitzes als *Wert* etabliert. Dieser Unterschied wird in syntaktischen Termen ausgedrückt, wenn man sagt, daß die Beziehung zwischen dem Subjekt und dem Objekt der attributiven Aussage im ersten Fall *hypotaktisch* und im zweiten *hyponymisch* ist.

Zusammenfassend kann also folgendes gesagt werden:

a) Die Einführung der *Modalität* des Wollens in die Oberflächengrammatik gestattet die Aufstellung von modalen Aussagen mit *zwei Aktanten*, dem *Subjekt* und dem *Objekt*. Die Achse des Wunsches, die sie verbindet, gibt die Berechtigung, sie ihrerseits semantisch als ein mögliches *Performanz-Subjekt* und ein *in einen Wert eingesetztes Objekt* zu interpretieren.

b) Wenn die Modalität des Wollens das Objekt bewertet, kann dieses Objekt als Aktant der modalen Aussage entweder in eine deskriptive Aussage des Tuns (Beispiele 1 und 2) – und das Tun, soweit es bewertet ist – oder in attributive Aussagen (Beispiele 3 und 4) konvertiert werden – und die Aktualisierung des Wollens wird dann durch den Besitz der Objektwerte, die in den attributiven Aussagen signalisiert werden, ausgedrückt.

c) Die Unterscheidung der beiden – *hypotaktischen* und *hyponymischen* – Typen der Attribuierung von Objektwerten muß festgehalten werden: sie bietet ein formales Kriterium, um zwei Wertordnungen zu unterscheiden – subjektive und objektive –, die für das Verständnis der narrativen Struktur sehr wichtig sind.

3.2.5 Modale Aussagen als Funktion von attributiven Aussagen

Wir müssen noch unsere Beispielliste für narrative Aussagen vervollständigen mit:
   (5) Peter will (etwas) wissen
   (6) Peter will (etwas) können
Man sieht sofort, auch ohne semantische Transkription, daß das Besondere an diesem Aussagetyp darauf beruht, daß eine modale Aussage nicht eine einfache deskriptive Aussage zum Objekt haben kann, sondern eine andere modale Aussage, die als deskriptive Aussage fungiert und daher geeignet ist, ihrerseits bewertet zu werden.

Hierzu können eine bestimmte Zahl von Feststellungen gemacht werden:

1. Auf dem gegenwärtigen Stand unserer Kenntnisse scheinen nur die Modalitäten von *Wissen* und von *Können* bei der Aufstellung der Oberflächengrammatik in Betracht gezogen werden zu können.

2. Von den Eigenschaften dieser Modalitäten halten wir fest:

a) die Möglichkeit, kanonische modale Aussagen zu bilden:
$$\text{EM (s oder p)} = \text{F: Wissen oder Können/S; O (F: Tun; O)/}$$

b) die Möglichkeit, Objekte von modalen Aussagen des Wollens zu sein:
$$\text{EM (v)} = \text{F; Wollen/S; O (F: Wissen oder Können; A; O)/}$$

c) die Möglichkeit, Objekte von attributiven Aussagen zu sein:
$$\text{EA} = \text{F: Attribuierung/S; O: ein Wissen oder ein Können/}$$

3.3 *Die narrativen Einheiten*

3.3.1 Die Performanz und ihr polemischer Charakter

Um die Aufstellung der elementaren Einheiten der Oberflächengrammatik, die denen der Tiefengrammatik entsprechen, abzuschließen und zu größeren Einheiten zu kommen, muß man die polemische Repräsentation betonen, die auf dieser Oberflächenebene die Kontradiktionsrelation erhält. Die Achse der Kontradiktion, die wir mit dem Namen Schema bezeichnet haben, ist bekanntlich der Ort der Negation und Assertion kontradiktorischer Terme. Wird zugestanden, daß die anthropomorphe Repräsentation des Widerspruchs polemischer Art ist, muß hier die syntagmatische Folge – die der Transformation jener Inhaltswerte entspricht, welche auf der Ebene der Tiefengrammatik den Negations- und Assertionsoperationen entspringen – als eine Folge narrativer Aussagen erscheinen, ihre semantischen Einschränkungen sollen ihr den Charakter von Zusammenstoß und Kampf geben. Für ihre Bildung macht diese syntagmatische Kette erforderlich:

a) die Existenz *zweier Subjekte* S_1 und S_2 (oder eines Subjekts und eines Gegen-Subjekts), die den beiden kontradiktorischen *Tun* entspricht, wobei ja die Kontradiktionsbeziehung eine ungerichtete Relation ist;

b) die semantische Restriktion des syntaktischen Tuns durch die Errichtung der Äquivalenz von *Negations-* und *Herrschafts*funktion, die ein Resultat des polemischen Antagonismus ist;

c) die Anerkennung der Geltung des *Richtungs*prinzips für die beiden Ebenen der Grammatik: einer bestimmten Richtung von logischen Operationen entspricht eine bestimmte arbiträre Wahl des negierenden Subjekts und der Herrschaft des einen Subjekts über das andere;

d) das Zugeständnis, daß das dialektische Verfahren, nach dem die Negation eines Terms *zugleich* die Assertion des kontradiktorischen Terms ist, auf der Ebene der Oberflächensyntax durch zwei unabhängige narrative Aussagen repräsentiert wird, von denen die erste in ihrer Herrschaftsfunktion der Negationsinstanz entspricht und die zweite in ihrer Attribuierungsfunktion der Assertionsinstanz.

Daher kann die *Performanz* genannte syntagmatische Folge folgendermaßen dargestellt werden:

$$EN_1 = F: \text{Konfrontation } (S_1 \leftrightarrow S_2)$$

Bemerkung: Diese narrative Aussage, die die Kontradiktionsbeziehung zwischen zwei Termen anthropomorph ausdrückt, ist in Wirklichkeit der Synkretismus zweier modaler Aussagen, die jedem Subjekt eigen sind.

$$EN_2 = F: \text{Herrschaft } (S_1 \leftrightarrow S_2)$$

Bemerkung: Die Aussage entspricht der Auslösung der Operation der gerichteten Negation, in der $S_1 S_2$ negiert oder umgekehrt; die Negation besteht in der Transformation des Virtuellen ins Aktuelle, oder, was dasselbe besagt, in der Substitution von EM des Wollens durch EM der Existenz, des Wunsches zu herrschen durch die Herrschaft.

$$EN_3 = F: \text{Attribuierung } (S_1 \leftarrow 0)$$

Bemerkung: Die letzte Aussage entspricht der Assertionsinstanz: diese wird durch die Attribuierung eines Objektwertes anthropomorph ausgedrückt.

3.3.2 Die konstitutiven Elemente der Performanz

In diesem Entwurf einer Oberflächengrammatik wurde am Beispiel eines einzigen Syntagmas die Aufstellung von Term-zu-Term-Entsprechungen zwischen den beiden grammatikalischen Ebenen besonders hervorgehoben, ebenso die Verdeutlichung von anthropomorphen Kategorien, die den logischen Termen und Operationen substituiert werden. Das Ergebnis ist der Aufbau einer besonderen narrativen Einheit, der Performanz: weil sie das Operationsschema der Transformation von Inhalten ausmacht, ist sie wahrscheinlich die am meisten *charakteristische Einheit der narrativen Syntax.*

Die derart definierte Performanz ist eine syntaktische Einheit, ein formales Schema, das die verschiedensten Inhalte aufnehmen kann. Andererseits sind die beiden Subjekte der Performanz austauschbar, da das eine oder das andere herrschen oder beherrscht werden kann; auch die Klasse des Objekts ist je nach den unterschiedlichen Modi der syntaktischen Attribuierung variierbar.

Vom Gesichtspunkt ihres syntaktischen Status hat die Performanz die Form einer narrativen Aussagefolge, die nach der kanonischen Formel: die narrative Aussage ist eine Relation zwischen Aktanten, konstruiert wurde. Diese Relation mit dem Namen Funktion ist geeignet, bestimmte semantische Spezifizierungen aufzunehmen, die wegen der Isotopie der Aussage auf die Aktanten übertragen werden und sogar ihre Zahl festlegen.

Wenn die Funktionen und die Aktanten konstitutive *Elemente* dieser narrativen Grammatik sind, wenn die *narrativen Aussagen* ihre syntaktischen Elementarformen sind, dann sind die *narrativen Einheiten* – deren Muster hier durch die Performanz repräsentiert wird – syntagmatische Folgen narrativer Aussagen.

3.3.3 Die konstitutiven Relationen der Performanz

Das Problem von Beziehungen zwischen Aussagen, die sich als narrative Einheiten konstituieren, muß hier gestellt werden. Wir sahen, daß die Performanz als narrative Einheit dem taxonomischen Schema entspricht und daß darum die Aussagen, welche die Performanz bilden, zu den logischen Operationen im Inneren des Schemas äquivalent sind. Wir sahen auch, daß die für das Schema konstitutiven logischen Operationen gerichtet waren.

Man muß jedoch feststellen, daß dieser *Richtung*, die eine Regel der Tiefengrammatik ist, die *Implikations*relation auf der Ebene der Oberflächengrammatik entspricht, aber mit dem Unterschied, daß dann, wenn die Richtung der Ordnung der Aussagen folgt:

$$EN_1 \rightarrow EN_2 \rightarrow EN_3$$

die Implikation invers dazu verläuft:

$$EN_3 \supset EN_2 \supset EN_1$$

Diese Umkehrung, die die narrative Einheit als eine Folge von Implikationen zwischen Aussagen zu definieren ermöglicht, hat eine bestimmte praktische Bedeutung, sobald die narrative Analyse sich auf die Ebene der Manifestation begibt, auf der sie die Regeln für die Ellipse und für die Katalyse begründet: die narrativen Aussagen, die logisch im Rahmen einer Performanz impliziert sind, können bei der Manifestation elliptisch sein; die Gegenwart des letzten Glieds der Implikationskette (EN_3) genügt bei der Rekonstruktion der narrativen Einheit, um zu einer Katalyse fortzuschreiten, die die narrative Einheit in ihrer Vollständigkeit wieder herstellt.

3.3.4 Die Modalisierung der Performanzen

Ein Rückblick und eine Reflexion über die Eigenschaften der modalen Aussagen wird uns eine Unterscheidung zwischen zwei möglichen Performanztypen erlauben. Zur Erinnerung: die modalen Aussagen haben als Funktion das Wollen und führen das Subjekt als eine Virtualität des Tuns ein, während zwei andere modale Aussagen, die durch die Modalitäten des Wissens und Könnens charakterisiert sind, dieses eventuelle Tun auf zwei verschiedene Weisen bestimmen: als ein Tun, das aus Wissen entspringt oder als ein Tun, das sich allein auf das Können stützt.

Diese beiden unterschiedlichen Modalisierungen des Tuns sind hernach in den Performanzen wiederzuerkennen. Man unterscheidet daher die Performanzen durch das *Tun-Wissen* (savoir-faire) (P_s) – wonach das modalisierte Performanz-Subjekt auf der Ebene der Manifestation mit Lüge und Betrug handelt – von jenen Performanzen, die mittels des *Tun-Könnens* (pouvoir-faire) (P_p) vollzogen werden, wobei das Performanz-Subjekt nur seine Energie und seine Macht, sei sie nun real oder magisch, einsetzt.

3.4 Die Performanzfolgen

3.4.1 Eine Syntax der Kommunikation

Bis jetzt haben wir die narrative Endaussage der Performanz (EN_3), die auf der Oberflächenebene das Äquivalent zu der logischen Assertion in der Tiefengrammatik darstellt – als eine attributive Aussage (EA) betrachtet. Zu fragen steht, ob eine derartige Formulierung hinreichend ist.

Eine solche Attribuierung – oder Erwerb des Objekts durch das Subjekt – scheint als ein reflexives Tun darstellbar: das Performanz-Subjekt attribuiert sich selbst einen Objektwert, wobei es sich als Subjekt der deskriptiven Aussage ansieht. Wenn das so ist, ist die reflexive Attribuierung nur ein besonderer Fall einer viel allgemeineren Attributivstruktur, die in der Linguistik als das *Schema der Kommunikation* oder noch allgemeiner, als die *Struktur des Austauschs* gut bekannt ist: sie wird ja in ihrer kanonischen Form als eine Aussage mit drei Aktanten dargestellt: dem Sender, dem Adressaten und dem Kommunikationsobjekt:

$$ET = F: \text{Übertragung } (D_1 \rightarrow O \rightarrow D_2)$$

Die Möglichkeit, ein Schema von großer Allgemeinheit zu verwenden, ist der erste Vorteil dieser neuen Formulierung. Außerdem läßt sie eine klare Unterscheidung von zwei syntaktischen Ebenen zu: *a)* die Ebene, auf der der syntaktische Operator der Assertion lokalisiert ist, der in der Oberflächengrammatik als das Performanz-Subjekt der Attribuierung erscheint (in Wirklichkeit ist er ein Meta-Subjekt und Ursache vollzogener Übertragungen) und *b)* die Ebene, auf der die Übertragungen selbst operieren. Die Termini Sender und Adressat kaschieren tatsächlich nur die Unterscheidung.

Die zweite Ebene – deskriptiv und nicht operational – kann nun eine topologische

Repräsentation annehmen, die anthropomorphen Charakter hat. Die Aktanten werden nicht mehr als Operatoren verstanden, sondern als die Stellen, an denen sich die Objektwerte befinden, zu denen sie hingebracht oder von denen sie abgezogen werden können. Die Übertragung darf in diesem Fall *zugleich* als Privation (auf der Oberflächenebene) oder Disjunktion (auf der Tiefenebene) und als Attribution (auf der Oberflächenebene) oder Konjunktion (auf der Tiefenebene) interpretiert werden.

Eine solche Interpretation, die die attributiven Aussagen durch die *übertragenen Aussagen* [énoncés translatifs] (ET) ersetzt, scheint eine korrektere Darstellung der Performanz zu liefern: Die Konsequenz aus ihr (EN_3) ist nicht mehr ein einfacher Werterwerb; sie ist eine Wertübertragung: wenn der Objektwert dem herrschenden Subjekt *attribuiert* wird, so nur, weil das beherrschte Subjekt gleichzeitig von der *Privation* des Objektwertes betroffen wird; die beiden logischen Operationen werden so in einer einzigen Aussage zusammengefaßt.

3.4.2 Die topologische Syntax der Objektwerte

Eine solche topologische Darstellung der Zirkulation von Objektwerten läuft darauf hinaus, die Deixis der Übertragungen mit den Termen des taxonomischen Modells zu identifizieren, die als morphologische, für die Besetzung mit Inhalten geeignete Einheiten angesehen werden. Oben war deutlich, daß die Besetzungen mit Inhaltswerten sich nach zwei Korrelationsschemata verteilten. Jetzt sagt man, daß auf der anthropomorphen Ebene die Schemata den *isotopen Räumen* entsprechen; das sind die Orte, auf denen sich die Performanzen abspielen, und jeder Raum wird von einer zweifachen Deixis gebildet, die *konjunkt* (da sie mit derselben Kontradiktionsachse korrespondieren) aber *nicht konform* sind: sie sind auf der tieferliegenden Ebene den kontradiktorischen Termen äquivalent:

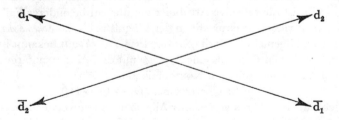

Andererseits bilden die hypotaktischen Achsen $\bar{d}_2 \rightarrow d_1$ und $\bar{d}_1 \rightarrow d_2$ *heterotopische Räume*, deren Deixis *disjunkt* sind, weil sie nicht denselben Schemata angehören, aber *konform*, da sie durch die Relation der Präsupposition verbunden sind.

Daher kann sich die Zirkulation der Werte, interpretiert als eine Folge von Übertragungen der Objektwerte, zweier Durchläufe bedienen:

$$(1) \quad F(d_1 \rightarrow O \rightarrow \bar{d}_1) \rightarrow F(\bar{d}_1 \rightarrow O \rightarrow d_2)$$

was in dem besonderen Fall der russischen Märchen von Propp folgendermaßen interpretiert werden kann: die Gesellschaft (d_1) erfährt einen Verlust, der Verräter ($\bar{d}_1$) raubt die Königstochter (O) und überführt sie an einen anderen Ort, um sie da zu verstecken ($\bar{d}_2$).

$$(2) \quad F (d_2 \rightarrow O \rightarrow d_2) \rightarrow F (\bar{d}_2 \rightarrow O \rightarrow d_1)$$

bedeutet: der Held ($\bar{d}_2$) findet irgendwo (d_2) die Königstochter (O) und bringt sie zu ihren Eltern zurück (d_1).

So manifestiert das russische Märchen eine *zirkulierende Übertragung der Werte*, indem es nacheinander zwei Performanz-Subjekte benutzt und einen der konformen Räume (den Helden) auf Kosten des anderen (den des Verräters) bewertet. Es handelt sich dort jedoch nur um eine einfache Verdoppelung der Erzählung. Die Ursprungsmythen sehen im allgemeinen den Mangel dieses oder jenes Wertobjekts als ursprüngliche Situation an, und der Erwerb von Werten vollzieht sich in einem einzigen Durchlauf (2). Das ist übrigens durchaus verständlich: denn, was Werterwerb für die Deixis d_1 ist, muß gleichzeitig Wertverlust für die Deixis d_2 sein und umgekehrt. Aus unserer Perspektive ist derselbe Durchlauf von Wertübertragungen für zwei Interpretationen geeignet: die Erzählung ist Erzählung über Sieg und Niederlage zugleich. Welche von beiden Interpretationen gewählt wird, hängt nicht von der narrativen Syntax ab, sondern von der axiologisch bedingten Artikulation der Inhaltswerte: von den beiden *konformen Räumen* wird die Besetzung des einen von vornherein als *euphorisch*, und die Besetzung des anderen als *dysphorisch* mitgegeben.

Verweilen wir einen Augenblick bei den Objektwerten. Wir behaupten, daß die topologische Syntax der Übertragungen die Durchläufe der Sinnaneignung, die wir oben in Form von logischen Operationen auf der Ebene der Tiefengrammatik beschrieben haben, verdoppelt und die Erzählung als wertschaffenden Vorgang organisiert. Deshalb obliegt es ihr, die Erzählung mit Sinn auszustatten; und sie ist das wichtigste Werkzeug dazu. Da vom formalen Standpunkt aus die übertragenen Aussagen die Endaussagen von Performanzen sind und diese logisch implizieren, sind die syntaktischen Durchläufe in der Form der Übertragungen tatsächlich konstitutiv für *syntagmatische Folgen von Performanzen:* d. h. für syntaktische Einheiten höherer Ordnung.

3.4.3 Das Einsetzen syntaktischer Operatoren

Diese topologische Syntax ist jedoch rein deskriptiv. Darauf haben wir bestanden, als wir den Aktanten der übertragenen Aussagen jeden operationalen Charakter entzogen haben; wir bezeichnen die Aktanten als Deixen, weil wir jede Äquivokation vermeiden wollen, und nicht als Sender oder Adressaten. Eine *Syntax der Operatoren* muß unabhängig von der *Syntax der Operationen* konstruiert werden: eine metasemiotische Ebene muß hergestellt werden, um die Wertübertragungen zu rechtfertigen.

Die syntaktischen Operatoren werden dabei als Subjekte verstanden, die mit einer besonderen Virtualität des Tuns ausgestattet sind, welche sie in die Lage versetzt, die voraussichtlichen Übertragungsoperationen durchzuführen. Diese Virtualität des Tuns ist nichts anderes als eine Modalität: das Wissen oder das Können; die Modalität können wir, wie wir bereits sahen, auf zweierlei Weise formulieren: entweder als modale Aussage, die das Tun-Wissen oder das Tun-Können des Subjekts darstellt; oder als attributive Aussage, die den Erwerb eines modalen Wertes durch das Subjekt anzeigt.

Wenn die Subjekte in der Folge der Attribuierung eines modalen Wertes in Operatoren transformiert werden (die Attribuierung haben wir eben durch die befriedigendere Funktion der Übertragung ersetzt), dann können die Operatoren nach demselben Modell der topologischen Übertragungssyntax eingeführt werden, allerdings mit der Einschränkung, daß die Übertragungsstellen hier nicht mehr die Deixen sind, sondern die Aktanten-Subjekte. Der eingeführte Operator ist dann mit einem Tun-Wissen oder einem Tun-Können ausgestattet und vermag nur die Performanz zu vollziehen, für die er gemacht wurde.

Zwei Performanzreihen können daher unterschieden werden: *a)* die Performanzen, die zum Erwerb und zur Übermittlung von modalen Werten bestimmt sind, und *b)* die Performanzen, die durch den Erwerb und die Übertragung von objektiven Werten gekennzeichnet sind. Die ersten führen die Subjekte als Operatoren ein, die zweiten bewirken dann die Operationen, die ersten schaffen Virtualitäten, die zweiten verwirklichen sie.

So kann neben dem für die Übertragung der objektiven Werte vorgesehenen topologischen Durchlauf, der eine erste syntagmatische Folge von Performanzen errichtet hat, ein zweiter Durchlauf desselben Typs für die Übertragung der modalen Werte vorgesehen werden.

Wir können uns hier nicht mit der Herkunft des ersten Aktanten-Operators beschäftigen, der den syntaktischen Durchlauf auslöst: wir müßten dann die besondere narrative Einheit, den *Vertrag* untersuchen, der das Subjekt des Wunsches durch die Attribution der Modalität des Wollens einführt, wahrscheinliche Aktualisierung eines »Tun-Wollen« des ursprünglichen Senders. Im Moment wollen wir uns damit zufriedengeben, daß das Wollen das Subjekt befähigt, die erste Performanz durchzuführen, die durch die Attribuierung des modalen Wertes des Wissens oder des Könnens gekennzeichnet ist.

Eine erste Hierarchie modaler Werte kann gezeigt werden, und sie richtet den syntaktischen Durchlauf folgendermaßen:

$$\text{Wollen} \rightarrow \text{Wissen} \rightarrow \text{Können} \Rightarrow \text{Tun};$$

sie dient als Grundlage für die Anordnung der syntagmatischen Performanzfolge. Bestimmte Implikationen dieser Richtung werden sofort sichtbar:

a) nur der Erwerb des modalen Wertes des Könnens versetzt das Operator-Subjekt in die Lage, die Performanz durchzuführen, welche ihm einen objektiven Wert attribuiert;

b) daraus ergibt sich, daß der Erwerb des modalen Wertes des Wissens eine Attribuierung des Tun-Könnens mit sich bringt (dessen Vermittlung nötig ist, um das Tun erfolgreich zu aktualisieren);

c) hingegen scheint die Vermittlung des Wissens nicht für den Erwerb des Tun-Könnens notwendig zu sein. Durch diesen besonderen Umstand werden die Subjekte in zwei Sorten eingeteilt: die »wissenden« Subjekte, deren Fähigkeit, die Performanzen auszuführen, von dem anfänglich erworbenen Tun-Wissen herrührt, und die von Natur aus »könnenden« Subjekte.

Bemerkung: Wenn das Subjekt (oder das Anti-Subjekt), einen modalen Wert erwirbt, was sich z. B. durch die Erlangung eines magischen Aktanten oder eines Nachrichten-Objekts des Wissens manifestiert, dann setzt dieser Erwerb das Subjekt als Adjuvanten (oder als Opponenten) ein und befähigt es, zur nächsten Performanz überzugehen.

Eine solche syntagmatische Folge, die außerhalb des formalen Rahmens der übertragenen Aussagen, nämlich ohne Rücksicht auf implizierte Aktanten erstellt wurde, ermöglicht es, die Beschaffenheit der Beziehungen zwischen zwei verschiedenen Typen von Performanzen ein wenig zu präzisieren; eine Folge von Performanzen ist *gerichtet*, weil die den syntaktischen Operator einführende Performanz von jener Performanz gefolgt wird, die die syntaktische Operation bewerkstelligt; zugleich *impliziert* die objektive Performanz die modale Performanz.

3.4.4 Die topologische Syntax der modalen Werte

Ist die polemische Natur der Narrativität gegeben, so sind zwei syntaktische Operatoren nötig, um eine narrative Syntax aufzubauen: wir haben ja schon zwei Subjekte (S_1 und S_2) für die Konstruktion der Performanz vorgesehen. Folglich findet die Übertragung der modalen Werte auf der Achse des Austauschs zwischen diesen beiden Subjekten statt; die Attribuierung von S_2 mit irgendeinem modalen Wert setzt voraus, daß S_2 gleichzeitig von der Privation dieses Wertes betroffen wird.

Zwei Durchläufe werden für die Übertragung von modalen Werten vorgesehen, je nachdem es sich um das »wissende« oder das »könnende« Subjekt handelt, ob also dem Erwerb der einen oder der anderen der beiden fraglichen Modalitäten der Vorrang eingeräumt wird.

a) Im ersten Fall wird die syntagmatische Folge so gerichtet sein:

$$ET_1 (S_1 \rightarrow O: Wissen \rightarrow S_2) \rightarrow ET_2 (S_1 \rightarrow O: Können \rightarrow S_2)$$

Sie kann als der Erwerb eines Könnens durch S_2 aufgrund eines zuvor erlangten Wissens interpretiert werden; und für S_1 gleichzeitig als ein Verlust jedes Könnens aufgrund des verlorengegangenen Wissens.

b) Im zweiten Fall wird die Richtung dazu umgekehrt sein:

$$ET_1 (S_2 \rightarrow O: Können \rightarrow S_1) \rightarrow ET_2 (S_2 \rightarrow O: Wissen \rightarrow S_1)$$

Die Folge kann interpretiert werden als der Erwerb eines Wissens durch S_1 aufgrund eines anerkannten Könnens; und umgekehrt für S_2 als der Verlust jedes auf dem Können beruhenden Wissens.

Eine dieser beiden Folgen genügt, um in Kombination mit der Übertragungsreihe der objektiven Werte die vollendete Erzählung zu bilden. Wenn wir indessen zu Adressaten der modalen Werte zwei verschiedene Subjekte für den jeweiligen

Durchlauf (S_2 und S_1) gewählt haben, – diese Wahl ist offensichtlich zufällig – dann deshalb, um zugleich über die besondere Organisation der *verdoppelten Erzählung* Auskunft zu geben, wie sie z. B. in Form der von V. Propp untersuchten russischen Volksmärchen vorliegt. Offensichtlich erwirbt hier zuerst das Subjekt S_2, axiologisch *Verräter* genannt, die modalen Werte auf Kosten von S_1

$$S_2 = O_1: \text{Wissen} \rightarrow O_2: \text{Können}$$

um dann seinen Platz an das Subjekt S_1, *Held* genannt, abzutreten, welcher jenem nach und nach die zuvor erworbenen Werte wegnimmt und sich selbst übereignet,

$$S_1 = O_1: \text{Können} \rightarrow O_2: \text{Wissen}$$

3.4.5 Die allgemeine Form der narrativen Grammatik

Wir haben soeben mit großen Strichen eine narrative Oberflächensyntax entworfen, vielmehr nur einen Teil dieser Syntax, nämlich den, der sich auf den Rumpf der Erzählung bezieht. Was dieser Skizze fehlt und worauf wir hier nur kurz hinweisen können, ist Untersuchung und Aufbau der syntaktischen Einheiten, die den Rahmen der Erzählung betreffen, also den Anfangs- und Schlußsequenzen einer manifesten Erzählung entsprechen.

Diese syntaktischen Einheiten würden auf der Ebene der Tiefengrammatik den hypotaktischen Relationen des taxonomischen Modells entsprechen, d. h. den Relationen, die in diesem Modell zwischen den Termen s_1 und $\bar{s}_2$ einerseits und den Termen s_2 und $\bar{s}_1$ andererseits bestehen können. Die Auslösung der Erzählung würde hier durch eine *konjunktive* Relation wiedergegeben, die einen Vertrag zwischen einem Sender und einem Adressaten-Subjekt ausdrückt. Sie würde von einer räumlichen *Disjunktion* zwischen beiden Aktanten gefolgt. Der Abschluß der Erzählung wäre dagegen durch eine räumliche Konjunktion und eine letzte Übertragung von Werten gekennzeichnet, die einen neuen Vertrag mittels einer neuen Distribution von Werten, sowohl von objektgebundenen als auch von modalen abschließen würde.

Obwohl unser Versuch unvollendet bleibt, soll er wenigstens eine Vorstellung davon geben, was syntaktische Organisierung der Narrativität sein kann. Wir haben hier zwei Sorten von *gerichteten syntagmatischen Folgen* festgestellt, die die Übertragung modaler wie objektiver Werte im Rahmen einer Syntax von topologischem Charakter organisieren. Die Objektwerte stehen im Rahmen narrativer Endaussagen, sie sind die Konsequenzen aus den Performanzen und implizieren sie logisch; diese syntagmatischen Folgen sind in Wirklichkeit also Zuweisungen von Performanzen, rekurrent und formal identisch, sofern sie syntaktische Einheiten sind. Gleichfalls wurde ein anderes Prinzip der syntagmatischen Organisation aufgefunden: die Performanzen werden so verteilt, daß die erste, die durch die Attribuierung eines modalen Wertes gekennzeichnet ist und den Subjekt-Operator einsetzt, von einer zweiten gefolgt werden muß, die die *Operation* aktualisiert.

Wir sahen, daß die typische syntaktische Einheit, die Performanz, als Folge von drei narrativen Aussagen zu verstehen ist, die durch Implikationen miteinander verknüpft sind. Als wir die narrativen Aussagen untersuchten, konnten wir eine summarische Typologie entwerfen; als wir die zusätzlichen semantischen Bestimmungen ihrer Funktionen einführten und Zahl und Spezifizierungen ihrer Aktanten veränderten, haben wir drei Haupttypen von narrativen Aussagen unterschieden: die deskriptiven Aussagen, die modalen Aussagen und die übertragenen Aussagen; jede Aussage stellt auf der Ebene der narrativen Oberflächengrammatik eine Relation oder eine Operation der Tiefengrammatik dar.

Diese narrative Grammatik hätte, wäre sie vollendet, eine deduktive und zugleich analytische Form. Sie würde eine Menge von Durchläufen beschreiben, die für die Manifestierung des Sinns notwendig sind, von den elementaren Operationen der Tiefengrammatik ausgehend, die die Bahnen für den Aktualisierungsprozeß der Bedeutung bereitstellen, durch die Kombinationen der syntagmatischen Folgen der Oberflächengrammatik hindurch, die lediglich anthropomorphe Repräsentationen dieser Operationen sind, werden die Inhalte durch die Vermittlung der Performanzen in die narrativen Aussagen investiert. Diese sind als kanonische Linearsequenzen von Aussagen geordnet und untereinander als Ketten in einer einzigen Kette durch eine Reihe logischer Implikationen verknüpft. Wenn man diese Sequenzen narrativer Aussagen besitzt, kann man sich – mit Hilfe einer Rhetorik, einer Stilistik, aber auch einer linguistischen Grammatik – die sprachliche Manifestation der in Narrativität umgewandelten Bedeutung vorstellen.

ANMERKUNGEN

1. Vgl. Propp, Vladimir, *Morphology of the folktale*, Bloomingten, Indiana, 1958, und Propp, Vladimir, Transformations des contes fantastiques, *Théorie de la littérature*, Hrsg. T. Todorov, Collection Tel Quel, Paris, 1965.
  2. Vgl. Lévi-Strauss, Claude, Die Struktur der Mythen, in diesem Band S. 25–46.
  3. Vgl. Sourian, Etienne, *Les deux-cent mille situations dramatiques*, Paris, 1950.
  4. Vgl. Bremond, Claude, La logique des possibles narratifs, *Communications*, 8, 1966, S. 60–76.
  5. Vgl. Dundes, Alan, From etic to emic units in the structural study of folktales, *Journal of American Folklore*, 19, 1963, S. 121–129.
  6. Vgl. neben der Bibliographie II, 3 dieses Bandes bes. Metz, Christian, et Lacoste, M., Étude syntagmatique du film »Adieu Philippine« de Jacques Rozier, *Image et son*, 201, 1967, S. 95–98, und Metz, Christian, Une problème de sémiologie du cinéma, *Image et Son*, 201, 1967, S. 68–79.
  7. Vgl. S. 51 in diesem Band.
  8. EN = énoncé – Aussage, Anm. d. Übers.

Strukturale Linguistik und generative Transformationsgrammatik in der Literaturwissenschaft

Strukturalismus und Literaturwissenschaft

GÉRARD GENETTE

I

In einem heute klassisch gewordenen Kapitel des *Wilden Denkens* charakterisiert Claude Lévi-Strauss das mythische Denken als »eine Art intellektuellen Bastelns«. Das Eigentümliche des Bastelns besteht ja darin, daß es von instrumentalen Einheiten ausgeht, die im Gegensatz zu denen z. B. des Ingenieurs nicht zu einem solchen Zweck konstituiert wurden. Die Regel des Bastelns ist es, »stets mit Restbeständen fertig zu werden« und aus alten Strukturen entlassene Rückstände in eine neue Struktur zu überführen. Hierdurch wird die spezielle Herstellung eingespart, und zwar vermittels einer doppelten Operation von Analyse (verschiedene Elemente aus verschiedenen konstituierten Einheiten lösen) und Synthese (ausgehend von diesen heterogenen Elementen wird eine neue Einheit geschaffen, in der im äußersten Fall keines der wieder verwendeten Elemente seine ursprüngliche Funktion zurückerhält). Diese typisch »strukturalistische« Operation, mit der ein bestimmter Produktionsmangel durch außerordentlichen Einfallsreichtum bei der Aufteilung von Restbeständen wettgemacht wird, diese Operation nun findet der Ethnologe, wie man sich erinnert, beim Studium der »primitiven« Kulturen auf der Ebene mythologischer Invention wieder. Indessen könnte diese Analyse fast Wort für Wort auf eine andere intellektuelle Tätigkeit angewandt werden, die ihrerseits den am höchsten »entwickelten« Kulturen eigen ist: auf die Kritik nämlich, und ganz besonders auf die Literaturwissenschaft. Diese unterscheidet sich von allen anderen Arten der Kritik ausdrücklich dadurch, daß sie dasselbe Material (das geschriebene Wort) benutzt wie die Werke, mit denen sie sich beschäftigt. Die Kunst- oder die Musikwissenschaft drücken sich offensichtlich ja nicht in Tönen oder Farben aus, die Literaturwissenschaft jedoch spricht nun einmal die Sprache ihres Gegenstandes. Sie ist Meta-Sprache, »Diskurs über einen Diskurs«[1]. Somit kann sie zu Meta-Literatur werden, d. h. zu »einer Literatur, der als Gegenstand eben die Literatur aufgegeben ist«[2].

Werden die beiden deutlichsten Funktionen der literaturwissenschaftlichen Tätigkeit – die »kritische« Funktion im eigentlichen Wortsinn, die darin besteht, die jüngsten Werke zu beurteilen und zu würdigen und damit die Leserschaft aufzuklären (eine Bildungsfunktion, die an publizistische Organe gebunden ist), und die »wissenschaftliche« Funktion, die ihrerseits wesentlich an die Ausbildung durch die

Aus dem französischen Original *Structuralisme et critique littéraire*, Figures I, Paris, 1966, S. 145–170; von Erika Höhnisch übersetzt. Druck mit freundlicher Erlaubnis des Autors.

Universitäten gebunden ist und in einem positiven Studium der Existenzbedingungen literarischer Werke (Materialität des Textes, Quellen, psychologische oder historische Genese usw.) mit dem ausschließlichen Ziel des Wissens besteht – getrennt, so bleibt natürlich noch eine dritte übrig, die literarische schlechthin. Ein Werk der Literaturkritik wie *Port-Royal* oder *L'Espace littéraire* ist unter anderem ja auch ein Buch, und sein Verfasser ist in seiner Art und mindestens bis zu einem gewissen Grade das, was Roland Barthes im Gegensatz zum einfachen Schreiber einen Schriftsteller nennt, nämlich Sender einer Nachricht, die teilweise dahin tendiert, in Schaustellung aufzugehen. Diese »Enttäuschung« des Sinns, der erstarrt und sich zu einem Objekt ästhetischen Konsums verfestigt, ist zweifellos die für alle Literatur konstitutive Bewegung (oder eher noch ihr Innehalten). Das literarische Objekt existiert nur durch sich selbst. Umgekehrt ist es auch nur von sich selbst abhängig, so daß jeglicher Text unter Umständen Literatur sein kann oder nicht, je nachdem, ob er mehr als Schauspiel oder als Nachricht aufgefaßt wird.

Die Literaturgeschichte ist voll von solchem Hin und Her, von solchen Fluktuationen. Das läuft nun aber darauf hinaus, daß es gar kein eigentliches literarisches Objekt gibt, sondern nur eine *literarische Funktion*, die jedwedes Geschriebene bald erfüllen, bald verlassen kann. Ihr partieller, unbeständiger, ambivalenter Literaturcharakter macht also nicht das Eigentümliche der Kritik aus. Was diese von den anderen literarischen »Gattungen« unterscheidet, ist ihr Sekundärcharakter. Und genau hier nun finden die Bemerkungen von Claude Lévi-Strauss über das Basteln eine vielleicht unerwartete Anwendung.

Die Instrumentalwelt des Bastlers, sagt Lévi-Strauss, ist eine »geschlossene« Welt. Sein Repertoire bleibt, so ausgedehnt es sein mag, doch »begrenzt«. Diese Begrenzung unterscheidet den Bastler vom Ingenieur, der grundsätzlich jederzeit das einem technischen Bedürfnis speziell entsprechende Instrument schaffen kann. Der Ingenieur nämlich »befragt die Welt, während der Bastler sich an eine Kollektion von Restbeständen aus menschlichen Werken wendet, d. h. an eine Unter-Einheit der Kultur«. Man braucht in diesem letzten Satz die Wörter »Ingenieur« und »Bastler« nur jeweils durch z. B. *Romancier* und *Literaturwissenschaftler* zu ersetzen, um den literarischen Status der Kritik zu definieren. Die Materialien des Kritikers sind in der Tat solche »Restbestände aus menschlichen Werken«, nämlich aus den Büchern, sobald diese einmal in Themen, Motive, Schlüsselwörter, beherrschende Metaphern, Zitate, Zettelkästen und Verweise aufgespalten sind. Das ursprüngliche Werk ist eine Struktur genau wie jene ursprünglichen Einheiten, die der Bastler zerlegt, um ihnen Allzweckelemente zu entnehmen. Auch der Literaturwissenschaftler zergliedert eine Struktur in Elemente: jeweils ein Element pro Zettel. Und die Devise des Bastlers, »das kann man immer noch gebrauchen«, beseelt genauso den Wissenschaftler, wenn er seinen materiellen oder geistigen Zettelkasten anlegt. Dann geht es darum, durch Ordnen dieser Restbestände eine neue Struktur zu erarbeiten. »Das *kritische* Denken«, so könnte man, Lévi-Strauss paraphrasierend, sagen, »baut mit Hilfe einer strukturierten Einheit, die das *Werk* ist, mehrere strukturierte Einheiten auf. Indessen bemächtigt es sich des Werkes selbst nicht auf der Ebene seiner Struktur. Es errichtet seine ideologischen Paläste aus dem Schutt eines früheren *literari-sehen* Diskurses.«

Der Unterschied zwischen Kritiker und Schriftsteller liegt nicht nur im Begrenzten und Sekundären des Materials der Kritik (der Literatur also) im Gegensatz zum Unbegrenzten und Ursprünglichen des poetischen oder romanesken Materials (der Welt also). Jene in gewissem Grade quantitative Inferiorität, die darauf beruht, daß der Kritiker stets nach dem Schriftsteller am Zug ist und nur über die durch dessen vorangegangene Auswahl ihm auferlegten Materialien verfügt, wird durch einen anderen Unterschied gesteigert, vielleicht aber auch ausgeglichen: »Der *Schriftsteller* operiert mit Konzepten, der *Literaturwissenschaftler* mit Zeichen. Auf der Achse der Opposition zwischen Natur und Kultur treten die Einheiten, deren sie sich bedienen, unmerklich auseinander. Zumindest eine der Arten, wie das Zeichen zum Konzept in Opposition tritt, hängt nämlich davon ab, daß sich letzteres für die Realität völlig transparent halten will, während ersteres es akzeptiert, ja sogar verlangt, daß in diese Realität eine gewisse menschliche Dichte eingeschlossen ist.« Befragt der Schrift-steller die Welt, so befragt der Literaturwissenschaftler die Literatur, d. h. eine Welt der Zeichen. Was indes beim Schriftsteller (dem Werk) Zeichen war, wird beim Literaturwissenschaftler zu Sinn (da Gegenstand des kritischen Diskurses), und umgekehrt wird, was beim Schriftsteller Sinn war (seine Weltsicht) beim Literatur-wissenschaftler als Thema und Symbol für eine bestimmte literarische Wesensart zum Zeichen. Es ist wiederum genau das, was Lévi-Strauss vom mythischen Denken sagt, das, wie Boas bemerkte, unaufhörlich neue Welten schafft, jedoch unter Um-kehrung der Zwecke und Mittel: »Bezeichnetes verwandelt sich in Bezeichnendes und umgekehrt.« Dieses unablässige Gebräu, diese ständige Umkehrung von Zeichen und Sinn weist deutlich auf die Doppelfunktion der literaturwissenschaftlichen Tätigkeit hin. Sie besteht nämlich darin, mit dem Werk anderer Sinn zu produ-zieren, zudem aber auch darin, mit diesem Sinn das eigene Werk hervorzubringen. Wenn es eine »kritische Poesie« gibt, dann in dem Sinne, wie es nach Lévi-Strauss eine »Poesie des Bastelns« gibt. So wie der Bastler »vermittels der Dinge redet«, spricht – im stärksten Sinne, also des Sich-Aussprechens – der Literaturwissenschaftler vermittels der Bücher. Man würde Lévi-Strauss nur noch ein letztes Mal paraphrasieren, wenn man sagte, »er lege, ohne seinen Plan je zu erfüllen, stets etwas von sich selbst hinein«.

So verstanden, kann man die Literaturwissenschaft als eine »strukturalistische Tätigkeit« betrachten. Hierbei handelt es sich jedoch, wie man wohl sieht, lediglich um einen impliziten, unreflektierten Strukturalismus. Die durch eine Neuorien-tierung der Wissenschaften vom Menschen, wie Linguistik oder Anthropologie, gestellte Frage läuft darauf hinaus, ob die Literaturwissenschaft nicht aufgefordert ist, ihre strukturalistische Berufung ausdrücklich in struktualer Methode zu reali-sieren. Hier geht es nur darum, den Sinn und die Reichweite dieser Frage durch den Entwurf der Hauptwege zu präzisieren, auf denen der Strukturalismus dem Gegen-stand der Literaturwissenschaft beikommt und sich ihr als ein fruchtbares Ver-fahren empfehlen kann.

II

Da die Literatur zuerst ein Werk der Sprache und der Strukturalismus seinerseits vornehmlich eine sprachwissenschaftliche Methode ist, mußte es natürlich am wahrscheinlichsten auf dem Sektor des linguistischen Materials zu einer Begegnung kommen. Laute, Formen und Sätze stellen das dem Linguisten wie dem Philologen gemeinsame Studienobjekt dar, und dies so sehr, daß es im ersten Eifer der russischen Formalismusbewegung möglich war, Literatur als einen bloßen Dialekt zu definieren und ihr Studium als ein Anhängsel der allgemeinen Dialektologie ins Auge zu fassen[3]. Und der russische Formalismus eben, den man mit gutem Recht als eine Keimzelle der strukturalen Linguistik betrachtet, war in seinen Anfängen nichts anderes als die Begegnung von Literaturwissenschaftlern und Linguisten auf dem Sektor der *poetischen Sprache*. Die Behauptung, Literatur sei einem Dialekt assimilierbar, ist allzu anfechtbar, als daß man sie wortwörtlich verstehen könnte. Läge ein Dialekt vor, so wäre es ein translinguistischer, der allen anderen Sprachen eine bestimmte Anzahl – in ihrem Verfahren verschiedener, in ihrer Funktion aber analoger – Transformationen auferlegte, etwa so, wie die verschiedenen Formen des Argot mit verschiedenen Sprachen auf verschiedene Weise parasitär verfahren, sich aber in eben ihrer parasitären Funktion gleichen. Nichts derartiges jedoch kann für die Dialekte geltend gemacht werden. Vor allem beruht der Unterschied, der die »literarische Sprache« von der gewöhnlichen trennt, weniger auf ihren Mitteln als auf ihren Zielen. Bis auf wenige Abwandlungen gebraucht der Schriftsteller ja dieselbe Sprache wie die anderen Benutzer. Er benutzt sie indessen weder in derselben Art noch in derselben Absicht. Identisches Material, aber abweichende Funktion: Dieser Status ist beim Dialekt genau der umgekehrte. Wie so viele andere »Übertreibungen« des Formalismus jedoch hatte auch diese kathartischen Wert. Das zeitweilige Vergessen des Inhalts und die vorübergehende Reduzierung des »literarischen Seins« der Literatur[4] auf ihr linguistisches Sein sollten die Überprüfung einer Reihe von altüberkommenen Selbstverständlichkeiten im Hinblick auf die »Wahrheit« des literarischen Diskurses ermöglichen und ebenso das genauere Studium des Systems von Konventionen. Man hatte die Literatur lange genug als eine Nachricht ohne Kode betrachtet, so daß es nachgerade nötig war, sie einen Augenblick lang als einen Kode ohne Nachricht zu betrachten.

Die strukturalistische Methode als solche ist genau in dem Moment geboren, da man wieder auf die Nachricht im Kode stößt, freigelegt diesmal durch eine Analyse der immanenten Strukturen und nicht mehr von außen durch ideologische Vorurteile aufgepfropft. Dieser Augenblick konnte nicht mehr lange auf sich warten lassen[5], denn die Existenz des Zeichens beruht auf allen Ebenen auf der Verbindung von Form und Sinn. So entdeckt Roman Jakobson 1923 in seiner Studie über den tschechischen Vers eine Beziehung zwischen dem prosodischen Wert eines lautlichen Merkmals und seinem Wert als Bezeichnendes[6]. Jede Sprache neigt dazu, dem auf semantischer Ebene relevantesten System von Oppositionen das größte prosodische Gewicht zu verleihen. Beim Russischen ist es ein Unterschied in der Intensität, beim

Griechischen in der Dauer, beim Serbokroatischen in der Tonhöhe[7]. Der Übergang vom Phonetischen zum Phonematischen, d. h. von der bloßen Lautsubstanz, die den frühen Formalisten so teuer war, zum Aufbau dieser Substanz zu einem System des Bezeichnens (oder zum mindesten einem System, das zum Bezeichnen fähig wäre), geht nicht nur die Erforschung der Metrik an, denn man hat darin zu Recht die Vorwegnahme der phonologischen Methode gesehen[8]. Dieser Übergang verdeutlicht recht gut, worin der Beitrag des Strukturalismus zum Gesamt der Studien über Literaturmorphologie bestehen kann. Er betrifft Poetik, Stilistik, Komposition. Im Feld zwischen dem reinen Formalismus, der die literarischen »Formen« auf ein letztlich ungestaltes, weil nicht bezeichnendes[9] Lautmaterial reduziert, und dem klassischen Realismus, der jeder Form einen autonomen, substantiellen »expressiven Wert« zuweist, soll es die strukturale Analyse ermöglichen, die zwischen einem Form- und einem Sinnsystem bestehende Verbindung dadurch freizulegen, daß sie die Suche nach Wort-für-Wort-Analogien durch die nach globalen Homologien ersetzt.

Ein vereinfachendes Beispiel kann hierüber vielleicht einen Konsensus herbeiführen. Eine der traditionellen Streitfragen der Expressivitätstheorie gilt der »Farbe« der Vokale. Sie rückte besonders durch Rimbauds Sonett in den Vordergrund. Die Befürworter der Expressivität von Lauten wie Jespersen oder Grammont bemühen sich, jedem Phonem einen ihm eigenen suggestiven Wert zuzuweisen. Dieser soll in allen Sprachen die Bildung bestimmter Wörter reguliert haben. Anderen gelang es, die Schwäche dieser Hypothese aufzudecken[10]. Was die Farbwerte der Vokale angeht, so zeigen die von Étiemble[11] vorgelegten Vergleichstabellen endgültig, daß die Anhänger des Farbenhörens in keiner ihrer Zuweisungen übereinstimmen[12]. Ihre Gegner schließen daraus natürlich, das Farbenhören sei nur ein Mythos. Als *natürliches* Phänomen ist es vielleicht wirklich nicht mehr als das. Die Nichtübereinstimmung der individuellen Tabellen zerstört indessen noch nicht die Authentizität einer jeden einzelnen. Der Strukturalismus kann gerade hier einen Kommentar geben, der zugleich das Arbiträre eines jeden Verhältnisses zwischen Vokal und Farbe, aber auch die sehr verbreitete Auffassung von einem vokalischen Chromatismus berücksichtigt. Zwar stimmt es, daß kein Vokal von sich aus und als einzelner eine Farbe evoziert. Aber ebenso richtig ist, daß die Verteilung der Farben im Spektrum (das selbst übrigens, wie Gelb und Goldstein zeigen konnten, genausogut ein Sprach- wie ein Sehphänomen ist) ihre Entsprechung in der Aufteilung der Vokale innerhalb einer gegebenen Sprache findet. Daher die Idee einer Konkordanztafel, die in ihren Details variabel, in ihrer Funktion aber konstant wäre. Es gibt ein Vokalspektrum, wie es ein Farbspektrum gibt. Die beiden Systeme verweisen aufeinander und ziehen sich gegenseitig an. Die globale Homologie schafft die Illusion einer Analogie zwischen jedem einzelnen Element, und diese setzt ein jeder auf seine Weise durch einen Akt symbolischer Motivation um, der mit jenem vergleichbar ist, den Lévi-Strauss beim Totemismus enthüllt. Jede individuelle Motivation, die objektiv willkürlich, subjektiv aber begründet ist, kann man somit als Indiz für eine bestimmte psychische Konfiguration ansehen. Die strukturale Hypothese führt hier der Stilistik des Subjekts zu, was sie der Stilistik des Objekts nimmt.

Nichts nötigt den Strukturalismus also, sich auf »Oberflächen«-Analysen zu beschränken. Ganz im Gegenteil. Hier wie überall ist sein Verfahren auf die Analyse von Bedeutungen gerichtet. Der Vers ist gewiß immer zuerst eine wiederkehrende Lautfigur, niemals aber ist er nur das. »Valérys Auffassung von Dichtung als *Schwanken zwischen Klang und Sinn* ist wesentlich realistischer und wissenschaftlicher als jede Vorliebe für phonetischen Isolationismus.«[13] Die Wichtigkeit, die Jakobson seit seinem Artikel von 1935 über Pasternak[14] den Konzepten Metapher und Metonymie, Anleihen an die rhetorischen Tropen, zumißt, ist für diese Orientierung charakteristisch, vor allem wenn man bedenkt, daß zu den Hauptattacken des frühen Formalismus die Verachtung der Bilder und die Abwertung von Tropen als Kennzeichen poetischer Sprache gehörten. Jakobson selbst bestand noch 1936 anläßlich eines Puschkingedichtes auf der Existenz einer Poesie ohne Bilder[15]. 1958 nimmt er diese Frage mit merklicher Akzentverschiebung wieder auf: »Lehrbücher glauben, daß es Gedichte ohne Bilder gibt, aber in Wirklichkeit wird die Armut an lexikalischen Tropen ausgeglichen durch großartige grammatische Tropen und Figuren.«[16] Tropen sind, wie man weiß, Sinnfiguren, und wenn Jakobson Metapher und Metonymie als Pole in seine Sprach- und Literaturtypologie aufnimmt, erweist er der alten Rhetorik nicht nur eine Huldigung: Er setzt damit Sinnkategorien in das Zentrum der strukturalen Methode.

Die strukturale Untersuchung der »poetischen Sprache« und der literarischen Ausdrucksformen im allgemeinen kann sich ja unmöglich die Analyse von Beziehungen zwischen Kode und Nachricht versagen. Das zeigen Jakobsons Ausführungen in *Linguistik und Poetik*[17], wo er sich auf Informationstechniker und Dichter wie Hopkins und Valéry oder Kritiker wie Ransom und Empson beruft, ganz nachdrücklich: »Mehrdeutigkeit ist ein immanenter, unabtrennbarer und notwendiger Bestandteil jeder Nachricht mit ›Einstellung‹ auf sich selbst. Kurz, sie ist eine notwendige Begleiterscheinung von Poesie. Wir wiederholen mit Empson, daß *das Schaffen von Mehrdeutigkeit zu den Grundlagen von Dichtung gehört.*«[18] Der Ehrgeiz des Strukturalismus erstreckt sich nicht nur darauf, Versfüße zu zählen oder Wiederholungen von Phonemen festzustellen. Er muß sich genausogut an semantische Phänomene heranwagen, die, wie man seit Mallarmé weiß, das Wesentliche an der poetischen Sprache ausmachen, noch allgemeiner an die Probleme einer literarischen Semiologie. Einer der neuesten und in dieser Hinsicht fruchtbarsten Wege, die sich der Literaturforschung heute eröffnen, dürfte im strukturalen Studium »großräumiger Einheiten« des Diskurses, noch jenseits des – für die eigentliche Linguistik unüberschreitbaren – Satzrahmens gefunden sein. Der Formalist Propp[19] war 1928 sicherlich der erste, der (im Hinblick auf eine Reihe russischer Volksmärchen) Texte von gewisser Ausdehnung, die aus einer großen Zahl von Sätzen bestanden, als Aussagen behandelte, die ihrerseits genau wie die klassischen Einheiten der Linguistik einer Analyse zugänglich sind. Diese Analyse sollte durch ein Zusammenspiel von Überlagerungen und Kommutationen variable Elemente und konstante Funktionen unterscheiden und dabei das aus der Saussureschen Linguistik vertraute Zweiachsensystem zurückgewinnen: syntagmatische Beziehungen (reale Verkettung von Funktionen im Kontinum eines Textes) und paradigmatische Beziehungen (virtuelle Beziehungen zwischen analogen oder entgegengesetzten Funktionen im Vergleich aller Texte nacheinander innerhalb des gesamten untersuchten Materials). Genauso wird man Systeme von sehr viel höherem Allgemeinheitsgrad studieren, wie die Erzählung[20], die Beschreibung und die anderen großen Formen literarischen Ausdrucks. Hier ergäbe sich eine Linguistik des Diskurses, die eine *Translinguistik* wäre, denn die Sprachphänomene würden ihr in Großformen erscheinen, oft zweiten Grades, d. h. im Grunde wäre sie eine Rhetorik. Jene »neue Rhetorik« vielleicht, die einst Francis Ponge forderte und die uns noch immer fehlt.

III

Der strukturale Charakter der Sprache auf all ihren Ebenen wird heute so allgemein anerkannt, daß der strukturalistische »Ansatz« sich beim literarischen Ausdruck sozusagen von selber aufdrängt. Sobald man den Sektor der Linguistik verläßt (oder jene »zwischen Linguistik und Literaturgeschichte geschlagene Brücke«, die nach Spitzer Form- und Stilstudien darstellen), um den traditionell der Kritik vorbehaltenen Raum zu betreten, nämlich den des »Inhalts«, erheben sich hinsichtlich der Legitimität des strukturalen Gesichtspunktes ziemlich ernste Prinzipienfragen. Gewiß ist der Strukturalismus a priori berechtigt, Strukturen überall da zu studieren, wo er welche antrifft. Aber erstens sind Strukturen bei weitem keine Zufallsbewegungen, sondern Systeme von latenten Beziehungen, eher Konzepte als Apperzeptionen, die die Analyse in dem Maße konstruiert, wie sie sie freilegt, und mitunter in der Meinung, sie entdecke sie, auch zu erfinden versucht ist. Und andererseits ist der Strukturalismus nicht nur eine Methode, sondern auch das, was Cassirer eine »allgemeine Tendenz des Denkens« nennt (andere würden etwas brutaler von Ideologie sprechen), deren Vorurteil gerade darin besteht, daß sie Strukturen auf Kosten von Substanzen hoch bewertet und damit deren Erklärungswert auch überbewerten kann. Es ist ja nicht so sehr die Frage, ob es in dem oder jenem Forschungsobjekt ein Beziehungssystem gibt oder nicht, denn natürlich gibt es das überall, vielmehr kommt es darauf an, die relative Wichtigkeit dieses Systems im Verhältnis zu anderen Verständniselementen zu bestimmen: An dieser Wichtigkeit mißt sich der Gültigkeitsgrad der strukturalen Methode. Wie aber soll man diese Wichtigkeit selbst messen, ohne sich auf diese Methode zu beziehen? Das ist der circulus vitiosus.

Augenscheinlich müßte der Strukturalismus überall da zu Hause sein, wo die Literaturwissenschaft das Forschen nach Existenzbedingungen oder äußeren Determinanten – seien es psychologische, soziale oder andere – des literarischen Werkes aufgibt und ihre Aufmerksamkeit diesem Werk selbst, nicht mehr als einem Ergebnis von etwas, sondern als einem absoluten Sein, intensiv zuwendet. In dieser Beziehung macht der Strukturalismus gemeinsame Sache mit der allgemeinen Bewegung nachlassender Wertschätzung gegenüber dem Positivismus, dem »Historismus« und der »biographistischen Illusion«, einer Bewegung, die in dem kritischen Werk eines

Proust, eines Eliot, eines Valéry, im russischen Formalismus, in der »thematisch orientierten Kritik« Frankreichs oder im angelsächsischen New Criticism ihren verschiedenartigsten Ausdruck findet[21]. In gewisser Weise kann der Begriff »strukturale Analyse« als ein bloßes Äquivalent dessen angesehen werden, was die Amerikaner *close reading* nennen und was man in Europa, Spitzers Beispiel folgend, wohl *immanente Interpretation* nennen würde. Spitzer hat 1960 die Entwicklung aufgezeichnet, die ihn vom Psychologismus seiner ersten Stilstudien hin zu einer von jedem Bezug auf das *Erlebnis* freien Forschung geführt hatte, »die die Stilanalyse der Interpretation von Werken unterordnete, die als ›poetische Organismen an sich‹ etwas Besonderes waren, ohne daß man auf die Psychologie des Autors zurückging«[22]. Diese seine neue Haltung hat Spitzer in dem oben gegebenen Sinn als »strukturalistisch« bezeichnet. So wäre denn jede Analyse, die sich in ein Werk einschließt, ohne seine Quellen oder Motive zu berücksichtigen, implizite schon eine strukturalistische, und die strukturale Methode müßte dieser immanenten Forschung eine Art Rationalität des Verständnisses verleihen, gleichsam als Ersatz für die mit der Erforschung von Ursachen zugleich aufgegebene Rationalität der Erklärung. Ein in gewisser Weise räumlicher Determinismus der Struktur würde somit in einem ganz modernen Geist den zeitlichen Determinismus der Genese ablösen, da jede Einheit mit Beziehungsbegriffen und nicht mehr mit Begriffen der Filiation definiert würde[23]. Die Themaanalyse würde also natürlicherweise zur Vollendung und Selbsterprobung in einer strukturalen Synthese tendieren, bei der die verschiedenen Themen sich zu *Netzen* zusammenschließen, um ihren eigentlichen Sinn von ihrem Platz und ihrer Funktion innerhalb des Systems eines jeden Werkes zu beziehen. Das ist die deutlich erklärte Absicht Jean-Pierre Richards in seinem *Univers imaginaire de Mallarmé* und auch die Jean Roussets, wenn er schreibt: »Es existiert eine greifbare Form nur da, wo sich eine Übereinstimmung oder eine Beziehung abzeichnet, ein Kräftefeld, eine zur Obsession gewordene Gestalt, ein Gewebe von Präsenzen und Echowirkungen, ein Netz von Konvergenzen. ›Strukturen‹ nenne ich jene formalen Konstanten, jene Verbindungen, die eine geistige Welt verraten und die jeder Künstler seinen Bedürfnissen gemäß neu erfindet«.[24]

Der Strukturalismus wäre demnach für jede immanente Kritik eine Hilfe gegen die Gefahr der Verzettelung, in der die Themaanalyse schwebt, also das Mittel, die Einheit eines Werkes wiederherzustellen, sein Kohärenzprinzip, das, was Spitzer sein geistiges *Etymon* nannte. In Wirklichkeit ist die Frage zweifellos komplizierter, denn die immanente Kritik kann angesichts eines literarischen Werkes zwei verschiedene, ja sogar gegensätzliche Haltungen einnehmen, je nachdem, ob sie dieses Werk als Objekt oder als Subjekt betrachtet. Den Gegensatz zwischen diesen beiden Haltungen bringt Georges Poulet in einem Text sehr deutlich zum Ausdruck, in dem er sich selbst als Anhänger der zweiten Möglichkeit bezeichnet: »Wie alle Welt glaube ich, daß es das Ziel der Kritik ist, zu einer Erkenntnis der kritisierten Realität von innen heraus zu gelangen. Nun scheint mir aber, daß eine solche Innerlichkeit nur in dem Maße möglich ist, wie das kritische Denken selbst zu dem kritisierten Denken wird, wie es ihm gelingt, dieses von innen heraus nachzuempfinden, nachzudenken, nachzuvollziehen. Nichts ist weniger objektiv als eine solche geistige Bewegung. Im Gegensatz zu landläufigen Vorstellungen muß sich die Kritik gerade davor hüten, irgendein *Objekt* (und sei es die Person des Autors als ein Anderer oder sein Werk als ein Ding betrachtet) ins Auge zu fassen, denn was erreicht werden muß, ist ein *Subjekt*, d. h. eine geistige Aktivität, die man nur verstehen kann, wenn man sich an ihre Stelle versetzt und sie in uns erneut ihre Rolle als Subjekt spielen läßt.«[25]

Diese intersubjektive Kritik, die eben das Werk Georges Poulets in bewundernswerter Weise darstellt, schließt an den Typus von Verständnis an, den Paul Ricœur nach Dilthey und anderen (darunter Spitzer) *hermeneutisch* nennt[26]. Der Sinn eines Werkes wird hier nicht über eine Reihe intellektueller Operationen erstellt, vielmehr nachgelebt, »wieder aufgenommen« wie eine zugleich alte und immer wieder erneuerte Nachricht. Umgekehrt nun aber ist auch klar, daß die strukturale Kritik aus eben jenem Objektivismus erwächst, den Poulet verurteilt, denn die Strukturen wurden weder vom schöpferischen Bewußtsein noch vom kritischen Bewußtsein *erlebt*. Sie bilden zwar das Herzstück des Werkes, aber sozusagen als sein latentes Gerüst, als ein Prinzip objektiver Intelligibilität, das durch Analyse und Kommutationen einzig einem geometrischen Geist zugänglich ist, den man nicht mit Bewußtsein gleichsetzen kann. Die strukturale Literaturwissenschaft ist frei von allen transzendentalen Reduktionen, denen z. B. der Psychoanalyse oder der marxistischen Auslegung, sie übt aber auf ihre Weise eine Art innerlicher Reduktion, indem sie die Substanz des Werkes durchstößt, um zu seinem Knochengerüst zu gelangen. Das ist gewiß kein Oberflächenblick, vielmehr ein gewissermaßen röntgenologischer Scharfblick, der um so äußerlicher ist, je tiefer er dringt.

Es zeichnet sich hier also eine Grenze ab, die ziemlich gut mit der vergleichbar ist, die Ricœur der strukturalen Mythologie zuweist: Überall da, wo die hermeneutische Wiederaufnahme des Sinnes im intuitiven Zusammenklang zweier Bewußtseinsträger möglich und wünschenswert ist, soll seiner Meinung nach die strukturale Analyse (zumindest teilweise) illegitim und nicht relevant sein. Demnach könnte man sich eine Art Aufteilung der Literatur in zwei Bereiche vorstellen. Die »lebendige« Literatur, d. h. diejenige, die dazu geeignet ist, vom kritischen Bewußtsein nacherlebt zu werden, müßte man der hermeneutischen Literaturwissenschaft vorbehalten, so wie Ricœur für sich den Bereich judaischer und hellenischer Traditionen beansprucht, die mit einem unerschöpflichen und stets gegenwärtigen *Sinnüberschuß* ausgestattet sind. Hinzu käme der Bereich der nicht gerade »toten«, aber in gewisser Weise fernen und schwer entzifferbaren Literatur, deren verlorener Sinn nur durch Operationen strukturalen Denkens erschließbar ist, wie z. B. die Totemkulturen, der ausschließliche Bereich von Ethnologen. Eine solche Arbeitsteilung ist prinzipiell keineswegs absurd, ja, man sollte berücksichtigen, daß sie den vorsichtigen Selbstbeschränkungen entspricht, die sich der Strukturalismus von allein auferlegt, indem er es zuallererst mit solchen Bereichen aufnimmt, die sich am besten – bei möglichst wenig »Resten« – für die Anwendung seiner Methode eignen[27]. Man muß auch zugeben, daß eine solche Arbeitsteilung der strukturalistischen Forschung ein riesiges, fast unberührtes Gebiet überließe. Der Anteil der Literatur »mit verlorenem Sinn« ist in der Tat viel größer als der andere, und nicht immer von geringerem Interesse. Es gibt ein ganzes sozusagen ethnographisches Gebiet der Literatur, dessen Erforschung für den Strukturalismus äußerst spannend wäre: nach Zeit und Raum ferne Literaturen, Kinder- und Volksliteratur, darunter auch die jüngsten Formen wie Melodram oder Feuilletonroman, die von der Literaturwissenschaft stets vernachlässigt wurden, und zwar nicht nur aus akademischem Vorurteil, sondern auch weil keinerlei intersubjektive Teilhabe sie in ihrer Forschung beflügeln oder leiten konnte. Eine strukturale Kritik dagegen könnte diese Formen als anthropologisches Material behandeln und auf dem von Folkloreforschern wie Propp und Shaftymov vorgezeichneten Weg gruppenweise in ihren wiederkehrenden Funktionen studieren. Solche Arbeiten zeigen ebenso wie die von Lévi-Strauss über primitive Mythologien, wie fruchtbar die strukturale Methode in ihrer Anwendung auf Texte dieser Art ist und wieviel sie über die unbekannten Fundamente »kanonischer« Literatur ans Tageslicht bringen könnte. Fantomas oder Blaubart sprechen nicht so beredt zu uns wie Swann oder Hamlet. Sie hätten uns indessen vielleicht genausoviel mitzuteilen. Und bestimmte, offiziell geheiligte Werke, die uns in Wahrheit jedoch weitgehend fremd geworden sind, wie die von Corneille, würden womöglich in dieser Sprache der Distanz und der Fremdheit besser zu uns sprechen als in der Sprache falscher Nähe, die man ihnen noch immer beharrlich – und oft ganz vergeblich – auferlegt.

Hier nun würde der Strukturalismus vielleicht einen Teil des an die Hermeneutik abgetretenen Terrains zurückgewinnen. Denn die richtige Aufteilung unter diesen beiden »Methoden« betrifft nicht das Objekt, sondern die kritische Haltung. Paul Ricœur schlug die oben skizzierte Art der Aufteilung vor und führte dafür an: »Ein Teil der Zivilisation und gerade jener, aus dem unsere Kultur nicht erwächst, eignet sich besser als ein anderer für die Anwendung der strukturalen Methode.«[28] Hierauf hat Lévi-Strauss mit der Frage geantwortet: »Handelt es sich um einen Unterschied zwischen zwei Arten des Denkens und der Zivilisation, der an ihr Innerstes rührt, oder einfach um die relative Position des Beobachters, der seiner eigenen Kultur gegenüber nicht dieselben Perspektiven wählen kann, die ihm einer andersartigen Kultur gegenüber normal erscheinen?«[29] Wenn Ricœur eine eventuelle Anwendung des Strukturalismus auf jüdisch-christliche Mythologien als irrelevant ansieht, könnte ein melanesischer Philosoph die strukturale Analyse seiner eigenen mythischen Traditionen gleichfalls als irrelevant ansehen, denn er *verinnerlicht* diese genauso wie ein Christ die biblische Nachricht. Umgekehrt würde dieser Melanesier eine strukturale Analyse der Bibel vielleicht für relevant halten. Was Merleau-Ponty über die Ethnologie als Disziplin schrieb, kann man vom Strukturalismus als Methode sagen: »Es handelt sich hier nicht um ein Fach, das durch einen besonderen Gegenstand definiert würde, eben die »primitiven« Gesellschaften, sondern um eine bestimmte Denkweise, die sich einstellt, wenn der Gegenstand »anders« ist und von uns selbst eine Wandlung verlangt. So werden wir zu Ethnologen unserer eigenen Gesellschaft, sobald wir ihr gegenüber Distanz gewinnen.«[30]

Somit könnten die den Strukturalismus und die Hermeneutik verbindenden Beziehungen durchaus komplementärer Art sein und nicht so sehr auf mechanischer Trennung und gegenseitiger Ausschließung beruhen. Ein und demselben Werk gegenüber würde die hermeneutische Literaturwissenschaft die Wiederaufnahme des Sinnes und das Nachschaffen von innen heraus vertreten, die strukturale Literaturwissenschaft Distanz und intelligible Rekonstruktion. Sie würden auf diese Weise komplementäre Bedeutungen freilegen, und ihr Dialog wäre dadurch nur noch fruchtbarer. Die Bedingung wäre allerdings, daß man niemals die Sprachen von Strukturalismus und Hermeneutik zugleich benutzte[31]. Die Literaturwissenschaft hat jedenfalls keinen Grund, sich den neuen Bedeutungen[32] gegenüber ablehnend zu verhalten, die der Strukturalismus Werken, die uns scheinbar am nächsten und vertrautesten sind, dann abzugewinnen vermag, wenn er ihre Sprache in eine gewisse Distanz rückt. Denn eine der tiefsten Erkenntnisse der modernen Anthropologie lehrt uns, daß auch das Ferne uns nah ist, und gerade durch seine Ferne.

Die psychologischen Verständnisbemühungen, die im 19. Jahrhundert in der Kritik einsetzten und heute mit den verschiedensten Variationen von der themenorientierten Literaturwissenschaft fortgesetzt werden, sind im übrigen vielleicht allzu einseitig auf die Psychologie der Autoren und zuwenig auf die von Publikum oder Leser gerichtet gewesen. Man kennt ja z. B. die Klippen der Themaanalyse, der es oft schwer genug fällt, zu bestimmen, welchen Anteil die Originalität eines schöpferischen Individuums hat und welchen Anteil ganz allgemein der Geschmack, die Sensibilität, die Ideologie einer Epoche oder noch weitergehend die Konventionen und permanenten Traditionen einer literarischen Gattung oder Form haben. Diese Schwierigkeit beruht in gewisser Weise darauf, daß die originelle, aus der »Tiefe« aufsteigende Thematik des schöpferischen Individuums mit dem zusammentrifft, was die alte Rhetorik die *Topik* nannte, d. h. mit jenem Schatz an Themen und Formen, der das Allgemeingut der Tradition und der Kultur ausmacht. Die persönliche Thematik stellt nur das Ergebnis einer Auswahl dar, die unter den verschiedenen, von der kollektiven Topik gebotenen Möglichkeiten getroffen wurde. Man erkennt ohne weiteres – um einmal sehr schematisch zu sprechen –, daß der Anteil des *Topischen* in sogenannten »niederen« Gattungen, die man besser »fundamentale« nennen sollte, wie Volksmärchen oder Abenteuerroman, größer ist. Die Rolle der schöpferischen Persönlichkeit verblaßt hier so sehr, daß die Kritik sich in ihren Untersuchungen zu diesem Gegenstand spontan dem Geschmack, den Ansprüchen und den Bedürfnissen zuwendet, welche gemeinsam die sogenannte *Publikumserwartung* ergeben. Indessen müßte man auch genau ausfindig machen, wieviel die »großen Werke« – und selbst die originellsten – solchen allgemein angelegten Mustern verdanken. Wie sollte man etwa die besondere Qualität eines Romans von Stendhal würdigen, wenn man die zugrunde liegende Thematik romanesker Imagination in ihrer historischen und transhistorischen Allgemeinheit außer acht ließe?[33] Spitzer berichtet, daß seine späte – und im Grunde recht harmlose – Entdeckung von der Wichtigkeit traditioneller Topoi in der klassischen Literatur zu den Ereignissen gehörte, die dazu beitrugen, ihn hinsichtlich einer psychoanalytischen Stilistik zu entmutigen[34]. Jedoch ist der Übergang von dem, was man Psychologismus nennen könnte, zu einem absoluten Antipsychologismus vielleicht nicht so unvermeidlich, wie es scheint, denn so konventionell der Topos sein mag, ist er psychologisch doch ebensowenig willkürlich wie die persönliche Thematik. Er entspringt nur einer anderen Psychologie, der kollektiven diesmal, auf die uns eine zeitgenössische Anthropologie schon ein wenig vorbereitet hat und deren literarische Implikationen systematischer Erforschung wert wären. Der Fehler moderner Literaturwissenschaft ist womöglich weniger ihr Psychologismus als ihre allzu individualistische Auffassung von Psychologie.

Die klassische Literaturtheorie von Aristoteles bis La Harpe schenkte diesen anthropologischen Gegebenheiten der Literatur in gewissem Sinne viel größere Aufmerksamkeit, wußte sie doch in zwar so enger, aber doch so exakter Weise die Anforderungen dessen, was sie die *Wahrscheinlichkeit* nannte, zu messen, d. h. die Vorstellung des Publikums vom Wahren oder Möglichen. Die Unterscheidungen der Gattungen, die Begriffe episch, tragisch, heroisch, komisch, romanesk entsprachen bestimmten Kategorien, bestimmten geistigen Haltungen, die die Phantasie des Lesers auf dieses oder jenes Gleis bringen und ihn bestimmte Situationen, Handlungen und Werte (psychologische, moralische, ästhetische) herbeiwünschen und erwarten lassen. Man kann nicht eben behaupten, daß die Erforschung dieser großen Diathesen, die die literarische Sensibilität der Menschheit spalten und prägen (und die Gilbert Durand zu Recht die *anthropologischen Strukturen des Imaginären* genannt hat), von der Kritik und der Literaturtheorie bisher genügend betrieben worden ist. Bachelard[35] hat uns eine Typologie der an den Elementen orientierten Phantasie gegeben. Zweifellos existiert auch so etwas wie eine auf Verhalten, Situationen, menschliche Beziehungen konzentrierte Phantasie, eine *dramatische* Phantasie im weitesten Sinne des Wortes, die bei der Produktion wie beim Konsum von Theaterstücken und Romanen machtvoll mitredet. Die Topik dieser Phantasie, die strukturalen Gesetze ihres Funktionierens sind für die Literaturwissenschaft offensichtlich zuallererst von Wichtigkeit. Dies wird gewiß zu den Aufgaben jener weitgesteckten Axiomatik der Literatur gehören, deren dringende Notwendigkeit uns Valéry enthüllte. Die höchste Wirksamkeit der Literatur beruht auf einem subtilen Zusammenspiel von Erwartung und Überraschung, »gegen die alle Erwartung der Welt nichts ausrichten kann«[36], einem Zusammenspiel zwischen dem vom Publikum vorhergesehenen und erwünschten »Wahrscheinlichen« und dem Unvorhersehbaren des Schöpferischen. Das Unvorhersehbare nun aber, der unendliche Schock, den große Werke auslösen, hallt er nicht mit aller Kraft in den geheimen Tiefen der Wahrscheinlichkeit nach? »Der große Dichter«, sagt Borges, »ist weniger ein Erfinder als ein Entdecker.«[37]

IV

Valéry träumte von einer Literaturgeschichte, die »nicht so sehr als eine Geschichte der Autoren und der Wechselfälle ihrer Karriere oder Werke« aufgefaßt würde,

»sondern vielmehr als eine Geschichte des Geistes, der ›Literatur‹ produziert oder konsumiert; und diese Geschichte könnte sogar geschrieben werden, ohne daß der Name eines einzigen Autors erwähnt würde«. Man kennt das Echo, das dieser Gedanke bei Autoren wie Blanchot oder Borges gefunden hat, und schon Thibaudet hatte sich darin gefallen, durch Vergleiche und unablässige Querverweise eine literarische Republik zu schaffen, in der Personenunterscheidungen zu verblassen begannen. Diese einebnende Auffassung von einem literarischen Feld ist eine sehr tiefsinnige Utopie, verführerisch nicht ohne Grund, denn die Literatur ist nicht nur eine Sammlung autonomer oder sich mittels einer Reihe zufälliger, vereinzelter Begegnungen gegenseitig beeinflussender Werke. Sie ist ein kohärentes Ganzes, ein homogener Raum, in dem die Werke einander berühren und gegenseitig durchdringen. Sie ist darüber hinaus selbst auch ein Teilstück, das in dem viel weiteren Raum der »Kultur« mit anderen verbunden ist und ihren Eigenwert aus der Funktion innerhalb des Ganzen bezieht. In dieser doppelten Hinsicht ist sie Objekt von Strukturstudien, inneren wie äußeren. Wie man weiß, erwirbt das Kind Sprache nicht durch einfache Ausweitung des Vokabulars, sondern über eine Reihe innerer Spaltungen, die an der Gesamtfähigkeit nichts ändern. Auf jeder Etappe des Weges stellen die wenigen Worte, über die das Kind verfügt, für es selbst die ganze Sprache dar, und sie dienen ihm dazu, jegliches Ding zu bezeichnen, mit wachsender Präzision zwar, aber lückenlos. Ebenso stellt für einen Menschen, der nur ein Buch gelesen hat, dieses seine ganze »Literatur« im ursprünglichen Sinne des Wortes dar, und wenn er zwei kennt, werden sich diese beiden in sein literarisches Feld teilen, ohne eine Lücke zu lassen usw. Gerade weil eine Kultur keine Lücken hat, die zu füllen wären, gerade deshalb kann sie sich *bereichern:* Sie vertieft sich und differenziert sich, da sie sich nicht auszudehnen vermag.

In gewisser Weise könnte man der Meinung huldigen, die »Literatur« der gesamten Menschheit (d. h. die Art, wie geschriebene Werke sich im Geist der Menschen ordnen) entstehe einem analogen Prozeß folgend, wobei natürlich Vorbehalte wegen der groben Vereinfachung anzumelden sind: Die literarische »Produktion« ist ein *Sprechen* im Sinne Saussures, eine Reihe von individuellen, teilweise autonomen und unvorhersehbaren Akten. Der »Konsum« von Literatur durch die Gesellschaft ist hingegen eine *Sprache,* d. h. ein Ganzes, dessen Elemente, ganz gleich welcher Art und wieviel sie sind, dahin tendieren, sich zu einem kohärenten System zusammenzufügen. Raymond Queneau sagt im Scherz, jedes literarische Werk sei entweder eine *Ilias* oder eine *Odyssee.* Diese Dichotomie ist nicht immer eine Metapher gewesen. Noch bei Plato findet man den Nachklang einer »Literatur«, die fast auf diese beiden Dichtungen beschränkt war und die sich dennoch nicht für unvollständig hielt. Ion kennt nur Homer und will nichts anderes kennen. »Das dünkt mich auch genug«, sagt er, denn Homer spricht von allem mit großem Geschick, und die Kompetenz des Rhapsoden müßte enzyklopädisch sein, erwüchse die Dichtung wirklich aus einem Wissen (letzteres bestreitet Plato, nicht aber die Universalität des Werkes). Seither hat sich die Literatur eher aufgeteilt als ausgedehnt, und über Jahrhunderte hin hat man das Werk Homers als den Embryo und die Quelle jeglicher Literatur betrachtet. Diesem Mythos fehlt es nicht an Wahrheit, und der Brandstifter in Alexandrien hatte seinerseits nicht ganz unrecht, wenn er meinte, der Koran allein wiege eine ganze Bibliothek auf. Ob diese nämlich ein, zwei oder mehrere tausend Bücher umfaßt, gewiß ist, daß die Bibliothek einer Kultur immer vollständig ist, weil sie im Geist der Menschen stets ein System bildet.

Die klassische Rhetorik war sich dieses Systemcharakters deutlichst bewußt. Sie hat ihm in der Gattungstheorie Rechnung getragen: Epopöe, Tragödie, Komödie usw. Alle diese Gattungen teilten sich lückenlos in die Totalität des literarischen Feldes. Was dieser Theorie fehlte, war die Zeitdimension, der Gedanke, daß ein System sich entwickeln kann. Boileau sah, wie unter seinen Augen die Epopöe unterging und der Roman geboren wurde, und war doch nicht fähig, diese Veränderungen in seine Ars Poetica zu integrieren. Das 19. Jahrhundert hat die Geschichte entdeckt, jedoch den Zusammenhang des Ganzen vergessen. Die individuelle Geschichte der Werke und Autoren läßt die Gattungen in den Hintergrund treten. Einzig Brunetière hat eine Synthese versucht, allerdings war die Verbindung Boileau-Darwin, wie man weiß, nicht eben sehr glücklich. Die Entwicklung der Gattungen beruht nach Brunetière auf rein organischem Funktionieren: Jede Gattung wird geboren, entwickelt sich und stirbt wie eine einsame Spezies, ohne sich um ihre Nachbarn zu kümmern.

Der Strukturalismus führt nun hier den Gedanken ein, man solle die Literatur in ihrer globalen Entwicklung verfolgen, indem man synchrone Schnitte in verschiedenen Epochen vornimmt und die Ergebnisse miteinander vergleicht. Die literarische Entwicklung erscheint dann in ihrer ganzen Fülle, die eben damit zusammenhängt, daß das System als solches bestehen bleibt, sich aber unablässig verändert. Auch hier wieder haben die russischen Formalisten den Weg gewiesen, indem sie den Phänomenen struktureller Dynamik ein sehr lebhaftes Interesse widmeten und auf den Begriff des *Funktionswandels* stießen. Wenn man Vorhandensein oder Nichtvorhandensein einer literarischen Form oder eines literarischen Themas zu dem oder jenem Zeitpunkt der diachronischen Entwicklung für sich allein konstatiert, so bedeutet das nichts, solange eine synchronische Untersuchung nicht gezeigt hat, welche Funktion dieses Element im System innehat. Ein Element kann überleben, während es seine Funktion wandelt, oder im Gegenteil verschwinden, während es seine Funktion einem anderen überläßt. »Der Mechanismus der literarischen Entwicklung«, sagte Tomachevski, als er den Verlauf formalistischer Forschungen zu diesem Punkt skizzierte, »wurde so nach und nach immer deutlicher. Er stellte sich nicht so sehr als eine Abfolge von Formen dar, die sich gegenseitig ersetzen, denn vielmehr als eine ständige Variation der ästhetischen Funktion von literarischen Verfahrensmustern. Jedes Werk erhält seine Orientierung durch das Verhältnis zum literarischen Milieu, und jedes Element im Verhältnis zum Gesamtwerk. Ein Element, das zu einer bestimmten Epoche seinen ganz bestimmten Wert hatte, verändert seine Funktion in einer anderen Epoche völlig. Die Formen des Grotesken, in der Klassik als Mittel des Komischen angesehen, sind in der Romantik zu Quellen des Tragischen geworden. Im ständigen Wandel der Funktionen manifestiert sich das wahre

Leben der Elemente von literarischen Werken.«[38] Besonders Schklovski und Tynijanov haben in der russischen Literatur jenen Funktionswandel studiert, durch den z. B. eine Form niederen Ranges zu einer »kanonischen Form« wird und der zwischen der Volksliteratur und der offiziellen Literatur, zwischen akademischer Literatur und der »Avantgarde«, zwischen Poesie und Prosa usw. fortwährend Fusionen möglich macht. Das Erbe, pflegte Schklovski zu sagen, geht gewiß vom Onkel auf den Neffen über, die Entwicklung begünstigt die jüngere Linie. So importiert Puschkin Effekte der Albumverse des 18. Jahrhunderts in die hohe Dichtung, Nekrassov macht Anleihen beim Journalismus und beim Vaudeville, Blok beim Zigeunerlied, Dostojewskij beim Kriminalroman[39].

Eine so verstandene Literaturgeschichte wird zur Geschichte eines Systems: Die Entwicklung der Funktionen ist das Bedeutsame, nicht die der Elemente, und die Erkenntnis synchroner Beziehungen geht notwendig der von Prozessen voraus. Andererseits aber beschreibt das literarische Bild einer Epoche, wie Jakobson betont, nicht nur eine Schöpfergegenwart, sondern auch eine Kulturgegenwart, somit also ein bestimmtes Gesicht der Vergangenheit, »nicht nur die literarische Produktion eines bestimmten Zeitpunktes, sondern auch jenen Teil der literarischen Tradition, der für diesen Zeitpunkt lebendig oder wiederbelebbar geblieben ist ... Die Auswahl der Klassiker und ihre Neudeutung durch eine neue Strömung ist ein wesentliches Problem synchronischer Literaturwissenschaft«[40]; folglich auch für die strukturale Literaturgeschichte, die nichts weiter tut, als diese aufeinanderfolgenden synchronen Schnitte in eine diachronische Perspektive zu bringen. In dem Bild der französischen Klassik haben Homer und Vergil ihren Platz, nicht aber Dante oder Shakespeare.

In unserer heutigen literarischen Landschaft besitzt die Entdeckung (oder Invention) des Barock größeres Gewicht als das romantische Erbe, und unser Shakespeare ist weder der Voltaires noch der Hugos: Er ist Zeitgenosse eines Brecht und eines Claudel, genauso wie unser Cervantes ein Zeitgenosse Kafkas ist. Eine Epoche weist sich ebenso durch ihre Lektüre wie durch ihre Schriften aus, und diese beiden Aspekte ihrer »Literatur« bestimmen sich wechselseitig. »Wäre es mir gegeben, irgendeine Seite von heute – z. B. diese hier – so zu lesen, wie man sie im Jahre 2000 lesen wird, so könnte ich mir ein Bild von der Literatur des Jahres 2000 machen.«[41]

Zu dieser Geschichte von Aufteilungen innerhalb des literarischen Feldes, die bereits ein reichhaltiges Programm beinhaltet (man bedenke nur, wie eine allgemeine Geschichte der Opposition Prosa/Poesie aussähe, einer Opposition, die grundlegend ist, elementar, konstant, in ihrer Funktion unwandelbar, in ihren Mitteln aber stets Neuerungen offen), müßte man noch die Geschichte jener viel weiterreichenden Aufteilung in die Literatur, da Nicht-Literatur hinzunehmen. Das wäre nicht mehr Literaturgeschichte, sondern eine Geschichte der Beziehungen zwischen Literatur und dem gesamten sozialen Leben: die Geschichte der *Funktion von Literatur*. Die russischen Formalisten betonten den *differentiellen* Charakter des literarischen Phänomens. Das Literarische an sich ist auch Funktion des Nicht-Literarischen, und man kann ihm keine feste Definition zuweisen. Es bleibt allein das Bewußtsein von einer Grenze. Jeder weiß, daß die Geburt des Films den Status der Literatur verändert hat: Er stahl ihr bestimmte Funktionen, lieh ihr jedoch auch einige seiner eigenen Mittel. Und diese Umwandlung ist offenbar erst ein Anfang. Wie soll die Literatur die Entwicklung der anderen Kommunikationsmittel überleben? Wir glauben schon jetzt nicht mehr, was man von Aristoteles bis La Harpe glaubte, nämlich daß Kunst Nachahmung der Natur sei. Da, wo die Klassiker vor allem eine schöne Ähnlichkeit suchten, suchen wir im Gegenteil radikale Originalität und absolute Schöpfung. Wird die Literatur an dem Tage, da das Buch aufhört, der hauptsächliche Wissensträger zu sein, ihren Sinn nicht wiederum verändert haben? Vielleicht leben wir auch ganz einfach in den letzten Tagen des Buches. Dieses noch unabgeschlossene Geschehen sollte uns vergangenen Episoden gegenüber aufmerksamer werden lassen. Wir können nicht für alle Zeiten von Literatur sprechen, als sei ihre Existenz selbstverständlich, als hätte ihr Verhältnis zur Welt und zu den Menschen sich niemals zuvor geändert. Es fehlt uns z. B. eine Geschichte der Lektüre. Intellektuelle, soziale und sogar physische Geschichte: Schenkt man Augustin (Confessiones, Liber VI, 3) Glauben, so hat sein Lehrer Ambrosius als erster Mensch in der Antike mit den Augen gelesen, ohne den Text laut zu sprechen. Wahre Geschichte besteht aus solchen großen Augenblicken des Schweigens. Und der Wert einer Methode beruht vielleicht auf ihrer Fähigkeit, in jedem Schweigen eine Frage aufzudecken.

ANMERKUNGEN

1. Barthes, R., *Essais critiques*, Paris, 1964, S. 255.

2. Valéry, P., Albert Thibaudet, *Nouvelle Revue Française* 47, 1936, S. 6.

3. Tomachevski, B., La nouvelle école d'histoire en Russie, *Revue des Études slaves* 8, 1928, S. 231.

4. »Der Gegenstand literaturwissenschaftlicher Forschung ist nicht die Literatur insgesamt, sondern ihr Literaturcharakter, d. h. das, was ein literarisches Werk ausmacht.« Dieser Satz, den Jakobson 1921 schrieb, gehörte zu den Losungsworten des russischen Formalismus.

5. »Die Formanalyse stellt in der Mythologie genau wie in der Linguistik sogleich die Frage nach dem Sinn.« Lévi-Strauss, *Anthropologie structurale*, Paris, 1965, S. 266.

6. Jakobson, R., *O cesskom stixe, preimuscestvenno v spostavlenij russkim* (Sborniki po teorii poèticeskogo jazyka, V) Berlin-Moskau, 1923 (Tschechisch: *Zaklady ceskeho verse*, Prag, 1926).

7. Erlich, V., *Russian Formalism. History-Doctrine*, s'-Gravenhage, 1955, S. 188f.

8. Troubetzkoy, N.S., *Principes de phonologie*, Nachdruck der 1. Ausgabe von 1949, Paris, 1967, S. 5f.

9. Vgl. insbesondere die von Eichenbaum, Jakobson und Tynjanov ausgesprochene Kritik an den Methoden akustischer Metrik von Sievers, der sich bemühte, die Klangwerte eines Gedichtes so zu studieren, als sei es in einer vollkommen unbekannten Sprache geschrieben. *Erlich, V., Russian Formalism, History-Doctrine*, s'-Gravenhage, 1955, S. 187.

10. Delbouille, P., *Poésie et Sonorités*, Paris, 1961.

11. Étiemble, R., *Le Mythe de Rimbaud*, 2 Bde., Paris, 1952, Bd. 2, S. 81 ff.

12. »Alle Farben sind mindestens einmal jedem einzelnen Vokal zugeordnet worden.« Delbouille, Paul, *Poésie et Sonorités*, Paris, 1961, S. 248.

13. Jakobson, R., *Essais de linguistique générale*, Paris 1963, S. 233, und in diesem Band S. 135.

14. Jakobson, R., Randbemerkungen zur Prosa des Dichters Pasternak, *Slavische Rundschau* 7, 1935, S. 357–374.

15. Erlich, V., *Russian Formalism. History-Doctrine*, s'-Gravenhage, 1955, S. 149.

16. Jakobson, R., *Essais de linguistique générale*, Paris, 1963, S. 244, und in diesem Band S. 142.

17. Jakobson, R., *Essais de linguistique générale*, Paris, 1963, S. 209 ff., und in diesem Band S. 118–147.

18. Jakobson, R., *Essais de linguistique générale*, Paris, 1963, S. 238.

19. Propp, V., *Morphology of the Folk-Tale*, Indiana University 1958 (1. russische Ausgabe Leningrad 1928).

20. Bremond, C., Le Message narratif, *Communications* 4, 1964.

21. Man kann indessen bei Autoren, die sich selbst nicht zu dieser »Philosophie« zählen, einen in gewissem Grade rein methodologischen Stand des Strukturalismus finden. Das trifft z. B. für Dumézil zu, der die Analyse von Funktionen, die die Elemente der indoeuropäischen Mythologie verbinden, in den Dienst typisch historischer Forschung stellt und diese Funktionen für bedeutsamer hält als die Elemente für sich. Das trifft auch für Mauron zu, der mit seiner Psychokritik keine isolierten Themen, sondern *Netze* interpretiert, deren Elemente variieren können, ohne daß sich ihre Struktur verändert. Das Studium von Systemen *schließt* nicht notwendig das von Genese und Filiation *aus*. Das Minimalprogramm des Strukturalismus besagt aber, daß dieses jenem anderen vorausgehen und es bestimmen müsse.

22. Spitzer, L., Les études de style et les différents pays, *Langue et Littérature*, Actes du VIIIᵉ Congrès de la Fédération Internationale des Langues et Littératures Modernes (Bibliothèque de la Faculté de Philosophie et Lettres de l'Université de Liège, Fasc. CCXI), Paris, 1961, S. 27 f.

23. »Die strukturale Linguistik gewinnt genau wie die Quantenmechanik im Bereich des Gestaltdeterminismus, was sie in dem des zeitlichen Determinismus verliert.« Jakobson, R., *Essais de linguistique générale*, Paris, 1963, S. 74.

24. Rousset, J., *Forme et Signification*, Paris, 1962, S. XI f.

25. Poulet, G., *Les Lettres Nouvelles*, 24. 6. 1959.

26. Ricœur, P., Structur et Herméneutique, *Esprit* 31, 322, 1963, S. 596–627.

27. Lévi-Strauss, C., *Anthropologie structurale*, Paris, 1965, deutsch von Hans Naumann: *Strukturale Anthropologie*, Frankfurt 1967, S. 632.

28. Ricœur, P., Structure et Herméneutique, *Esprit* 31, 322, 1963, S. 608.

29. Lévi-Strauss, C., *Anthropologie structurale*, Paris, 1965, deutsch von Hans Naumann, *Strukturale Anthropologie*, Frankfurt 1967, S. 633.

30. Merleau-Ponty, M., *Signes*, Paris, 1960, S. 151.

31. Lévi-Strauss deutet eine Beziehung desselben Typs zwischen Geschichte und Ethnologie an: »Strukturen erscheinen nur für einen Beobachter, der sich von außen nähert. Umgekehrt kann eine solche Art der Beobachtung niemals Prozesse wahrnehmen, die ja keine Objekte der Analyse sind, sondern die besondere Weise, wie Zeitlichkeit von einem Subjekt erlebt wird ... Ein Historiker kann mitunter als Ethnologe

arbeiten und ein Ethnologe als Historiker, aber ihre jeweiligen Methoden sind komplementär in dem Sinne, den die Physiker diesem Wort geben. Das heißt: Ein Stadium A und ein Stadium B kann man nicht zur gleichen Zeit präzis definieren (was nur von außen und in strukturalen Begriffen möglich ist) und den Übergang von dem einen zum anderen empirisch nacherleben (was die einzige intelligible Art wäre, ihn zu verstehen). Selbst die Wissenschaften vom Menschen haben ihre Beziehungen von Unsicherheit.« Lévi-Strauss, C., *La Pensée sauvage*, Paris, 1962 (deutsch Frankfurt 1968, S. 44f.).

32. Eine neue Bedeutung ist nicht unbedingt ein neuer Sinn: Es ist eine neue Verbindung zwischen Form und Sinn. Wenn Literatur eine Kunst der Bedeutungen ist, so erneuert sie sich, und die Kritik mit ihr, bald durch den Sinn, bald durch die Form und verändert deren Verbindung. So kann es geschehen, daß die moderne Kritik in *Themen* und *Stilen* wiederfindet, was die klassische Kritik schon als *Ideen* oder *Gefühle* entdeckt hatte. Ein alter Sinn kehrt verbunden mit einer neuen Form zu uns zurück, und diese Verschiebung rückt ein Werk in ein ganz neues Licht.

33. Durand, G., *Le décor mythique de la Chartreuse de Parme*, Paris, 1961.

34. Spitzer, L., *Les études de style et les différents pays, Langue et Littérature*, Actes du VIIIe Congrès de la Fédération Internationale des Langues et Littératures Modernes (Bibliothèque de la Faculté de Philosophie et Lettres de l'Université de Liège, Fasc. CCXI), Paris, 1961, S. 27.

35. Bachelard, G., *La Psychanalyse du feu*, Paris, 1938;
-, *La Terre et les rêveries du repos*, Paris, 1948;
-, *La Terre et les rêveries de la volonté*, Paris, 1948;
-, *L'Eau et les rêves*, Paris, 1956, 1943;
-, *L'Air et les songes*, Paris, 1959, 1943.

36. Valéry, P., *Œuvres*, Hrsg. Jean Hytier, Bd. 2 (Bibliothèque de la Pléiade, 148, Paris, 1962, S. 560).

37. Borges, J.L., *El Aleph* (Frz. *Labyrinthes*), Buenos Aires, 1947.

38. Tomachevski, B., *La nouvelle école d'histoire en Russie, Revue des Etudes slaves* 8, 1928, S. 238f.

39. Über die Konzeption von Literaturgeschichte bei den Formalisten vgl. Eichenbaum und Tynjanov in Todorov, T., *Théorie de la Littérature*, Paris, 1966, ebenso Erlich, V., *Russian Formalism, History-Doctrine*, s'-Gravenhage, 1955, S. 227f., und Gourfinkel, N., *Les nouvelles méthodes d'histoire littéraire en Russie, Le Monde Slave*, Februar 1929.

40. Jakobson, R., *Essais de linguistique générale*, Paris, 1963, S. 212, und in diesem Band S. 120.

41. Borges, J.L., *Otras inquisiciones*, Buenos Aires, 1960, S. 218.

Generative Grammatik und der Begriff: Literarischer Stil

RICHARD OHMANN

Stil ist – der Wortbedeutung nach – die Art, wie einer schreibt. Das ist schon beinahe alles, was über diesen Gegenstand, der von theoretischen Einsichten in einem erstaunlichen Maß unbelastet geblieben ist, mit Sicherheit gesagt werden kann. Doch in gewisser Weise wissen wir wesentlich mehr als nur dies und zwar so, wie einer von der Grammatik seiner Muttersprache »weiß«, obwohl keine bestehende grammatikalische Analyse in vollem und angemessenem Umfang Rechenschaft von seiner sprachlichen Intention gibt. Mit Literatur vertraute Leser besitzen, was sinnvollerweise *stilistische* Intuition genannt werden könnte, ein ziemlich lose strukturiertes, doch oft verläßliches Gefühl für die Feinheit der sprachlichen Methode eines Autors, einen Sinn für Unterschiede zwischen Passagen literarischen Erzählens, die nicht notwendig inhaltliche Unterschiede sind. Tatsächlich vermögen viele Leser nach der flüchtigen Lektüre einer Auswahl ihnen nicht vertrauter Passagen nicht nur anzugeben, daß es diese Unterschiede gibt, sondern auch wer die Autoren sind. Man lese nur die ersten paar Absätze einer Geschichte aus dem *New Yorker* und wird sie oft (ohne einen heimlichen Blick auf den Schluß zu werfen) als die eines Cheever, eines O'Hara, eines Updike oder eines Salinger identifizieren, selbst wenn der Gegenstand für den Autor nicht charakteristisch ist. Ein weiterer Beleg, falls noch nötig, für die Verläßlichkeit stilistischer Intuitionen stellt die Fähigkeit gewisser Autoren dar, überzeugende Parodien zu schreiben und die ihrer Leser, sie als solche zu erkennen. So sieht sich der Stiltheoretiker mit einer Aufgabe konfrontiert, die sich auf sehr vielen Forschungsgebieten stellt: einen dem Laien schon bekannten Begriff für den präzisen Gebrauch zu explizieren und zu durchdringen.

Aber in der Stilistik mußte der Gelehrte sich schon immer mit einem theoretischen Apparat begnügen, der von dem eines Laien nicht allzu entfernt ist. Mögen viele Praktiker ihr Handwerk auch mit großer Subtilität ausgeübt haben, so verschafft eine Bestandsaufnahme ihrer Arbeit doch keineswegs Klarheit darüber, was dieses Handwerk eigentlich *ist*. Denn der Versuch, auffällige Merkmale zur Identifizierung von Stilen und für die Verfertigung von Stilparodien zu isolieren, hat sich zu einer fast schon beschämenden Methodenverwirrung in der Literaturwissenschaft ausgewachsen. Dabei sind die meisten dieser Methoden, wie ich glaube, desto uninteressanter, je mehr sie das, was wir Stil nennen, betonen. Die folgende Liste soll, ohne erschöpfend zu sein, die Vielfalt der Ansätze andeuten:

(1) Das, was »diachronische Stilistik« genannt werden könnte, das Studium der

Im Original: Generative Grammars and the concept of literary style, *Word* XX, 1964. S. 423–439. Übersetzt von Heinz Blumensath; Druck mit freundlicher Erlaubnis des Autors und der International Linguistic Society, New York.

Veränderungen im Stile einer Nationalliteratur von einer Epoche zur nächsten, setzt deutlich die Beherrschung von dem, was

(2) »synchronische Stilistik« oder das Studium des Stils dieser oder jener Epoche genannt werden könnte, voraus. Da der Stil einer Epoche nur die Summe der linguistischen Gewohnheiten, die die meisten Autoren dieser Zeit gemeinsam hatten, heißen kann, setzt der Begriff synchronische Stilistik seinerseits die Fähigkeit voraus, den Stil eines einzelnen Autors zu beschreiben. Aber es besteht nur ein geringes Maß an Übereinstimmung darüber, wie eine solche Beschreibung zu bewerkstelligen ist; viele Methoden bewerben sich um die kritische Aufmerksamkeit.

(3) Impressionismus: die Anwendung metaphorischer Begriffe auf Stile (»männlich«, »geschmeidig«, »staccato«, »fließend«, »verwickelt« etc.) und der Versuch zu werten (Swifts Stil ist der beste, oder der für das Englische natürlichste). Diese Art der Literaturwissenschaft stellt angenehme Salonkonversation dar, legt in gewisser Weise Zeugnis von des Kritikers Gefühlsreaktionen ab und gibt der Intuition, was ihr zusteht; doch kann wenig mehr zu ihren Gunsten gesagt werden.

(4) Das Studium des Klanges, besonders des Rhythmus. Dieser Ansatz führt zu einer gewissen Genauigkeit, doch je exakter (d. h. je ausschließlicher der Forscher den physikalischen oder phonemischen Besonderheiten sich zuwendet), desto irrelevanter wird er für das, was wir als Stil begreifen. Denn – so behaupte ich ganz dogmatisch – in der Prosa hängt Rhythmus, so wie er wahrgenommen wird, hauptsächlich von der Syntax und sogar vom Inhalt ab und nicht allein von Betonung, Intonation und Wortbindung (juncture).

(5) Das Studium der Tropen. Die Hinwendung zu Metapher, Antithese, Synekdoche, Zeugma und den anderen Figuren klassischer Rhetorik leitet sich häufig von dem Wunsch her, den Stil eines Autors in Hinblick auf dessen Selbstverständnis zu verstehen; in dieser Form entfernt sich dieser Ansatz von einer deskriptiven Stilanalyse und nähert sich einer Geschichte oder Philosophie der rhetorischen Theorie. Selbst wenn sich das Studium der figürlichen Sprache (figurative language) ein deskriptives Zentrum bewahrt, so erfaßt es doch nur einen kleinen, wenn auch wichtigen Bereich des Stils und vermischt dabei großzügig Inhaltliches.

(6) Das Studium der Bildersprache (imagery). Der Umstand, daß ein Autor Bilder von Krankheit, Geld, Schlacht oder ähnlichem bevorzugt, ist häufig von großem Interesse, aber Bildlichkeit, losgelöst von ihrem syntaktischen Rahmen, gehört mit Sicherheit mehr dem inhaltlichen als dem stilistischen Bereich an.

(7) Das Studium von dem, was etwa »Ton«, »Stellung«, »Rolle« usw. genannt wird: wie die Stellung des Autors dem, was er sagt, seinem Leser und sich selbst gegenüber, so wie es durch seine Sprache nahegelegt wird. Der Literaturwissenschaftler schließt so von der Redeweise auf der bedruckten Seite auf eine hypothetische Lebenssituation, in der eine solche Sprache angemessen wäre, und diskutiert die sozialen und emotionalen Kennzeichen dieser Situation. Dieser Ansatz ist zweifellos fruchtbar gewesen. Sein Erfolg beruht auf einem hochentwickelten Sinn für konnotative Bedeutung sowohl bei Wörtern als auch bei Konstruktionen. Diesen Sinn besitzen viele Literaturwissenschaftler im Überfluß. Der Ton wie auch die

rhetorischen Mittel (figurative language) sind indessen lediglich ein Bestandteil des Stils, und die Frage bleibt weiterhin offen, in welchem Maße der Ton seinerseits Resultat formaler linguistischer Kennzeichen ist.

(8) Das Studium der literarischen Struktur, das wie das der Tropen und des Tones unter den New Critics florierte. Ganz sicher stehen Organisationsmuster innerhalb eines literarischen Werkes mit dem Stil *in Beziehung* (die Art und Weise, wie ein Roman gebaut ist, kann eine Entsprechung in der Art und Weise haben, wie ein Satz konstruiert ist), aber Struktur als eine Komponente des Stils anzusehen, außer vielleicht bei einem kurzen Gedicht, weitet die Bedeutung des Terminus »Stil« über seine Grenzen aus.

(9) Die Analyse einzelner und lokal begrenzter Effekte – ein Tempuswechsel oder das Setzen eines Interrogativums innerhalb einer bestimmten Passage. Individuelle Strategien dieser Art passen besser unter die Überschrift *Technik* als unter die des Stils, denn Stil hat es primär mit dem Gewohnten, Wiederkehrenden zu tun.

(10) Das Studium besonderer Idiosynkrasien, wie etwa das Auslassen kausaler Konjunktionen, wo sie gewöhnlich stehen. Solche Eigenarten stellen zweifellos stilistische Elemente dar, deren Analyse außerordentlich fruchtbar sein kann, wie eine Reihe von Leo Spitzers Studien gezeigt hat. Aber einige wenige Idiosynkrasien lassen sich durch kein einziges Rechenverfahren zu einem Stil addieren.

(11) Die lexikalische Analyse der Texte eines Autors, so wie sie z. B. von Josephine Miles betrieben wird. Lexikalische Präferenzen, wenn sie nicht im Kontext eines verzweigten Systems von Wortklassen betrachtet werden, ähneln Bild-Mustern darin, daß sie mehr über Inhalt als über Stil enthüllen.

(12) Die statistische Methode der grammatikalischen Merkmale – abstrakte Nomen, Adjektive, untergeordnete Sätze, Fragen usw. Diese Methode ist zweifellos sachdienlich, doch sind signifikante Ergebnisse in hohem Maße unzuverlässig gewesen. Einer der Gründe dafür liegt in der mangelnden Feinheit der den Literaturwissenschaftlern von der traditionellen Grammatik bereitgestellten Kategorien; zumal ihre Linguistikkenntnisse im allgemeinen um einige Jahrzehnte zurückgeblieben zu sein scheinen. (Linguisten haben sich im großen ganzen nicht mit Stilistik befaßt.) Ein anderer gleich wichtiger Grund liegt in der überwältigenden Ineffizienz des Verfahrens bei der außerordentlich hohen Anzahl der gegebenen grammatikalischen Kategorien und dem Mangel jeglichen grammatischen Systems, sie auf bedeutungsvolle und formal motivierte Art und Weise in Beziehung zu setzen. Ohne eine solche Theorie ist eine Sammlung von Zahlen eben auch nichr mehr als das.

Trotz vieler Teilerfolge scheint die Unfähigkeit dieser oder anderer Methoden, eine umfassende und überzeugende Explikation des Begriffes Stil hervorzubringen, sich ganz allgemein von dem Fehlen einer angemessenen jeweils zugrunde liegenden linguistischen oder semantischen Theorie herzuleiten. Stil ist der charakteristische Gebrauch der Sprache, und es fällt schwer zu sehen, wie *der jeweilige Gebrauch* eines Systems begriffen werden kann, wenn nicht das System selbst schon ausgearbeitet ist. Mit anderen Worten, es kann nicht überraschen, die Stilistik im Zustand der Desorganisation zu finden, wenn Syntax und Semantik, von denen die Stilistik eindeutig abhängt, ihrerseits durch den Mangel einer umfassenden, vereinheitlichten und einleuchtenden Theorie behindert werden.

Obwohl die Lage der Stilistik noch verworrener ist, ist sie doch mit der der Sprachphilosophie[1] vergleichbar. Ganz, wie die Philosophen dazu neigten, sich auf dieses oder jenes einzelne vom Ganzen isolierte Kennzeichen der Sprache zu konzentrieren – auf Wörter, Wortgruppen oder die grammatikalische Prädikation, auf die Beziehung der Referenz oder die logische Struktur –, so haben Stilanalytiker über Klang, Tropen, Bilder (images), Diktion, Konjunktionsmittel, Parallelstruktur usw. gesprochen, ohne jeden erkennbaren Sinn für Priorität oder Vorrangigkeit innerhalb dieser Probleme. Auf diese Weise geschieht es weiter, daß die nützlichsten Studien über Stil[2] auch noch zu einem Zeitpunkt, an dem Theorie und Praxis der Linguistik zumindest durch eine Renaissance hindurchgegangen sind, aus der bloßen Intuition des Literaturwissenschaftlers hervorgehen – gegen das leere Geschwätz der Unwissenheit, allein durch literarische Erfahrung und das zerschlissene Gewand der traditionellen Grammatik geschützt. Das Fehlen einer Theorie wirkt sich besonders schädlich auf die Unfähigkeit des Literaturwissenschaftlers aus, die tieferen strukturellen Merkmale der Sprache in Betracht zu ziehen, besonders solche, die für eine stilistische Deskription hohen Erkenntniswert haben könnten.

Es ist meine Überzeugung, daß die neuen Entwicklungen auf dem Gebiet der generativen Grammatik, zumal innerhalb des Transformationsmodells, zum einen versprechen, einen guten Teil des die Stiltheorie umhüllenden Nebels zu vertreiben, als auch zum zweiten, eine entsprechende Verfeinerung in der Praxis der Stilanalyse zu ermöglichen. Im folgenden hoffe ich, ein Beispiel für die erste Behauptung geben zu können und einen ersten, sehr bescheidenen Vorstoß hinsichtlich der Darlegung der zweiten zu machen.

Daß Chomskys Formulierung der grammatischen Theorie potentiell nützlich ist, wird durch eine Überprüfung des umgangssprachlichen Begriffs Stil offensichtlich. Im allgemeinen bezieht sich dieser Begriff auf menschliches Handeln, das zum Teil festgelegt und zum Teil variabel ist. Stil ist eine *Weise*, etwas auszuführen. Nun führt dieses Bild nur zu geringen Komplikationen, wenn für die Handlung steht: Klavier- oder Tennisspielen. Der ein Mozartkonzert aufführende Pianist muß bestimmte Noten in einer bestimmten Folge, unter bestimmten Tempibeschränkungen, in einer bestimmten Beziehung mit dem Orchester usw. anschlagen. Diese Einschränkungen definieren den festgelegten Teil seines Verhaltens. Ganz ähnlich muß der Tennisspieler den Ball auf einem zum Teil durch die Spielregeln bestimmten Weg mit dem Schläger über das Netz schlagen (Fehler oder Täuschen sind nicht Stil). Aber ein jedes dieser Beispiele besitzt jenseits dieser Regeln eine signifikante Menge Freiheit: z. B. wählt der Tennisspieler aus einem Repertoire von Schlägen, Schüssen und möglichen Plazierungen des Balles (analog vielleicht den sprachlichen Reserven eines Schreibers oder Sprechers). Er besitzt auch die Freiheit zur Intensität, zur Eleganz, zum Bombastischen usw. (ganz wie der Schreiber oder Sprecher die Freiheit hat, paralinguistische Mittel wie Lautstärke und emphatische Betonung zu benutzen). Die Anwendung dieser Möglichkeiten, soweit angewöhnt und wiederkehrend, macht den Stil des Tennisspielers aus. Aber die wichtige Unterscheidung zwischen festen und variablen Komponenten in der Literatur ist gar nicht so offenkundig. Was *ist* Inhalt und was ist Form oder Stil? Das Anrennen gegen eine Dichotomie von Form und Inhalt hat die moderne Literaturwissenschaft stets beschäftigt; auch nur ein Wort zu verändern, so wird behauptet, verändert schon die Bedeutung. Diese kühne Doktrin besitzt eine gewisse theoretische Anziehungskraft, wenn die angenommene Unmöglichkeit, exakte Synonyme zu finden, und die ontologische Merkwürdigkeit eines von jedem sprachlichen Ausdruck getrennten körperlosen Inhalts – Lehrsätze zum Beispiel – gegeben sind. Doch führt diese Doktrin gleichzeitig zu der gänzlich gegen die Intuition gerichteten Schlußfolgerung, daß es so etwas wie Stil gar nicht geben kann, oder daß Stil ganz einfach ein Bestandteil des Inhalts ist[3].

Um das Problem etwas konkreter zu fassen: der Begriff des Stils impliziert, daß andere Wörter hätten stehen können, oder diese in anderer Stellung, ohne einen entsprechenden Unterschied in der Substanz. Ein anderer Autor hätte *es* auf eine andere *Art* gesagt. Damit die Idee des Stils angewandt werden kann, muß – kurz gesagt – Schreiben Wahlmöglichkeiten sprachlicher Formulierung enthalten. Angenommen, wir versuchen eine Liste von Alternativen zu einem gegebenen Prosaausschnitt zu erstellen: »After dinner, the senator made a speech.« Ein Dutzend sehr ähnlicher Sätze bietet sich an: (»When dinner was over, the senator made a speech.« »The senator made a speech after dinner.« »A speech was made by the senator after dinner.« etc.), ebenso eine große Zahl etwas anderer Wiedergaben (»The senator made a postprandial oration.« »The termination of the dinner brought a speech from the senator.« etc.). Welche dieser Beispiele stellen stilistische Variationen des Originals dar und welche von ihnen sagen etwas anderes? Wir können Intuitionen besitzen, aber sie gezielt zu verstärken, ist kein geringes Unterfangen. Offensichtlich wäre es hilfreich, eine Grammatik zu besitzen, die für bestimmte, formal feststellbare Beziehungen von Wahlmöglichkeiten zwischen Konstruktionen sorgt. Eine solche Beziehung z. B. könnte die sein, die zwischen zwei verschiedenen Konstruktionen besteht, die vom gleichen Ausgangspunkt gewonnen werden. Die generative Grammatik ermöglicht die Formulierung genau dieser Art der Beziehung.

In der Phrasenstrukturkomponente gibt es, um damit zu beginnen, Alternativen des Vorgehens von identisch bezeichneten Knoten aus, alternative Wege des Erweiterns (oder Ersetzens) eines Symbols. Eine Verbalphrase kann erweitert werden[4] in ein transitives Verb plus eine Nominalphrase, eine Kopula plus ein Adjektiv, eine Kopula plus eine Nominalphrase oder irgendeine der verschiedenen anderen Kombinationen[5]. Für die vielen Möglichkeiten des Umformulierens einiger Hauptsatztypen des Englischen (beim hier erreichten Grammatikstand) kann die Vorliebe eines Autors für die eine oder andere dieser Formen als eine stilistische Wahl von einigem Interesse sein; das zumal, da die strukturelle Bedeutung von, sagen wir, $V_t + NP$ erheblich von der von $Be + Adj.$ sich unterscheidet.

Es ist aber darauf hinzuweisen, daß die Möglichkeit von alternativen Verzweigungen in der Phrasenstrukturkomponente nicht wirklich das Problem des Stils auf zufriedenstellende Weise löst. Ich habe nach linguistisch konstanten Kennzeichen gesucht, die verschiedenartig ausgedrückt werden können. Die Schwierigkeit, eine Einheit wie die Verbalphrase als eine solche Konstante anzusehen, liegt in deren Abstraktheit, in ihrem Mangel an Struktur. Das Symbol VP steht auf einer Deskriptionsebene lediglich für eine *Position* innerhalb einer Kette. Zwei verschiedenartige Erweiterungen der VP werden beide die gleiche Position einnehmen, doch nicht notwendigerweise auch nur irgendein strukturelles Kennzeichen gemeinsam haben. Auch werden die aus beiden Derivationen letztlich resultierenden Sätze nicht unbedingt irgendwelche Morpheme oder gar Morpheme der gleichen Klasse sich teilen. So ist das Ersetzen von VP als V_t + NP Bestandteil einer Ableitung, die schließlich neben anderen zu solchen Sätzen wie »Columbus discovered America« führt. Diesem Satz aber entspricht (semantisch) kein Kernsatz, der aus einer Ableitung stammt, in der VP durch Be + Adj. ersetzt worden ist. Es gibt keinen Satz, der ihm strukturell mehr entspräche als »Columbus was brave« oder vielleicht »Columbus was nautical«. Gewiß stellen diese Sätze auch nicht stilistisch unterschiedliche Ausdrücke derselben Sache in dem für die Stilistik beanspruchten Sinne dar – etwa wie »America was discovered by Columbus«. Der Phrasenstrukturteil der Grammatik trägt nicht intuitiv erfühlten Beziehungen der Gleichheit und Unterschiedlichkeit zwischen Sätzen Rechnung und auch nicht der Möglichkeit, eine »Sache« auf zwei verschiedene Weisen auszudrücken. Vielleicht ist dies einer der Gründe, weshalb beinahe kein einziges wichtiges Buch auf dem Gebiet der Stilkritik aus der grammatischen Analyse amerikanischer Linguisten hervorging.

Um von genuinem Interesse für Stilistiker zu sein, muß eine Grammatik mehr leisten als bloß alternative Derivationen von dem gleichen Ursprungspunkt zu ermöglichen. Es gibt zumindest drei wichtige Charakteristika von Transformationsregeln, die sie in höherem Maße als die Phrasenstrukturregeln für Einsichten in das Stilproblem bedeutsam werden lassen. Erstens, eine große Anzahl der Transformationen ist fakultativ und das in einem ganz anderen Sinn als dem, in dem die Erweiterung von VP fakultativ ist. VP *muß* durch eine der zahlreichen Regeln erweitert werden, oder es wird naturgemäß kein Satz aus dieser Derivation hervorgehen. Aber eine fakultative Transformation braucht überhaupt nicht angewendet zu werden. Sind eine Kette oder ein Kettenpaar so strukturiert, daß eine bestimmte fakultative Transformation Anwendung finden kann, wird eine Unterlassung der Anwendung aus der Derivation dennoch einen Satz hervorgehen lassen[6]. So ist »Dickens wrote *Bleak House*« genau so ein Satz wie »*Bleak House* was written by Dickens«, der der Passivtransformation unterzogen worden ist. Gleichermaßen ist »Dickens was the writer of *Bleak House*« ein Satz, der von der gleichen Kernkette stammt wie die beiden anderen nur über eine andere, fakultative Transformation: Substantivierung des Handelns[7]. Technisch gesehen, finden Transformationen Anwendung auf zugrunde liegende Ketten mit bestimmten Strukturen, aber für den Zweck dieser Arbeit mögen sie als Manipulationen – Umordnung, Kombination, Addition, Löschung – betrachtet werden, die eher auf voll ausgeformte Sätze angewendet werden, als daß sie Wege darstellten, Teile voll ausgeformter

Sätze von unvollständigen, abstrakten Symbolen wie NP *zu erhalten.* Jede Anwendung einer unterschiedlichen fakultativen Transformation auf einen Satz ergibt einen neuen Satz, der dem originalen irgendwie ähnlich ist. Eine Grammatik mit Transformationsregeln wird so viele Paare und begrenzte Anzahl von Satzgruppen generieren, wie die Gruppe der drei Sätze über Dickens, die strukturell eng zusammengehören und nicht nur kraft der Tugend, Sätze zu sein. Viele solcher Satzgruppen werden einem Sprecher auffallen als Sätze, die »dieselbe Sache« sagen – als Alternativen ganz genau in dem für die Stilistik beanspruchten Sinn.

Ein zweiter, verwandter Grund für die Bedeutung transformationalen Geschehens für den Stil liegt in dem Faktum, daß eine Transformation auf eine oder mehrere *Ketten* oder strukturierte Elemente Anwendung finden kann und nicht auf einzelne Symbole wie VP; dies wird bei den Ketten kraft ihrer Struktur möglich. Eine Transformation bewirkt Veränderungen an der Struktur, läßt aber normalerweise einen Teil der Struktur unverändert. Aber in jedem Fall besitzt die neue Struktur eine präzis angebbare Beziehung zur alten, eine Beziehung, die übrigens Sprecher der Sprache intuitiv erfühlen werden. Darüber hinaus behält die transformierte Form zumindest einige Morpheme der Originalkette zurück; d. h. Transformationen werden so spezifiziert, daß »Columbus discovered America« unter der Passivtransformation nicht zu »Bleak House was written by Dickens« werden kann, obwohl dieser Satz die gleiche Struktur besitzt wie die richtige Transformation »America was discovered by Columbus«. Diese Eigenheit der Transformationen – einige Kennzeichen der originalen Kette zu bewahren – erklärt die Tatsache, daß als transformationale Alternativen anzusehende Satzgruppen verschiedene Ergebnisse der gleichen Aussage zu sein scheinen[8]. Wieder ist dies die Art der Beziehung, die auf intuitive Weise dem Begriff Stil zugrundezuliegen scheint; für sie bietet nur eine Transformationsgrammatik eine formale Analogie.

Die dritte wertvolle Leistung einer Transformationsgrammatik für den Stilanalytiker liegt in ihrer Fähigkeit, erklären zu können, wie komplexe Sätze erzeugt und wie sie mit einfachen Sätzen in Beziehung gebracht werden können. Schriftsteller unterscheiden sich bemerkenswert in Anzahl und Art der syntaktischen Komplexität, in der sie zu schreiben gewöhnt sind, doch sind diese Fragen nur schwer mit konventionellen Methoden der Analyse anzugehen. Da die Komplexität eines Satzes das Produkt der generalisierten Transformation ist, die er durchlaufen hat, wird die Zerlegung des Satzes in seine einfachen Satzkomponenten und die angewandten Transformationen (in der Reihenfolge ihrer Anwendung) Rechenschaft über seine Komplexität ablegen[9]. Da die gleiche Menge einfacher Sätze gewöhnlich auf verschiedene Arten miteinander kombiniert werden kann, kann von jedem von ihnen eine Menge komplexer Sätze generiert werden, von denen sich ein jeder nur durch seine Transformationsgeschichte unterscheidet, sonst aber die gleichen einfachen Aussagen enthält. Solche Unterschiede müßten sich auf interessante Art und Weise mit Hilfe der transformationalen Analyse untersuchen lassen. Das gleiche gilt für die Hauptarten der Satzkomplexe: selbst – eingebettete als im Gegensatz zu links – und rechts – verzweigende zum Beispiel; oder die Bildung von endozentrischen als im Gegensatz zur Bildung von exozentrischen Konstruktionen. Diese tiefengrammatikalischen Möglichkeiten in einer Sprache können sehr wohl unterschiedlich von Schriftsteller zu Schriftsteller ausgenutzt werden und wenn das so ist, werden die Unterschiede mit Sicherheit von stilistischem Interesse sein.

Lassen Sie mich zusammenfassen. Eine generative Grammatik mit einer Transformations-Komponente stellt den Apparat zur Verfügung, sowohl einen Satz in eine Redeausdehnung (stretch of discourse) und in die zugrunde liegenden Kernsätze (oder Ketten, genau gesprochen) aufzulösen, als auch die grammatikalischen Operationen genau zu spezifizieren, die auf ihn angewendet worden sind. Ferner erlaubt sie dem Analytiker, aus der gleichen Menge von Kernsätzen andere Nicht-Kernsätze zu bilden. Diese können zu Recht als *Alternativen* zu dem Originalsatz angesehen werden, insofern als sie ganz einfach unterschiedliche Konstruktionen der identischen, elementaren grammatikalischen Einheiten darstellen[10]. So besitzt die Idee alternativer Satzbildungen, die zentral für den Begriff Stil ist, eine klare Analogie innerhalb des Rahmens einer Transformationsgrammatik.

Aber ist es die *richtige* Analogie? Das, was ich »transformationale Alternativen« genannt habe, sind unterschiedliche Ableitungen von den gleichen Kernsätzen. Der Begriff Stil erfordert verschiedene Verfahren, den gleichen Inhalt auszudrücken. Ganz gewiß sind Kernsätze kein »Inhalt«. Doch *besitzen* sie Inhalt und vieles von diesem Inhalt bleibt auch durch den Prozeß der Transformationen hindurch erhalten. »Dickens was the writer of *Bleak House*« und »America was discovered by Columbus« sagen, wenn nicht genau dasselbe, dann doch so gut wie das gleiche wie »Dickens wrote *Bleak House*; Columbus discovered America«. Natürlich bringen einige Transformationen neuen Inhalt hinein, andere wiederum löschen Inhaltskennzeichen; keine Transformation läßt den Inhalt vollkommen unverändert. Der Vergleich ist nicht perfekt. Aber es ist die Sache wert, daran zu erinnern, daß andere Methoden, an Sätzen herumzubasteln (z.B. das Ersetzen von Synonymen), auch den Inhalt verändern. Auch kann, um das Problem von der anderen Seite her zu sehen, der nützlichste Sinn von »Inhalt« – kognitiver Inhalt – so gefaßt sein, daß ihn Transformationen überhaupt unberührt lassen. (Solche Synonyme existieren in der Tat.)[11] Auf jeden Fall reichen transformationale Alternativen so eng an »unterschiedliche Ausdrücke desselben Inhalts« heran wie andere Arten der Alternativen; darüber hinaus besitzen sie den praktischen Vorteil, formaler und nicht bloß impressionistischer Analyse zugänglich zu sein. Schließlich spricht zumindest einiges dafür, daß ein Stil zum Teil eine charakteristische Weise der Ausnutzung des transformationalen Apparats einer Sprache ist, und daß angenommen werden darf, daß die Transformationsanalyse eine wertvolle Hilfe bei der Beschreibung eines konkreten Stiles sein wird.

Soweit Theorie und Prophetie. Der letzte Beweis kann, wenn überhaupt, nur aufgrund des einigermaßen ausführlichen Versuches erbracht werden, literarische Stile in der von mir vorgeschlagenen Art und Weise zu untersuchen. Denn eine transformationale Analyse, wie verlockend sie theoretisch auch erscheinen mag,

wird nicht viel wert sein, es sei denn, sie erlaubt eher als andere Methoden bessere
Stilbeschreibungen – »besser«, weil sie umfassender, ökonomischer und demonstrier-
bar die sprachlichen Kennzeichen isoliert, auf die ein wahrnehmender Leser
respondiert, wenn er erkennt, daß ein Stil von einem anderen unterschieden ist. Der
hier zur Verfügung stehende Raum reicht nicht für eine umfassende Demonstration
aus; auch steht mir zur Zeit nicht annähernd genug stilistische Deskription zur Verfügung, um meine These zu beweisen. Daneben sind auch die notwendigen grammatikalischen Hilfsmittel überhaupt noch nicht verfügbar (so ist es noch zu früh, um
mit Sicherheit sagen zu können, daß Chomskys Modell einer Grammatik das richtige ist – es gibt viele, die nicht mit ihm übereinstimmen). Ich werde den Rest dieser
Arbeit lediglich dazu benutzen, anhand eines Beispiels das Verfahren einer einfachen auf dem Konzept grammatischer Transformationen beruhenden Analyse
zu umreißen und auf einige Vorteile dieses Verfahrens hinzuweisen.

Meine erste Textprobe stammt aus Faulkners Erzählung »Der Bär«. Sie ist Teil
eines beinahe zwei Seiten langen Satzes und ihr Stil ist komplex, höchst individuell
und schwierig – wenn sie laut gelesen wird, wird die Mehrzahl der Zuhörer sie nicht
beim ersten Zuhören verstehen. Sie ist aber auch, so glaube ich, typisch für
Faulkner:

the desk and the shelf above it on which rested the letters in which McCaslin recorded
the slow outward trickle of food and supplies and equipment which returned each fall
as cotton made and ginned and sold (two threads frail as truth and impalpable as
equators yet cable-strong to bind for life them who made the cotton to the land their sweat
fell on), and the older ledgers clumsy and archaic in size and shape, on the yellowed
pages of which were recorded in the faded hand of his father Theophilus and his uncle
Amodeus during the two decades before the Civil War, the manumission in title at least
of Carothers McCaslin's slaves: ...[12]

Ich schlage vor, die Komplexität dieser Passage durch die Umkehrung der Wirkungen von drei generalisierten Transformationen und einiger weniger singulärer
Transformationen zu reduzieren. Es sind:

(1) Die Relativsatz-Transformation (GT 19 in Lees' *The Grammar of English
Nominalizations*, p. 89) zusammen mit den WH-Transformationen (Lees, T 5 und
T 6, p. 39), d. h. die Transformation, die später »which« und »be« löscht, um nachge-
stellte Attribute (Lees, T 58, p. 94) übrig zu lassen und die Transformation, die
diese Attribute vor das Substantiv stellt, verschiebt (Lees, T 64, p. 98)[13].

(2) Die Konjunktions-Transformation (Chomsky, *Syntactic Structures*, p. 36).

(3) Die Komparativ-Transformation, die in einer Linie mit verschiedenen Re-
duktions-Transformationen und einer Umstellung[14], für Sätze wie »George is as
tall as John«[15] verantwortlich ist.

Ohne diesen grammatischen Apparat liest sich die Passage wie folgt:

the desk. The shelf was above it. The ledgers₁ rested on the shelf. The ledgers₁ were
old. McCaslin recorded the trickle of food in the ledgers₁. McCaslin recorded the trickle

of supplies in the ledgers₁. McCaslin recorded the trickle of equipment in the ledgers₁. The trickle was slow. The trickle was outward. The trickle returned each fall as cotton. The cotton was made. The cotton was ginned. The cotton was sold. The trickle was a thread. The cotton was a thread. The threads were frail. Truth is frail. The threads were impalpable. Equators are impalpable. The threads were strong to bind them for life to the land. They made the cotton. Their sweat fell on the land. Cables are strong. The ledgers₂ were old. The ledgers₂ rested on the shelf. The ledgers₂ were clumsy in size. The ledgers₂ were clumsy in shape. The ledgers₂ were archaic in size. The ledgers₂ were archaic in shape. On the pages of the ledgers₂ were recorded in the hand of his father during the two decades the manumission in title at least of Carothers McCaslin's slaves. On the pages of the ledgers₂ were recorded in the hand of his uncle during the two decades the manumission in title at least of Carothers McCaslin's slaves. The pages were yellowed. The hand was faded. The decades were before the Civil War. His father was Theophilus. His uncle was Amodeus[16].

Einiges an diesem Vorgehen ist natürlich künstlich. Die Stellung der Reduktionssätze ist teilweise zufällig. Wichtiger jedoch ist: die von mir umgekehrt angewandten Transformationen sind nicht die letzten, die bei der Erzeugung der Originalkonstruktion Anwendung fanden. Daher wären die obigen Satzmengen (Ketten) nicht exakt in dieser Form an irgendeiner Stelle der Derivation aufgetreten. Nichtsdestoweniger enthüllt die drastische Reduktion des Originalabsatzes verschiedene wichtige Dinge:

(1) Der Inhalt der Textprobe bleibt in etwa derselbe: abgesehen vom Verlust der Unterscheidungen zwischen »and« und »yet«, »as – as« und »more – than«, Relativsätzen, verbundenen Sätzen und ähnliches sind die Veränderungen im Inhalt von geringerer Bedeutung. In der Reduktionsform der Textprobe gibt es praktisch keine Spuren von dem, was wir als Faulkners Stil erkannt haben.

(2) Diese Denaturierung ist lediglich durch die Umkehrung der Wirkungen von drei generalisierten Transformationen sowie einiger weniger einzelner Transformationen zustande gekommen. Die Gesamtzahl der daran beteiligten fakultativen Transformationen kann angesichts der insgesamt in der Grammatik als Ganzes existierenden offenbar vernachlässigt werden. Mit anderen Worten: der Stil der Originaltextprobe beruht hauptsächlich auf einem ganz geringen Aufwand an grammatischem Apparat.

(3) Die meisten Sätze der Reduktionsform der Passage sind Kernsätze. Die meisten restlichen Sätze sind nur um eine Transformation von Kernsätzen unterschieden. Eine weitere Reduktion durch Rückgängigmachen einer beliebigen Zahl von anderen Transformationen würde weder die Passage selbst noch ihren Stil auch nur annähernd so stark verändern wie das angewandte Verfahren[17].

(4) Die drei Haupttransformationen, die ich gelöscht habe, besitzen drei wichtige Merkmale gemeinsam. Jede von ihnen verbindet zwei Sätze, die zumindest ein Morphem gemeinsam haben[18], und zwar dergestalt, daß die transformierte Form nur ein einmaliges Auftreten dieses Morphems (oder dieser Morpheme) enthalten kann, während sie die nicht gemeinsam geteilten Bestandteile der Originalsätze be-

wahrt. Das heißt: diese Transformationen sind sämtlich solche, die man »additiv« nennen könnte. Semantisch ausgedrückt: sie bieten Methoden der Informationsaddition über einen einzelnen »Gegenstand« an mit einem Minimum an Wiederholung. So könnten die beiden Sätze »The threads were impalpable« und »The threads were frail« vermittels jeder der drei hier betrachteten generalisierten Transformationen verbunden werden: »The threads which were impalpable were frail« (relativ); »The threads were frail and impalpable« (Konjunktion); und »The threads were more frail than impalpable« (Vergleich). Die drei Transformationen sind sich ungefähr gleich, sowohl in formaler als auch in semantischer Hinsicht. Auch scheint es vernünftig anzunehmen, daß ein Schriftsteller, dessen Stil so weithin auf diesen drei semantisch verwandten Transformationen beruht, darin eine gewisse Wahrnehmungsorientierung, eine bevorzugte Art, Erfahrung zu organisieren, vorführt[19]. Wenn diese Orientierung genau erfaßt werden könnte, würde das beinahe mit Sicherheit Einsicht in andere, nichtsemantische Merkmale von Faulkners Denken und Künstlertum bringen. Die Möglichkeit einer solchen Einsicht ist einer der wichtigsten Rechtfertigungsgründe für das Studium des Stils.

Der Weg von der formalen Stilbeschreibung hin zur kritischen semantischen Interpretation sollte letztlich das Ziel der Stilistik sein; in diesem Aufsatz jedoch befasse ich mich nur mit dem ersten Schritt: der Beschreibung. Mein erstes Beispiel zeigt, daß zumindest eine kurze Passage relativ effektiv und aufschlußreich mit Hilfe von einigen wenigen grammatischen Operationen beschrieben werden kann. Es könnte indessen eingewandt werden, daß *jeder* Schriftsteller in hohem Maß von ihnen abhängig ist. Um zu zeigen, daß dies nicht überall der Fall ist, genügt es, die gleichen Reduktionen bei einer charakteristischen Passage eines anderen Schriftstellers mit einem unterschiedlichen Stil durchzuführen. Es sei daher der Schluß von Hemingways Erzählung »Soldier's Home« betrachtet:

So his mother prayed for him and then they stood up and Krebs kissed his mother and went out of the house. He had tried so to keep his life from being complicated. Still, none of it had touched him. He had felt sorry for his mother and she had made him lie. He would go to Kansas City and get a job and she would feel all right about it. There would be one more scene maybe before he got away. He would not go down to his father's office. He would miss that one. He wanted his life to go smoothly. It had just gotten going that way. Well, that was all over now, anyway. He would go over to the schoolyard and watch Helen play indoor baseball[20].

Die Umkehrung der Wirkungen der Relativ- und Vergleichstransformation ändert kaum etwas an dem Text: nur die pränominale Ergänzung »indoor« wird davon betroffen. Die Entfernung der Konjunktionen bewirkt einige Veränderungen:

So his mother prayed for him. Then they stood up. Krebs kissed his mother. Krebs went out of the house. He had tried so to keep his life from being complicated. Still, none of it had touched him. He hed felt sorry for his mother. She had made him lie. He would go to Kansas City. He would get a job. She would feel all right about it. There would be one more scene maybe before he got away. He would not go down to his father's office. He would miss that one. He wanted his life to go smoothly. It had just gotten going that way. Well, that was all over now, anyway. He would go over to the schoolyard. He would watch Helen play indoor baseball.

Es ist bemerkenswert, daß die Reduktionsform der Passage immer noch Hemingway sehr ähnlich klingt. Nichts, was für seinen Stil entscheidend zu sein scheint, ist verändert worden. Weiterhin ist zu bemerken, daß, obwohl die gewonnene Passage ganz einfach ist, doch keiner der Sätze von dem Kern stammt. Hemingway sind Transformationen nicht unbekannt: er verläßt sich auf Pronominalisation, auf eine Gruppe von Nominalisierungen und vor allem auf eine Folge von Transformationen, die für das, was die Literaturwissenschaftler den »*style indirect libre*« nennen, verantwortlich sind. Diese Transformationen arbeiten wie folgt:

(1) GT; Zitat oder berichteter Gedanke:

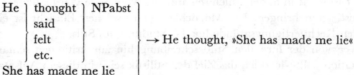

(2) Indirekte Rede (Wechsel der Pronomen und der Verbzeit):

He thought, »She has made me lie« → He thought that she had made him lie

(3) Löschung:

He thought that she had made him lie → She had made him lie[21]

Der von den Wirkungen dieser Transformationen befreite ursprüngliche Text liest sich dann wie folgt:

So his mother prayed for him and they stood up and Krebs kissed his mother and went out of the house. He thought this: I have tried so to keep my life from being complicated. Still, none of it has touched me. I have felt sorry for my mother and she has made me lie. I will go to Kansas City and get a job and she will feel all right about it. There will be one more scene maybe before I get away. I will not go down to my father's office. I will miss that one. I want my life to go smoothly. It has just gotten going that way. Well, that is all over now, anyway. I will go over to the Schoolyard and watch Helen play indoor baseball.

Die dem Stil eigentümliche doppelte Sehweise: der Geist des Erzählers späht in des Helden Gemüt und berichtet skrupellos, was darin vorgeht, die Möglichkeit der Distanz und der freundlichen Ironie – all dies ist mit der transformationalen Umformung verschwunden.

Sicherlich unterscheiden diese Transformationen an sich Hemingways Stil nicht von dem vieler anderer Autoren (Virginia Woolf, Ford Madox Ford, James Joyce etc.). Aber es ist interessant und vielversprechend, daß ein so immenser stilistischer Unterschied, wie der zwischen Faulkners und Hemingways Passagen, zu einem guten Teil auf der Basis eines derart minimalen grammatikalischen Apparates erklärt werden kann.

Bis hierher habe ich die stilistischen Wirkungen besonderer Transformationen und Gruppen von Transformationen untersucht und behauptet, daß diese Methode der Deskription potentiell von beachtlichem Wert für die Literaturwissenschaftler ist. Aber es gibt zumindest noch zwei weitere Weisen, wie die transformationale Technik für den Stilanalytiker hilfreich sein kann.

Zum ersten: es ist oft betont worden, daß es linksverzweigende (»Once George had left, the host and hostess gossiped briskly«), rechtsverzweigende (»The host and hostess gossiped briskly, once George had left«) oder selbsteingebettete Konstruktionen gibt. Weder links- noch rechtsverzweigende Konstruktionen strapazieren des Hörers Verständnisfähigkeit, selbst wenn sie über eine gewisse Entfernung hin miteinander verbunden sind (»a very few not at all well liked union officials«; »the dog that worried the cat that chased the rat that ate the cheese that lay in the house that Jack built«). Selbsteingebettete Sätze belasten jedoch das schwache Gedächtnis sehr schnell (»the house in which the cheese that the rat that the cat that the dog worried chased ate lay was built by Jack«). Schon eine relativ kleine Zahl von Selbsteinbettungen innerhalb eines geschriebenen Abschnittes kann einen Leser beträchtlich langsamer werden lassen.

Mit diesen Präliminarien versehen, soll der folgende, eine Kurzerzählung einleitende Satz betrachtet werden:

She had practically, he believed, conveyed the intimation, the horrid, brutal, vulgar menace, in the course of their last dreadful conversation, when, for whatever was left him of pluck or confidence – confidence in what he would fain have called a little more aggressively the strength of his position – he had judged best not to take it up.[22]

Dies ist ein höchst idiosynkratischer Stil, und der Autor ist natürlich Henry James. Sein spezielles Kennzeichen der Komplexität kann unmöglich mittels der von mir bei Faulkner verwendeten Methode aufgelöst werden. Eine ganze Zahl *verschiedener* Transformationen sind daran beteiligt. Es ist aber zu bemerken, daß diese Komplexität zum größten Teil aufgrund von Selbst-Einbettung entsteht. Werden die eingebetteten Bestandteile entfernt, so ist der Satz immer noch alles andere als einfach, doch die typisch James'sche Schwierigkeit ist verschwunden:

She had practically conveyed the intimation in the course of their last dreadful conversation, when he had judged best not to take it up.

Es folgen die gelöschten Sätze unter Wiederherstellung ihrer gesamten Struktur:
He believed (it).
(The intimation was a) horrid, brutal, vulgar menace.
(Something) was left him of pluck or confidence.
(It was) confidence in the strength of his position.
He would fain have called (it that), a little more aggressively.

Kurz gesagt: die eingebetteten Elemente sind von größerem Gewicht als die Hauptsätze selbst, und es braucht kaum erwähnt zu werden, daß die Beanspruchung der Aufmerksamkeit und des Gedächtnisses beim Verfolgen der Weiterentwicklung des Hauptsatzes über so viele Hindernisse hinweg und um sie herum beträchtlich ist. Das Schwierige wie auch James' Würze wird beträchtlich vermindert durch das Ersetzen der Selbsteinbettungen durch links- oder rechtsverzweigende Konstruktionen, auch wenn alle Kernsätze erhalten bleiben:

> He believed that in the course of their last dreadful conversation she had practically conveyed the intimation, a horrid, brutal, vulgar menace, which he had then judged best not to take up, for whatever was left him of pluck or confidence – confidence in the strength of his position, as he would fain have called it, a little more aggressively.

Wahrscheinlich kann vieles von James' Spätstil auf dieses syntaktische Mittel zurückgeführt werden – eine Frage mehr der *Stellung (positioning)* der verschiedensten Konstruktionen als der Bevorzugung einiger weniger. Die Wichtigkeit der Stellung für den Stil zu betonen, ist gewiß nichts Neues. Aber wiederum wird die Transformationsanalyse das Problem sowohl dadurch klären, daß sie deskriptive Genauigkeit ermöglicht, als auch dadurch, daß sie eine Reihe von Alternativen für jeden komplexen Satz bereitstellt.

Schließlich können Stile auch aufgrund der Arten der transformationalen Operationen, auf denen sie beruhen, kontrastieren. Es gibt dabei vier Möglichkeiten: Addition, Löschung, Neuordnung und Kombination. Mein letztes Beispiel beruht vor allem auf der zweiten Möglichkeit der Löschung. Die Passage stammt aus D.H. Lawrence' *Studies in Classic American Literature*, ein Buch mit einem besonders brüsken, emphatischen Stil, der sich teilweise von Lawrence's Vorliebe für Kernsätze herleitet. Aber sein wichtigstes Kennzeichen ist der Gebrauch von verstümmelten Sätzen, die durch eine Vielzahl von Löschungstransformationen hindurchgegangen sind. Hier der Auszug:

> The renegade hates life itself. He wants the death of life. So these many »reformers« and »idealists« who glorify the savages in America. They are death-birds, life-haters. Renegades.
> We can't go back. And Melville couldn't. Much as he hated the civilized humanity he knew. He couldn't go back to the savages. He wanted to. He tried to. And he couldn't. Because in the first place, it made him sick[23].

Werden die gelöschten Segmente wieder eingesetzt, so liest sich die Passage leicht absurd wie folgt:

> The renegade hates life itself. He wants the death of life. So these many »reformers« and »idealists« who glorify the savages in America (want the death of life). They are death-birds. (They are) life-haters. (They are) renegades.
> We can't go back. And Melville couldn't (go back). (Melville couldn't go back, as) much as he hated the civilized humanity he knew. He couldn't go back to the savages. He wanted to (go back to the savages). He tried to (go back to the savages). And he couldn't (go back to the savages).

(He couldn't go back to the savages) because, in the first place, it made him sick (to go back to the savages).

Auch ohne Grammatiktheorie ist einsehbar, daß Lawrence Löschungen benutzt. Aber die mit Hilfe der Grammatik wiederhergestellte Vollform enthüllt zwei interessante Dinge. Erstens: in dem Original gibt es sehr viele Wiederholungen, wesentlich mehr als es zunächst tatsächlich zeigt. Vielleicht trägt dieser Umstand zu der bohrenden Insistenz bei, die der Leser darin spürt. Zweitens: Lawrence' Löschung stellt eine stilistische Alternative zur *Konjunktion* dar, die gleichfalls auftreten kann, wenn zwei Sätze teilweise in ihren Konstituenten übereinstimmen. Die Gründe dafür, daß Lawrence die Löschung der Konjunktion vorzieht, dürfte einige Studien wert sein.

Im allgemeinen sollte eine Untersuchung dieser Art das Ziel stilistischer Analyse sein. Alles was ich hier geleistet habe, ist kurz und zum Teil informell, um eine fruchtbare Methode der stilistischen *Deskription* zu umreißen. Aber keine Stil*analyse* im echten Sinn kann beginnen, bevor es nicht angemessene Methoden für die bescheidene Aufgabe der Beschreibung gibt. Solche Methoden, so glaube ich, werden von der Transformationsgrammatik bereitgestellt. Weiterhin, so habe ich gesagt, ist eine solche Grammatik insbesondere dadurch diesem Ziele nützlich, daß sie allein Kraft genug besitzt, formal und präzise stilistische *Alternativen* zu einem gegebenen Text oder einer gegebenen Menge von sprachlichen Gewohnheiten hervorzubringen.

Nun läßt sich gewiß nicht, von vier Texten ausgehend bis zur Unendlichkeit verallgemeinern; so würden umfassende stilistische Beschreibungen schon der hier von mir diskutierten Werke dieser vier Schriftsteller weitaus genauer auszuarbeiten sein, als es die Skizzen waren, die ich hier angeboten habe. Darüberhinaus sind viele der von Lesern als unterschiedlich wahrgenommenen Stile in ihren syntaktischen Mustern (patterns) wesentlich komplexer als diese vier. Und letztlich, wenn auch Syntax ein zentraler Determinant des Stils zu sein scheint, so ist sie doch zugegebenermaßen nicht das Ganze des Stils. Bildsprache, rhetorische Figuren und der Rest sind oft recht wichtig. Aber um an verschiedenen Stilen die Art der Analyse durchführen zu können, die ich in dieser Arbeit angestrebt habe, bedarf es der Überzeugung, daß transformationale Muster (patterns) einen signifikanten Teil von dem konstituieren, was sensible Leser als Stil wahrnehmen. Transformationale Analyse literarischen Erzählens stellt dem Kritiker stilistische Beschreibungen in Aussicht, die zugleich einfacher und tiefgründiger als alle bisher verfügbaren sind und daher in höherem Maße eine Fundierung für die Interpretation des Literaturwissenschaftlers abgeben. Aber nicht nur dies: Wenn, wie es wahrscheinlich ist, generative Grammatiken mit Transformationsregeln dem Linguisten oder Literaturwissenschaftler helfen, den schwer zu definierenden aber zentralen Begriff des Stils zu explizieren, dann wird diese Leistung ein weiterer Beweis für die Bedeutung solcher Grammatiken sein.

ANMERKUNGEN

1. Vgl. Jerrold Katz und Jerry Fodor: »What's Wrong with the Philosophy of Language?« *Inquiry* V, 1962, S. 197–237.

2. William K. Wimsatt: *The Prose Style of Samuel Johnson*, New Haven, 1941; und Jonas Barish, *Ben Johnson and the Language of Prose Comedy*, Cambridge, Mass., 1960, um nur zwei der besten zu nennen.

3. Einen früheren Versuch des Verfassers, dieses Problem zu behandeln, stellt dar: Prolegomena to the Analyses of Prose Style, in: *Style in Prose Fiction;* English Institute Essays, 1958, Hg. Harold C. Martin, New York, 1959, S. 1–24.

4. Ich will damit nicht nahelegen, daß ein Sprecher oder Schriftsteller diese Operationen tatsächlich durchführt. Aber die verschiedenen Möglichkeiten der Expansion innerhalb der Grammatik, bieten in der Tat einen Vergleich zu den einem Schriftsteller offenstehenden Wahlmöglichkeiten an.

5. Möglicherweise ist eine andere Art der Erweiterung, etwa die von Lees verwandte, vorzuziehen: VP → (Prev) Aux + MV. Vgl. Robert B. Lees: The Grammar of English Nominalizations, Part II, in: *International Journal of American Linguistics* XXVI 3, 1960, S. 5. Nimmt die Grammatik diese Form an, so tritt die Wahlmöglichkeit, von der ich spreche, nur mit der Erweiterung des Hauptverbs ein. Solche Fragen sind aber unerheblich.

6. Dies ist lediglich die Neuformulierung der Definition für eine fakultative Transformation. Vgl. Noam Chomsky, *Syntactik Structures*, 's-Gravenhage, 1957, S. 45.

7. Lees, op. cit., S. 70 (Transformation T 47).

8. Es ist zu bemerken, daß viele solcher Satzmengen – einschließlich der drei Sätze über Dickens – dieselben *Wahrheitsbedingungen (truth conditions)*, um den philosophischen Begriff zu gebrauchen, teilen werden. Diese Tatsache ermutigt jeden, der Transformationsalternativen als unterschiedliche Ausdrücke der gleichen Aussage behandeln möchte.

9. Da Löschungen und Hinzufügungen aller Wahrscheinlichkeit nach im Verlauf der Derivation stattgefunden haben werden, wird der komplexe Satz natürlich nicht alle und nur die in dem Komponentensatz enthaltenen sprachlichen Elemente enthalten. Diese müssen rekonstruiert und mit angemessenen hypothetischen Elementen ergänzt werden; es gibt aber im allgemeinen eine starke formale Motivation, die Komponentensätze eher auf diese als eine andere Art und Weise zu rekonstruieren.

10. Natürlich braucht die Alternativform weder ein ganzer Satz noch ein einziger Satz zu sein. D. h. die Alternativen zu Satz A können einschließen 1. Satz B, 2. einen Teil von Satz C und 3. die Satzmengen D, E und F. Die interessantesten Alternativen zu einem gegebenen Satz stellen das Kernmaterial zu Einheiten von unterschiedlicher Länge zusammen.

11. Gesprächen und Briefwechseln mit Noam Chomsky verdanke ich besonders in diesem Punkt – wie auch in vielen anderen – Einsichten.

12. William Faulkner: The Bear, in: *Go Down Moses*, New York, Modern Library, 1942, S. 255–256.

13. Für eine andere Version dieser Transformationen vgl. Carlota S. Smith: A Class of Complex Modifiers in English, in: *Language* XXXVII, 1961, S. 347–348, 361–362.

14. Strong as cables → cable-strong.

15. Lees, Grammatical Analysis of the English Comparative Construction, in: *Word*

XVII, 1961, S. 182–183. Carlota S. Smith, in: A Class of Complex Modifiers in English, bietet eine umfassendere Behandlung solcher Konstruktionen, doch ist Lees' einfachere Analyse für mein gegenwärtiges Vorhaben durchaus angemessen.

16. Die Indikatoren bezeichnen die Unterschiede im Bezugsgegenstand (referent).

17. Passivformen und Pronomen treten hier gleichfalls recht oft auf, aber doch nicht so häufig, daß sie zu auffälligen stilistischen Kennzeichen werden.

18. Mit der Ausnahme, daß Konjunktionstransformation auch bei zwei Sätzen ohne gemeinsame Morpheme ausgeführt werden kann.

19. Offensichtlich ist es für stilistische Kennzeichen beinahe typisch, daß sie auf diese Art sich im Werk eines Autors häufen. Vgl. meine Studie, *Shaw; The Style and the Man*, Middletown, Conn., 1962, für zahlreiche Beispiele und für einen Versuch, Stil mit kognitiver Orientierung in Verbindung zu bringen.

20. *The Short Stories of Ernest Hemingway*, New York, 1953, S. 152–153.

21. Morris Halle (Massachusetts Institute of Technology) erklärte mir diese Transformationen. Er wird sie demnächst in einem Artikel über Virginia Woolfs Stil behandeln, und ich mache daher hier keinen Versuch, die Regeln perfekt auszuführen. Dennoch sollte beachtet werden, daß es zur Zeit keine Rechtfertigung für die Grammatik gibt, Regel 3 als eine Transformation zu enthalten, da die transformierte Form schon durch andere Regeln generiert wird.

22. The Bench of Desolation, *Ten Short Stories of Henry James*, Hg. Michael Swan, London, 1948, S. 284.

23. D. H. Lawrence, *Studies in Classic American Literature*, New York, Anchor Books, 1955, S. 149.

Generative Poetik

JIRI LEVÝ

Das hier zu erörternde Problem ist die semiotische Analyse *pragmatischer Bedeutung* – diese im Sinne von Ch. W. Morris verstanden – als ein Problem der Ästhetik.

»*Ästhetische Pragmatik*. In dieses Gebiet fallen die mit den Beziehungen ästhetischer Zeichen zu ihren Schöpfern oder Interpreten zusammenhängenden Probleme, d. h. alle diejenigen biologischen, psychologischen und soziologischen Faktoren, die dem Funktionieren der ästhetischen Zeichen impliziert sind. Die frühere Diskussion über die ästhetische Wahrnehmung gehört hierher; das gleiche gilt für eine Betrachtung des Schöpfungsvorganges oder der Analyse der Ähnlich- und Unähnlichkeiten zwischen der ästhetischen Kreation und der Neuschöpfung bzw. der kritischen Würdigung oder eine Erforschung des Grades und der Reichweite einer über die verschiedensten ästhetischen Zeichen vermittelten Kommunikation.«[1]

Wir werden damit mit der Frage eines strukturalen [oder sogar formalisierten] Forschungsansatzes für die bis jetzt zu Recht von der strukturalen Literaturtheorie außer acht gelassenen beiden Probleme konfrontiert: mit dem *Kreationsprozeß* und dem *Rezeptionsprozeß* eines Kunstwerkes.

I

Es sei mir erlaubt, mit einem von mir schon bei anderer Gelegenheit vorgebrachten Beispiel[2] die Diskussion zu beginnen: Gesetzt den Fall, ein englischer Übersetzer hat das deutsche Wort »Bursche« wiederzugeben. Er kann aus einer Gruppe mehr oder weniger synonymer Ausdrücke wählen: boy, fellow, chap, youngster, lad, guy, lark etc. Dies stellt sein *Paradigma* der Alternativen dar, eine Klasse von bestimmte Bedingungen erfüllenden Elementen. In diesem Falle ist es eine semantische Bedingung: »ein junger Mann«. Das Paradigma ist durch diese Bestimmung qualifiziert und umschrieben. Daher werden wir sie *Definitionsanweisungen* nennen. Eine Definitionsanweisung gibt dem Paradigma Form, und ein Paradigma formt den Inhalt seiner Definitionsanweisung. Ein Paradigma ist natürlich keine Gruppe von völlig äquivalenten Elementen, sondern eine nach Maßgabe unterschiedlicher Kriterien geordnete Gruppe [z. B. stilistische Ebenen, konnotative Bedeutungserweiterungen etc.] – anderenfalls wäre keine Wahl möglich.

Im Original: Generative Poetics, *Sign, Language, Culture* (Akten der 2. Internationalen Konferenz über Semiotik, Kazimierz nad Wisla, 12.–19. September 1966; bei Mouton in Vorb.), übersetzt von Heinz Blumensath. Druck der Übersetzung mit der freundlichen Erlaubnis der Erben, Frau Dr. Hana Levá und des Gehlen-Verlages.

Anweisungen, die aus den verfügbaren Möglichkeiten den Übersetzer wählen lassen, können *Selektionsanweisungen* genannt werden. Sie können sich in ihrer Art unterscheiden [in Analogie zu den definitionalen Bedingungen]: semantisch, rhythmisch, stilistisch etc. Jede Interpretation besitzt die Struktur einer Problemlösung: der Interpretierende muß aus der Klasse der möglichen Wort- oder Motivbedeutungen, aus den verschiedenen Charakterkonzeptionen, denen des Stils oder aus des Autors philosophischen Ansichten wählen. Die Wahl ist begrenzter [»leichter«], wenn die Anzahl der möglichen Alternativen geringer ist oder wenn sie durch den Kontext begrenzt wird.

Selektionsanweisungen besitzen eine einschließende Beziehung zu ihren Definitionsanweisungen – zwischen ihnen herrscht die Beziehung einer Gruppe zu ihren Untergruppen, eines Systems zu seinen Subsystemen, einer Klasse zu ihren Gliedern. Von der Gruppe der durch die Definitionsanweisung umschriebenen Alternativen wird eine Untergruppe durch die Selektionsanweisung entfernt [z. B. »verwende einen Vulgärausdruck«], die ihrerseits wieder zur Definitionsanweisung dieser Untergruppe wird – usw., bis ein Paradigmaglied erreicht wird [sofern die Wahl des Übersetzers vollkommen durch den Kontext bestimmt wird]:

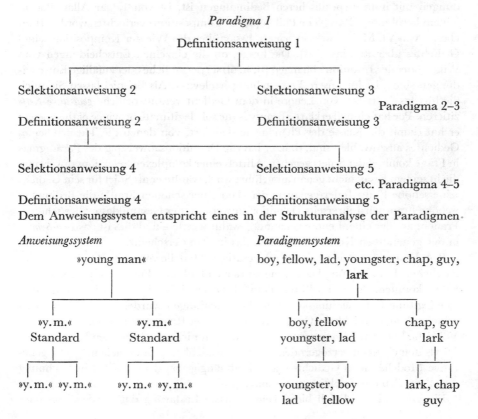

Dem Anweisungssystem entspricht eines in der Strukturanalyse der Paradigmen·

Die Wahl einer lexikalischen Einheit [und die von Elementen höheren Grades gleichermaßen] wird – *bewußt oder unbewußt* – von einem *Anweisungssystem* beherrscht. Sie sind *sowohl objektiv als auch subjektiv* abhängig von dem linguistischen Material. Das wichtigste sind dabei die Gedächtnisstruktur des Übersetzers, seine ästhetischen Normen etc. Das im Text enthaltene Endsymbol könnte hinsichtlich des für sein Auftreten verantwortlichen Anweisungssystem untersucht werden – es ist möglich, die Strukturen [pattern] seiner Genese, seine generative Struktur [pattern] zu rekonstruieren.

Ein generatives Modell der Übersetzung in Form einer Reihe von Problemlösungen zu konstruieren, stellt eine relativ einfache Aufgabe dar, da jede Entscheidung beim Übersetzen ein gut gekanntes und gut definierbares Ziel besitzt [ein Segment des Originals], d. h. Entscheidungen werden durch bekannte Bedingungen bestimmt. Es ist schon schwieriger, dieses Modell auf die Hervorbringung eines originalen Kunstwerkes anzuwenden – und das, obwohl außer Zweifel steht, daß es gleichfalls durch eine Reihe von Entscheidungen entstanden ist, die durch weniger handgreifliche Anweisungen bestimmt werden.

Daß die Schöpfung eines Kunstwerkes eine Serie aufeinanderfolgender Entscheidungen mit immer spezifischeren Bedingungen ist, ist von Edgar Allan Poe in seinem berühmten Essay ›The Philosophy of Composition‹ verfochten worden [und ebenso von Vl. Majakowski in seinem Essay über das Wie der Komposition seines Gedichtes über Esenins Tod]. Die Frage, ob die einzelnen Entscheidungen vom Willen oder der Intuition abhängen [d. h. ob sie persönliche oder zufällige Entscheidungen sind], ist für unsere Fragestellung irrelevant. Als Beispiel lassen Sie mich die für das Auftreten von Lenore in dem Gedicht verantwortliche *generative Kette* zitieren. Poe hat einmal erklärt, »Beauty is the sole legitimate province of the poem«; er hat damit die Klasse der Phänomene definiert, von denen die Themen seines Gedichtes auszuwählen sind, d. h. er hat die Definitionsanweisung des Paradigmas in Frage kommender Sujets gegeben. Mittels einer komplexen Selektionsanweisung, die in seinem Essay nicht genau ausgeführt wird, wählte er als Sujet für sein Gedicht »eine schöne Frau« [oder genauer: den Tod einer schönen Frau]; die Bedingung »schöne Frau« wird ihrerseits Definitionsanweisung der Gesamtklasse aller schönen Frauen, aus der die eine, Lenore genannt, gewählt wurde – und dies ist das *End-Symbol* in der generativen Kette, ein Symbol, das im Text erscheint.

Poes Essay rekonstruiert *eines* der generativen Modelle von ›The Raven‹, eine der möglichen Entscheidungsketten, die zu der endgültigen Form des Textes geführt haben könnten. Poe war selbstverständlich Determinist, ihm galt diese als die einzige legitime Entscheidungskette; die Entscheidungen wurden für ihn durch einzelne und unausweichliche Gründe verursacht: der Refrain »nevermore« mußte den Vokal [*o:*] als den sonoresten enthalten [warum nicht *a: ?*] und den Konsonanten [*r*] als den einzigen verzögernden etc. In Wirklichkeit gibt es viele mögliche generative Modelle dieses Gedichts – jeweils abhängig von dem von uns in Rechnung gestellten Typ der Selektionsanweisung.

Ein generatives Modell bietet keine kausale Erklärung dafür, wie dieses oder jenes individuelle Werk entstand. Es ist vielmehr ein allgemeines Deskriptions-system und als solches verschiedenen spezifischen Interpretationen zugänglich: jede historische, soziologische oder psychologische sich mit dem Ursprung des lite-rarischen Textes oder eines Teils von ihm befassende Hypothese tritt in dieses System in der Form einer den Entscheidungsprozeß regulierenden Struktur [pattern] von Selektionsanweisungen ein. Kausalerklärungen jedoch befassen sich mit den Beziehungen zwischen dem System und seiner Umgebung.

Ein anerkanntes Verfahren der Rekonstruktion einer oder verschiedener der Wahl des Endsymbols vorangegangener Entscheidungen war schon stets die Gegenüber-stellung von *Textvariationen*. Es ist üblich, nur die Unterschiede zwischen den ur-sprünglichen und den Zielversionen zu betrachten und das Faktum, daß sie beide vom strukturalen [funktionalen] Standpunkt aus »synonym« sind, außer acht zu lassen: daß sie beide Glieder des Paradigmas möglicher Wortungen der spezi-fischen Passage sind, Glieder eines Paradigmas, dessen Definitionsanweisungen uns über eine Bewegung in der generativen Struktur [pattern] dieses Werkes belehren können.

Die beiden Aspekte von Textvarianten – die Konstante und die Variablen der Situation können mittels der 12 verschiedenartigen Lesarten von einer Zeile von Majakowskis Gedicht über den Tod von S. Esenin dargestellt werden:

1. ННаши дни к веселию мало оборудованы
2. Наши дни под радость мало оборудованы
3. Наши дни под счастье мало оборудованы
4. Наша жизнь к веселию мало оборудована
5. Наша жизнь под радость мало оборудована
6. Наша жизнь под счатье мало оборудована
7. Для веселий планета наша мало оборудована
8. Для веселостей планета наша мало оборудована
9. Не особенно планета наша для веселня оборудована
10. Не особенно планета наша для веселня оборудована
11. Планетишка нама к удовольствиям не очень оборудована
12. Для весеяия планета наша мало оборудована[3]

Die Konstante dieser 12 Lesarten, die Definitionsanweisung ihrer Klasse, stellt sich wie folgt dar:

$$nasa + V_1 + V_2 + V_3 + V_4 + oborudovan \frac{a}{y}$$

Hier noch die Paradigmen der einzelnen Variablen:

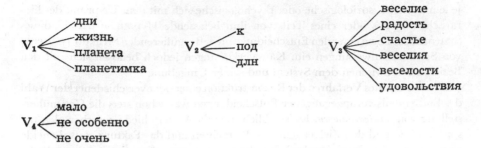

Jede der Paradigmenvariablen wird durch ihre Anweisungen definiert, z. B.:

V_2 = Dativpräposition

V_3 = Ausdruck für einen bevorzugten Zustand sowohl des Geistes
als auch den von Beziehungen.

Bei einigen dieser Variablen ist die Anweisung nicht einfach zu bestimmen; sie besteht sowohl aus semantischen wie auch aus grammatischen Anweisungen. Rhythmische Anweisungen werden in Fällen von in einem regelmäßigen Metrum abgefaßten Versen hinzugefügt und eine mehr oder weniger explizite semantische Anweisung eines Textes stellt eine Übersetzung dar.

Seien es nun Text- oder Themenvarianten, sie bieten die Möglichkeit, die generative Struktur [pattern] eines Werkes an zwei Achsen entlang zu verfolgen:

1. Die Konstante einer gegebenen Situation, d. h. die Summe der obligatorischen Anweisungen, mit denen die gewählten Lesearten aus sprachlichen oder rhythmischen Gründen übereinstimmen müssen, oder damit sie literarischen Konventionen eines spezifischen Typs der Literatur, z. B. des Sonnets, des Dramas etc., entsprechen.

2. Die Variablen, unter denen der Autor nach Maßgabe seiner ästhetischen Ansprüche, seiner ästhetischen Norm gewählt hat.

Die erste, die obligatorische Bedingungsgruppe, konstituiert den *Kode* dieses spezifischen Literaturtyps, die zweite, die *ästhetische Norm*. So gesehen, ist der Kode eine Gruppe von obligatorischen, deterministischen und vollkommen formalisierbaren Regeln [Anweisungen] und die ästhetische Norm eine die einzelnen Auswahlen unter den alternativen Ausdrücken faktischer Details und Kompositionstypen regelnde Strategie. *Kode* ist das System der Definitionsbedingungen der respektiven Paradigmen der Möglichkeiten [d. h. Determinationsanweisungen, die Grenzen errichten, die nicht überschritten werden können]; *ästhetische Norm* ist das Selektionsanweisungssystem [d. h. fakultativer Anweisungen]; d. h. die ästhetische Norm wird Bestandteil des Kodes, sobald sie bindend wird, sobald sie den Wert einer Definitionsanweisung eines Paradigmas annimmt, aus dem gewählt werden *muß*.

Die Beschreibung des Kodes der verschiedensten Sprachen und die von bestimmten Aspekten der Literatur [z. B. des Metrums] ist soweit gediehen, daß zumindest *theoretisch* künstliche Poesie möglich ist. Andererseits sind wir auf dem Gebiet der strukturalen Diskription ästhetischer Standards[4] sehr wenig vorangekommen. Daher muß ich noch einige wenige einleitende Bemerkungen zu diesem Problem machen.

Jede individuelle Wertung ist in Wirklichkeit eine Anwendung des Systems ästhetischer Regeln, d. h. sie ist eine *Parole* in bezug auf die als ein Anweisungssystem verstandene ästhetische Norm, eine *Langue*. Jede Kulturepoche, jede literarische Schule und auch jeder individuelle Kritiker folgt einem spezifischen System ästhetischer Anweisungen: der ästhetische *Idiolekt* des in Frage stehenden Individuums, der Gruppe oder der historischen Epoche. Mit den Mitteln der Analyse einer einzigen Äußerung, d. h. mittels der Analyse einer einzigen kritischen Norm als Language, d. h. der ihrer Elemente und ihrer Kombinationsregeln.

Wie R. Barth bemerkt[5], ist es vom theoretischen Standpunkt aus eher zu rechtfertigen, das System [Langue] durch Segmentierung von Einzeläußerungen in Syntagmen und diese in Elemente zu erstellen – doch erscheint es bisweilen einfacher, die manifesten Alternierungen zweier oder mehrerer Elemente zu wiederholen, die sich dadurch als Glieder des Paradigmas zu erkennen geben, d. h. als Einheiten einer bestimmten Ordnung.

Dieses zweite Verfahren ist erfolgsversprechend, wenn die einzelnen ästhetischen Idiolekte konfrontiert werden und versucht wird, das System, die Language der ästhetischen Standards zu erstellen.

Eine semiotische Analyse ästhetischer Standards wird durch das Faktum ermöglicht, daß die Elementarsegmente der ästhetischen Norm, elementare ästhetische Anweisungen, dazu tendieren, sich einer binären Entwicklung zu unterziehen: in der Literaturgeschichte sind wir keineswegs Zeugen einer Entwicklung vom Standard A zum Standard B und von hier zu Standard C, sondern vielmehr von Standard A zu Standard Nicht-A, von einem Standard zu seiner Negation. Hier einige einfache Beispiele solcher binären Oppositionen an den »Idiolekten« der Klassik und Romantik exemplifiziert:

Elementare ästhetische Anweisungen	Klassik	Romantik
die drei dramatischen Einheiten	+	−
lokale und historische Treue	−	+
spezifische / versus universale / Charakteristika	−	+
Reinheit der literarischen Grundstimmung / tragisch versus komisch /	+	−
Hierarchie der Gattungen	+	−
Zusammenfall von Versgrenzen mit Satzgrenzen	+	−

etc.

Diese elementaren Bedingungen gibt es in positiver Form [+ = ist gültig], in negativer [− = wird abgelehnt] oder es gibt sie überhaupt nicht; d. h. die ästhetischen Standards einer gegebenen Epoche oder »Schule« verhalten sich ihnen gegenüber indifferent. Es ist wahrscheinlich, daß dort, wo die ästhetischen Postulate nicht auf *binäre Alternativen* zurückgeführt werden können, die Segmentierung nicht weit genug vorangetrieben worden ist, um die Ebene elementarer Anweisungen zu erreichen.

Die elementaren Anweisungen, die *Normen* genannt werden können, treten auf mehreren Kombinationsebenen auf und konstituieren auf diese Weise das, was als Syntagmen des ästhetischen Standards angesehen werden kann. Zum Beispiel: die strikte Trennung von komischer und tragischer Stimmung geht gewöhnlich mit einer strengen Hierarchie der Gattungen einher, lokale und historische Treue werden in einigen Epochen in enger Verbindung mit der Betonung individueller Charakteristika in der Psychologie und in der Sprache der literarischen Personen etc. betont. Die Abgrenzung literarischer Grundstimmungen und Typen, dramatischer Einheiten, dem Zusammenfallen von Vers- und Satzende und einiger anderer ästhetischer Postulate bilden einen ästhetischen Komplex: Sie sind Glieder eines Paradigmas, dessen Definitionsanweisung darin besteht, daß in allem Wahrscheinlichkeit, rationale Segmentierung der Phänomene herrscht. Die Syntax der ästhetischen wie auch der semantischen Anweisungen ist anderer Art als die der natürlichen Sprachen: wo in den natürlichen Sprachen die meisten Syntagmen aus Elementen unterschiedlicher grammatischen Kategorien bestehen und sie daher zu unterschiedlichen Paradigmen gehören, sind wir andererseits in semiotischen Systemen mit Syntagmen befaßt, die sich gewöhnlich mit Paradigmen decken.

Die Syntax der Normen besitzt mehrere Ebenen: die einzelnen Postulate bilden nicht nur größere Komplexe innerhalb der ästhetischen Norm eines Kunsttypes, sondern treten auch in strukturelle Beziehungen mit zeitgenössischen Standards eines anderen Kunsttypes ein. Dies mag durch eine Gegenüberstellung der ästhetischen Standards verschiedener kulturellen Epochen zweier reproduzierender Künste, der Übersetzung und dem Theater illustriert werden: Die miteinander konfrontierten Postulatenpaare [oder ihre Teile] gehören aller Wahrscheinlichkeit nach demselben »Paradigma«, dessen Definitionsanweisungen ohne Zweifel einen ziemlich allgemeinen poetischen Charakter besitzen, an:

	Übersetzung	*Theater*
Mittelalter	Übersetzung zielt darauf, den Inhalt nützlicher fremdsprachiger Werke zugänglich zu machen.	Die Funktion der theatralischen Darstellung liegt darin, biblische Legenden und religiöse Lehren zugänglich zu machen.
Renaissance	Der Stil, in dem fremdsprachliche Werke übertragen werden, wird wichtig.	Bühnenhandlung wird der einfachen Erzählung des Mittelalters hinzugefügt.
Barock	Die Bewahrung der äußeren Form – z. B. Strophenbau – wird eines der Hauptziele.	Äußere Effekte (Musik, Ausstattung etc.) überragen alles.
Klassik	Adaptation des Originals und Übertragung auf das *hic et nunc* des Übersetzers.	Improvisation und aktuelle Adaptionen z. B. in comedia dell'arte.

| Romantik | Lokale und historische Treue sowie Details des individuellen Stils werden wichtig. | Individuelle Handlungsweisen, Details von Gesten und Mimikri treten in den Vordergrund. |
| »Neoromantik« des *fin de siècle* | Minutiöse individuelle Details und die Gefühlsatmosphäre bleiben bewahrt. | Archäologische Treue und Kreation der Gefühlsatmosphäre auf der Bühne, die Meiningen-Gruppe u. a. |

In der ersten Phase der strukturalen Methode wurde der *Kausalnexus* der Positivisten durch das Konzept der *Funktion* ersetzt; ein Verfahren, das selbstverständlich legitim ist, sofern wir an der inneren Ordnung eines Systems interessiert sind und nicht an den Beziehungen zwischen dem System und seiner Umgebung. Gleichzeitig ging indessen in vielen Fällen die Möglichkeit empirischer Überprüfung verloren; dies wird aber gerade zum Teil durch das generative Verfahren wiedergewonnen. Das theoretische Ziel einer generativen Poetik ist, ein ästhetisches Konstrukt so in seine Bestandteile und Kombinationsregeln zu entschlüsseln, daß es möglich wird, es durch Anwenden dieser Regeln auf das Inventar der Bestandteile zu rekonstruieren, zu erzeugen. Der Slogan des Positivismus *savoir pour prévoir* wird so durch den Slogan *savoir pour construire* [maschinelle Übersetzungen und Computerkunst sind Nebenprodukte dieser neuen Einstellung] ersetzt.

II

Der zweite große Bereich pragmatischer Bedeutung in der Kunst ist – nach Ch. W. Morris – die ästhetische Wahrnehmung und Interpretation, was gewöhnlich Rezeption oder Kontivetisierung [R. Ingarden] des Werkes genannt wird. Der »gegen den Strom« der Semiosis verlaufende Prozeß, d. h. vom Rezipierenden zum Text, kann in Analogie zu den generativen Strukturen mit Hilfe eines *Wiedererkennungsmodell* dargestellt werden.

Die Wiedererkennungsstruktur einer Äußerung besteht aus einem System von Denotationen und Konnotationen, die sich zueinander wie Definitions- zu Selektionsanweisungen verhalten.

Beispiel 1: Die denotative Bedeutung des Zeichens »Sturm« z. B. beherrscht ein großes Paradigma konnotativer Bedeutungen, wie »Entfesselung von Kräften«, »verwüstende Kräfte« etc. Mittels des *Kontextes* vermag eine dieser Bedeutungen, z. B. »Entfesselung von Kräften« die denotative Funktion übernehmen. Das heißt, die Funktion einer Definitionsanweisung, eines beschränkteren Paradigmas konnotativer Bedeutungen.

Eine empirische Untersuchung der denotativen und konnotativen Bedeutungen des Wortes »Sturm« in der russischen Poesie ist von Efrim Etkind durchgeführt worden; er hat a) aufgeführt, was Sturm in Gedichten verschiedener russischer

Autoren »wirklich bedeutet« [denotative Bedeutungen] und b), welchen unterschiedlichen Interpretationen das Gedicht »Vesenniaja groza« von Tjutchev bei verschiedenen Lesern erfährt. Dies sind seine Ergebnisse:

Zu a): Bei Tjutchev hat Sturm die Konnotationen einer dynamischen, freudigen Kraft, bei Marshak die konnotative Bedeutung der Einheit zwischen Mensch und Natur, bei Zabolockij Einheit der Antithesen ganz allgemein, bei Sergejev, Gorkij und Odincev die konnotative Bedeutung der Revolution.

Zu b): Die konnotativen Attribute des Dynamischen, der Jugend, der Freude werden durch den *Kontext* in dem Gedicht »Vesenniaja gorza« von Tjutchev fixiert und übernehmen in diesem speziellen Kontext die Denotation. Diese Denotation wiederum nimmt bei verschiedenen Lesern verschiedene Konnotationen an: Sturm als junge, dynamische Kraft, als reinigende Kraft, als Ausdruck der Antithese zwischen Chaos und Ordnung etc. Die diese Konnotationen beherrschenden Selektionsanweisungen besitzen zumeist einen Kompositionscharakter und enthalten nicht nur Bestandteile des Konnotationsparadigmas, das durch die denotative Bedeutung als Definitionsanweisung definiert ist, sondern auch Elemente der privaten Erfahrungen des Lesers, seines privaten Wortschatzes, der »lexique«, wie R. Barthes dies nennt[6].

Beispiel 2: Eine Gruppe von Studenten werden nach der Lektüre einer Kurzgeschichte über das Leben im Konzentrationslager »Schwalben und Rosen« von A.F. Dvořak, einer Zeitungserzählung durchschnittlich literarischen Niveaus, gebeten, die »Bedeutung« dieser beiden Symbole zu interpretieren: Die unterschiedlichen Interpretationen, die in diesem Test tatsächlich gegeben wurden, werden beziffert 1–13 / 1–14 und zu einem semantischen Baum angeordnet: (s. S. 115)

Aus den beiden Schemata geht evident hervor, daß Bestandteile der denotativen Bedeutung [z. B. die Bewegung der Schwalben, die rote Farbe oder der verblühte Zustand der Rosen] die Funktion von Definitionsanweisungen ganzer Konnotationsparadigmen erfüllen, die ihrerseits hierarchisch in mehreren Ebenen gegliedert sind: jede Ebene auf der rechten Seite besitzt ein Mehr an Bedeutung, da Elemente der denotativen Bedeutung mit denen des Kontextes der Geschichte kombiniert werden; und dies gemäß Selektionsanweisungen und Kombinationsregeln, die dem Vokabular privater Einstellungen und Erinnerungen des Interpreten inhärent sind. Das heißt, daß das reine Modell der semantischen Derivation von Fodor - Katz hier mit einem anderen System von Selektionsanweisungen, die vom psychologischen System des Interpretanten abgeleitet werden, kombiniert worden ist. Das Wiedererkennungsmodell eines literarischen Textes besitzt gleichfalls den Charakter eines abstrakten spezifischen Interpretationen zugänglichen Systems. Auf den ersten Blick erscheinen die beiden Modelle, das generative und das der Wiedererkennung, als isomorph, zumal sie beide durch ein analoges Anweisungs- und Paradigmensystem konstituiert werden. Es ist evident geworden, daß das Wiedererkennungsmodell komplexer ist, da zwei Systeme an dem Interpretationsvorgang teilhaben.

Zum Abschluß sollen die bei der Analyse einiger Aspekte der kreativen und rezep-

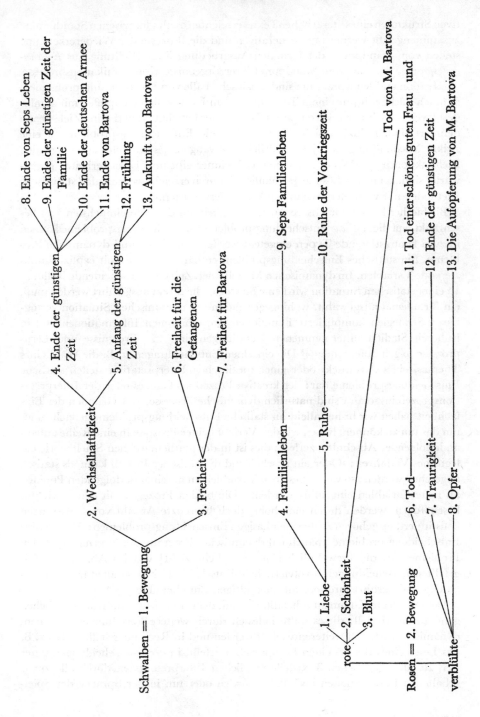

tiven Strukturen eines literarischen Textes erreichten methodologischen Standpunkte zusammengefaßt werden: die generativen und die Prozesse der Wiedererkennung stellen vom Standpunkt der formalen Ausarbeitung ihrer Richtung aus *Entscheidungsprozesse* dar und vom Standpunkt ihrer Ergebnisse Kommunikationsprozesse.

Kreation und Interpretation sind spezifische Fälle von Entscheidungsproblemen, nämlich solche mit nur einem Teilnehmer – im Unterschied zu Spielen mit zumindest zwei Teilnehmern: »Wo nur ein Teilnehmer beteiligt ist und seine Ziele genau definiert sind, reduziert sich das grundlegende Entscheidungsproblem auf eine strikte Maximierung der den natürlichen Zwängen des Modells unterliegenden Zielfunktionen ... Wo es nur einen Teilnehmer gibt und Unsicherheiten gegenwärtig sind, kann eine Lösung gewöhnlich dadurch erreicht werden, daß statistische Methoden mit variablen Techniken kombiniert werden.«[7]

Bis hierher haben wir unsere Aufmerksamkeit auf den allereinfachsten Fall beschränkt, auf die *statische* Entscheidungsprobleme: »Entscheidungsprobleme können in zwei kontrastierende Typen eingeteilt werden – statische und dynamische Probleme. Ein statisches Entscheidungsproblem enthält keine die Zeit explizit implizierende Variablen. Im dynamischen Modell spielt Zeit eine entscheidende Rolle... In einer statischen Situation wird eine Strategie, die direkt ausgeführt werden muß, ein für allemal ausgewählt, wohingegen die in der dynamischen Situation verfügbaren Strategien komplizierte Funktionen von erhaltenen Informationen und in früheren Stadien unternommenen Handlungen sind ... Ereignisse und Lernprozesse folgen aufeinander.«[8] Die einzelnen Entscheidungen, z. B. die Wahl eines Themas, eines Ausdrucks oder einer spezifischen Interpretation stellen statische Entscheidungsprobleme dar; der kreative Prozeß als Ganzes oder der Interpretationsprozeß insgesamt sind natürlich dynamische Prozesse. Aus Gründen der Einfachheit haben wir bisher allein an statische Entscheidungsprobleme gedacht und, um das tun zu können, haben wir den Verlauf beider Prozesse in eine Reihe aufeinanderfolgender Abschnitte zerlegt; dies ist in der mathematischen Spieltheorie ein legitimes Verfahren: »Oder ein anscheinend dynamischer Prozeß kann als statisch angesehen werden; so wenn dieselben Variablen an aufeinanderfolgenden Punkten als neue Variablen eingeführt werden.«[9] Die beiden Prozesse, mit denen wir uns beschäftigen, werden durch eine hohe, doch begrenzte Anzahl von Bewegungen konstituiert, sie gehören zu den vielphasigen Entscheidungsproblemen: »Vielphasige Entscheidungsprobleme, manchmal dynamisches Programmieren genannt, stellen Probleme dar, die [gewöhnlich eine unendliche Zahl] von im Ablauf der Zeit gefällten Entscheidungen involviert. Jede Entscheidung ist von allen früheren abhängig und berührt ihrerseits alle zukünftigen Entscheidungen.«[10]

Der vorgelegte Kommentar befaßte sich mit dem einfachsten, d. h. dem statischen generativen Modell; dieses sollte indessen durch weitere Forschungen zu einem dynamischen Modell weiterentwickelt werden und in Rechnung stellen, daß z. B. das Lesen eines Buches einen Lernprozeß darstellt, in dem Entscheidungen unter den zu einer gegebenen Textstelle möglichen Interpretationen durch alle zuvor erhaltenen Informationen beeinflußt wurden oder um in der Sprache der Spieltheorie zu sprechen: es handelt sich um ein Spiel mit perfekter Information. Die Anwendung formaler Methoden der Spieltheorie in der Semiotik sollte gleichfalls Gegenstand weiterer Erforschung sein.

ANMERKUNGEN

1. Ch. W. Morris, Esthetics and the Theory of Signs, *The Journal of Unified Science* 8, 1939/40, S. 144f.

2. Translation as a Decision Process, *To Honor Roman Jakobson*, Den Haag, Bd. II, S. 1171–1182.

3. Der erwähnte Aufsatz und das Gedicht sind auf deutsch abgedruckt in Majakowski, *Wie macht man Verse?*, edition suhrkamp 62, Frankfurt, 1964, S. 83 und S. 94f. Die Übersetzung der zwölf Ausformungsstufen lautet:

1. Unsre Tage zeigen Heiterm kaum viel Gunst;
2. Unsre Tage widmen Freuden wenig Gunst;
3. Unsre Tage bieten nie dem Glück die Gunst;
4. Unser Leben weiht dem Heitern kaum viel Gunst;
5. Unser Leben widmet Freuden wenig Gunst;
6. Unser Leben, ach, versagt dem Glück die Gunst;
7. Lustbarkeiten schenkt unser Planet nur wenig Gunst;
8. Lustbarkeiten weiht der Erdplanet gar wenig Gunst;
9. Nicht besonders zeigt unser Planet dem Heitern Gunst;
10. Nicht besonders schenkt unser Planet dem frohen Wesen Gunst;
11. Ach, unser Planetchen hat für das Vergnügen wenig Gunst;
12. Unser Erdplanet erweist den Lustbarkeiten wenig Gunst.

4. Die ersten Schritte in Richtung auf eine semiotische Analyse ästhetischer Normen sind von Jan Mukarovsky in *Esteticka funkce, norma a hodnota jako socialn fakty*, Prag, 1936, unternommen worden.

5. R. Barthes, Élements de sémiologie, *Communications* 4, Paris, 1964, S. 116.

6. Loc. cit. S. 109.

7. S. Karlin, *Mathematical Methods and Theory in Games*, Programming and Economy I, London, 1959, 5.

8. Loc. cit. S. 4.

9. Loc. cit. S. 4.

10. Loc. cit. S. 8.

Linguistik und Poetik

ROMAN JAKOBSON

Zum Glück haben wissenschaftliche Tagungen und politische Zusammenkünfte nichts gemein. Der Erfolg eines politischen Treffens hängt von der allgemeinen Zustimmung der Mehrheit oder der Gesamtheit seiner Teilnehmer ab. Der Gebrauch von Voten und Vetos ist einer wissenschaftlichen Diskussion fremd, in der Widerspruch meist fruchtbarer ist als Zustimmung. Widerspruch offenbart Antinomien und Spannungen innerhalb des erörterten Bereiches und regt zu erneuter Forschung an. Nicht politische Zusammenkünften, sondern eher Forschungsvorhaben in der Antarktis sind Treffen von Gelehrten vergleichbar: internationale Experten der verschiedensten Disziplinen versuchen, ein unbekanntes Gebiet abzustecken und herauszufinden, wo sich die größten Hindernisse für den Forscher befinden, wo die unüberwindlichen Gipfel und Abgründe sind. Das Herstellen einer solchen Karte war wohl die Hauptaufgabe dieser Tagung, und in dieser Hinsicht ist ihre Arbeit recht erfolgreich gewesen. Sind wir uns nicht darüber klar geworden, welches die schwierigsten und umstrittensten Probleme sind? Haben wir nicht auch gelernt, wie wir uns unserer Kodes bedienen müssen, welche Termini wir erläutern oder gar vermeiden müssen, um Mißverständnissen vorzubeugen bei Leuten, die einen anderen Fachjargon gebrauchen. Solche Fragen sind – so glaube ich – wenn nicht allen, so doch den meisten Teilnehmern dieser Tagung deutlicher geworden als sie es noch vor drei Tagen waren.

Ich wurde gebeten, einige zusammenfassende Bemerkungen über die Beziehung zwischen Poetik und Linguistik zu machen. Poetik beschäftigt sich hauptsächlich mit der Frage: *Was macht aus einer sprachlichen Nachricht ein Kunstwerk?* Da der wichtigste Untersuchungsgegenstand der Poetik die *differentia specifica* der Wortkunst ist in Beziehung zu anderen Künsten und in Beziehung zu anderen Arten sprachlichen Verhaltens, ist es berechtigt, die Poetik an den ersten Platz innerhalb der Literaturwissenschaft zu setzen.

Poetik hat mit Problemen der sprachlichen Struktur zu tun, genauso wie die Analyse der Malerei es mit bildlichen Strukturen zu tun hat. Da die Linguistik die umfassende Wissenschaft von der Sprachstruktur ist, kann die Poetik als ein wesentlicher Bestandteil der Linguistik angesehen werden.

Gegenargumente zu solch einem Anspruch sind sorgfältig zu prüfen. Es ist evident, daß viele Vorgänge, die von der Poetik untersucht werden, nicht auf die Wortkunst beschränkt sind. Wir können uns auf die Möglichkeit der Umformung von

Im Original: *Linguistics and Poetics, Style in language*, Hg. Sebeok, MIT Press, Cambridge, 1960[1], S. 350–377. Aus dem Englischen übersetzt von Heinz Blumensath und Rolf Kloepfer. Druck mit freundlicher Erlaubnis des Autors.

Wuthering Heights in einen Film, von mittelalterlichen Legenden in Fresken und Miniaturen oder auf die von *L'après-midi d'un faune* in Musik, Ballett und Grafik beziehen. Wie lächerlich auch immer die Idee der *Ilias* und *Odyssee* als comic-strip erscheinen mag, so bleiben doch bestimmte strukturelle Merkmale der Fabel trotz des Verschwindens ihrer sprachlichen Form erhalten. Die Frage, ob Blake's Illustrationen der *Divina Commedia* adäquat oder inadäquat sind, ist Beweis für die Vergleichbarkeit der verschiedenen Künste. Das Problem des Barock oder irgendeines anderen Stils der Geschichte überschreiten den Rahmen der einzelnen Künste. Bei der Behandlung der surrealistischen Metapher könnten wir schwerlich Max Ernsts Bilder oder Luis Bruñuels Filme wie *Der Andalusische Hund* und *Das goldene Zeitalter* übergehen. Kurz, viele Merkmale der Dichtung gehören nicht nur zu der Wissenschaft von der Sprache, sondern zur umfassenden Zeichentheorie, d. h. zur allgemeinen Semiotik. Diese Aussage gilt allerdings nicht nur für die Wortkunst, sondern für alle verschiedenen Formen von Sprache, denn die Sprache stimmt in vielen ihrer Eigenschaften mit anderen Zeichensystemen oder sogar mit ihnen allen überein (pansemiotische Merkmale).

In gleicher Weise trifft ein zweiter Einwand nichts, was für Literatur spezifisch wäre: die Frage der Beziehungen zwischen dem Wort und der Welt betrifft nicht nur die Wortkunst, sondern vielmehr alle Formen der Rede. Die Linguistik ist geeignet, alle möglichen Probleme der Beziehung zwischen Rede und dem »Universum der Rede« zu erforschen: was von diesem Universum wird durch eine gegebene Rede sprachlich realisiert und wie geschieht dies? Der Wahrheitsgehalt übersteigt allerdings, soweit er – um es wie die Logiker zu sagen – eine »außersprachliche Wesenheit« ist, die Grenze von Poetik und Linguistik im allgemeinen.

Manchmal kann man hören, daß die Poetik sich im Unterschied zur Linguistik mit Wertung befaßt. Diese Trennung von zwei Bereichen beruht auf der verbreiteten, doch irrtümlichen Deutung des Unterschiedes zwischen der Struktur der Dichtung und anderen Typen von Sprachstruktur: letztere, so meint man, unterschieden sich durch ihren »zufälligen«, nicht intentionalen Charakter von dem »gezielten«, absichtlichen Charakter der Sprache der Dichtung. In Wirklichkeit ist jedes sprachliche Verhalten zielgerichtet, doch die Ziele sind verschieden – das Problem der Angemessenheit der benutzten Mittel zu dem erwünschten Effekt beschäftigt mehr und mehr die Forscher, die auf den verschiedenen Gebieten der Sprachkommunikation arbeiten. Es gibt eine enge Übereinstimmung, viel enger als die Kritiker meinen, zwischen der Frage der sich in Zeit und Raum ausdehnenden sprachlichen Phänomene und der nach der räumlichen und zeitlichen Verbreitung von literarischen Modellen. Selbst solch eine diskontinuierliche Verbreitung wie die Wiederentdeckung eines übersehenen oder vergessenen Dichters – z. B. die posthume Entdeckung und spätere Kanonisierung von Gerard Manley Hopkins (1889), der späte Ruhm Lautréamonts (1870) bei surrealistischen Dichtern und der hervorstechende Einfluß des bis dahin unbeachtet gebliebenen Cyprian Norwid (1883) auf die moderne polnische Dichtung – findet eine Parallele in der Geschichte von Standardsprachen, die empfänglich sind für die Wiederbelebung vergangener Modelle, manchmal schon lang vergessener, wie das literarische Tschechisch, das Anfang des 19. Jahrhunderts Formen aus dem 16. Jahrhundert wiederbelebte.

Leider bringt die terminologische Konfusion von »Literaturwissenschaft« (literary studies) und »Literaturkritik« (criticism) den Literaturforscher in Versuchung, die Beschreibung von immanenten Werten eines Werkes der Literatur durch ein subjektives, zensierendes Verdikt zu ersetzen. Die Bezeichnung »Literaturkritiker« für einen Literaturwissenschaftler ist ebenso irrig wie, wenn man den Linguisten »Grammatik«-(oder Wort) kritiker nennen wollte. Syntaktische und morphologische Untersuchungen können nicht von einer normativen Grammatik ersetzt werden, und ebensowenig kann ein Manifest, das uns des Kritikers eigenen Geschmack und eigene Ansichten über kreative Literatur aufhalst, die objektive wissenschaftliche Analyse des Wortkunstwerkes ersetzen. Dieser Standpunkt ist nicht mit dem quietistischen *laissez faire* zu verwechseln; jede Sprachkultur impliziert das Entwerfen von Programmen, Plänen und normativen Bemühungen. Doch warum macht man eine ganz klare Trennung zwischen reiner und angewandter Linguistik oder zwischen Phonetik und Orthoëpie und nicht zwischen Literaturwissenschaft und Literaturkritik?

Literaturwissenschaft, mit Poetik als ihrem Zentrum, besteht wie die Linguistik aus zwei Problemkreisen: Synchronie und Diachronie. Die synchronische Beschreibung zielt nicht nur auf die literarische Produktion eines bestimmten Zeitpunktes, sondern auch auf den Teil der literarischen Tradition, der für diesen Zeitpunkt lebendig oder wiederbelebbar geblieben ist. So werden z. B. Shakespeare einerseits und Donne, Marvell, Keats und Emily Dickinson andererseits von der gegenwärtigen englischen poetischen Welt erlebt, wohingegen die Werke von James Thomson und Longfellow gegenwärtig nicht zu den lebendigen Kunstwerken zählen. Die Auswahl der Klassiker und ihre Neudeutung durch eine neue Strömung ist ein wesentliches Problem synchronischer Literaturwissenschaft. Synchronische Poetik wie synchronische Linguistik dürfen nicht mit einer statischen Betrachtungsweise verwechselt werden; jede Epoche unterscheidet zwischen mehr konservativen und neuerungsfreudigen Formen. Jede Epoche wird von den Zeitgenossen in ihrer zeitlichen Dynamik empfunden, und andererseits befaßt sich der historische Ansatz in der Poetik wie in der Linguistik nicht nur mit dem Wandel, sondern auch mit kontinuierlichen, dauerhaften, statischen Faktoren. Eine gründliche und umfassende historische Poetik oder Sprachgeschichte ist eine Superstruktur, die auf einer Reihe von sukzessiven synchronischen Beschreibungen aufbauen muß.

Bemühungen, die Poetik von der Linguistik getrennt zu halten, erscheinen nur dann als gerechtfertigt, wenn das Gebiet der Linguistik unverhältnismäßig eingeschränkt definiert wird, z. B. wenn einige Linguisten den Satz als die größte zu analysierende Einheit ansehen, wenn der Bereich der Linguistik allein auf Grammatik oder nur auf nichtsemantische Fragen der äußeren Form oder der Aufstellung denotativer Verfahren unter Ausschluß der freien Variation begrenzt wird. Voegelin hat die beiden wichtigsten miteinander verbundenen Probleme, die sich der strukturalen Sprachwissenschaft stellen, hervorgehoben, nämlich die Überprüfung »der monolithischen Hypothese von Sprache« und die Beschäftigung mit »der Interdependenz von verschiedenen Strukturen innerhalb einer Sprache«. Zweifellos gibt es für jede Sprachgemeinschaft, für jeden Sprecher eine Einheit der Sprache, doch dieser umfassende Kode besteht aus einem System von miteinander verbundenen Subkodes; jede Sprache umfaßt mehrere zusammenwirkende Systeme, deren jedes durch verschiedene Funktionen gekennzeichnet ist.

Natürlich stimmen wir mit Sapir überein, daß insgesamt »die Ideation die oberste Herrschaft in der Sprache hat . . .«[1], doch authorisiert diese Vorherrschaft nicht die Linguistik, die »zweitrangigen Faktoren« zu vernachlässigen. Die emotiven Elemente der Sprache, die nach Joos nicht »mit einer endlichen Zahl von absoluten Kategorien« beschrieben werden können, werden von ihm »als nichtlinguistische Elemente der wirklichen Welt« klassifiziert. Da »sie für uns vage, proteische und fließende Phänomene bleiben«, so schließt er, »lehnen wir es ab, sie in unserer Wissenschaft zu dulde«[2]. Joos ist wirklich ein ausgezeichneter Experte bei der Reduktion von Experimenten: seine emphatische Forderung nach einer »Vertreibung« der emotiven Elemente aus der »linguistischen Wissenschaft« stellt ein radikales Experiment auf dem Gebiet der Reduktion dar – eine *reductio ad absurdum*.

Sprache muß in der ganzen Vielfalt ihrer Funktionen erforscht werden. Bevor wir die poetische Funktion erörtern, müssen wir erst ihren Stellenwert in Beziehung zu den anderen Sprachfunktionen bestimmen. Eine Übersicht dieser Funktionen verlangt einen genauen Überblick über die konstitutiven Faktoren jeglichen Sprechaktes, jeder Form der sprachlichen Kummunikation. Der SENDER schickt eine NACHRICHT an den EMPFÄNGER. Um wirksam zu werden, bedarf die NACHRICHT eines KONTEXTES, auf den sie bezogen ist (»Referenz« in einer anderen etwas mehrdeutigen Nomenklatur), der vom Empfänger erfaßt werden kann und der wirklich oder zumindest der Möglichkeit nach in Sprache umsetzbar sein muß; dann bedarf es eines KODE, der ganz oder zumindest teilweise Sender und Empfänger gemein ist (oder mit anderen Worten dem Kodierer und Dekodierer der NACHRICHT), und endlich eines KONTAKTMEDIUMS, eines physischen Kanals oder einer psychologischen Verbindung zwischen Sender und Empfänger, die es beiden ermöglicht, in Kommunikation zu treten und zu bleiben. All diese in sprachlicher Kommunikation unabdingbar implizierten Faktoren lassen sich folgendermaßen schematisch darstellen:

KONTEXT

SENDER   NACHRICHT   EMPFÄNGER

KONTAKTMEDIUM

KODE

Jeder dieser sechs Faktoren bestimmt eine andere Funktion der Sprache. Wenn wir auch sechs grundlegende Aspekte der Sprache unterscheiden, können wir doch kaum eine sprachliche Nachricht finden, die nur eine Funktion erfüllt. Die Verschiedenheit beruht nicht auf der beherrschenden Stellung einer Funktion über die anderen, sondern auf einer unterschiedlichen hierarchischen Ordnung der Funktionen. Die Sprachstruktur einer Nachricht hängt vor allem von der prädominanten Funktion ab. Doch selbst wenn die *Einstellung* auf den KONTEXT – kurz die sogenannte REFERENTIELLE, »denotative«, »kognitive« Funktion – die Hauptaufgabe vieler Nachrichten ist, muß doch die untergeordnete Teilnahme der anderen Funktionen bei solchen Nachrichten von dem beobachtenden Linguisten bedacht werden.

Die sogenannte EMOTIVE oder »expressive« Funktion, die allein auf den Sender gerichtet ist, zielt auf den direkten Ausdruck der Haltung des Sprechers demgegenüber, wovon er spricht. Sie versucht, den Eindruck eines bestimmten Gefühls hervorzurufen, gleichgültig, ob eines vorgegebenen oder wirklichen; deshalb hat sich der von Marty[3] geprägte und verbreitete Terminus »emotiv« als besser erwiesen als »emotional«. Die rein emotive Schicht der Sprache zeigt sich in den Interjektionen. Sie unterscheiden sich von den referentiellen Sprachmitteln sowohl durch unterschiedliche Lautmuster (besondere Lautfolgen oder sogar sonst ungewöhnliche Laute) als auch durch ihre Rolle in der Syntax (sie sind nicht Teile, sondern Äquivalente von Sätzen). »Th!Th!« sagte McGinthy: die vollständige Aussage von Conan Doyles Figur besteht aus zwei saugenden Schnalzlauten. Die in den Interjektionen bloßgelegte emotive Funktion, färbt bis zu einem gewissen Grad alle unsere Aussagen auf ihrer lautlichen, grammatikalischen und lexikalischen Ebene. Wenn wir Sprache vom Aspekt der Information aus untersuchen, die sie übermittelt, dann können wir den Begriff Information nicht auf den kognitiven Aspekt der Sprache beschränken. Wenn jemand expressive Merkmale nutzt, um seinen Ärger oder seine ironische Haltung auszudrücken, dann übermittelt er offensichtlich Information, und natürlich kann dieses sprachliche Verhalten nicht mit einer so nichtsemiotischen ernährenden Tätigkeit wie »Grapefruitessen« verglichen werden (trotz Chatmans kühnen Vergleichs). Der Unterschied zwischen [big] und der emphatischen Dehnung des Vokals [bi:g] ist ein konventionell kodiertes Merkmal genau so, wie der Unterschied zwischen kurzem und langem Vokal in tschechischen Paaren wie [vi] ›du‹ und [vi:] ›er weiß‹, doch im letzten Beispielpaar ist die differenzierende Information phonologisch und im ersten emotiv. Solange wir uns für phonologische Invarianten interessieren, erscheinen Englisch [i] und [i:] nur als Varianten ein und desselben Phonems, doch wenn wir emotive Einheiten betrachten, dann ist die Beziehung zwischen Varianten und Invarianten umgekehrt: Länge und Kürze sind Invarianten, realisiert durch verschiedene Phoneme. Saportas Voraussetzung, daß die emotive Differenz ein nichtlinguistisches Merkmal ist, »der Ausführung der Nachricht zuzurechnen und nicht der Nachricht selbst«, reduziert willkürlich die Informationsmenge von Nachrichten.

Ein ehemaliger Schauspieler von Stanislawskis Moskauer Theater erzählte mir, daß er anläßlich eines Vorsprechens von dem berühmten Direktor gebeten wurde, durch Variieren des expressiven Tonfalles vierzig verschiedene Nachrichten aus der Phrase *Segodnja večerom* »heute abend« zu machen. Er stellte eine Liste von etwa vierzig emotionalen Situationen her und sprach, zur jeweiligen Situation passend, den vorgegebenen Satz; sein Publikum mußte allein aus dem Wechsel des Tonfalls dieser beiden Wörter die Situation erkennen. Für unsere Forschungsarbeit in der Deskription und Analyse des zeitgenössischen Standard Russisch (unter der Schirmherrschaft der Rockefeller Foundation) wurde dieser Schauspieler gebeten, Stanislawskis Test zu wiederholen. Er schrieb etwa fünfzig dem gleichen elliptischen Satz entsprechende Situationen auf und sprach fünfzig dazu passende Nachrichten auf ein Tonband. Die meisten dieser Nachrichten wurden sofort richtig durch Moskauer Hörer dekodiert. Ich darf hinzufügen, daß alle solche emotiven Schlüssel linguistischer Analyse zugängig sind.

Die Ausrichtung auf den EMPFÄNGER, die KONATIVE Funktion, findet ihren reinsten grammatikalischen Ausdruck im Vokativ und Imperativ, die syntaktisch, morphologisch und oft auch phonologisch von anderen nominalen und verbalen Kategorien abweichen. Imperativsätze unterscheiden sich grundsätzlich von Aussagesätzen. Wenn in O'Neill's Stück *The Fountain*, Nano (in hartem Kommandoton) verlangt: »Trink!« – dann kann der Imperativ nicht die Frage hervorrufen: »ist es wahr oder nicht?«, was natürlich nach einem Satz wie »man trank«, »man wird trinken«, »man würde trinken« gefragt werden könnte. Im Unterschied zu imperativen Sätzen können Aussagesätze in Fragesätze umgewandelt werden: »trank man?«, »wird man trinken?«, »würde man trinken?«.

Das traditionelle Sprachmodell, wie es vor allem Bühler[4] erarbeitet hat, beschränkte sich auf diese drei Funktionen – emotiv, konativ und referentiell – und die drei Spitzen dieses Modells – die erste Person des Senders, die zweite Person des Empfängers und die »dritte Person« im eigentlichen Sinne, der oder das, von dem man spricht. Ausgehend von diesem triadischen Modell können leicht zusätzliche Sprachfunktionen erschlossen werden. So ist die magische, beschwörende Funktion vor allem eine Art des Verwandelns einer abwesenden oder unbelebten dritten Person in den Empfänger einer konativen Nachricht. »May this sty dry up; *tfu, tfu, tfu, tfu.*«[5] »Wasser, majestätischer Fluß, Tagesanbruch! Schicke Trauer jenseits die blaue See, auf den Grund der See, wie ein grauer Stein, der sich niemals vom Meeresgrund erhebt, möge Trauer niemals kommen, das unbeschwerte Herz der Diener Gottes zu beschweren, möge Trauer entfernt werden und wegsinken.«[6] »Stehe still, Sonne über Gibeon; und du, Mond, über dem Tal von Aj-a-lon. Und die Sonne stand still, und der Mond stand . . .«[7]. Darüber hinaus beobachten wir noch drei weitere konstitutive Faktoren der Sprachkommunikation und entsprechend drei weitere Funktionen der Sprache.

Es gibt Nachrichten, die vor allem dazu da sind, Kommunikation herzustellen, zu verlängern oder zu unterbrechen, zu prüfen, ob das Kontaktmedium (Kanal) in Ordnung ist (»Hallo, hören Sie mich?«), um die Aufmerksamkeit des Angesprochenen zu erhalten oder sich seiner fortgesetzten Aufmerksamkeit zu versichern (»Hören Sie zu?« oder mit Shakespeares Worten »Lend me your ears« – und am anderen Ende der Leitung »Hm, hm!«). Diese Einstellung auf das KONTAKTMEDIUM, oder mit Malinowskis Begriff die PHATISCHE Funktion[8], kann sich durch ganze Dialoge hindurch in einem unmäßigen Austausch von ritualisierten Formeln entfalten mit dem einzigen Ziel, die Kommunikation zu verlängern. Dorothy Parker hat dafür beredte Beispiele gefunden: ›»Well!« the young man said. »Well!« she said. »Well, here we are«, he said. »Here we are«, she said, »Aren't we?«, »I should say, we were«, he said, »Eeyop! Here we are«. »Well!« she said, »well.«‹ Das Bestreben, Kommunikation zu beginnen und aufrecht zu erhalten, ist typisch für sprechende Vögel; die phatische Funktion ist so die einzige, die sie mit menschlichen Lebewesen gemeinsam haben. Es ist auch die erste Sprachfunktion, die sich Kleinkinder aneignen; sie möchten Kommunikation herstellen, bevor sie noch informative Kommunikation senden oder empfangen können.

In der modernen Logik hat man eine Unterscheidung zwischen zwei Sprachebenen gemacht, »Objektsprache«, die von Objekten spricht, und »Metasprache«, die von der Sprache redet. Aber Metasprache ist nicht nur ein notwendiges von Logikern und Linguisten gebrauchtes wissenschaftliches Werkzeug; sie spielt auch eine wichtige Rolle in unserer Alltagssprache. Wie Molières Jourdain Prosa sprach, ohne es zu wissen, gebrauchen wir alle Metasprache, ohne von dem metasprachlichen Charakter unseres Tuns zu wissen. Wenn immer der Sender und/oder der Empfänger sich vergewissern müssen, ob sie denselben Kode benutzen, ist die Sprache auf diesen KODE gerichtet: sie erfüllt eine METASPRACHLICHE (i.e. verdeutlichende) Funktion. »Ich verstehe Sie nicht – was wollen Sie sagen?« fragt der Empfänger, oder in Shakespeares Worten: »What is't thou say'st?« und der Sender fragt in Erwartung solcher den Faden wieder aufnehmenden Fragen: »Sie verstehen, was ich meine?« Man stelle sich den folgenden, einen zur Raserei bringenden Dialog vor: »The sophomore was plucked.« »But what is *plucked?*« »*Plucked* means the same as flunked.« »And *flunked?*« »*To be flunked* is *to fail in an exam.*« »And what is sophomore?« insistiert der des College Vokabulars unkundige Frager. »*A sophomore* is (or means) a secondyear student.« Jeder dieser Aussagesätze übermittelt lediglich Information über den lexikalischen Kode des Englischen; ihre Funktion ist rein metasprachlich. Jeder Prozeß des Spracherlernens, vor allem das Aneignen der Muttersprache durch das Kind, benutzt weitgehend solche metasprachlichen Operationen; und Aphasie kann oft als Verlust der metasprachlichen Fähigkeit definiert werden.

Wir haben die sechs Faktoren aufgezählt, die in sprachlicher Kommunikation impliziert sind, außer dem der Nachricht selbst. Die *Einstellung* auf die NACHRICHT als solche, die Zentrierung auf die Nachricht um ihrer selbst willen, ist die POETISCHE Funktion der Sprache. Diese Funktion kann nicht mit Gewinn außerhalb der allgemeinen Probleme der Sprache untersucht werden, und es muß – auf der anderen Seite – jede eingehende Untersuchung der Sprache ihre poetische Funktion eingehend berücksichtigen. Jeder Versuch, den Wirkungsbereich der poetischen Funktion auf Dichtung zu reduzieren oder Dichtung auf die poetische Funktion zu begrenzen, wäre eine irrige Vereinfachung. Die poetische Funktion ist nicht die einzige Wortkunst, sondern nur ihre dominante, determinierende Funktion, während sie in allen anderen Sprachhandlungen eine stützende, nebensächliche Rolle spielt. Indem diese Funktion die unmittelbare Erfahrbarkeit der Zeichen ermöglicht, vertieft sie die fundamentale Dichotomie von Zeichen und Objekten. Daher kann die Linguistik, wenn sie sich mit der poetischen Funktion der Sprache befaßt, ihr Untersuchungsfeld nicht auf Dichtung beschränken.

»Warum sagen Sie immer *Joan und Margery*, doch niemals *Margery und Joan?* Ziehen Sie Joan ihrer Zwillingsschwester vor?« »Ganz und gar nicht, es klingt nur besser.« In einem Satz mit zwei gleichgeordneten Namen gefällt dem Sprecher, sofern das Problem einer Rangfolge keine Rolle spielt, das Vorangehen des kürzeren Namens, ohne daß er sich dessen bewußt ist, als die optimale Satzgestalt der Nachricht.

Ein Mädchen pflegte immer von »horrible Harry« zu sprechen. »Why horrible?« »Because I hate him.« »But why not *dreadful, terrible, frightful, disgusting?*« »I don't know why, but *horrible* fits him better.« Ohne es zu merken, hielt sie sich an dem poetischen Mittel der Paranomasie.

Der prägnant strukturierte politische Slogan »I like Ike« [ay layk ayk] besteht aus drei Einsilbern und zählt drei Diphtonge [ay]. Jedem folgt symmetrisch ein konsonantisches Phonem [.. l ..k ..k]. Das Aussehen der drei Wörter stellt eine Variation dar: kein konsonantisches Phonem in dem ersten Wort, zwei um den Diphthong im zweiten herum und ein abschließender Konsonant im dritten. Ein ähnlicher dominierender Kern [ay] ist von Hymes in einigen Sonnetten Keats' bemerkt worden. Beide Kola der dreisilbigen Formel »I like Ike« reimen aufeinander und das zweite der beiden reimenden Wörter ist vollständig in dem ersten enthalten (Echo-Reim) [layk – ayk], ein paronomastisches Bild des sein Objekt gänzlich umfassenden Gefühls. Beide Kola alliterieren miteinander und das erste der beiden alliterierenden Wörter ist in dem zweiten eingeschlossen: [ay] – [ayk], ein paronomastisches Bild des liebenden Subjekts umschlossen von dem geliebten Objekt. Die sekundäre, poetische Funktion des Wahlslogans verstärkt seine Eindringlichkeit und Wirksamkeit.

Wir sagten, daß eine linguistische Untersuchung der poetischen Funktion die Grenzen von Dichtung überschreiten muß, und andererseits die linguistische Untersuchung von Dichtung sich nicht auf die poetische Funktion beschränken darf. Die Eigenarten verschiedener poetischer Genera impliziert eine unterschiedliche Teilhabe der anderen Sprachfunktionen zusammen mit der dominanten poetischen Funktion. Epische Dichtung, die besonders auf die dritte Person bezogen ist, impliziert vor allem die referentielle Sprachfunktion; die sich auf die erste Person richtende Lyrik ist eng verbunden mit der emotiven Funktion; Dichtung von der zweiten Person ist von der konativen Funktion durchdrungen und ist entweder als flehend oder ermahnend charakterisiert, je nachdem, ob die erste Person der zweiten untergeordnet ist oder umgekehrt.

Nun, da unsere kursorische Beschreibung der sechs grundlegenden Funktionen der Sprachkommunikation mehr oder weniger vollständig ist, können wir unser Schema der Grundfaktoren durch das korrespondierende ihrer Funktionen ergänzen:

REFERENTIELL

EMOTIV   POETISCH   KONATIV

PHATISCH

METASPRACHLICH

Was ist das empirische linguistische Kriterium für die poetische Funktion? Vor allem, welches ist das unentbehrliche jeder Dichtung inhärente Merkmal? Um diese Frage zu beantworten, müssen wir auf die beiden Grundordnungsarten, die in sprachlichem Verhalten gebraucht werden, zurückgehen: *Selektion* und *Kombination*. Wenn »child« das Thema einer Nachricht ist, dann wählt der Sprecher unter den gegebenen, mehr oder weniger ähnlichen Hauptwörtern wie »child, kid, youngster, tot«, die alle in gewisser Hinsicht äquivalent sind, und sucht dann, um das Thema auszuführen, aus sinnverwandten Verben eines aus: »sleeps, dozes, nods, naps«. Die beiden gewählten Wörter vereinen sich in der Sprechreihe. Die Selektion vollzieht sich aufgrund von Äquivalenz, Ähnlichkeit und Unähnlichkeit, Synonymie und Antinomie, während die Kombination, die Herstellung der Sequenz auf Kontiguität beruht. *Die poetische Funktion überträgt das Prinzip der Äquivalenz von der Axe der Selektien auf die Axe der Kombination.* Äquivalenz wird zum konstitutiven Mittel einer Sequenz erhoben. In der Dichtung wird eine Silbe äquivalent zu jeder anderen Silbe einer Folge; jeder Wortakzent wird einem anderen gleich, ebenso das Fehlen des Akzentes einem Fehlen; prosodische Längen mit prosodischen Längen, Kürzen mit Kürzen; Wortgrenzen mit Wortgrenzen, das Fehlen der Grenzen mit deren Fehlen; syntaktische Pausen werden gleich mit syntaktischen Pausen, das Fehlen einer Pause entspricht wiederum dem Fehlen. Silben werden in Maßeinheiten verwandelt, und dasselbe gilt für Moren und Akzente.

Dem kann entgegengehalten werden, daß Metasprache auch eine Reihe äquivalenter Einheiten benutzt, wenn sie synonyme Ausdrücke in einen Gleich-Satz kombiniert, wie: A = A (»Stute ist ein weibliches Pferd«). Dichtung und Metasprache sind trotzdem diametral verschieden: in der Metasprache dient die Reihe einer Gleichsetzung, während sie in Dichtung dazu dient, eine Reihe zu schaffen.

In Dichtung und bis zu einem gewissen Grad in latenten Manifestationen poetischer Funktion werden durch Wortgrenzen limitierte Sequenzen vergleichbar, gleichgültig ob sie als isochron oder gestaffelt angesehen werden. »Joan and Margery« zeigte uns das poetische Prinzip der Silbengradation, dasselbe Prinzip, das in der Form der serbischen Volksepen zu einem obligatorischen Gesetz erhoben worden ist[9]. Ohne seine zwei daktylischen Worte wäre »innocent bystander« sicher nie zu einer abgedroschenen Wendung geworden. Die Symmetrie dreier zweisilbiger Verben mit identischen Anlautkonsonanten und identischen Auslatvokal gab der lakonischen Siegersmeldung Caesars Glanz: *»veni, vidi, vici«.*

Das Messen von Wortfolgen ist ein Kunstgriff, der außerhalb der poetischen Funktion keine Anwendung in der Sprache findet. Nur in der Dichtung mit ihrer regelmäßigen Wiederholung äquivalenter Einheiten wird das Zeitmaß des Sprachflusses erfahren, wie es auch – um ein anderes semiotisches System zu zitieren – mit der Zeit in der Musik ist. Gerard Manley Hopkins, ein hervorragender Forscher in der Wissenschaft von der poetischen Sprache, definiert Vers als »Sprache, die ganz oder partiell die gleiche Lautfigur wiederholt«[10]. Hopkins' sofort folgende Frage, »doch sind Verse immer Dichtung?«, kann dann endgültig beantwortet werden, wenn die poetische Funktion endlich nicht mehr nur willkürlich auf das Gebiet der

Dichtung beschränkt wird. Mnemotechnische Zeilen, wie sie von Hopkins zitiert werden: (wie »Thirty days hath September«), moderne Werbeslogans, versifizierte mittelalterliche Gesetze, wie sie von Lotz erwähnt werden, oder endlich in Versen geschriebene wissenschaftliche Abhandlungen des Sanskrit, die in indischer Tradition klar von gemeiner Dichtung unterschieden sind *(kāvya)* – alle diese metrischen Texte verwenden die poetische Funktion, ohne ihr jedoch die zwingende und determinierende Rolle zu geben, die sie in der Dichtung hat. So überschreitet also der Vers tatsächlich die Grenzen der Poesie, impliziert aber gleichzeitig immer poetische Funktion. Offensichtlich kennen alle menschliche Kulturen das Versemachen, aber gleichzeitig gibt es viele Kulturformen, die den »angewandten« Vers nicht kennen; und selbst solchen Kulturen, die sowohl reine wie angewandte Verse kennen, scheint letzteres ein sekundäres, zweifellos abgeleitetes Phänomen zu sein. Die Verwendung poetischer Mittel zu einem heterogenen Zweck kann nicht ihr grundlegendes Wesen verbergen, ebenso wie ein Element emotiver Sprache, in Dichtung benutzt, immer noch seine emotive Färbung bewahrt. Ein Verzögerungstaktiker kann »*Hiawatha*« rezitieren, weil es lang ist, trotzdem bleibt die Poetizität die grundlegende Intention des Textes selbst. Es versteht sich von selbst, daß die Existenz von versifizierten, musikalischen und bildlichen Werbesprüchen die Frage nach der Vers- oder der musikalischen und bildlichen Form nicht von der Untersuchung von Dichtung, Musik und bildender Kunst trennt.

Um zusammenzufassen: die Analyse von Versen liegt gänzlich in der Kompetenz der Poetik und letztere kann definiert werden als der Teil der Linguistik, der sich mit der poetischen Funktion der Sprache in Relation mit anderen Sprachfunktionen befaßt. Poetik im weiteren Sinne des Worts beschäftigt sich nicht nur mit der poetischen Funktion in der Dichtung, wo diese Funktion den anderen Sprachfunktionen überlagert ist, sondern auch außerhalb der Dichtung, wenn irgendeine andere Funktion die poetische überlagert hat.

Die reiterative »Lautfigur«, die Hopkins als konstitutives Versprinzip ansah, kann weiter spezifiziert werden. Eine solche Figur benutzt immer zumindest einen (oder mehr als einen) binären Kontrast in der relativ hohen oder geringen Auffälligkeit, die durch die verschiedenen Teile der lautlichen Abfolge geschaffen wird.

In einer Silbe steht der hervorragendere, als Kern fungierende, silbische Teil, der den Silbengipfel bildet, in Opposition zu weniger hervorragenden, marginalen, nicht silbischen Phonemen. Jede Silbe enthält ein silbisches Phonem, und der Intervall zwischen zwei sukzessiven Silben ist, in manchen Sprachen immer – in manchen meist, ausgefüllt von marginalen nicht silbischen Phonemen. In der sogenannten silbischen Verskunst stellt die Zahl der silbischen Phoneme in einer metrisch begrenzten Kette (Zeiteinheit) eine Konstante dar, während die Präsenz nichtsilbischer Phoneme in einer metrischen Kette nur in den Sprachen konstant ist, die das Vorkommen von nichtsilbischen zwischen silbischen vorschreiben und darüber hinaus noch in den Verssystemen, die den Hiatus verbieten. Eine andere Erscheinungsform einer Tendenz zu einem gleichförmigen silbischen Modell offenbart sich im Vermeiden geschlossener Silben am Zeilenende, wie es z. B. in den serbischen epischen

Liedern festzustellen ist. Der italienische silbische Vers zeigt die Tendenz, eine nicht von einem Konsonanten unterbrochene Vokalfolge als eine einzige metrische Silbe zu zählen[11].

In einigen Verssystemen ist die Silbe die einzig konstante Einheit des Versmaßes, und ein grammatikalisches Ende ist die einzige konstante Trennungslinie zwischen gemessenen Sequenzen, während in anderen Systemen Silben ihrerseits in Dichotomie von mehr oder weniger großer Hervorhebung bestehen und/oder zwei Ebenen von grammatikalischen Grenzen unterschieden sind in ihrer metrischen Funktion: Wortgrenzen und syntaktische Pausen.

Mit Ausnahme der verschiedenen Formen des sogenannten Vers libre, der allein auf der Kombination von Intonationen und Pausen basiert, nutzt jedes Versmaß die Silbe als Maßeinheit zumindest in bestimmten Teilen des Verses. So kann in dem rein akzentuierenden Vers (»Sprungrhythmus«, wie Hopkins ihn nennt) die Zahl der (»schlaffen« [»slack«] bei Hopkins) Silben im Auftakt schwanken, doch die Hebungen (ictus) haben niemals mehr als eine einzige Silbe.

In jeder Form von akzentuierendem Vers ist der Kontrast von größerer oder geringerer Hervorhebung durch das Widerspiel von betonten und unbetonten Silben geschaffen. Die meisten akzentuierenden Systeme arbeiten vor allem mit dem Kontrast von Silben mit oder ohne Wortakzent, doch manche akzentuierende Verse arbeiten mit syntaktischen oder Gruppenakzenten (phrasal stresses), die Wimsatt und Beardsley die »primären Akzente der primären Worte« nennen und die als Hervorhebung in Opposition zu Silben ohne solch eine primäre syntaktische Betonung stehen.

In dem quantitativen (»chronematischen«) Vers werden lange und kurze Silben einander als mehr oder weniger hervorragend entgegengestellt. Dieser Kontrast wird meist von Silbenkernen ausgetragen, die phonologisch lang oder kurz sind. Doch in metrischen Systemen wie dem klassischen Griechisch und Arabisch, die Positionslänge und natürliche Länge gleichstellen, werden die aus einem konsonantischen Phonem und einem Morenvokal bestehenden Minimalsilben in Gegensatz zu Silben gebracht, die etwas zusätzlich haben (eine zweite More oder einen schließenden Konsonanten); sie werden als einfachere und weniger betonte Silben den komplexeren und betonteren gegenübergestellt.

Es bleibt die noch offene Frage, ob neben dem akzentuierenden und chronematischen Vers noch ein »tonematischer« Verstyp in Sprachen besteht, die Unterschiede in der Silbenintonation zu Bedeutungsdifferenzierung benutzen[12]. In klassischer chinesischer Dichtung[13] sind modulierte (auf chinesisch *tse*, ›abweichende Töne‹ [deflected tones]) mit nichtmodulierten Silben (*p'ing*, ›Niveautöne‹ [level tones]) in Gegensatz gebracht, doch liegt diesem Prinzip offenbar ein chronemisches Prinzip zugrunde, wie es bereits von Polivanov[14] vermutet und scharfsinnig von Wang Li[15] interpretiert wurde; in der Tradition chinesischer Metrik erweist es sich, daß die Niveautöne (level tones) den abweichenden Tönen (deflected tones) so entgegengesetzt sind, wie lange tonale Gipfel-Silben mit kurzen Gipfeln, so daß der Vers auf dem Gegensatz von Länge und Kürze beruht.

Joseph Greenberg hat mich auf eine andere Spielart tonematischer Verskunst aufmerksam gemacht – der Vers von Efrik-Rätseln beruht auf Merkmalen in der Tonhöhe. In dem von Simmons[16] angeführten Beispiel bilden Frage und Antwort zwei Achtsilber mit einer ähnlichen Verteilung der h(och) und n(iedrig) tonigen Silben; in jedem Halbvers weisen die letzten drei der vier Silben ein identisches tonematisches Muster auf: nhhn / hhhn / nhhn / hhhn //. Wo die chinesische Verskunst als eine eigenartige Verschiedenheit des quantitativen Verses erscheint, ist der Vers der Efik-Rätsel mit dem gebräuchlichen akzentuierenden Vers durch eine Gegenüberstellung von zwei Graden der Hervorhebung (Betonung oder Höhe) des vokalischen Tones verbunden. So kann ein metrisches Verssystem nur basieren auf dem Gegensatz von syllabischen Höhen und Tiefen (syllabischer Vers), auf der relativen Höhe der Gipfel (akzentuierender Vers) und auf der relativen Länge der syllabischen Gipfel oder der ganzen Silbe (quantitativer Vers).

In Handbüchern der Literatur finden wir manchmal das Vorurteil eines Gegensatzes von Syllabismus als einem rein mechanischen Silbenzählen und dem Pulsieren eines akzentuierenden Verses. Wenn wir aber die binären Metren einer nur syllabischen und gleichzeitig akzentuierenden Verskunst betrachten, können zwei homogene Folgen von wellengleichen Höhen und Tälern beobachtet werden. Von diesen beiden wellenförmigen Kurven trägt die silbische die Kernphoneme auf den Gipfel und gewöhnlich die Marginalphoneme an ihrer Sohle. In der Regel verändert die der silbischen Kurve überlagerte akzentuierende Kurve die betonten und unbetonten Silben auf dem Gipfel und in der Sohle entsprechend.

Zum Vergleich mit dem englischen Metrum, das wir weitläufig diskutiert haben, mache ich aufmerksam auf gleichartige binäre Versformen des Russischen, die im Laufe der letzten fünfzig Jahre einer wahrhaft erschöpfenden Erforschung unterzogen wurden[17]. Die Struktur dieses Verses kann sehr genau beschrieben und interpretiert werden mit dem Begriff der beschränkten Möglichkeiten. Neben der obligatorischen Wortgrenze zwischen den Zeilen, die eine Invariante in allen russischen Metren darstellt, können wir in den klassischen Mustern (patterns) des silbisch-akzentuierenden Verses des Russischen (»syllabotonic« in der Muttersprache) folgende Konstanten beobachten: (1) die Anzahl der Silben innerhalb einer Zeile von ihrem Anfang bis zur letzten Betonung ist konstant; (2) die allerletzte Betonung fällt immer mit einer Wortbetonung zusammen; (3) eine betonte Silbe kann nicht auf den Auftakt fallen, wenn eine Hebung durch eine unbetonte Silbe der gleichen Worteinheit erfüllt ist (so daß eine Wortbetonung nur mit einem Auftakt zusammenfallen kann, sofern er zu einer einsilbigen Worteinheit gehört).

Neben diesen für jede in einem gegebenen Metrum komponierte Zeile unabdingbare Charakteristika gibt es Formen, die ein hohes Maß an Wahrscheinlichkeit des Vorkommens aufweisen, ohne ständig präsent zu sein. Neben Zeichen, die mit Sicherheit auftreten (»Wahrscheinlichkeit eins«), treten Zeichen in die Vorstellung des Metrums ein, deren Auftreten wahrscheinlich ist (»Wahrscheinlichkeiten geringer als eins«). In Anwendung von Cherry's Beschreibung der menschlichen Kommunikation[18] könnte gesagt werden, daß der Leser von Dichtung offensichtlich »unfähig

sein muß, numerische Frequenzen« mit den Konstituenten des Metrums »zu verknüpfen«, aber soweit er die Versform wahrnimmt bekommt er unbewußt eine
Ahnung ihrer »Rangordnung«.

Im russischen binären Metrum werden gewöhnlich alle ungeraden Silben (rückwärts von der letzten Hebung an gezählt) – kurz, alle Auftakte – durch unbetonte
Silben ausgefüllt, außer bei einem sehr niedrigen Prozentsatz von betonten Einsilbern. Alle geraden Silben (wiederum rückwärts von der letzten Hebung aus
gezählt) weisen eine beträchtliche Vorliebe für Silben mit Wortakzent auf, doch
sind die Wahrscheinlichkeiten ihres Auftretens ungleich verteilt auf die nachfolgenden Hebungen der Zeile. Je höher die relative Häufigkeit der Wortakzente bei
einer gegebenen Hebung ist, desto geringer fällt ihre Zahl bei den vorangehenden
Hebungen aus. Da die letzte Hebung stets betont ist, erhält die vorletzte, den nie-
drigsten Prozentsatz der Wortbetonungen; in der vorangehenden Hebung ist ihre
Anzahl wiederum höher, ohne allerdings das von der letzten Hebung gezeigte Maximum zu erreichen. Eine Hebung weiter zum Zeilenbeginn sinkt die Anzahl der
Betonungen nochmals, ohne das Minimum der vorletzten Hebung zu erreichen;
und so weiter. Die Verteilung der Wortakzente auf die Hebungen einer Zeile, die
Aufteilung in starke und schwache Hebungen, schafft also eine *sich abschwächende
Wellenkurve*, die dem welligen Wechsel von Hebungen und Auftakten überlagert ist.
Nebenbei bemerkt, es gibt ein fesselndes Problem der Beziehung zwischen den
starken Hebungen und den Satzbetonungen (phrasal stresses).

Die binären Metren des Russischen enthüllen die geschichtete Anordnung von
drei wellenförmigen Kurven: (I) Wechsel von silbischen Kernen und Randerschei-
nungen (margins); (II) Trennung der silbischen Kerne in alternierende Hebungen
und Auftakte; und (III) Wechsel von starken und schwachen Hebungen. Zum Beispiel können männliche, jambische Tetrameter des Russischen des neunzehnten und
des gegenwärtigen Jahrhunderts durch Figur 1 wiedergegeben werden; ein ähnliches triadisches Muster (pattern) tritt bei den entsprechenden englischen Formen
auf.

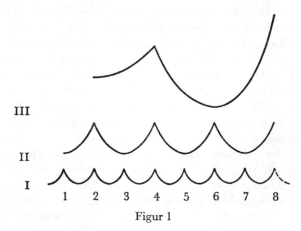

Figur 1

Drei von fünf Hebungen sind in Shelleys jambischer Zeile »Laugh with an inextinguishable laughter« ihres Wortakzentes beraubt. Sieben der sechzehn Hebungen in dem folgenden Vierzeiler aus Pasternaks kürzlich erschienenen jambischen Tetrameter *Zemlja* (»Erde«) haben keinen Akzent:

> I úlica za panibráta
> S okónnicej podslepovátoj,
> I béloj nóči i żakátu
> Ne razminút'sja u rekí.

Da die überwältigende Mehrheit der Hebungen zusammen mit Wortakzenten auftreten, ist der Hörer oder Leser russischer Verse mit einem hohen Maß an Wahrscheinlichkeit darauf eingestellt, einen Wortakzent in jeder gleichwertigen Silbe der jambischen Verszeile zu finden, jedoch: gleich zu Beginn von Pasternaks Vierzeiler bietet ihm die vierte und einen Fuß weiter die sechste Silbe, in der ersten und der folgenden Verszeile eine *Erwartungsenttäuschung*. Das Maß einer solchen »Erwartungsenttäuschung« ist höher, wenn der Akzent in einer starken Hebung fehlt und wird besonders groß, wenn zwei aufeinanderfolgende Hebungen unbetonte Silben enthalten.

Die Betonungslosigkeit von zwei aneinandergrenzenden Hebungen ist weniger wahrscheinlich und höchst beeindruckend, wenn es eine ganze Halbzeile wie in einer späteren Zeile des gleichen Gedichtes: »Čtoby za gorodskjóu grán' ju« [stobyzəgərackóju grán' ju]. Die Erwartung ist abhängig von der Handhabung einer gegebenen Hebung in dem Gedicht und allgemeiner: in der ganzen bestehenden metrischen Tradition. In der vorletzten Hebung kann Unbetonung Betonung ersetzen. So haben in diesem Gedicht nur 17 von 41 Zeilen einen Wortakzent auf ihrer sechsten Silbe. Doch in einem solchen Fall bewirkt die Trägheit der akzentuierten gleichwertigen Silben, die mit den übrigen nichtakzentuierten wechseln, eine gewisse Akzenterwartung auch für die sechste Silbe des jambischen Tetrameters.

Natürlich ist es Edgar Allan Poe, der Dichter und Theoretiker der getäuschten Antizipation, der den menschlichen Sinn für Befriedigung angesichts des unerwarteten Auftretens des Erwarteten, sowohl metrisch wie psychologisch bewertete; beides ist undenkbar ohne sein Gegenteil, »so wie das Böse nicht ohne das Gute existieren kann«[19]. Hier könnten wir leicht Robert Frosts Formel von »The Figur A Poem makes«, anwenden: »The figure is the same as for love«[20].

Die sogenannten Verschiebungen (shifts) des Wortakzentes in mehrsilbigen Wörtern von der Hebung zum Auftakt (»reversed feet«), die den Standardformen des russischen Verses unbekannt sind, erscheinen recht häufig in englischer Poesie nach einer metrischen und/oder syntaktischen Pause. Ein merkenswertes Beispiel ist die rhythmische Variation desselben Adjektivs in Miltons »Infinite wrath and infinite despair«. In dem Vers »Nearer, my god, to Thee, nearer to Thee«, tritt die akzentuierte Silbe ein und desselben Wortes zweimal als Auftakt, zuerst am Anfang der Verszeile und dann am Beginn eines Satzteils, auf. Diese von Jespersen[21] diskutierte und in vielen Sprachen auftretende Freiheit wird gänzlich erklärbar durch die besondere Bedeutung der Beziehung zwischen einem Auftakt und der unmittelbar vorangehenden Hebung. Wo ein solches unmittelbares Vorangehen durch eine eingeschobene Pause verhindert wird, verwandelt sich der Auftakt zu einer Art *syllaba anceps.*

Neben den Regeln, die den obligatorischen Versstrukturen zugrunde liegen, erstrecken sich die ihre fakultativen Züge bestimmenden Regeln auch auf das Metrum. Wir neigen dazu, solche Phänomene – unbetont in den Hebungen und betont in den Auftakten – als Abweichungen zu bezeichnen, doch muß daran erinnert werden, daß dies erlaubte Schwankungen, Abweichungen innerhalb der gesetzlichen Grenzen sind. In der Sprache des britischen Parlaments: es handelt sich nicht um eine Opposition gegen Ihre Majestät, sondern um eine Opposition Ihrer Majestät. Was die tatsächlichen Verstöße gegen metrische Regeln betrifft, so ruft deren Diskussion Ossip Brik, den wohl scharfsinnigsten der russischen Formalisten, ins Gedächtnis. Er pflegte zu sagen, daß politische Verschwörer nur angeklagt und verurteilt werden, wenn ihr Versuch eines gewaltsamen Umsturzes ohne Erfolg blieb, denn im Falle eines erfolgreichen Coups übernehmen sie selbst die Rollen der Richter und Staatsanwälte. Fassen die Regelverletzungen gegen das Metrum Fuß, so werden sie ihrerseits zu metrischen Regeln.

Weit davon entfernt, ein abstraktes theoretisches Schema zu sein, liegt das Metrum – oder expliziter das abstrakte Versmuster *(verse design)* – der Struktur jeder einzelnen Verszeile zugrunde, oder in der englischen Terminologie der Logik, jeder einzelnen *Versrealisierung (verse instance)*. Muster und Realisierung stellen korrelative Begriffe dar. Das Versmuster (verse design) bestimmt die invarianten Merkmale der Versalisierung und errichtet die Grenzen für die Variationen. Ein serbischer bäuerlicher Erzähler epischer Dichtungen lernt auswendig, trägt vor und improvisiert zu einem großen Teil Tausende, zum Teil einige Zehntausende von Versen, deren Metrum ihm vertraut ist. Obwohl unfähig, seine Regeln zu abstrahieren, bemerkt er nichtsdestoweniger sogar die geringfügigste Abweichung von diesen Regeln und widersetzt sich ihr. Jede Verszeile serbischer Epik enthält genau zehn von einer syntaktischen Pause gefolgte Silben. Ferner gibt es eine obligatorische Wortgrenze von der vierten und zehnten Silbe. Darüber hinaus besitzt der Vers signifikante quantitative und den Akzent betreffende Charakteristika[22].

Diese der serbischen Epik typische Zäsur warnt uns wie viele andere von der vergleichenden Metrik dargebotene Beispiele vor der irrigen Gleichsetzung einer Zäsur mit einer syntaktischen Pause. Die obligatorische Wortgrenze darf nicht mit einer Pause verbunden sein und ist nicht einmal als für das Ohr wahrnehmbar gedacht. Die Analyse von auf Schallplatten aufgenommenen serbischen epischen Liedern beweist, daß es keinerlei bindende hörbare Hinweise auf die Zäsur gibt und dennoch wird jeder Versuch, die Wortgrenze vor der fünften Silbe durch eine noch so geringfügige Veränderung der Wortfolge aufzuheben, durch den Erzähler sofort verurteilt. Das grammatische Faktum, daß sich die vierte und fünfte Silbe auf zwei verschiedene Worteinheiten beziehen, weist genügend auf die Wertschätzung dieser Zäsur hin. Auf diese Weise geht das Problem des Musters weit über das der bloßen Lautform hinaus; es stellt ein weit umfassenderes linguistisches Phänomen dar, das sich keinem isoliert phonetischen Vorgehen erschließt.

Ich sage »linguistisches Phänomen« obwohl Chatman behauptet, daß »das Metrum als ein System außerhalb der Sprache existiert«. Ja, Metrum gibt es auch in anderen Künsten, die es mit Abfolgen in der Zeit zu tun haben. Es gibt viele linguistische Probleme – z. B. die Syntax –, die in gleicher Weise die Grenze der Sprache überschreiten und verschiedenen semiotischen Systemen gemeinsam sind. Wir können sogar über die Grammatik der Verkehrszeichen sprechen. Es gibt ein Zeichensystem, in dem ein mit grün kombiniertes gelbes Licht darauf aufmerksam macht, daß die Phase freie Fahrt bald beendet sein wird, und mit rot kombiniert, ankündigt, daß die Haltphase gleich zuende geht; auf diese Weise kann gelbes Licht als genaue Analogie zu sprachergänzenden Informationen verstanden werden. Das poetische Metrum hat indessen derart viel innersprachliche Besonderheiten, daß es am besten von einem rein linguistischen Standpunkt aus zu beschreiben ist.

Hinzuzufügen wäre, daß keine linguistische Eigenheit des Versmusters vernachlässigt werden darf. So hieße es beispielsweise einen bedauernswerten Fehler begehen, wollte man den konstitutiven Wert der Intonation im englischen Metrum verneinen. Selbst wenn man nicht über seine fundamentale Rolle im Metrum eines derartigen Meisters des freien Verses wie Whitman spricht, so ist es doch unmöglich, die metrische Bedeutung der Pausenintonation (»final juncture«) zu ignorieren, sei es »Kadenz« oder »Antikadenz«[23] in Gedichten wie »The Rape of the Lock« mit seiner absichtlichen Vermeidung von Enjambements. Selbst eine starke Anhäufung von Enjambements verbirgt niemals ihren abweichenden variierenden Status; sie kontrastiert stets den normalen Zusammenfall von syntaktischer Pause und Pausenintonation mit der metrischen Grenze. Wie auch immer des Rezitators Art zu lesen sein mag, der Intonationszwang des Gedichtes bleibt wirksam. Die einem Gedicht, einem Dichter, einer Dichterschule inhärente Kontur der Intonation (intonational contour) ist eines der bemerkenswertesten Themen, das die russischen Formalisten in die Diskussion gebracht haben[24].

Das Versmuster gewinnt Gestalt in der Realisierung. Gewöhnlich wird die freie Variation dieser Realisierung mit dem etwas fragwürdigen Etikett »Rhythmus« gekennzeichnet. Die das Metrum variierenden Versrealisierungen innerhalb eines gegebenen Gedichtes müssen scharf von ihren möglichen Verwirklichungen im Vortrag *(delivery instances)* unterschieden werden. Die Absicht, »eine Verszeile, so wie sie tatsächlich gesprochen wird, zu beschreiben«, ist für die synchrone und historische Analyse von Dichtung von geringerer Bedeutung als für das Studium ihres Vortrags in Vergangenheit und Gegenwart. Doch ist die Wahrheit einfach und klar: »Es gibt viele Vortragsweisen des gleichen Gedichts – voneinander auf viele Arten unterschieden. Das Sprechen des Gedichts ist ein Ereignis, aber das Gedicht selbst, wenn es überhaupt ein Gedicht *gibt*, muß auf irgendeine Weise ein dauerhaftes Objekt sein.« Dieser kluge Hinweis von Wimsatt und Beardsley gehört in der Tat zu den »essentials« moderner Metrik.

In Shakespeares Versen fällt die zweite, unbetonte Silbe des Wortes »absurd«

gewöhnlich auf die Hebung, aber einmal im dritten Akt des *Hamlet* steht sie im Auftakt: »No, let the candied tongue lick absurd pomp«. Der Schauspieler kann das Wort »absurd« in diesem Vers mit einer Anfangsbetonung auf der ersten Silbe skandieren oder sich an eine Endbetonung des Wortes in Übereinstimmung mit der Standardbetonung halten. Er kann auch, wie es Hill vorschlägt, den Wortakzent des Adjektivs der starken syntaktischen Betonung des folgenden Hauptwortes unterordnen: »Nó, lèt thĕ cándied tóngue lîck äbsùrd pómp«[25], wie in Hopkins Konzeption des englischen Antispast – »regrét never«[26]. Schließlich gibt es die Möglichkeit einer emphatischen Modifikation sowohl durch eine *schwebende Betonung*, die beide Silben umfaßt, als auch durch ein exklamatorisches Verstärken der ersten Silbe [àb-súrd]. Aber welche Lösung der Sprecher auch wählt, so bleibt doch die Verschiebung des Wortakzentes von der Hebung auf den Auftakt, ohne daß eine Pause vorangeht, interessant und das Moment der getäuschten Erwartung gültig. Wohin auch immer der Schauspieler den Akzent setzen mag, die Diskrepanz zwischen dem Wortakzent auf der zweiten Silbe von »absurd« im Englischen und der der ersten Silbe zugeordneten Hebung als ein konstitutives Merkmal dieser Verszeile bleibt bestehen. Die Spannung zwischen dem Iktus und dem gewöhnlichen Wortakzent ist dieser Verszeile inhärent, unabhängig von ihrer je verschiedenen Interpretation durch die verschiedenen Schauspieler und Leser. So wie es Gerard Manley Hopkins im Vorwort zu seinen Gedichten bemerkt, »laufen zwei Rhythmen auf irgendeine Weise zugleich ab«[27]. Seine Beschreibung eines solchen kontrapunktischen Ablaufs kann neu interpretiert werden. Das zusätzliche Einführen eines Äquivalenzprinzipes zu der Wortfolge oder mit anderen Worten das *Einbauen (mounting)* einer metrischen Form in die gewöhnliche Sprachform ruft bei jedem, der mit der gegebenen Sprache und mit Versen vertraut ist, den Eindruck einer doppelten, ambivalenten Gestalt hervor. Sowohl die konvergierenden und divergierenden Momente zweier Formen, als auch die erfüllte und die getäuschte Erwartung tragen zu dieser Erfahrung bei.

Wie die gegebene Versrealisierung in einem gegebenen Rezitationsbeispiel (delivery instance) ausgeführt wird, hängt von der Rezitationsabsicht *(delivery design)* des Sprechers ab; er kann sich an einen skandierenden Stil halten oder einer prosaähnlichen Prosodie zuneigen oder frei zwischen diesen beiden Polen wechseln. Wir müssen auf der Hut sein vor einem allzu vereinfachendem Dualismus, der zwei Paare zu einer einzigen Opposition entweder dadurch reduziert, daß er die Hauptunterscheidung zwischen Versmuster und Versrealisierung (genauso wie die zwischen Vortragsart und konkretem Vortrag, unterdrückt oder dadurch, daß er irrtümlich konkreten Vortrag und Vortragsart mit Versrealisierung und Versmuster identifiziert.

»But tell me, child, your choice; what shall I buy
You?« – »Father, what you buy me I like best.«

Diese beiden Verse aus Hopkins »The Handsome Heart« enthalten ein deutliches Enjambement, das eine Versgrenze vor den eine Periode, einen Satz, eine Äußerung beschließenden Einsilber legt. Der Vortrag dieser Pentameter kann streng metrisch mit einer Pause zwischen »buy« und »you« und einer unterdrückten Pause nach dem

Pronomen sein. Oder es kann im Gegenteil in einem Prosa ähnlichen Stil vorgetragen werden, ohne jede Trennung der Wörter »buy you« und mit einer markierten Pausenintonation am Ende der Frage. Keine dieser Rezitationsweisen kann indessen die intendierte Diskrepanz zwischen metrischen und syntaktischen Gliederung verbergen. Die Versgestalt eines Gedichtes bleibt völlig unabhängig von seinem jeweils verschieden ausfallendem Vortrag (delivery), wobei ich nicht beabsichtige, das verlockende Problem des *Autorenlesers* und des *Selbstlesers*, das durch Sievers aufgeworfen wurde[28], für nichtig zu erklären.

Ohne Zweifel ist der Vers primär eine wiederkehrende »Tonfigur«. Das gilt primär immer, doch niemals ausschließlich. Jeder Versuch, poetische Konventionen wie Metrum, Alliteration oder Rhythmus auf die Klangebene zu beschränken, stellen spekulative Argumentationen dar ohne jede empirische Berechtigung. Die Projektion des Prinzips der Äquivalenz auf die Sequenz hat eine wesentlich tiefere und umfassendere Bedeutung. Valérys Auffassung von Dichtung als »Schwanken zwischen Klang und Sinn«[29] ist wesentlich realistischer und wissenschaftlicher als jede Vorliebe für phonetischen Isolationismus.

Auch wenn Reim per definitionem auf einer regelmäßigen Wiederkehr von äquivalenten Phonemen oder Phonemgruppen basiert, wäre es eine unzulässige Vereinfachung, wollte man ihn allein vom Laut her untersuchen. Reim impliziert notwendig die semantische Verbindung zwischen den reimenden Einheiten (»rhymefellows« in Hopkins Nomenklatur). Bei der Analyse eines Reimes müssen wir uns fragen, ob es sich um ein Homoiteleuton handelt oder nicht, das ähnliche Derivations- und/oder Inflexionssuffixe konfrontiert (congratulations-decorations), oder ob die Reimwörter zu den gleichen oder verschiedenen grammatikalischen Kategorien gehören. So ist beispielsweise Hopkins vierfacher Reim eine Übereinstimmung zweier Hauptwörter – »kind« und »mind« – beide kontrastieren mit dem Adjektiv »blind« und mit dem Verb »find«. Gibt es eine semantische Nähe, eine Art von Ähnlichkeit zwischen reimenden lexikalischen Einheiten, wie in »dove-love, light-bright, place-space, name-fame«? Sind die reimenden Glieder Träger der gleichen syntaktischen Funktion? Der Unterschied zwischen der morphologischen Klasse und der syntaktischen Anwendung kann durch den Reim hervorgehoben werden. So sind in Poes Zeilen, »While I nodded, nearly *napping*, suddenly there came a *tapping*, As of someone gently *rapping*«, die drei Reimwörter zwar morphologisch sehr ähnlich, doch alle drei syntaktisch unterschieden. Werden ganz oder teilweise homonyme Reime verboten, toleriert oder bevorzugt? Und wie verhält es sich mit solchen gänzlich homonymen Reimen wie »son – sun, I – eye, eve – eave«, und andererseits »Echo-Reimen wie »December – ember, infinity – night, swarm – warm, smiles – miles«? Was bedeuten zusammengesetzte Reime (wie Hopkins' »enjoyment – toy meant« oder »began some – ransom«), wo eine Worteinheit mit einer Wortgruppe übereinstimmt?

Ein Dichter oder eine Dichterschule kann sich für oder gegen grammatischen Reim entscheiden. Reime müssen entweder grammatisch oder antigrammatisch sein. Ein agrammatischer Reim, der sich indifferent der Relation zwischen Laut und grammatischer Struktur gegenüber verhält, würde – wie jeder Agrammatismus – zur sprachlichen Pathologie gehören. Wenn ein Dichter grammatikalische Reime zu vermeiden sucht, »gibt es für ihn«, wie Hopkins sagt, »zwei Elemente für die Schönheit, die der Reim unserem Sinn schenkt: die Ähnlichkeit oder Gleichheit des Lautes und die Ungleichheit oder Differenz der Bedeutung«[30]. Was auch immer die Beziehung zwischen Laut und Bedeutung in den verschiedenen Reimtechniken sein mag, beide Sphären sind notwendig impliziert. Nach Wimsatts erhellenden Beobachtungen über die Bedeutungsfülle des Reims[31] und den scharfsinnigen modernen Studien über slavische Reimsysteme kann kein Poetik-Forscher mehr behaupten, Reim würde nur ganz vage etwas bedeuten.

Der Reim stellt nur den speziellen, kondensierten Fall eines viel allgemeineren, wir können sogar sagen des fundamentalen Problems der Dichtung dar, nämlich den des *Parallelismus*. Auch hier eröffnet Hopkins schon 1865 in seinen studentischen Arbeiten einen phantastischen Einblick in die Struktur der Dichtung: »Der artifizielle Teil der Dichtung, vielleicht werden wir zu Recht sagen, alles Künstliche läßt sich zurückführen auf das Prinzip des Parallelismus. Die Struktur der Dichtung ist die eines kontinuierlichen Parallelismus; von den technisch sogenannten Parallelismen der hebräischen Dichtung und den Antiphonen der Kirchenmusik bis hin zu den Kunstfertigkeiten griechischer, italienischer oder englischer Poesie. Aber Parallelismus hat notwendigerweise zwei Formen: in der einen ist die Opposition klar gekennzeichnet, in der anderen ist diese eher als Übergang oder chromatisch gegeben. Nur die erste Art, die des auffallenden Parallelismus betrifft die Versstrukturen – im Rhythmus, der Wiederkehr bestimmter Silbenfolgen, im Metrum, der Wiederkehr einer bestimmten Rhythmusfolge, in Alliteration, in Assonanz und Reim. Nun ist die Kraft dieser Wiederkehr in der Erzeugung einer Wiederkehr oder eines Parallelismus zu suchen, der ihr in den Worten oder Gedanken antwortet und – ganz grob in Hinblick auf die Tendenz und nicht auf unumstößliche Gesetze gesagt – der strukturell stärker gekennzeichnete Parallelismus erzeugt – sei es durch Herausarbeitung oder durch Betonung – deutlicher gekennzeichnete Parallelismen in den Worten und im Sinn ... Zu der klar gekennzeichneten oder abrupten Art des Parallelismus gehören Metapher, Vergleich, Parabel usw. Dort wird der Effekt in der Übereinstimmung der Dinge gesucht; bei der Antithese und im Kontrast etc. wird er in der Nichtübereinstimmung gesucht.«[32]

Zusammengefaßt heißt dies: Äquivalenz auf der Lautebene, die als konstitutives Prinzip auf die Wortfolge projiziert wird, impliziert unausweichlich auch semantische Äquivalenz, und so produziert auf jeder Sprachebene jede Konstituente einer solchen Wortfolge eine der beiden korrelativen Erlebnisse, die Hopkins treffend »Vergleich um der Ähnlichkeit« oder »Vergleich um der Unähnlichkeit willen« nennt.

In der Folklore finden sich die eindeutigsten und gleichförmigsten Arten der Dichtung; sie eignen sich besonders für strukturelle Untersuchungen (wie Sebeok in seinen Cheremis-Beispielen zeigt). Solche mündlichen Traditionen, die den grammatikalischen Parallelismus benutzen, um einanderfolgende Zeilen zu verbinden, wie z. B. Finno-Ugrische Verssysteme[33] und in hohem Grad russische Folklore können auf allen sprachlichen Ebenen erfolgreich untersucht werden – man kann sie phonologisch, morphologisch, syntaktisch und lexikalisch analysieren: wir lernen, welche Elemente als äquivalent aufgefaßt werden und wie Gleichheit auf bestimmten Ebenen durch auffallende Unterschiedenheit auf anderen abgeschwächt wird. Solche Formen erlauben uns, Ransoms kluge Ausführungen zu verifizieren, daß »das Ineinanderwirken von Metrum und Bedeutung der organische Vollzug von Dichtung ist und alle wichtigen Merkmale umfaßt«[34]. Wimsatts Zweifel an der Möglichkeit einer Grammatik der gegenseitigen Beeinflussung von Versmaß und Bedeutung wie auch einer Grammatik der Metaphernanordnung können durch diese klaren traditionellen Strukturen beseitigt werden. Sobald der Parallelismus zum Kanon erhoben wird, hören die Wechselwirkung von Versmaß und Bedeutung und die Anordnung der Tropen auf, »die freien, individuellen und nicht vorhersehbaren Bestandteile von Dichtung« zu sein.

Wir wollen einige typische Zeilen eines russischen Hochzeitsliedes über das Erscheinen des Bräutigams übersetzen:

Ein tapferer Mann ging zum Portal
Vasilij ging zum Gut.

Die Übersetzung ist wörtlich; im Russischen stehen allerdings die Verben am Ende (Dobroj mólodec k séničkam privoráčival, Vasílij k téremu prixážival). Die beiden Zeilen entsprechen sich syntaktisch und morphologisch vollkommen. Beide prädikative Verben haben die gleichen Präfixe und Suffixe und denselben alternierenden Vokal in der Wurzel; sie stimmen in Aktionsart, Tempus, Numerus, Genus überein und darüber hinaus sind sie noch synonym. Beide Subjekte, das Hauptwort und der Eigenname, verweisen auf dieselbe Person und bilden eine Appositionsgruppe. Die beiden Ortsbestimmungen sind durch identische präpositionale Konstruktionen ausgedrückt, und die erste steht zur zweiten in einem synekdochischen Verhältnis.

Diese Verse können durch eine andere Zeile mit gleicher grammatikalischer (syntaktischer und morphologischer) Form eingeleitet werden: »Kein strahlender Falke flog über die Hügel« oder »feurigeres Roß kam im Galopp auf den Hof«. Der »strahlende Falke« und das »Kein feurige Roß« dieser Varianten können in metaphorischem Bezug zu »tapferer Mann« stehen. Dies ist traditioneller slavischer negativer Parallelismus – die Ablehnung einer metaphorischen Aussage zugunsten der wirklichen. Die Negation »ne« kann allerdings ausgelassen werden: »Jasjón sokol zá gory zaljótyval« (ein strahlender Falke flog über die Hügel hin); »Retív kon'kó dvoru priskákival« (ein feuriges Roß kam im Galopp auf den Hof). Im ersten der beiden Beispiele ist die metaphorische Relation bewahrt: ein tapferer Mann erscheint am Portal wie ein strahlender Falke von hinter den Hügeln. In dem zweiten wird allerdings die semantische Verbindung doppeldeutig. Der Vergleich zwischen dem hervortretenden Bräutigam und dem galoppierenden Pferd liegt nahe genug, doch gleichzeitig nimmt das Anhalten des Pferdes im Hof das sich dem Haus Nahen des Helden vorweg. So evoziert das Lied, bevor es den Reiter und das Gut der Verlobten einführt, die angrenzenden, *metonymischen* Bilder des Pferdes und des Hofes: den

Besitz statt den Besitzer, das Außen statt das Innen. Die Exposition des Verlobten kann in zwei aufeinanderfolgende Teile aufgeteilt werden: »Ein tapferer Mann kam im Galopp auf den Hof, // Vasilij ging zum Portal«. So figuriert das »feurige Roß«, das im vorhergehenden Vers an gleicher metrischer und syntaktischer Stelle steht wie der »tapfere Mann«, gleichzeitig als Ähnlichkeit mit und als repräsentativer Besitz von diesem Mann – im eigentlichen Sinne – als *pars pro toto* für den Reiter. Dieses Bild des Pferdes stellt einen Grenzfall zwischen Metonymie und Synekdoché dar. Aus den suggestiven Konnotationen des »feurigen Rosses« ergibt sich eine metaphorische Synekdoché: in den Hochzeitsliedern und anderen Spielarten des russischen erotischen Märchengutes wird der maskuline *retiv kon* ein latentes oder sogar offenkundiges Phallussymbol.

Schon um 1880 hat der bedeutende Erforscher slavischer Poetik, Potebnja, darauf aufmerksam gemacht, daß in der Volksdichtung ein Symbol materialisiert erscheint *(oveščestvlem)*, verwandelt in ein Hilfsmittel der Umgebung (ambiance). »Zwar noch ein Symbol, ist es doch in Beziehung zur Handlung gebracht. Ein Vergleich wird so im Gewand einer zeitlichen Abfolge gebildet.«[35] In Potebnjas Beispielen aus slavischer Folklore dient die Weide, unter der ein Mädchen hindurchgeht, zugleich als ihr Bildnis; der Baum und das Mädchen sind gleichermaßen präsent in demselben *simulacrum* der Weide. Ebenso bleibt das Pferd des Liebesliedes nicht nur ein Männlichkeitssymbol, wenn der Bursche das Mädchen bittet, sein Roß zu füttern, sondern auch, wenn es gesattelt in den Stall geführt oder an einen Baum gebunden wird.

In der Dichtung tendiert nicht nur die phonologische Abfolge, sondern in gleicher Weise auch jede Folge semantischer Einheiten dahin, eine Übereinstimmung herzustellen. Similarität, die Kontiguität überlagert, verleiht der Dichtung ihre durchgehende symbolische, vielfältige, polysemantische Essenz, die so schön in Goethes »Alles Vergängliche ist nur ein Gleichnis« angedeutet wird. In Dichtung, wo Similarität zusätzlich zur Kontiguität eingeführt wird, ist jede Metonymie leicht metaphorisch und jede Metapher leicht metonymisch.

Mehrdeutigkeit ist ein immanenter, unabtrennbarer und notwendiger Bestandteil jeder Nachricht mit »Einstellung« auf sich selbst. Kurz, sie ist eine notwendige Begleiterscheinung von Poesie. Wir wiederholen mit Empson: »Die Ränke der Mehrdeutigkeit gehörten zu den Grundlagen von Dichtung«[36]. Nicht nur die Nachricht, auch Sender und Empfänger werden doppeldeutig. Neben dem Autor und dem Leser gibt es ein »Ich« der lyrischen Hauptperson oder den fiktiven Erzähler und das »Du« oder »Sie« des angesprochenen Empfängers dramatischer Monologe, Bitten und Briefe. Zum Beispiel wird das Gedicht »Wrestling Jacob« von seinem Titelhelden an den Erlöser gerichtet, und zugleich fungiert es als eine persönliche Mitteilung des Dichters Charles Wesley an seine Leser. Der Möglichkeit nach ist jede poetische Nachricht eine gleichsam zitierte Unterhaltung mit all den Eigenheiten und kniffligen Problemen, die die »Rede in der Rede« dem Linguisten bietet.

Der Vorrang der poetischen Funktion vor der referentiellen löscht nicht den Bedeutungscharakter aus, sondern macht ihn doppeldeutig. Die doppeldeutig

Nachricht findet ihre Entsprechung in einem gespaltenen Sender und Empfänger, sowie in einer gespaltenen Bedeutung; dies ist eindeutig in der Einleitung zu Märchen der verschiedensten Völker zu finden, z. B. in dem normalen Beginn eines Majorca-Erzählers: »Aixo era y no era« (es war und war nicht)[37]. Die Anwendung des Prinzips der Äquivalenz in der Folge bringt das der Wiederholung hervor; dieses macht nicht nur die konstitutiven Sequenzen der poetischen Botschaft wiederholbar, sondern auch die ganze Botschaft. Diese Möglichkeit der sofortigen und aufgeschobenen Wiederholung, diese Reifikation einer poetischen Botschaft und ihrer Konstituenten, die Umwandlung einer Botschaft in ein dauerndes Ding, all dies bildet ein immanentes und wirkungsvolles Mittel der Dichtung.

In einer Aussage, in der die Similarität die Kontiguität überlagert, neigen zwei ähnliche und nahe beieinanderliegende phonologische Folgen dazu, eine paranomastische Funktion zu übernehmen. In ihrer Lautung ähnliche Wörter werden auch in ihrer Bedeutung einander angeglichen. Es ist wahr, daß der erste Vers der letzten Strophe von Poes »Raven« reichlich Gebrauch macht von Alliterationen – wie es Valéry[38] bemerkte –, doch die »überwältigende Wirkung« dieser Verszeile und der ganzen Strophe beruht primär auf dem Schwingen poetischer Etymologie.

And the Raven, never flitting, still is sitting, *still* is sitting
On the pallid bust of Pallas just above my chamber door;
And his eyes have all the seeming of a demon's that is dreaming,
And the lamp-light o'er him streaming throws his shadows on the floor
And my soul from out that shadow that his floating on the floor
Shall be lifted – nevermore.

Der Sitz des Rabens »the pallid bust of Pallas« wird durch die »sonore« Paranomasie / pæled / – / Pǽləs / in ein organisches Ganzes geschmolzen (ähnlich Shelleys durchgeformtem Vers »Sculpured on alabaster obelisk« / sk. lp / – / l. b. st / – / b.l.st/) Die beiden miteinander konfrontierten Wörter werden schon früher in einem anderen Epitheton der gleichen Büste vermischt – *placid* / plæsId / – ein poetischer »portmanteau«; auch das Band zwischen dem Sitzenden und dem Sitz wurde seinerseits durch eine Paranomasie befestigt: *bird* or *beast* upon the ... *bust*«. Der Vogel »is sitting // On the pallid bust of Pallas just above my chamber door«, und der Rabe wird auf seinen Sitz trotz des Befehls des Liebenden »take thy form from off my door«, festgenagelt durch die Worte / ʒʌst əbʌv /, die beide in / bʌst / vermischt sind. Das niemals endende Bleiben des schrecklichen Gastes wird mittels einer genialen, zum Teil inversiven Reihe von Paranomasien ausgedrückt, wie wir sie von dem erklärten Experimentator des antizipatorischen, regredierenden *modus operandi*, einem solchen Meister im »Rückwärts-Schreiben«, wie es Edgar Allan Poe war, erwarten würden. In der die abschließende Strophe einleitenden Zeile erscheint das dem trüben Refrainwort »never« benachbarte Wort »raven« einmal mehr als ein verkörpertes Spiegelbild dieses Wortes »never«: / n.v.r. / – / r.v.n. / Auffällige Paranomasien verbinden die beiden Embleme der ewigen Verzweiflung, als erstes »the Raven, never flitting«, zu Beginn der allerletzten Strophe und als zweites in den allerletzten Verszeilen den »shadow that lies floating on the floor« und »shall be lifted – nevermore«: / névər flítíŋ / – / flótiŋ / … / flór / … / líftəd / névər /. Die Alliterationen, die Valéry so beeindruckten, bilden eine paranomastische Kette: / stí … / – / sít … / – / stí … / – / sít … /. Die Invarianz dieser Gruppe wird besonders durch die Variation ihrer Reihenfolge betont. Die beiden Leuchteffekte in dem Helldunkel – die »fiery eyes« des schwarzen Vogels und das Lampenlicht, das »his shadow on the floor« wirft – werden evoziert, um zur Düsternis des gesamten Bildes beizutragen; sie werden wieder mittels der »lebendigen Wirkung« von Paranomasien verbunden: / ɔlðə símí/ŋ … / dímənz / … / Iz drímíŋ / – / ɔrim strímIŋ /. »That shadow that lies / láyz /« paßt in einem beeindruckend falsch plazierten Echoreim zu des Rabens »eyes« / áyz /.

In der Dichtung wird jede auffällige Ähnlichkeit im Klang hinsichtlich ihrer Bedeutungsnähe oder Bedeutungsferne ausgewertet. Aber Pope's alliterierender Lehrsatz an die Dichter – »the sound must seem an Echo of the sense« – besitzt einen wesentlich größeren Anwendungsbereich. In der referentiellen Sprache beruht die Verbindung zwischen *signans* und *signatum* in den allermeisten Fällen auf ihrer kodifizierten Kontiguität, die oft verwirrend als »Willkür des sprachlichen Zeichens« bezeichnet worden ist. Die Wichtigkeit der Beziehung zwischen Klang und Bedeutung ist die einfache Folge der Überlagerung von Kontiguität durch Similarität. Klangsymbolik stellt unbestreitbar eine objektive Beziehung dar, die auf einer in der Erscheinungswelt vorhandenen Verbindung von verschiedenen Weisen der Sinneswahrnehmung, insbesondere auf visuellen und auditiven Erfahrungen beruht. Wenn die Forschungsergebnisse auf diesem Gebiet zuweilen vage und widersprüchlich waren, so ist dies primär auf eine ungenügende Berücksichtigung der psychologischen und/oder linguistischen Forschungsmethoden zurückzuführen. Insbesondere ist, von der Linguistik her gesehen, das Bild oft durch einen Mangel an Aufmerksamkeit dem phonologischen Aspekt des Sprachklangs gegenüber verzerrt worden oder durch ein unausweichlich ergebnisloses Umgehen mit komplexen phonologischen Einheiten statt mit ihren kleinsten Bausteinen. Aber wenn wir beispielsweise als Versuch bei phonologischen Oppositionen wie dunkel vs. hell, fragen, ob / i / oder / u / dunkler klingt, dann können einige der Versuchspersonen zwar antworten, daß ihnen die Fragestellung unverständlich ist, doch schwerlich wird jemand feststellen, daß / i / der dunklere der beiden Laute ist.

Dichtung ist zwar nicht das einzige Gebiet, in dem sich Klangsymbolik selbst bemerkbar macht, doch ist sie eine Region, in der der innere Nexus zwischen Klang und Bedeutung von latent bis offen wechselt und sich selbst ganz handgreiflich und intensiv manifestiert, wie es in Heymes anregendem Referat bemerkt wurde. Die überdurchschnittliche Häufung einer bestimmten Art von Phonemen oder eine kontrastierende Ansammlung zweier gegensätzlicher Arten in dem Klanggefüge (sound texture) eines Verses oder einer Strophe in einem Gedicht fungiert, um Poes bildhaften Ausdruck zu gebrauchen, als »Unterströmung der Bedeutung« (»undercurrent of meaning«). So kann sich in zwei polar entgegengesetzten Wörtern die phonologische Beziehung in Übereinstimmung mit der semantischen Opposition befinden, so wie im Russischen bei / d, en, / ›Tag‹ und / noč / ›Nacht‹, mit dem hellen Vokal und den stimmlosen Konsonanten in der Bezeichnung für den Tag und dem korrespondierenden dunklen Vokal in der Bezeichnung für die Nacht. Die Verstärkung dieses Kontrastes durch die hellen und stimmlosen Phoneme des ersten Wortes im Unterschied zu einer dunklen phonetischen Umgebung des zweiten macht den Klang zu einem vollkommenen Echo seines Sinnes. Umgekehrt verhält es sich mit der Verteilung der dunklen und hellen Vokale im Französischen bei *jour* ›Tag‹ und *nuit* ›Nacht‹, so daß Mallarmés *Divagations* seine Muttersprache wegen einer täuschenden Pervertiertheit anklagte, weil sie dem Tag eine dunkle Klangfarbe und der Nacht eine helle zugesprochen hat:[39] Whorf stellt fest, daß wir es bemerken können, wenn »ein Wort« in seinem Klangmuster »eine akustische Ähnlichkeit mit seiner eigenen Bedeutung besitzt, ... Aber, wenn das Gegenteil der Fall ist, bemerkt es niemand«. Poetische Sprache und insbesondere die französische Dichtkunst strebt angesichts der von Mallarmé entdeckten Kollision zwischen Klang und Bedeutung entweder einen phonologischen Wechsel solcher Diskrepanz an und ertränkt die »verkehrte« Verteilung der vokalischen Charakteristika, indem sie *nuit* mit dunklen und *jour* mit hellen Phonemen umgibt, oder sie nimmt ihre Zuflucht zu einer semantischen Verschiebung, und ihre Bildersprache von Tag und Nacht ersetzt die von Hell und Dunkel durch andere synästhetische Korrelate der phonologischen Opposition Hell/Dunkel und bringt beispielsweise den schwülen, warmen Tag in Gegensatz zur luftigen kühlen Nacht. Dies kann geschehen, weil »Menschen das Erfahren von glänzend, scharf (stimmlos), hart, hoch, leicht, schnell, hoher Ton, eng etc. in langer Folge ebenso miteinander assoziieren, wie die entgegengesetzte Erfahrung des Dunkeln, Warmen, Nachgebenden, Weichen, Stumpfen, Niedrigen, Schweren, Sonoren, Weiten etc. innerhalb einer anderen langen Folge«[40].

Wie effektiv die Betonung der Wiederholung in Dichtung auch immer sein mag, das Klanggefüge bleibt weit davon entfernt, auf numerische Kunstgriffe beschränkt zu sein. Ein Phonem, das nur einmal erscheint, doch in einem Schlüsselwort und in relevanter Position vor einem kontrastierenden Hintergrund, kann eine verblüffende Bedeutung erlangen. So pflegten Maler zu sagen: »Un kilo de vert n'est pas plus vert qu'un demi kilo.«

Jede Analyse der poetischen Lauttextur muß eingehend die phonologische Struktur der gegebenen Sprache bedenken und neben dem umfassenden, allgemeinen Kode auch die Hierarchie der phonologischen Unterscheidungsmerkmale innerhalb der gegebenen poetischen Konvention. So lassen die nur annähernd identischen Reime, von denen die Slaven in ihrer mündlichen und auch in einigen Epochen ihrer schriftlich überlieferten Tradition Gebrauch machten, ungleiche Konsonanten in den Reimgliedern zu (z. B. Tschechisch *boty, boky, stopy, kosy, sochy*) oder, so hat Nitch festgestellt, es wird keine wechselseitige Entsprechung zwischen stimmhaften und stimmlosen Konsonanten zugelassen[41], so daß die angeführten tschechischen Wörter nicht mit *body, doby, kozy, rohy* reimen können. In den Liedern einiger indianischer Stämme, wie in denen der Pima-Papago und Tepecano wird, nach Herzogs nur teilweise in Druckform mitgeteilten Beobachtungen[42], die phonologische Unterscheidung zwischen stimmhaften und stimmlosen Verschlußlauten und die zwischen ihnen und den Nasalen durch eine freie Variation ersetzt, innerhalb derer die Unterscheidung zwischen Labialen, Dentalen, Velaren und Palatalen rigoros aufrecht erhalten wird. Auf diese Weise verlieren in der Dichtung dieser Sprachen die Konsonanten zwei ihrer vier Unterscheidungsmerkmale: stimmhaft/stimmlos und nasal/oral und bewahren die beiden anderen: hell/dunkel und kompakt/diffus. Selektion und hierarchische Schichtung gültiger Kategorien sind Faktoren von größter Wichtigkeit für eine Poetik, sowohl auf der phonologischen wie auf der grammatikalischen Ebene.

Literaturtheorien des Altindischen und des mittelalterlichen Lateins unterscheiden scharf zwischen zwei Polen von Wortkunst. Im Sanskrit werden sie *Pāñcālī* und *Vaidarbhī* genannt und im Lateinischen entsprechend *ornatus difficilis* und *ornatus facilis*[43], wobei der letztere Stil der linguistischen Analyse offensichtlich mehr Schwierigkeiten bereitet, da in derartigen literarischen Formen die sprachlichen Mittel unauffällig eingesetzt werden und die Sprache selbst beinahe ein transparentes Kleid zu sein scheint. Aber man muß mit Charles Sanders Peirce sagen: »This clothing never can be completely stripped off, it is only changed for something more diaphanous.«[44] »Verslose Komposition«, wie Hopkins die Vielfalt in der Prosa der Wortkunst nennt – wo Parallelismen nicht so stark hervorgehoben sind und weniger regelmäßig als in »durchgehenden Parallelismus« auftreten und wo es keine dominierende Klangfigur gibt, bieten verwickeltere Probleme für die Poetik wie überhaupt Übergangsphänomene im Sprachbereich. Doch Propps Pionierleistung, seine Monographie über die Struktur des Märchens[45] zeigt uns, wie ein durchweg syntaktischer Forschungsansatz von überragender Hilfe selbst für die Klassifikation der traditionellen Fabel und für das Aufspüren der verwirrenden Regeln, die ihrer Komposition und Selektion zugrunde liegen, sein kann. Die neueren Arbeiten von Lévi-Strauss[46] offenbaren einen wesentlich gründlicheren, aber im wesentlichen ähnlichen Zugang zu den gleichen Konstruktionsproblemen.

Es ist kein bloßer Zufall, daß metonyme Strukturen weniger erforscht sind als das Gebiet der Metapher. Ich darf hier meine alte Beobachtung wiederholen, daß das Erforschen der poetischen Tropen bis jetzt hauptsächlich der Metapher gegolten hat und daß die sogenannte realistische eng mit dem Prinzip des Metonymischen verknüpfte Literatur sich immer noch der Interpretation sperrt; und das, obwohl die gleiche linguistische Methodologie, die die Poetik anwendet, wenn sie den metaphorischen Stil romantischer Poesie analysiert, vollkommen anwendbar ist auf die metonymische Textur realistischer Prosa[47].

Lehrbücher glauben, daß es Gedichte ohne Bilder gibt, aber in Wirklichkeit wird die Armut an lexikalischen Tropen ausgeglichen durch großartige grammatische Tropen und Figuren. Die in der morphologischen und syntaktischen Struktur der Sprache verborgenen Quellen der Poesie, kurz die Poesie der Grammatik und ihr literarisches Produkt, die Grammatik der Poesie, sind selten den Kritikern bekannt geworden und wurden fast gänzlich von den Linguisten übersehen und doch meisterhaft beherrscht von schöpferischen Schriftstellern.

Die dramatische Wucht von Antonius' Einleitung seiner Grabrede für Cäsar wird von Shakespeare durch das Spiel mit grammatischen Kategorien und Konstruktionen erreicht. Mark Anton verspottet Brutus' Rede, indem er die vorgeschützten Gründe für Cäsars Ermordung in rein sprachliche Fiktionen verwandelt. Brutus' Anklage Cäsar gegenüber: »as he was ambitious, I slew him« wird in der Folge mehrfach umgeformt. Als erstes reduziert sie Antonius auf ein bloßes Zitat, das die Verantwortung für das Gesagte dem erwähnten Sprecher zuschreibt: »The noble Brutus // Hath told you ...«. In der Wiederholung wird diese Bezugnahme auf Brutus durch ein adversatives »but« gebracht und im weiteren Verlauf durch ein konzessives »yet« abgewertet. Der Hinweis auf die Ehre des Klägers rechtfertigt nicht mehr diese Behauptung, wenn er mit einer Substitution des rein kopulativen »and« anstelle des vorhergehenden kausalen »for« gegeben und schließlich durch den böswilligen Einschub eines modalen »sure« in Frage gestellt wird:

> The noble Brutus
> Hath told you Caesar was ambitious;
>
> For Brutus is an honourable man,
>
> But Brutus says he was ambitious,
> And Brutus is an honourable man.
>
> Yet Brutus says he was ambitious,
> And Brutus is an honourable man.
>
> Yet Brutus says he was ambitious,
> And, sure, he is an honourable man.

Das folgende Polyptoton – »I speak ... Brutus spoke ... I am to speak« – stellt die wiederholte Behauptung als eine bloß wiederholte Rede statt berichteter Fakten dar. Die Wirkung liegt, wie die modale Logik sagen würde, in dem »indirekten« (oblique) Kontext der angeführten Argumente, der sie zu unbeweisbaren Glaubenssätzen macht:

> I speak not to disprove what Brutus spoke,
> But here I am to speak what I do know.

Das höchst wirkungsvolle Kunstmittel von Antonius' Ironie liegt darin, daß er den *modus obliquus* von Brutus' Übersicht in einen *modus rectus* umwandelte, um zu enthüllen, daß diese umgewandelten Attribute nichts anderes als sprachliche Fiktionen darstellen. Auf Brutus' Satz »he was ambitious« antwortet Antonius zunächst mit der Umsetzung des Adjektivs vom Handelnden zur Handlung (»Did this in Caesar seem abitious?«), dann verwandelt er, indem er das Abstraktum »ambition« hervorlockt, dieses in das Subjekt einer konkreten Passivkonstruktion »Ambition should be made of sterner stuff« und in der Folge zum Prädikatsnomen eines Fragesatzes verwandelt: »Was this ambition?« – Brutus' Appell »hear me for my cause« wird durch das gleiche Nomen, dem hypostasierten Subjekt einer interrogativen Aktivkonstruktion *in recto* beantwortet: »What cause withholds you ...?« Während Brutus ruft: »awake your senses, that you may the better judge« wird das abstrakte, von »judge« abgeleitete

Substantiv zum apostrophierten Handeln des in Antonius Bericht: »O judgment, thou art fled to brutish beasts . . .«. Übrigens erinnert diese Apostrophe mit ihrer mörderischen Paronomasie *Brut*us-*brut*ish an Cäsars Ausruf im Moment seines Todes »Et tu, Brute!« Tätigkeiten und Aktivitäten werden *in recto* enthüllt, während ihre Träger entweder *in obliquo* (»withholds you,« »to brutish beasts,« »back to me«) oder als Subjekte negativer Handlungen (»men have lost,« »I must pause«) erscheinen:

> You all did love him once, not without cause;
> What cause witoulds you then to mourn for him?
> O judgment, thou art fled to brutish beasts,
> And men have lost their reason!

Die letzten zwei Zeilen von Antonius' Grabrede zeigen die scheinbare Unabhängigkeit dieser grammatischen Metonymien. Das stereotype »Ich trauere um den und den« und das bildliche und doch immer noch stereotype »der und der liegt im Sarg und mein Herz ist bei ihm« oder »geht zu ihm hinaus« weicht in Antonius' Rede einer kühn durchgeführten Metonymie. Die Trope wird Bestandteil der poetischen Realität:

> My heart is in the coffin there with Caesar,
> And I must pause till it come back to me.

In der Dichtung gewinnt die innere Form eines Namens, d. h. der semantische Wert seiner Konstituenten, seine Angemessenheit zurück. »Cocktails« können ihre vergessene Verwandtschaft mit dem Gefieder wiedergewinnen. Deren Farben werden in Mac Hammonds Verse »The ghost of a Bronx pink lady // With orange blossoms afloat in her hair,« verlebendigt, und die etymologische Metapher erfährt ihre Verwirklichung: »O, Bloody Mary, // The cocktails have crowed not the cocks!« (»At an Old Fashion Bar in Manhattan«). Wallace Stevens' Gedicht »An Ordinary Evening in New Haven« greift das Titelwort des Stadtnamens zunächst durch eine diskrete Anspielung auf »heaven« auf und dann durch eine direkte wortspielhafte Konfrontation, ähnlich der von Hopkins' »Heaven-Haven«.

> The dry eucalyptus *seeks god in the rainy cloud.*
> Professor Eucalyptus of New Haven *seeks him in New Haven* . . .
>
> The instinct *for heaven* had its counterpart:
> The instinct for earth, *for New Haven*, for his room . . .

Das Adjektiv »New« im Stadtnamen wird durch die Verkettung von Gegenteiligem offengelegt.

> The oldest-newest day ist the newest alone.
> The oldest-newest night does not creak by . . .

Als 1919 im Moskauer Linguistischen Zirkel über die Frage diskutiert wurde, wie können die *epitheta ornantia* definiert und abgegrenzt werden, wies uns der Dichter Majakovskij zurecht und sagte, daß für ihn jedes Adjektiv schon dadurch ein poetisches Attribut sei, daß es in Dichtung stehe; dasselbe gelte für »groß« in »großer Bär« oder »groß« und »klein« in Moskauer Straßennamen, wie *Bol'shaja Presnja* und *Malaja Presnja*. Mit anderen Worten, Poesiehaftigkeit ist nicht etwas, was der Rede mit rhetorischem Schmuck hinzugegeben wird, sondern eine vollständige Neubewertung der Rede und aller ihrer Teile, welcher Art sie auch immer seien.

Ein Missionar warf Mitgliedern seiner afrikanischen Gemeinde vor, daß sie ohne Kleider gingen. »Und du«, sagten sie zu ihm, und zeigten auf sein Gesicht, »bist du nicht auch nackt? –« »Ja, aber das ist mein Gesicht.« »Bei uns«, antworteten die Eingeborenen, »ist überall Gesicht.« So ist in Dichtung jedes Sprachelement in eine Figur dichterischen Sprechens verwandelt.

Mein Versuch, Recht und Pflicht der Linguistik geltend zu machen, die Erforschung der Sprachkunst in allen ihren Aspekten und in ihrem ganzen Ausmaß aufzunehmen, kann hier abgeschlossen werden mit der gleichen Aussage, die meinen Beitrag in der 1953 hier abgehaltenen Konferenz zusammenfaßte: »Linguista sum; linguistici nihil a me alienum puto«[48]. Wenn der Dichter Ransom recht hat (und er hat recht), daß »Dichtung eine Art Sprache ist«[49], dann muß der Linguist, dessen Arbeitsfeld jede Art von Sprache ist, Dichtung in seine Forschungen einbeziehen. Die Tagung hat klar gezeigt, daß die Zeiten, wo sowohl Linguisten wie Literaturhistoriker die Frage nach den poetischen Strukturen ausklammerten, endgültig hinter uns liegen. Wie Hollander sagt, »scheint es keinen Grund mehr dafür zu geben«, die Fragen der Literatur von denen einer umfassenden Linguistik zu trennen«. Wenn es noch einige Kritiker geben sollte, die noch immer die Kompetenz der Linguistik bezweifeln, auch das Gebiet der Poetik zu umfassen, so glaube ich für meinen Teil, daß die Inkompetenz in poetischen Fragen mancher engstirniger Linguisten fälschlicherweise für die Unangemessenheit der linguistischen Wissenschaft selbst gehalten wurde. Hier haben wir aber alle endgültig verstanden, daß sowohl ein Linguist, der taub ist, für die poetische Funktion der Sprache und wie ein Literaturforscher, dem linguistische Fragen gleichgültig sind und der linguistische Methoden nicht kennt, krasse Anachronismen sind.

ANMERKUNGEN

1. Sapir, E., *Language*, New York, 1921.

2. Joos, M., Description of language design, *Journal of the acoustical society of America* 22, 1950, S. 701–708.

3. Marty, A., *Untersuchungen zur Grundlegung der allgemeinen Grammatik und Sprachphilosophie*, Bd. 1, Halle, 1908.

4. Bühler, K., Die Axiomatik der Sprachwissenschaft, *Kant-Studien*, 38, 1933, S. 19–90.

5. Mansikka, V.T., Litauische Zaubersprüche, *Folklore Fellows Communications* 87, 1929, S. 69.

6. Rybnikov, P.N., *Presni*, Vol. 3., Moscow, 1910, S. 217f.

7. Josh. 10,12.

8. Malinowski, B., The problem of meaning in primitive languages, in: C.K. Ogden and I.A. Richards, *The meaning of meaning*, New York und London, 9. Auflage, 1953, S. 296–336.

9. Maretić, T., Metrika narodnij nasih pjesama, *Rad Yugoslavenske Akademije* 168, Zagreb, 1907, S. 170.

10. Hopkins, G.M., *The journals and papers*, H. House, Hg., London, 1959.

11. Levi, A., Della versificazione italiana, *Archivum Romanicum* 14, 1930, S. 449–526, secs. VIII–IX.

12. Jakobson, R., O češskom stixe preimuščestvenno v sopostavlenii s russkim (= *Sborniki po teorii poètičeskogo jazyka*, 5), Berlin und Moskau, 1923.

13. Bishop, J.L., *Prosodic elements in T'ang poetry*, Indiana University conference on Oriental-Western literary relations. Chapel Hill, 1955.

14. Polivanov, E.D., O metričeskom xaraktere kitajskogo stixosloženija, *Doklady Rossijskoj Akademii Nauk*, serija V, S. 156–158 (1924).

15. Wang Li, *Han-yü shih-lü-hsüeh* (= Versification in Chinese) Shanghai, 1958.

16. Simmons, D.C., Specimens of Efik folklore, *Folk-Lore* 66, 1955, S. 228.

17. Taranovski, K., *Ruski dvodelni ritmovi*, Belgrad, 1955.

18. Cherry, C., *On human communication*, New York, 1957.

19. Poe, E.A., Marginalia, *The works*, Bd. 3, New York, 1857.

20. Frost, R., *Collected poems*, New York, 1939.

21. Jesperson, O., Cause psychologique de quelques phénomènes de métrique germanique, *Psychologie du langage*, Paris, 1933.

22. Jakobson, R., Studies in comparative Slavic metrics, *Oxford Slavonic papers* 3, 1952, S. 21–66.

–, Über den Versbau der serbokroatischen Volksepen, *Archives néerlandaises de phonétique expérimentale* 7–9, 1933, S. 44–53.

23. Karcevskij, S., Sur la phonologie de la phrase, *Travaux du cercle linguistique de Prague* 4, 1931, S. 188–223.

24. Éichenbaum, B., *Melodika stixa*, Leningrad, 1922.
Zirmunskij, V., *Voprosy teorii literatury*, Leningrad, 1928.

25. Hill, A.A., Review, *Language* 29, 1953, S. 549–561.

26. Hopkins, G.M., *The journals and papers*, H. House, Hg. London, 1959.

27. –, *Poems*, W.H. Gardner, Hg. New York und London, 3. Auflage, 1948.

28. Sievers, E., *Ziele und Wege der Schallanalyse*, Heidelberg, 1924.

29. Valéry, P., *The art of poetry*, Bollingen series 45, New York, 1958.

30. Hopkins, G.M., *The journals and papers*, H. House, Hg. London, 1959.

31. Wimsatt, W.K., Jr., *The verbal icon*, Lexington, 1954.

32. Hopkins, G.M., *The journals and papers*, H. House, ed. London, 1959.

33. Austerlitz, R., Ob-Ugric metrics. *Folklore Fellows Communications* 174, 1958.
Steinitz, W., Der Parallelismus in der finnisch-karelischen Volksdichtung, *Folklore Fellows Communications* 115, 1934.

34. Ransom, J.C., *The new criticism*, Norfolk, Conn., 1941.

35. Potebnja, A., *Ob' 'jasnenija malorusskix i srodnyx 'narodnyx pesen*, Warsaw, 1, 1883, 2, 1887.

36. Empson, W., *Seven types of ambiguity*, New York, 3. Auflage 1955.

37. Giese, W., Sind Märchen Lügen?, *Cahiers S. Puscariu* 1, 1952, S. 137ff.

38. Valéry, P., *The art of poetry*, Bollingen series 45, New York, 1958.

39. Mallarmé, S., *Divagations*, Paris, 1899.

40. Whorf, B.L., *Language, thought, and reality*, J.B. Carroll, Hg., New York, 1956, S. 267f.

41. Nitsch, K., Z historii polskich rymów, *Wybór pism polonistycznych* 1.33–77, Wroclaw, 1954.

42. Herzog, G., Some linguistic aspects of American Indian poetry, *Word* 2, 1946, S. 82.

43. Arbusow, L., *Colores rhetorici*, Göttingen, 1948.

44. Peirce, C. S., *Collected papers*, Bd. 1, Cambridge Mass., 1931, S. 171.

45. Propp, V., *Morphology of the folktale*, Bloomington, 1958.

46. Lévi-Strauss, C., Analyse morphologique des contes russes, *International journal of Slavic linguistics and poetics* 3, 1960.

–, *La geste d'Asdival*, École Pratique des Hautes Études, 1958.

–, The structural study of myth, in T. A. Sebeok, Hg., *Myth: A Symposium*, S. 50–66, Philadelphia, 1955. Deutsche Übersetzung in diesem Band S. 25–46.

47. Jacobson, R., The metaphoric and metonymic poles, *Fundamentals of language*, S. 76–82. 's-Gravenhage, 1956.

48. Lévi-Strauss, C., R. Jakobson, C. F. Voegelin und T. A. Sebeok, *Results of the Conference of Anthropologists and Linguists*, Baltimore, 1953.

49. Ransom, J. C., *The world's body*, New York, 1938.

Strukturale Analyse eines Sonetts von Louise Labé

NICOLAS RUWET

Französischer Text[1]

[1]O beaux yeus bruns, ô regars destournez,
[2]O chaus soupirs, ô larmes espandues,
[3]O noires nuits vainement attendues,
[4]O jours luisans vainement retournez:
[5]O tristes pleins, ô desirs obstinez,
[6]O tems perdus, ô peines despendues,
[7]O mile morts en mile rets tendues,
[8]O pires maus contre moy destinez:
[9]O ris, ô front, cheveus, bras, mains et doits:
[10]O lut pleintif, viole, archet et vois:
[11]Tant de flambeaus pour ardre une femmelle!
[12]De toy me plein, que, tant de feus portant,
[13]En tant d'endrois, d'iceus mon cœur tatant,
[14]N'en est sur toy volé quelque estincelle.

Deutscher Text

[1]O schöne braune Augen, o abgewandte Blicke,
[2]O heiße Seufzer, o vergossene Tränen,
[3]O schwarze Nächte, vergebens erwartet,
[4]O leuchtende Tage, vergebens zurückgekehrt:
[5]O traurige Klagen, o beharrliches Verlangen,
[6]O verlorene Zeit, o verschwendete Mühen,
[7]O tausend Tode, ausgelegt in tausend Netzen,
[8]O schlimmeres Leid, das mir bestimmt:
[9]O Lachen, o Stirn, Haar, Arme, Hände und Finger:
[10]O klagende Leier, Viola, Bogen und Stimme:
[11]So viele Fackeln, zu verbrennen ein Weibchen!
[12]Über dich klag ich, weil du so viele Feuer trägst
[13]Hin zu so vielen Stätten und auch mein Herz mit ihnen rührst,
[14]Indes auf dich davon kein einzger Funke jemals überspringt.

Im Original: Analyse structurale d'un poème français: un sonnet de Louise Labé, *Linguistics*, 3, 1964, S. 62–83. Aus dem Französischen übersetzt von Erika Höhnisch. Druck mit freundlicher Erlaubnis des Autors.

Vom Syntaktischen her läßt sich das Gedicht in zwei Partien unterschiedlicher Länge aufteilen, die durch ein Ausrufezeichen getrennt sind. Der zweite Teil besteht aus einem komplexen Satz (V. *12–14*), und der erste – den wir der Interpretation wegen (oder der Intonation wegen, wenn das Gedicht vorgetragen wird) ebenfalls als einen einzigen Satz ansehen dürfen (V. *1–11*) – gliedert sich von selbst in zwei Teile. Der erste ist sehr lang (V. *1–10*) und kann als eine Serie von Vokativen betrachtet werden, und der zweite, sehr kurze (V. *11*) ist ein Exklamativsatz.

Im Bereich des Versbaus teilt sich das in Zehnsilbern mit dem Einschnitt nach der fünften Silbe verfaßte Sonett in zwei Quartette mit umschlungenem Reim (AbbA AbbA) und einen auf den Reimen CCdEEd laufenden Sechszeiler (die Majuskeln verweisen auf männliche, die Minuskeln auf weibliche Reime). Man kann diesen Sechszeiler in zwei Terzette zerlegen oder aber, wenn man ihn mit den beiden Quartetten vergleicht, in einen Zweizeiler mit Paarreim (V. *9–10*) und einen Vierzeiler mit umschlungenem Reim, der den beiden ersten Quartetten symmetrisch und zugleich entgegengesetzt ist, da hier die weiblichen Reime die männlichen umschlingen.

Bei Beginn dieser Analyse kann man bereits eine erste Quelle der Asymmetrie oder Spannung in der Gedichtstruktur feststellen, einer Spannung, die auf dem Konflikt zwischen der syntaktischen Aufgliederung und dem Versbau beruht. Einerseits zerfällt der Text in (10 + 1) + 3, andererseits gliedert er sich in (4 + 4) + 6. Da wir später sehen werden, daß die Verse *9* und *10* gewisse syntaktische Eigentümlichkeiten aufweisen, die sie von den ersten acht abheben, bewirkt diese Spannung, daß das erste Terzett, die Achse des Gedichts, besonders hervortritt, und noch deutlicher der Vers *11*: Vom Reim her »schaut er auf das Ende« des Sonetts (*femmelle*[11] | *estincelle*[14]), während er vom Syntaktischen her ganz allein den zweiten Teil (den Hauptsatz) des ersten Satzes bildet und somit den ersten zehn Versen verbunden und doch entgegengesetzt ist.

Die beiden Sätze (die wir von nun an jeweils mit den römischen Ziffern I und II benennen) treten nicht nur durch den Unterschied in ihrer absoluten Länge in Opposition zueinander, vielmehr auch durch die Umkehrung in der Anordnung ihrer *selektionierenden* und *selektionierten* Elemente (im Sinne Hjelmslevs)[2]. In I kommt das Selektionierende (die Serie von Vokativen) zuerst, während in II das Selektionierte *(De toy me plein*[12]*)* den Satz eröffnet.

Beide Sätze zeigen im Syntaktischen eine gewisse Doppeldeutigkeit, jedoch aus verschiedenen Gründen. Im ersten Fall erwächst die Doppeldeutigkeit aus der Tatsache, daß man nach der langen Reihe von Vokativen in den ersten zehn Versen erwarten würde, zunächst einen Hauptsatz mit Prädikat vorzufinden und dann innerhalb desselben ein *Thema*[3], das die 2. Person implizierte, oder aber zwei Themen, die die 1. und 2. Person implizierten, z. B. »O ..., vous me ...« oder »O ..., je vous ...« usw., wie es insbesondere in dem unmittelbar auf dieses folgenden zweiten Sonett der Louise Labé der Fall ist (»O longs désirs ..., Estimez-vous croitre encore mes peines?« / O langwährendes Verlangen ..., willst meinen Schmerz du noch vermehren?). Statt dessen folgt ein Exklamativsatz, in dem weder die erste noch die zweite Person ausdrücklich auftreten. Diese besondere Struktur von IB (die beiden Teile in I werde ich hinfort mit A und B bezeichnen) schafft ein Überraschungsmoment, das – im Verein mit den vorher beschriebenen Elementen – die Hervorhebung des *11.* Verses verstärkt und sich zugleich auf die syntaktische Interpretation von IA auswirkt: Die Gruppen *O beaux yeus bruns,* usw. können, der Doppeldeutigkeit folgend, einmal als Vokative, zum anderen auch als einfache Ausrufe interpretiert werden. Weiter unten werden wir sehen, daß diese Doppeldeutigkeit auch semantische Implikationen hat. Bleibt man bei der zweiten Deutung, kann das logische Verhältnis zwischen IA und IB als ein Äquivalenzverhältnis (A = B) ausgegeben werden, und der ganze Satz erscheint als elliptische, exklamative, emotive Umsetzung des prädikativischen Ausdrucks »les yeux bruns ... sont autant de flambeaux ...«, der eine Gleichung beinhaltet.

Andererseits nimmt sich die schon festgestellte Disproportion in der Länge zwischen IA und IB besonders stark aus, wenn man eine Bemerkung von Séchehaye in Betracht zieht: »Vom Standpunkt der Mitteilung her sind Vokativ und Imperativ nur dazu da, die Aufmerksamkeit des Zuhörenden zu wecken und zu leiten. Die eigentliche Mitteilung kommt durch den Begleitbegriff zustande.«[4] Es tritt also eine Verschiebung im relativen Gleichgewicht des Haupt- und Nebenelementes ein, wobei letzteres autonom wird.

Im Vergleich mit einer »normalen« Syntax weist die des ersten Satzes also, wenn man eine Zusammenfassung geben will, eine Reihe von Verschiebungen auf – im Hauptsatz Verschiebung der zu erwartenden prädikativischen Syntax auf eine exklamative; Verschiebung eines die beiden ersten Personen implizierenden Themas auf ein diese nicht einschließendes; Verschiebung in der relativen Gewichtigkeit von »psychologischem Prädikat« (Selektioniertem) und »psychologischem Subjekt« (Selektionierendem), – alles das Verschiebungen, die recht eigentlich grammatische Metonymien[5] darstellen. Diese nun verstärken die Kraft der den Gedichtanfang beherrschenden semantischen Metonymien.

Der zweite Teil (II) ist ein komplexer Satz, aus einem Hauptsatz bestehend *(De toy [je] me plein)*, von dem ein durch *que* eingeleiteter Nebensatz abhängt *(que ... quelque estincelle ... n'est volé sur toy);* von diesem hängen ihrerseits zwei Partizipialsätze ab *(portant ... tatant)*. Jedoch bereitet die Analyse dieses Satzes Schwierigkeiten. 1. Es muß analysiert werden: [je] *me plein | de toy* (Verb + Objekt) || *que* (Kausalwert = *parce que*) ... (Satz, der den Hauptsatz insgesamt bestimmt), nicht aber: *[je] me plein || que* ... (Objekt), wobei *de toy* dann als Redundanz erschiene. 2. Vom Formalen her hängen die beiden Partizipialsätze von dem Satz *que ... quelque estincelle ...* ab, während ihr semantisches Subjekt indessen nur im Hauptsatz erscheint *(De toy)* oder lediglich als Objekt zu *est volé (sur toy)*.

Wesentlich ist zunächst, daß das Verhältnis der Sätze zueinander kein einfaches ist – sie greifen ineinander über, besonders durch den Gebrauch von Anaphern *(iceus, en)* –, dann aber muß man vor allem erkennen, daß die syntaktische Doppeldeutigkeit sich letzten Endes auf die besondere Stellung gründet, die das Pronomen *toy* bei seinem zweimaligen Erscheinen einnimmt. Es wird in indirekter Weise als

Objekt präsentiert *(de . . . sur . . .)*, während andererseits die Form *[je] me plein que* ihren Platz in dem nutzlosen Hauptsatz aufgeben könnte und man nach *que . . . portant* es eher in Subjektstellung erwarten würde. Das Pronomen wird also gleichzeitig hervorgehoben – vgl. auch die Inversion in der Wortstellung – *De toy me plein* –, die es an die Spitze des Satzes rückt, unmittelbar vor *me* – und in der Obliquus-Form eingeführt.

Vergleicht man nun I und II vom Syntaktischen her, so bemerkt man, daß sich beide Sätze, wenn auch in umgekehrtem Sinn, von der syntaktischen »Standard«-Struktur entfernen. In I sind die syntaktischen Beziehungen bis zum äußersten vereinfacht, ja reduziert auf die reine Juxtaposition (nicht nur A und B werden nebengeordnet, sondern auch die verschiedenen A ergebenden Gruppen sind mit Ausnahme der Verse *9* und *10* – Koordination – durch einfache Juxtaposition miteinander verbunden). Überdies begegnet man keinen Anaphern. In II sind die syntaktischen Beziehungen komplex und hierarchisch, Anaphern spielen eine wichtige Rolle, die Sätze sind ineinander verflochten. Des weiteren gibt es in I zwar wenige Inversionen in der Wortstellung, und wenn, dann sind sie ziemlich einfacher Art, in II aber ist die Inversion die Regel; sie ist komplexer Natur und findet sich auf allen Ebenen.

Das ganze Gedicht kann unter dem Gesichtspunkt betrachtet werden, welche Rolle darin den drei Personen der Konjugation zufällt. Um diese Frage zu beantworten, muß man drei Ebenen unterscheiden:

· 1. Wir sehen uns zunächst den drei grammatischen Personen insofern gegenüber, als sie einerseits die beiden Protagonisten, Agens (1. Person) und Patiens (2. Person) des Aussageprozesses[6] bezeichnen und zum anderen die »Dinge, von denen gesprochen wird« (3. Person, Referens).

2. Auf der Ebene des »Inhaltsmaterials« haben wir es sodann mit drei Kategorien von Elementen zu tun, die das semantische Rohmaterial des Gedichts darstellen: liebendes Subjekt, geliebtes Objekt und verschiedene »Realitäten« – ich benutze diesen Ausdruck, um einer Verwechslung mit den »Dingen« im vorigen Absatz vorzubeugen. Wir werden später sehen, daß diese metonymische und/oder metaphorische Beziehungen zu dem liebenden Subjekt und/oder dem geliebten Objekt unterhalten. Diese drei Elemente besitzen grundsätzlich eine Affinität zu jeweils der ersten, zweiten und dritten grammatischen Person.

3. Auf syntaktischer Ebene schließlich kann man verschiedene Syntaxtypen mit einer Affinität jeweils zur expressiven (1. Person), zur konativen (2. Person) oder zur referentiellen Funktion (3. Person) unterscheiden. Es sind dies die Typen des Exklamativ-, Vokativ- (oder Imperativ-) bzw. Deklarativsatzes.

Wenn man, von diesen Unterscheidungen ausgehend, untersucht, was in I und II geschieht, stellt man eine doppelte Umkehrung fest: 1. Der konativ-expressiven Syntax in I steht die deklarative in II gegenüber. 2. In IA werden gewisse »Realitäten« zu Empfängern der linguistischen Nachricht, anders ausgedrückt: Begriffe mit Affinität zur 3. Person (die gewöhnlich vom Kontext abhängen) werden in die »2. Person« verwandelt. In IB steht *une femmelle*, das liebende Subjekt benennend, in der 3. Person, d. h. ein Begriff mit natürlicher Affinität zur 1. Person wird von außen her wie ein Element des Kontexts präsentiert. In II fallen liebendes Subjekt und 1. Person *(me plein)* zusammen, ebenso geliebtes Objekt und 2. Person *(De toy ... sur toy)* sowie »Realitäten« und 3. Person *(tant de feus ... endrois ... mon cœur ... quelque estincelle)*.

All das läßt sich folgendermaßen zusammenfassen: Stellt man sich eine mythische Sprache vor, die der reinen Sprache der Leidenschaft gliche, nämlich auf den Schrei reduziert wäre (auf die Interjektion, auf reine Expressivität), somit umweglos vom liebenden Subjekt zum geliebten Objekt gelangte, wird man feststellen, daß I und II sich gleichermaßen von ihr entfernen, jedesmal in einem Punkte, jedoch auf zugleich symmetrische und gegensätzliche Weise. In I ist die auf den einfachsten Ausdruck reduzierte Syntax dem Schrei so nahe wie möglich. Hingegen sind Subjekt wie Objekt in obliquer, indirekter Art gegeben – das liebende Subjekt wird zur 3. Person[7], und das geliebte Objekt ist überhaupt nur auf dem Umweg über die Metonymien von IA evoziert, die dessen Platz als Empfänger einnehmen. In II ist die komplexe, diskursive Syntax das ganze Gegenteil des Schreis. Subjekt und Objekt hingegen sind »an ihrem Platz« (zudem stehen die beiden sie bezeichnenden Pronomina nebeneinander: *toy, me*)[8]. Diese Opposition kann mit Hilfe einer Tabelle dargestellt werden:

	I	II
Syntax: nahe dem Schrei / diskursiv	+	—
Präsentation des Subjekts und Objekts: direkt / verschoben	—	+

Betrachten wir die morphosyntaktische Struktur in ihren Beziehungen zur »konventionellen« Struktur etwas näher: Auch hier besteht zwischen I und II ganz allgemein eine Opposition. In I fallen die Grenzen der syntaktischen Konstituenten mit dem Versende zusammen oder innerhalb des Verses mit den Hémistiches (Halbversen). So fällt IB mit dem Vers *11* zusammen, und die Grenze zwischen den beiden unmittelbaren Konstituenten von IB *(Tant de flambeaus | pour ardre une femmelle)* mit der Zäsur zwischen 4. und 5. Silbe. Syntaktische und prosodische Ordnung decken sich (sind redundant). Ebenso fallen in IA die Nominalgruppen in Vers *3* und *4, 7* und *8* mit ganzen Versen zusammen, in den Versen *1* und *2, 5* und *6* mit den Halbversen. In den Versen *9* und *10* sind die Gruppen – derselben syntaktischen Ebene wie in den vorher betrachteten – kürzer als die Halbverse, aber die Gliederung in Halbverse dient immerhin dazu, Einheiten zu trennen, die sich in anderer Hinsicht unterscheiden (vgl. weiter unten). Die Zäsur fällt zwischen Gruppen, denen die Interjektion *ô* entweder vorangestellt ist oder nicht.

Hingegen trennt die syntaktische Hauptgliederung (in Haupt- und Nebensatz) den ersten Halbvers in V. *12* von allem folgenden. Eine zweite Unterteilung innerhalb des Nebensatzes nötigt uns, alles, was von *tant de feus* bis *tatant* reicht, als ein Ganzes aufzufassen. Obwohl hier kein Enjambement (Versüberschreitung) im traditionellen Sinn vorliegt, überlagern sich Syntax und Prosodie. Endlich entspricht der letzte Vers zwar einer syntaktischen Einheit, seine Aufteilung in unmittelbare Konstituenten *(quelque estincelle || n'en est volé | sur toy)* fällt jedoch nicht mit der prosodischen Aufteilung zusammen. Im allgemeinen sind syntaktische und prosodische Ordnung in II also nicht redundant.

Alle Reime sind grammatische Reime. Die Reimwörter gehören jedesmal derselben grammatischen Kategorie an. In den Quartetten sind es stets pluralische Participia perfecti in Epitheta-Funktion. Den männlichen Reimen entsprechen maskuline Wörter, den weiblichen Reimen feminine. In den Versen *9* und *10* findet man Substantiva, das eine ein Maskulinum im Plural *(doits)*, das andere ein Femininum im Singular *(vois)*: Diese Divergenz trägt abermals dazu bei, diese beiden Verse hervorzuheben. Die Verse *11* bis *14* enden auf feminine Substantive im Singular *(femmelle | estincelle)*, und die Verse *12* und *13* auf Participia praesentis, Prädikate zu *toy*. Die Opposition zwischen den Participia perfecti der Verse *1–8* in Epitheta-Funktion und den Participia praesentis in den Versen *12* und *13*, die begleitet sind von einem Objekt *(tant de feus portant, mon cœur tatant)* trägt bei zur Verdeutlichung der Opposition zwischen den beiden Sätzen I und II.

Die lange Reihe der Vokative in IA weist eine bestimmte Zahl bemerkenswerter Eigentümlichkeiten auf. Die Trennung nach den Reimen in *1–8 | 9–10* wird durch die grammatische Struktur erhärtet. Die Vokative sind vollständig vom Prinzip der Koppelung[9] beherrscht: Semantisch und/oder lautlich verbundene Elemente nehmen hier gleichwertige syntagmatische Stellungen ein, und dies auf drei Ebenen:

1. Alle Nominalgruppen im Vokativ sind vergleichbar. Sie haben alle dieselbe Beziehung zum Hauptsatz IB.

2. In *ô | beaus yeus, ô | regars destournez* usw. sind alle Positionen *links* vom Schrägstrich parallel, insofern sie alle dieselbe Beziehung zu denen rechts des Schrägstrichs unterhalten und umgekehrt. In den Versen *9* und *10* jedoch zerbricht dieser Parallelismus. Er gilt noch für den Anfang eines jeden Verses *(ô | ris, ô | front . . . ; ô | lut pleintif)*, aber er gilt nicht mehr für *cheveus, viole . . .* Indessen entsteht für die solcherart vom Rest gesonderten Elemente durch Koordination ein Parallelismus anderer Art:

(cheveus, bras) mains | et | doits
(viole) archet | et | vois

3. Ein weiterer Parallelismus beruht auf der Tatsache, daß alle Elemente rechts vom Schrägstrich *(ô | . . .)* aus einem Determinierten und einem Determinierenden bestehen[10], z. B.: *regars* (d) *| destournez* (D), *noires nuits* (d) *| vainement attendues* (D) usw. Auch hier zerbricht der Parallelismus in Vers *9* und *10*, wo er nur bei *lut* (d) *| pleintif* (D) auftritt; die übrigen Glieder sind auf ein einziges Wort reduziert.

Die Vokativgruppen verteilen sich nach folgendem Schema auf die Verse:

Vers *1*: zwei Gruppen
Vers *2*: zwei Gruppen
Vers *3*: eine Gruppe
Vers *4*: eine Gruppe

Vers 5: zwei Gruppen
Vers 6: zwei Gruppen
Vers 7: eine Gruppe
Vers 8: eine Gruppe
Vers 9: sechs Gruppen
Vers 10: vier Gruppen.

Diese Aufteilung sondert die Verse *9–10* von den vorausgehenden ab und bewirkt zugleich eine Differenzierung in den beiden Quartetten: Die Verse *1* und *2* verhalten sich zu den Versen *3* und *4* wie die Verse *5* und *6* zu den Versen *7* und *8*. Diese Anlage der Quartette (deren Äquivalent in Reimbegriffen der Paarreim wäre – wenn man die Verse in Zweiergruppen betrachtet – oder der Kreuzreim – wenn man sie in Vierergruppen betrachtet) erzeugt eine Dialektik im Verhältnis zur Aufteilung gemäß dem Prinzip des umschlungenen Reims (*1–4* : *2–3* :: *5–8* : *6–7*). Die Verse *9–10* mit ihrem Paarreim beseitigen diese Dialektik, während sie zugleich eine allgemeine Verdichtung der übrigen Oppositionen mit sich bringen. 1. Im Hinblick auf die relative Anzahl von Gruppen pro Vers, *9*(+) : *10*(−) :: *1–2*(+) : *3–4*(−), wird eine auf ein Quartett sich erstreckende Opposition auf den Raum eines Zweizeilers zusammengezogen. 2. Im Hinblick auf die absolute Anzahl von Gruppen pro prosodische Einheit neigt in *9–10* ein einziger Vers dazu, zum Äquivalent eines Quartetts aus *1–8* zu werden. Der Vers *9* zählt genauso viele Gruppen (6) wie jedes Quartett. Die Interpunktion unterstreicht diese Äquivalenz: Die Doppelpunkte, die die Aufteilung in Quartette anzeigen, stehen sowohl nach Vers *9* wie nach Vers *10*.

Diese Verdichtung, einhergehend mit der Beseitigung bestimmter Spannungen und der Erhöhung bestimmter anderer, besitzt eine in jeder Beziehung mit der Stretta im musikalischen Bereich vergleichbare Funktion; sie bereitet den Ausbruch im Vers *11* vor.

Die Opposition der Verse *1–2*, *5–6* einerseits, der Verse *3–4*, *7–8* andererseits kehrt in ihrer inneren Struktur wieder: Die Gruppen, die die erstgenannten Verse ausmachen, lassen sich nach der Aufteilung in Determinierendes und Determiniertes nicht mehr weiter zergliedern (ausgenommen *beaus yeus bruns*). In den an zweiter Stelle genannten Versen zerfallen die unmittelbaren Konstituenten der Gruppen ihrerseits noch in ein Determinierendes und ein Determiniertes:

noires/nuits//vainement/attendues
D   d   D   d
jours/luisans//vainement/retournez
d   D   D   d
mille/morts//en mille rets/tendues
D   d   D   d
pires/maus//contre moy/destinez
D   d   D   d

Diese beiden Gruppen zu je zwei Versen unterscheiden sich wiederum: 1. In den Versen *3* und *4* liegt ein Chiasmus von Determinierenden und Determinierten im ersten Halbvers vor, während die zweiten Halbverse parallel verlaufen (das Determinierende ist sogar gleich: *vainement*). 2. In den Versen *7* und *8* liegt in den beiden ersten Halbversen Parallelismus vor – noch betont durch lautliche Entsprechungen –, während die zweiten Halbverse divergieren (diese Divergenz wird vor allem unter semantischem Blickwinkel offenbar)[11].

Man sollte auch festhalten, daß die Verteilung der grammatischen Genera auf die Gruppen in den ersten Quartetten eine weitere Gliederung hervorbringt, die sich mit allen übrigen deckt:

1. Quartett: m m m f f m
2. Quartett: m m m f f m

Eine bestimmte Anzahl lautlicher Äquivalenzen[12] gibt den verschiedenen bereits vermerkten, ob syntagmatischer oder »konventioneller« Art, noch mehr Gewicht. Hier stellt sich nun die Frage nach der Auswahl der Kriterien, die diese lautlichen Äquivalenzen bestimmen sollen. Ich behalte mir vor, diese Frage anderenorts in eher theoretischer Form zu beantworten. Es muß allerdings gesagt werden, daß es gewiß weder ein allein richtiges Kriterium gibt noch eine Allerweltslösung. Die als relevant betrachteten lautlichen Äquivalenzen liegen auf einer fortlaufenden Ebene, die vom Relevantesten zum weniger Relevanten reicht. Je nachdem, wie anspruchsvoll man ist, wird man davon viel oder wenig gelten lassen.

Abgesehen von semantischen Entsprechungen würde man bei sehr strikter Messung nur identische *Phoneme* als gleichwertig ansehen, die im strengsten Sinn gleichwertige prosodische Positionen einnehmen (d. h. die in ihrem jeweiligen Vers an derselben Silbenstelle, also in gleicher Entfernung vom Reim stehen) und solchen Einheiten angehören, die im Syntagmatischen gleichwertige Funktionen besitzen, z. B. die /m/ in *morts*[7] und *maus*[8]. Diese strenge Forderung kann auf verschiedene Weise gemildert werden: 1. Indem man als relevant auch unterschiedliche Phoneme zuläßt, solche, die nur durch einen einzigen distinktiven Zug voneinander abweichen, sonst aber im Syntagmatischen wie Prosodischen gleichwertige Positionen einnehmen, z. B. /m/ und /p/ einerseits, /l/ und /r/ andererseits in *mile*[7] und *pires*[8] (Äquivalenzen dieser Art können benutzt werden, um zugleich eine semantische Korrelation und Opposition zu unterstreichen). 2. Indem man identische Phoneme zuläßt, die jedoch nur entweder im Prosodischen oder im Syntagmatischen gleichwertige Positionen einnehmen. Als Beispiel für den ersten Fall: das anlautende /t/ in *tristes*[5] und *tems*[6]. Als Beispiel für den zweiten Fall: das /a/ in *regars*[1] und *larmes*[2]. 3. Indem man den Begriff der prosodischen Äquivalenz mildert, wenn man z. B. solche Positionen als gleichwertig ansieht – Beginn einer betonten Silbe z. B. –, die sich nicht in gleicher Entfernung vom Reim befinden. In diesem Fall würde man die /p/ in *pleins*[5] und *peines*[6] als gleichwertig betrachten.

Wie man sieht, kann der Maßstab auf verschiedene Weise und in verschiedenen Richtungen gelockert werden. Des weiteren können Kriterien anderer Art eine Rolle spielen und solchen Elementen ein besonderes Gewicht verleihen, die, hielte man sich allein an die oben aufgezählten Kriterien, gar nicht in Betracht gezogen würden. Ich denke hier vor allem an ein Beisammen[13] und an Rekurrenzen. Als Beispiel für ein Beisammen hat man *bruns¹* und *pleins⁵*, die, obwohl unsere ursprünglichen Kriterien nicht befriedigend (es liegt nur prosodische Äquivalenz vor, alle Phoneme sind verschieden), dennoch festgehalten zu werden verdienen, denn innerhalb einer identischen Silbenstruktur findet man eine Folge von Phonemen, die gleichwertige Positionen einnehmen und jeweils nur durch ein distinktives Merkmal unterschieden sind: /b/ : /p/ :: stimmhaft : stimmlos, /r/ : /l/ :: abrupt : kontinuierlich, /œ̃/ : /ɛ̃/ :: dumpf : spitzig. Für Rekurrenzen nun haben wir ein auffälliges Beispiel in *O noires nuits³* | *O mile morts⁷*, wo die Äquivalenz von /n/ und /m/ (alle beide sind nasal, aber als spitzig/dumpf entgegengesetzt) durch die Wiederholung unterstrichen ist.

Schließlich müssen einige Phänomene dynamischer Art berücksichtigt werden: So kann selbst bei nicht identischen Phonemen, die gleichwertige Positionen in verschiedenen Versen einnehmen, ein Parallelismus der Art vorliegen, daß zwei Reihen von Phonemen innerhalb einer bestimmten Dimension derselben Richtung folgen. In den Versen *1* und *2* sind *(z)yeus bruns* und *soupirs* ihrer phonematischen Struktur nach ziemlich verschieden, sie zeigen aber eine merkliche Äquivalenz, wenn man die Globalbewegung eines jeden Halbverses gemäß den vokalischen Dimensionen dumpf/spitzig, gerundet/ungerundet (gesenkt/normal) verfolgt:

$$\text{dumpf, gerundet} \quad \frac{\text{o bo z jø br}\tilde{\text{œ}}}{\text{o } \int \text{o supir}} \longrightarrow \text{spitzig, ungerundet}$$

Hierauf scheint es möglich, eine gewisse Zahl lautlicher Äquivalenzen in zwei Tabellen zusammenzufassen. In der ersten sind alle die erfaßt, die zwei Nachbarverse miteinander verbinden (*1* und *2, 3* und *4, 5* und *6, 7* und *8*) und zur Erhärtung der grammatischen Gliederung durch Vokativgruppen nach Zahl und Zusammensetzung beitragen. In der zweiten sind solche Äquivalenzen erfaßt, die einer Aufteilung dieser acht Verse in zwei Quartette Nachdruck verleihen (es werden gegenübergestellt die Verse *1* und *5, 2* und *6, 3* und *7, 4* und *8*)[14].

Tabelle I

1/2	o bo z jø br*œ̃*	o rəga*r* de*turne*
	o *∫*o su*p*ir	o larmə z e*p*ã*dy* (ə)
3/4	o nωarə n*yi*	vɛnəmã t a*t*ã*dy* (ə)
	o ʒu*r ly*izã	vɛnəma rə*turne*
5/6	o trist*ə* pl*ɛ̃*	o dezir z ɔb*stine*
	o tã *p*ɛrdy	o pɛnə de*p*ã*dy*(ə)
7/8	o milə mɔr(z)	ã milə rɛ t*ã*dy(ə)
	o *p*irə mo	kɔ̃trə mωa d*ɛ*stine

Tabelle II

$1/5$
$\begin{cases} o \text{ bo z jø } br\tilde{æ} & o \text{ rəgar } deturne \\ o \text{ tristə } plε & o \text{ dezir } z \text{ ɔbsti} ne \end{cases}$

$2/6$
$\begin{cases} o \text{ ʃo sup} ir & o \text{ lαrmə z ep} \bar{a}dy(ə) \\ o \text{ tã } pεrdy & o \text{ pεnə dep} \bar{a}dy(ə) \end{cases}$

$3/7$
$\begin{cases} o \text{ nωarə } nyi & vεnəm\tilde{a} \text{ t at}\bar{a}dy(ə) \\ o \text{ milə } mɔr(z) & \tilde{a} \text{ mile rε t}\bar{a}dy(ə) \end{cases}$

$4/8$
$\begin{cases} o \text{ ʒur lyiz}\tilde{a} & vεnem\tilde{a} \text{ returne} \\ o \text{ pirə mo} & kɔtrə mωa dεstine \end{cases}$

Eine weitere Tabelle, die die in jedem Quartett reimenden Verse jeweils zwei und zwei *(1/4, 2/3, 5/8, 6/7)* gruppiert, führt zu keinen großen Resultaten, außer in gewisser Hinsicht für die Verse *5* und *8* (im ersten Halbvers):

/ *o* tristə pl$\tilde{ε}$
/ *o* pirə mo /

Die Tabelle II legt eine Beobachtung besonders nahe: Nicht nur sind die Reime außerordentlich reich und erstrecken sich praktisch über zwei oder sogar drei Silben, sondern vor allem fallen bestimmte Elemente auf, die eine gleichwertige Position innehaben, gemeinsame lautliche Merkmale besitzen *(tertium comparationis)* und durch andere in Opposition zueinander stehen, wodurch sie die auf semantischer Ebene feststellbare Opposition der beiden Quartette unterstreichen. So stehen die Verse *1* und *4* in der vorletzten Silbe des Reims aufgrund des Verhältnisses dumpf/ spitzig in Opposition zu den Versen *5* und *8* (/deturne, rəturne/ – /ɔbstine, dεstine/). Die lautliche Opposition der beiden Quartette ist in den Versen *1* und *5* besonders ausgeprägt, vgl. die schon erwähnte Opposition /brᴂ̃/ – /pl$\tilde{ε}$/ sowie die zwischen /rəgar/ und /dezir/. Sie herrscht zwischen zwei Wörtern in gleicher Position mit gleicher Silbenstruktur (mehr noch: diese Wörter sind semantisch eng verbunden, denn der Blick ist Ausdruck des Verlangens).

Man sollte auch die in beiden Quartetten gleiche Sequenz von anlautenden Konsonanten der vorletzten Silbe beachten: /t-, p-, t-, t-/ in beiden Fällen. Das unterstreicht gewissermaßen den Schnittpunkt der beiden grammatischen Gliederungen nach Zahl und Zusammensetzung der Gruppen wie auch nach der Verteilung der Genera (masculinum/femininum) innerhalb dieser Gruppen.

Im Sechszeiler sind die Reime im Gegensatz zu den Quartetten ziemlich armselig. Sie reichen nicht über die letzte Silbe zurück; in den Versen *9* und *10* und *11–14* mangelt es ihnen sogar an einem Stützkonsonanten (*doits/vois, femmelle/ estincelle*). Die Verse *9* und *10* jedoch zeigen in der Abfolge der Vokale eine frappierende Konvergenz, die ihren »Stretta«-Charakter betont. Man kann das schematisch etwa so darstellen:

9: /o – i – o – õ – ə – ø – a – $\tilde{ε}$ – e – ωa/
10: /o – y – $\tilde{ε}$ – i – i o – a – ε – e – ωa/

Die vier letzten Verse zeigen weniger lautliche Äquivalenzen. Immerhin sei im Vers *11* auf die *flambeaus* und *femmelles* verbindende hingewiesen und auch auf diejenige, die unter Herausbildung eines komplexen Netzes von Korrelationen und Oppositionen den ersten Halbvers von *11* und den von *12* verbindet:

Tabelle III

11/12   t ã de flãbo

                 də tѡa mə plɛ

Dieses Merkmal gehört zur Gruppe derjenigen, die, den Vers *11* mit den folgenden verbindend, dazu beitragen, die Konturen eines Pseudo-Schlußquartetts zu runden. Bemerkenswert ist, daß in diesen beiden Fällen die Elemente zwar lautlich, nicht aber grammatisch gleichwertig sind. Sie erfüllen nämlich unterschiedliche Funktionen im Satz. Dieses Merkmal findet man auf anderer Ebene in dem Parallelismus der drei Gruppen *tant de flambeaus*, *tant de feus*, *tant d'endrois* wieder, die jedesmal eine andere syntaktische Funktion besitzen. Dieses Merkmal hat teil an der allgemeinen, weiter oben analysierten Opposition zwischen I und II[15].

Auf der Ebene der lexikalischen Tropen könnte man auf den ersten Blick eine den oben beschriebenen analoge Opposition zwischen I und II wiederfinden. In I gelangt man über ein metonymisches Vorgehen zu einer Metapher, und in II liegt der Fall umgekehrt. Tatsächlich aber sind die Dinge weit komplexer, und das Verhältnis zwischen I und II auf dieser Ebene ist zugleich durch Inversion und Integration gekennzeichnet.

Insofern alle Gruppen von der Position her gleichwertig sind und keine anderen syntaktischen Verbindungen kennen als die reine Juxtaposition, ist es in IA nützlich, die semantischen Beziehungen, die diese Gruppen zwei Achsen gemäß eingehen, systematisch zu betrachten. 1. Syntagmatische Achse: Wo liegen die Beziehungen, sei es der Nähe, sei es der Äquivalenz, die die im Text vorhandenen Begriffe verbinden? 2. Paradigmatische Achse: Wo liegen die Beziehungen, die diese Begriffe jeweils mit dem liebenden Subjekt und dem geliebten Objekt verbinden?

Syntagmatisch stehen die vier Begriffe der Verse *1* und *2* alle in Beziehungen der Nähe, einfacher Art im Fall von *Blicke, Seufzer, Tränen*, wo eine Beziehung des Organs zur Funktion *(Augen/Blicke)* oder des Produzierenden zum Produkt *(Augen/ Tränen)* vorliegt. Alle stehen in verschiedenen Bezügen der Nähe zum menschlichen Körper, speziell dem Gesicht. Zum anderen steht in jedem Vers der erste Begriff, da statisch qualifiziert *(schöne braune* Augen, *heiße* Seufzer), in Opposition zum zweiten dynamisch qualifizierten (*abgewandte* Blicke, *vergossene* Tränen). Die beiden Gruppen der Verse *3* und *4* stehen ihrerseits in Beziehungen der Nähe, zunächst untereinander (der Tag folgt auf die Nacht) und auch im Verhältnis zu den Begriffen der Verse *1* und *2*, denen sie einen zeitlichen Rahmen geben. Zum anderen ist die semantische Beziehung zwischen Tag und Nacht komplex, sie schwankt zwischen Nähe und Gegensatz, genauso wie Weiß und Schwarz, Leben und Tod usw. Die Bilder von Tag und Nacht stellen zwei Begriffspole dar. Diese Gegensatz- beziehung wird zugleich durch den strikten Parallelismus der Determinierenden *(vergebens erwartet[3] / vergebens zurückgekehrt[4])* wie auch durch den Gegensatz der Epitheta *(schwarz[3]/leuchtend[4])* unterstrichen, der seinerseits durch den Chiasmus Verstärkung erhält. Man kann die Bewegung des Quartetts also dahingehend resü- mieren, daß sie von einem ausschließlich auf das Prinzip der Nähe gegründeten Verfahren her in einem doppeldeutigen Metaphernentwurf endet.

Im zweiten Quartett stehen die vier Begriffe der Verse *5* und *6* ebenfalls im Ver- hältnis der Nähe, sei es einfacher Nähe oder wieder im Verhältnis von Ursprung und Wirkung (z. B. *beharrliches Verlangen[5] / verlorene Zeit[6]*). Alle bezeichnen Tätig- keiten eines Subjekts. Es besteht also auch zwischen den Versen *1* und *2* und *5* und *6* ein Bezug der Nähe. Sie verhalten sich zueinander wie der Körper zum Geist, das Manifestierte zum Manifestierenden (die *Blicke* drücken *Verlangen[16]* aus, *Seufzer* und *Tränen* manifestieren die *Klagen* ...). Überdies – und das entspricht dem Kontrast statisch/dynamisch, den wir in den beiden ersten Versen feststellten – steht der erste Begriff in den Versen *5* und *6* als ein (relativ) passiver in Opposition zum zweiten als einem (relativ) aktiven *(traurige* Klagen, *verlorene* Zeit, *beharrliches* Verlangen, *verschwendete* Mühe). Schließlich existiert die semantische Nähe auch im Verhältnis zwischen dem Ende des ersten Quartetts (V. *3–4*) und dem Beginn des zweiten: *traurige Klagen* und *verlorene Zeit* sind Frucht der *vergeblichen Erwartung* ...

In den Versen *7* und *8* wechselt die Art der Beziehungen: *Tode* und *Leid* stehen in einem Äquivalenzverhältnis, ausdrücklich durch den Vergleich hervorgehoben *(schlimmeres* Leid als der Tod). Zudem übersetzt *tausend Tode* in metaphorische Sprache, was zuvor in metonymischer Form ausgesagt war. *Schlimmeres Leid* weist, gleichfalls in metaphorischer Form, auf das voraus, was in den Versen *9* und *10* ausgesprochen wird. Endlich ist die Metapher *Netze* eine erste Andeutung der aus dem Kriegs- und Jagdbereich bezogenen Metaphern, die das Ende des Sonetts beherrschen.

Der enge Bezug, der, wie wir sahen, den Beginn des zweiten Quartetts mit dem des ersten verbindet, sowie die syntaktischen, prosodischen[17] und lautlichen Äqui- valenzen (s. Tabelle II) zwischen den Versen *3–4* und *7–8* heben die semantische Äquivalenz *Nächte/Tage* weiter hervor. Die *Nächte*, Metonymie der Liebe, werden in der Retrospektive mit einem Ergänzungswert aufgeladen, der die Wahl des Epitheton *schwarz* (nicht etwa *süß* oder ähnliches) erhellt. In sehr gemilderter Form schimmert gleichsam die traditionelle Äquivalenz von Liebesleidenschaft und Tod hindurch.

Mit ihrem eindeutig metaphorischen Aspekt antizipieren die Verse *7* und *8* die allgemeine Bewegung des Sonetts. Dieser Charakter der Vorwegnahme findet sich in einem anderen Merkmal wieder, das wir vorübergehend beiseite gelassen haben, nämlich in dem *contre moy[8]* des Teils I, wo die Protagonisten nur in der obliquen Form angegeben werden. So kann man sagen, eine Bewegung, die auf zwei Ebenen (Opposition zu einem metonymischen und einem metaphorischen Vorgehen, oblique/direkte Vorstellung der Protagonisten) die Struktur des Sonetts insgesamt regelt, finde sich schon, gleichsam in Miniatur, auf der Ebene allein der Quartette[18]. Überdies unterstreicht das Vorhandensein von *contre moy* im Vers *8* die Opposition von Quartetten und Terzetten, indem es sichtlich dem *sur toy* des Verses *14* entgegengesetzt ist. Ihren Kulminationspunkt erreichen die Quartette mit der Präsentierung des »Ich« als passivem Objekt einer als wirklich ausgegebenen Handlung. Die Terzette schließen mit der Präsentierung des »Du« als passivem Objekt einer nicht realisierten Handlung.

Geht man nun zu den semantischen Beziehungen über, die die Gruppen der Quartette zu den Protagonisten – liebendem Subjekt und geliebtem Objekt – unterhalten, so konstatiert man unschwer, daß es sich stets um Beziehungen metonymischer Art handelt, gleich, ob es sich um das Verhältnis zwischen Teil und Ganzem handelt *(o schöne braune Augen)*, um das Verhältnis zwischen Tätigkeit und Agens *(o abgewandte Blicke, o verschwendete Mühen* usw.) oder um das zwischen Tätigkeit und Patiens *(tausend Tode ... ausgelegt, schlimmeres Leid/mir)*. Indessen macht sich eine Doppeldeutigkeit bemerkbar: Wenn die *schönen braunen Augen*, so wie später *Lachen, Stirn* und *Stimme*, zweifellos Synekdochen des geliebten Objekts sind, kann man sich fragen, wer nun, das Ich oder das Du, jene Seufzer ausstößt, wer auf seinem Verlangen beharrt, wer jene Mühen verschwendet usw. Stützt man sich auf die Äquivalenz der Positionen zwischen allen Gruppen und auf die engen Bezüge semantischer Nähe, die, wie wir sahen, alle Begriffe der Verse *1* und *2, 5* und *6* verbinden, so scheinen alle diese Verhaltensweisen dem geliebten Objekt zuzufallen, also dem Du. Dieser erste Teil gleicht dann einer groß angelegten Metonymie des Liebesdramas, des vom anderen angelegten Verführungsversuchs[19]. Andererseits aber können viele dieser Begriffe, in sich selbst verstanden und auf die Klage am Sonettende bezogen (V. *11–14*), als Ausdruck aufrichtiger, vom Subjekt empfundener Liebe angesehen werden. Mit anderen Worten, dieselben Wörter können – nach Art jener doppeldeutigen Formen, die den Anhängern der Gestalttheorie so teuer sind und deren jeweilige Teile bald als Gestalt, bald als Inhalt betrachtet werden – zum einen der *Ursache* (Taten, Verhalten, Gefühle des anderen), zum anderen der *Wirkung* (Gefühle des Subjekts) zugeschrieben werden. Die Doppeldeutigkeit ist in Wahrheit sogar eine zwiefache, denn erst im zweiten Teil, ja erst im letzten Vers wird uns in metaphorischer Sprache angedeutet, daß die Werbung des anderen nicht aufrichtig war. Man gelangt also zu folgender Darstellung:

$$\text{Doppeldeutigkeit} \quad \begin{cases} \text{Ich} \\ \text{Du} \end{cases} \begin{cases} \text{aufrichtige Liebe} \\ \text{geheuchelte Liebe} \end{cases}$$

Die Doppeldeutigkeit braucht nicht aufgehoben zu werden, sie ist der Struktur des Textes selbst inhärent. Was sie im übrigen erst ermöglicht, was zuläßt, daß dieselben Wörter sich ebensogut auf das Ich wie auf das Du beziehen, ist das Paradox einer Gesellschaft, wo es die Spielregeln so wollen, daß der Mann, ob aufrichtigen Herzens oder nicht, der Frau den Hof macht, und wo die Wohlanständigkeit verlangt, daß die Frau, ob sie liebt oder nicht, ihren Gefühlen nicht nachgibt. Andererseits wird auf der Ebene der Sinnwirkungen eine ganze imaginäre Dimension von Projektionen und Identifikationen eingeführt.

Es muß immerhin bemerkt werden, daß die Doppeldeutigkeit nicht ständig in den ersten zehn Versen anzutreffen ist. Es gibt fließende Übergänge. Im ersten Quartett geht man von einem Begriff aus, dessen Bezug auf das Du unzweideutig zu sein scheint, bis man zu immer doppeldeutigeren Bezügen kommt. Man erreicht im Vers *4* sogar einen Begriff, der sich direkt weder auf das Ich noch auf das Du bezieht (vgl. das Participium perfecti *retournez:* Es gehört zu einem intransitiven Verbum und impliziert im Gegensatz zu den vorangegangenen Participia perfecti kein Agens)[20]. Das zweite Quartett zeigt die umgekehrte Bewegung: Man geht von Begriffen doppeldeutigen Bezugs aus, um zunächst (V. *7*) zu einem Begriff zu gelangen, der sich unzweideutig auf das Ich und das Du bezieht, wobei die beiden Bezüge klar getrennt sind (*ausgelegt*, von dir, für mich), und schließlich im Vers *8* zu einem Begriff, der ausdrücklich das Ich (die *mir* bestimmt) einschließt, dabei jedoch deutlich auf das Du Bezug nimmt (bestimmt, *von dir*). In den Versen *9* und *10* ist der Bezug auf das Du klar.

Das erste Terzett treibt den bis dahin nur angedeuteten[21] Gegensatz zwischen einem auf das Prinzip der Nähe gegründeten Vorgehen und dem auf das Prinzip der Äquivalenzen gegründeten auf den Höhepunkt und legt ihn sozusagen bloß.

In den Versen *9* und *10* wohnt man einer wahrhaft erbitterten Steigerung des metonymischen Vorgehens bei, das jetzt alle Beziehungen, syntagmatische wie paradigmatische, erfaßt. Das Bild vom geliebten Wesen wird buchstäblich in eine Serie von Metonymien aufgelöst, jedesmal auf ein einziges Wort reduziert (mit Ausnahme von *klagende Leier*[10]). Ein wie von fiebrigem Schwindel erfaßtes Hin und Her hebt nun an: Vom Lächeln *(ris)* hinauf zur Stirn, dann zum Haar, von hieraus hinunter zu den Armen, den Händen, den Fingern, die sich in der Leier fortsetzen (auf der man direkt mit den Fingern beider Hände spielt), der Leier, deren Akkorde von der Viola unterstützt werden, die man wiederum mit einem Bogen streicht, das ganze von der Stimme begleitet[22]. Dieses Darüberhinstreichen ähnelt einer Liebkosung[23] und bleibt, wenn man so sagen darf, an der Peripherie des geliebten Objekts haften. Zumal der Mund, »zentrales« und bevorzugtes Objekt, wird nur indirekt, metonymisch, mit seinen Funktionen erwähnt (lächeln, singen). Zugleich aber ist er hervorgehoben, da er am Beginn und am Schluß der Bewegung steht. Der ganze erste Teil (IA) kann übrigens so gesehen werden, als beschreibe er zwei aufeinanderfolgende, konzentrische Kreisbewegungen, deren Ausgangs- und Endpunkt mit dem Gesicht des geliebten Wesens zusammenfallen *(yeus ... ris ... vois)*.

Im Paradigmatischen bilden Vers *9* und *10* einen Gegensatz: Der erste Vers zeigt – natürliche – Synekdochen des geliebten Objekts und der zweite richtige Metonymien – kulturelle, musikalische. Die *Stimme*, die die Reihe beschließt, hat teil an beiden Aspekten und führt so zwischen den beiden Versen eine Konvergenz ein, die derjenigen ganz auffällig ähnelt, die wir auf lautlicher Ebene konstatieren konnten. Die Musikinstrumente nämlich, die hier auf dem Höhepunkt von IA auftauchen, sind durch eine doppelte metonymische Beziehung mit dem geliebten Objekt verknüpft. Einerseits liegen sie innerhalb der verlängerten Gleitbewegung, die wir gerade erwähnten, und andererseits, »wenn Musik der Liebe Nahrung ist«, deuten sie direkt auf die Liebe (aufrichtige oder geheuchelte) des Du zum Ich hin.

Der Vers *11*, dessen syntaktische und prosodische Analyse seinen bevorzugten Platz im Gedicht deutlich machte, markiert einen Bruch. Auf Metonymien folgt eine Doppelmetapher. Auf syntagmatischer Ebene werden alle vorangegangenen Metonymien in eine Metapher *(Fackeln[11])* übergeführt. Außerdem wird die Frau, das Ich des Gedichtes, metaphorisch *(Weibchen[11])* eingeführt. Es tritt also die Projektion einer bis dahin allein paradigmatisch behandelten (mit Ausnahme von *contre moy[8]*) Relation auf die Kette ein.

Der Kontrast zwischen den Versen *9/10* und *11* wird unter dem Gesichtspunkt der semantischen Felder, aus denen die Bilder hervorgehen, ebenfalls zum Paroxysmus getrieben. Von der Menschenwelt geht man über zur Tierwelt, von einer innerlichen zu einer äußerlichen Szene, von der höfisch-verfeinerten Atmosphäre eines Kammerkonzerts zu einem Klima der Brutalität, ja Roheit. Die Metapher scheint überdeterminiert. Einerseits wirkt sie so, als handle es sich buchstäblich um ein läufiges Weibchen, andererseits lassen die *Fackeln* in Verbindung mit den *Netzen[7]* und der Schlußmetapher an eine Jagd denken. Der Verführungsversuch wird zu einer fackelerhellten Jagd, die Frau zum verfolgten Wild (vielleicht könnte man auch an einen Scheiterhaufen denken?).

Über dich klag ich[12]: Dieser Satz bietet mehrere Besonderheiten, die ihn von dem ganzen übrigen Gedicht unterscheiden. 1. Nicht nur fallen, wie wir schon sahen, die beiden Protagonisten (liebendes Subjekt und geliebtes Objekt) mit der 1. und 2. grammatischen Person zusammen, vielmehr – und das ist der einzige Fall in diesem Gedicht – fallen auch Agens und Patiens im Akt des Aussagens jeweils mit dem Agens und Patiens der Aussage zusammen. Das »liebende Subjekt« ist grammatisch Subjekt eines Verbs, zu dem das »geliebte Objekt« Objekt ist. 2. Es gibt hier, und auch das ist einmalig in dem ganzen Gedicht, kein Ausweichen auf Figuratives. Das ist um so auffälliger, als die fragliche Stelle von zwei Metaphern eingerahmt wird.

Que, tant de feus portant . . .[12] Nach diesem offensichtlichen Einbruch des »Realen« folgt eine neue Metapher, die diesmal dem Kriegswesen entlehnt und sehr präzis ist: »porter des feus« steht metonymisch für »tirer des coups de feu« (= Schüsse abfeuern), und man darf wohl annehmen, daß die Waffen dieser Epoche den Schützen nicht immer davor bewahrten, von einem zurückspringenden Funken getroffen zu werden[24]. Diese Metapher schließt also an die in Vers *11* in doppelter Weise an: durch Äquivalenz (zwischen zwei Versuchen der Zerstörung) und durch den Bezug der Nähe (zwischen *Fackeln* und *Feuer*). In diesem 2. Teil wechselt das Verhältnis zwischen metonymischem und metaphorischem Verfahren. In I war man von einem ausschließlich auf das Prinzip der Nähe gegründeten Verfahren ausgegangen, um über immer ausgeprägtere Schwankungen in die reine Metapher von Vers *11* einzumünden. Hier nun existiert kein Schwanken mehr zwischen zwei Polen, hier herrscht Integration, Einverleibung: Das Gedicht siedelt sich in der Metapher an, die sich mit Hilfe metonymischer Beziehungen (zwischen *Feuer* und *Herz*, *Stätten*, *Herz* und [*ich*], vor allem zwischen *Feuer* und *Funke*) entwickelt. Der zweite Teil realisiert also in dieser Hinsicht eine Synthese zwischen Bewegungen, die der erste in Opposition stellte. Die Metapher verleibt sich die Metonymie ein.

Um diesen letzten Teil völlig zu verstehen, wollen wir einmal unterstellen, die Nachricht des Gedichts ließe sich auf eine Serie von Transformationen des Satzes »Ich liebe dich« reduzieren. Zerlegen wir diesen Satz nun in seine Elemente. Wir haben dann ein Agens (ich), eine Handlung (lieben) und ein Patiens (du).

In IA bestanden die Transformationen darin, jeden Begriff doppeldeutig zu machen. Man wußte nicht genau, ob das Ich oder das Du Agens oder Patiens waren. Zudem wußte man bei der Annahme, das Du sei Agens, noch nicht, ob die Handlung wahr (aufrichtig) oder falsch (geheuchelt) war.

IB bildet einen Übergang, und in II verschwindet die Doppeldeutigkeit. Aber erstens sind Agens und Patiens umgekehrt: »Ich wirke auf dich ein« wird zu »Du wirkst auf mich ein« *(der du so viele Feuer trägst ... auch mein Herz ... rührst[12-13])*, und zweitens wird die Handlung von einer »guten« zur »schlechten«: lieben = Böses tun. Insgesamt also erscheint »Ich liebe dich« in der Form »Du tust mir Böses an«.

Die Forderung am Ende kann also als eine Transformation des Satzes »Ich beklage mich, weil du, obwohl ich dich liebe, mich nicht liebst« interpretiert werden. Dieser Satz erfährt eine bezeichnende Verfälschung. Statt einer Transformation, die die Symmetrie der Sätze respektierte (Ich liebe dich / Du liebst mich nicht – würde zu: Du tust mir Böses an / Ich tu dir nichts Böses an) erhält man die Opposition einer »übertriebenen« und »bagatellisierten« Handlung *(portant, tatant / volé sur ..., tant de / quelque)*. In dieser Hinsicht sollte man den Kontrast zwischen den peripherischen Synekdochen des Du in den Versen *9–10* beachten, die das Verbalanalogon einer Liebkosung, einer Bewegung waren, die vom liebenden Subjekt zum geliebten Objekt hin verlief, und auch die »zentrale«, »tiefe« Synekdoche des Ich im Vers *13 (mein Herz)*. Die vom Ich zum Du verlaufenden Bewegungen bleiben an der Oberfläche, die vom Du zum Ich verlaufenden dringen in die Tiefe. Zweitens verschwindet im Vers *14* das Ich, statt Agens einer Handlung zu werden, die das Du zum Objekt hätte. Die Handlung *(davon kein einziger jemals überspringt)* erscheint als einfacher Annex derjenigen des Du gegenüber dem Ich. Der *Funke* ist ein Nebenprodukt der *Feuer*.

Die einzige Spur, die in Vers *14* vom Ich verbleibt, ist im letzten Wort des Sonetts das grammatische Geschlecht von *estincelle*. In den vier letzten Versen stehen ja die das Ich oder das Du meinenden Nomina jeweils im Maskulinum *(flambeaus, feus)* oder im Femininum *(femmelle, estincelle)*.

Alles läuft also darauf hinaus, das Verlangen des Subjekts in obliquer Form auszudrücken. Zuerst doppeldeutig formuliert (IA), dann umgekehrt eindeutig (V. *11–13*), kommt es am Schluß geradezu zum Erlöschen. Von diesem Gesichtspunkt aus erhält der Satz *Über dich klag ich* ein ungemein starkes Relief. Es ist der einzige Augenblick im ganzen Gedicht, da sich das Ich *persönlich* an das Du wendet, und das, um sich zu beklagen. Anders ausgedrückt, liegt auch hier wieder eine Verschiebung vor: Von der Ebene des Verlangens (Ich liebe dich, ich will dich) hin zu einer Bitte[25].

ABSCHLUSSBEMERKUNGEN

1. Nicht alle im Verlauf dieser Analyse untersuchten Aspekte verschiedenster Art sind von gleicher Wichtigkeit. Zum Beispiel scheinen viele der lautlichen Entsprechungen, die wir hervorhoben, eher dazu nützlich, auf anderen Ebenen hergestellte Beziehungen zu erhärten, als dazu, eine eigentliche Nachricht zu übermitteln. Eine Übersetzung, eine Weiterentwicklung der Sprache, die sie zunichte machte, das Netz der anderen Beziehungen aber respektierte, würde das Wesentliche dennoch bewahren. Man sollte also den Gedanken an eine Unterscheidung zwischen ästhetischen Primär- und Sekundärfunktionen ins Auge fassen. Letztere dienen nur dazu, den Charakter des Gedichts als eines *absoluten Objekts* zu verstärken; sie tragen indessen nicht direkt dazu bei, die Nachricht des Gedichts zu prägen. Es stellt sich sodann, wenn man von einem Gedicht (oder einem Dichter, einer Schule) zu einem anderen übergeht, die Frage, welchen Elementen (auf welchen Ebenen) jeweils die Primär- und die Sekundärfunktionen zugefallen sind.

2. Ein ähnliches Problem, das sich in der Dichtung mit besonderer Schärfe stellt, ist das der Redundanz verschiedener Ebenen: In welchem Maße hat sie einen kumulativen Wert, in welchem Maße ist sie »trivial«?

Man kann wohl den Grundsatz vertreten, Äquivalenzen zwischen den Ebenen seien nur von Interesse, wenn sie mit Distinktionen einhergehen. So ist z. B. die Redundanz von Klang und Sinn in $O \dots , \hat{o} \dots$ usw. (IA) trivial, insofern einer Äquivalenz auf der Sinnebene genau eine Äquivalenz auf der Klangebene entspricht, und nichts sonst. Hingegen ist sie in *noires nuits[3] | mille morts[7]* bedeutsam, da Ähnlichkeiten und Unterschiede sich auf beiden Ebenen vermischen. Und wenn die Redundanz der syntaktischen und prosodischen Gliederung in I einer Erwähnung wert ist, so weil sie der Nicht-Übereinstimmung der Gliederung in II entgegengesetzt ist.

3. Wir kommen auf den Gedanken zurück, das Gedicht könne als Resultat einer Reihe von Transformationen verstanden werden, denen der Satz »Ich liebe dich« unterworfen wurde. Man wird hier eine gewisse Analogie zur Methode der Transformationsanalyse in der Syntax finden. Chomsky[26] hat gezeigt, daß die beste und einfachste Art, die komplexen Satztypen einer gegebenen Sprache zu klären, darin besteht, sie auf eine Serie von Transformationen zurückzuführen, denen Sätze sehr einfacher Struktur (sog. *kernels*) unterworfen wurden. Könnte man sich nicht vorstellen, daß eine ausreichend komplexe Transformationsgrammatik – die sich das Studium lexikalischer Beziehungen, insbesondere der Tropen, angelegen sein ließe – eines Tages imstande wäre, die Struktur eines Gedichts in Begriffen von Transformationen zu beschreiben, denen ein oder mehrere *kernels* unterworfen wurden? Die lyrische Poesie, in der die Themen, die solchen *kernels* entsprächen, an Zahl gering

und im allgemeinen sehr einfacher Natur sind, könnte dieser Art der Analyse ein weites Feld eröffnen. Diese Methode würde es erlauben, die für die Strukturanalyse fundamentale Untersuchung der *Varianten* einzuleiten. Man würde Gedichte mit verwandten Themen differenzieren, indem man zeigte, daß sie das Resultat verschiedenartiger Transformationen identischer *kernels* sind. Man würde auch sehr verschiedene Gedichte in ein näheres Verhältnis zueinander rücken, wenn man zeigte, daß sie aus identischen Transformationen verschiedener *kernels* hervorgehen[27].

Es bliebe zu bemerken, daß diese Methode nicht neu wäre. Sie würde dem z. B. von Freud gebrauchten Verfahren verwandt erscheinen, mit dem er die verschiedenen Typen der Paranoia, ausgehend von den verschiedenen Transformationen des Satzes »Ich liebe ihn«, definierte[28].

ANMERKUNGEN

1. Es handelt sich um das Sonett Nr. 1, zitiert nach *Poètes du XVIe siècle*, Hrsg. Albert-Marie Schmidt (Bibliothèque de la Pléiade, 96) Paris, 1964, S. 281. Folgende Angaben werden dienlich sein: *plein*[5] = plaintes; *despendues*[6] = dépensées; *tatant* [13] = touchant. (Die hochgestellten kursiven Ziffern geben den Vers an.) Deutsche Fassung von Erika Höhnisch.

2. Die Beziehung der *Selektion* gilt zwischen Begriffen eines *Prozesses*, wenn das Vorhandensein des einen – des Selektionierenden – das Vorhandensein des anderen impliziert, nicht aber umgekehrt. Die traditionelle Unterscheidung von Haupt- und Nebensatz ist ein Sonderfall der Unterscheidung Selektionierendes/Selektioniertes. Vgl. Hjelmslev, Louis, *Prolegomena to a Theory of Language* (Aus dem Dänischen von Francis J. Whitfield), Madison, ²1961.

3. Dieser Begriff ist die Übersetzung von engl. *topic*, was insbesondere von Chao und Jakobson als übergeordneter Begriff benutzt wird, der gleichzeitig Subjekt und Objekt eines Satzes umfaßt.

4. Vgl. Séchehaye, Albert, *Essai sur la structure logique de la phrase*, Paris, 1950, S. 27; Séchehaye gibt Beispiele kindlicher Aussagen vom Typ »Mama, schau!« Er drückt hier übrigens in psychologischer Sprache genau dasselbe aus, was Hjelmslev in rein formale Begriffe faßt. – Eine andere Bemerkung Séchehayes macht verständlich, daß man I auf die zwei von uns angegebenen Arten interpretieren kann: »Als Teil des psychologischen Subjekts der Aussage stehen der Vokativ und das Demonstrativum also in Opposition zum Prädikat [. . .] und *konstituieren das Subjekt* [d. h. das psychologische] *des Satzes*« (S. 28).

5. Vgl. dazu Jakobson, Roman, Comments to Part Three, *Style in Language*, Hrsg. T. A. Sebeok, Cambridge, Mass., 1964, S. 100f.

6. Vgl. zu diesen Begriffen Jakobson, Roman, *Essais de linguistique générale*, Paris, 1963, Kap. 11.

7. Ich werde weiter unten auf den Fall des *contre moy*[8] zurückkommen, wo das liebende Subjekt in der 1. Person auftritt, wiewohl als *Objekt* eines Verbs, das eine von außen kommende Handlung ausdrückt.

8. Diese Bemerkungen geben sicherlich ein Bild von den »ursprünglichen« Eindrücken, die dieses Gedicht vermittelt: den Eindruck nämlich einer Mischung aus Leidenschaft

und Rhetorik, der gewiß jeder großen Dichtung eigen ist, in der des 16. Jahrhunderts im allgemeinen jedoch auf die Spitze getrieben wird, ganz besonders bei Louise Labé. Andererseits würden diese Eindrücke gewinnen, wenn man sie von der Sicht her prüfte, die Jacques Lacan zur Einsicht in den wesentlich metonymischen Charakter des menschlichen Verlangens brachte.

9. Über Koppelungen, vgl. Levin, Samuel R., *Linguistic Structures in Poetry*, Janua Linguarum, 23, 's-Gravenhage, 1962, insbesondere S. 33 ff., die Definition gleichwertiger, vergleichbarer und paralleler Positionen.

10. d = Determiniertes, D = Determinierendes. Was *beaux yeus bruns* angeht, könnte man sich fragen, ob man *beaux* (D) *yeus bruns* (d) in *beaux yeus* (d)/*bruns* (D), oder auch *beaux* (D)/*yeus* (d)/*bruns* (D) (mit *beaux* und *bruns* auf gleicher Ebene) aufteilen müßte. Die allgemeine Praxis bei der Analyse in unmittelbare Konstituenten sowie der Parallelismus zu den folgenden Gruppen bewirken, daß wir eine erste binäre Teilung vornehmen, innerhalb deren eines der Glieder (das Determinierte) sich seinerseits in *d* und *D* unterteilt. Da *ô*/..., *beaux yeus* im Kontext größere Chancen hat, allein aufzutreten, als *yeus bruns*, betrachten wir die zweite Lösung als die befriedigendere.

11. Man kann dies schematisch darstellen:

$$3 \nearrow \rightarrow 7 \rightarrow \rightarrow \nearrow$$
$$4 \searrow \rightarrow 8 \rightarrow \rightarrow \searrow$$

oder aber: $3/4 : V + \Lambda$ $7/8 : V + \Lambda$

12. Die phonologische Untersuchung gründet sich, dem Beispiel von Lynch, James J., The Tonality of Lyric Poetry: An Experiment in Method, *Word*, 9, [2]1953, S. 211–224, und Hymes, Dell H., Phonological Aspects of Style: Some English Sonnets, *Style in Language*, Hrsg. Thomas Albert Sebeok, Cambridge, Mass., 1964, S. 109–131, folgend, auf das System des heutigen Französisch. Die theoretische Rechtfertigung dieses Ansatzes liegt in dem Grundsatz, man müsse, da die Dichtung der Louise Labé für uns immer noch ästhetischen Wert besitzt, sie auch auf allen Ebenen mit den Begriffen unseres heutigen Systems analysieren. Das ist natürlich nur ein Anfang. Prinzipiell müßte die Analyse in den Begriffen der Sprache des 16. und des 20. Jahrhunderts gesondert durchgeführt werden. Hernach müßte man die Veränderungen studieren, die eintreten, sobald man von dem einen System zum anderen übergeht.

13. Begriff, den Roman Jakobson 1969 (1942 in deutscher Sprache verfaßte Arbeit), S. 118, für *cumul* gebraucht, vgl. Jakobson, Roman, *Kindersprache, Aphasie und allgemeine Lautgesetze* (edition suhrkamp, 330), Frankfurt, 1969 (zuerst Uppsala, 1942), Anm. d. Übersetzers.

14. Die durch irgendeine der genannten Entsprechungen verbundenen Phoneme werden gesperrt gedruckt.

15. Wir weisen auch auf den Binnenreim der Halbverse hin *(endrois*[13] *toy*[14], der ebenfalls syntaktisch unähnliche Elemente eint.

16. Man sollte auch die Doppeldeutigkeit vermerken, die auf der Opposition *destournez* [1] / / *obstinez* [5] / beruht.

17. Die Kombination von syntaktischer und prosodischer Gliederung verleiht den Versen *3, 4, 7* und *8* dieselbe Akzentverteilung, und zwar nach dem Schema:

$$- - - - // - - - / - - - //$$

18. Bestätigt wird diese Interpretation durch die Tatsache, daß, ebenso wie die Verse *7–8* den Schluß (V. *11–14)* ankündigen, der Vers *6* in gewisser Hinsicht eine Verdichtung zeigt, die ihn der Stretta der Verse *9–10* naherückt. In der Tat enden die Vokativ-

gruppen hier alle beide auf Participia perfecti, während in den Versen *1, 2* und *5* die Determinierenden in der ersten Gruppe eines jeden Verses vorangestellte Adjektive in Epitheta-Funktion sind, die jeweils in Opposition zu den nachgestellten Participia perfecti der zweiten Gruppe stehen. Es existieren darüber hinaus frappierende lautliche Entsprechungen zwischen den Halbversen:

> o tᾶ pɛrDY
>
> o pɛnɔ depᾶDY(ɔ)

Anders ausgedrückt, bringt das zweite Quartett, das dem ersten in einer ganzen Reihe von Punkten parallel ist, dennoch einen Spannungszuwachs mit sich. Überdies findet man, ebenso wie ein lautlicher Parallelismus zwischen den Halbversen des Verses *6* besteht, auch eine Koppelung zwischen den Elementen des Verses *7*:

> o mile morts
>
> en mile rets tendues.

19. Diese Interpretation findet ihre Bestätigung in anderen Sonetten der Louise Labé, besonders in den Sonetten XIX und XXII. Aus letzterem (vgl. Pléiade-Ausgabe *Poètes du XVIᵉ siècle*, S. 289):

> Où estes-vous, pleurs de peu de duree?
>
> Et Mort par qui devoit estre honoree
>
> Ta ferme amour et iteré serment?
>
> Donques c'estoit le but de ta malice
>
> De m'asservir sous ombre de service?

Deutsch (übersetzt von Erika Höhnisch):

> Wo seid ihr, Tränen, die nicht lang ihr währtet?
>
> Und wo der Tod, von dem allein bezwungen sollte sein
>
> Die treue Liebe dein, dein oft getaner Schwur?
>
> So war es denn das Ziel all deiner Missetat,
>
> Zu unterwerfen mich durch Anschein eigner Knechtschaft?

20. In den Versen *3* und *4* erreicht die Doppeldeutigkeit ihren Höhepunkt: Sie vervielfacht sich hier buchstäblich. Nicht nur mag man sich fragen, *wer* – ob das *moy* oder das *toy* – jene Nächte vergebens erwartet, sondern auch *warum.* Geschieht es, um nach jenen Seufzern, jenen Tränen Ruhe und Schlaf zu finden? Oder geschieht es in der Hoffnung auf eine Begegnung mit dem (oder der) Geliebten? Auch auf der Ebene der Opposition zwischen *nuits / jours* herrscht Doppeldeutigkeit. Wir haben schon bemerkt, daß der formale Status der semantischen Beziehung zwischen Tag und Nacht doppeldeutig ist, nämlich zwischen Gegensatz und Nähe schwankt. Alle beide aber lassen andererseits auf dem Wege der Metonymie gleichermaßen die Gegenwart/Abwesenheit des oder der Geliebten ahnen. So sind sie von einem Gesichtspunkt her Gegensätze, von einem anderen her Äquivalente im engeren Sinne des Wortes.

21. In den Quartetten wurde der Übergang von dem einen zum anderen Verfahren gewissermaßen stufenweise vollzogen. Man ging von einer Synekdoche (konkrete Beziehung, *in praesentia)* vermittels immer abstrakterer Metonymien zu einer Metapher *(in absentia)* über. Die Metapher der Verse *7* und *8* erschien als ein Übergang an der Grenze der Metonymie.

22. Man könnte auf den ersten Blick dafür halten, zwischen Leier und Viola, beides Saiteninstrumente, bestehe eine semantische Beziehung der Äquivalenz. Wirklich aber herrscht das Prinzip der Nähe. Der Vers *10* führt lauter traditionelle Elemente der Profanmusik des 16. Jahrhunderts vor: Gesang zur Leier mit der Viola in der Baßpartie.

23. Diese Bewegung der Liebkosung übersteigt sich selbst, indem sie auf die Musikinstrumente übergreift. Man kann hierin ein Element des Fetischismus erblicken.

24. Eine traditionellere Variante dieser Metapher ist im zweiten Sonnett die der von Amor verschossenen Pfeile.

25. Vgl. Lacan, Jean, Seminar über »Le désir et son interpretation«, zusammengefaßt von J. B. Pontalis in *Bulletin de Psychologie*, Sorbonne, 1959/60.

26. Chomsky, Noam, *Syntactic Structures*, 's-Gravenhage, 1957.

27. Ein frappierendes Beispiel für diesen zweiten Fall ergibt der Vergleich des Sonetts Nr. XIII *(Poètes du XVIᵉ siècle*, S. 285) von Louise Labé (»Tant que mes yeus pourront larmes espandre . . .«) mit dem Sonett »Si par peine, et sueur, et par fidélité . . .« von Joachim Du Bellay *(Poètes du XVIᵉ siècle*, S. 464).

28. Freud, Sigmund, *Psychoanalytische Bemerkungen über einen autobiographisch beschriebenen Fall von Paranoia (dementia paranoides)*, in: *Gesammelte Werke*, Bd. VIII, London, 1948, S. 239–320.

Der grammatische Bau des Gedichts von B. Brecht
»Wir sind sie«

ROMAN JAKOBSON

> Nirgendwo sind die geheimnisvollen Gesetze verletzt, Gesetze der Interferenz, des Sichkreuzens und Synkopierens, mit denen im dichterischen Gebilde der innere Sinn und der grammatische Satzbau gegeneinanderspielen; nirgendwo auch hört man so hinreißend geheime Musik wie in diesen Versen, zum Beispiel denen aus der Mutter und der Maßnahme . . .
>
> Arnold Zweig, 1934.

Dies sind die Worte Bertolt Brechts, die der Dichter zur Verteidigung der grammatischen Eigengesetzlichkeit seiner Verse anführte: »Ego, poeta Germanus, supra grammaticos sto.« Mit Recht hatte A. N. Kolmogorov den grammatischen Bau der Poesie als deren allzu wenig beachtete Dimension gekennzeichnet. Zwar gibt es unter den Literaturforschern der verschiedenen Länder, Sprachen, Lehrmeinungen und Generationen immer noch solche, die in einer Strukturanalyse von Versen einen verbrecherischen Einbruch der Sprachwissenschaft in eine verbotene Zone erblicken, aber es gibt auch Sprachforscher verschiedener Observanz, die von vornherein die Dichtersprache aus dem Kreis der die Linguistik interessierenden Themen ausschließen. Es ist eben Sache der Troglodyten, Troglodyten zu bleiben.

Unser Buch *Die Poesie der Grammatik und die Grammatik der Poesie* schließt mit Proben einer grammatischen Analyse verschiedensprachlicher Gedichte aus dem 14.–20. Jahrhundert; die letzte Studie behandelt ein Gedicht, das B. Brecht (1898–1956) im Jahre 1930 schrieb. Ursprünglich war das Gedicht in seinem Lehrstück *Die Maßnahme* enthalten (vgl. Brecht, *Versuche 1–12*, Heft 1–4 in der Berliner Neuausgabe vom Jahre 1963), wurde aber später selbständig im Gedichtband *Lieder Gedichte Chöre* (Paris 1934) veröffentlicht:

[1]Wer aber ist die Partei?
[2]Sitzt sie in einem Haus mit Telefonen?
[3]Sind ihre Gedanken geheim, ihre Entschlüsse unbekannt?
[4]Wer ist sie?
[5]Wir sind sie.
[6]Du und ich und ihr – wir alle.

Aus: *Beiträge zur Sprachwissenschaft, Volkskunde und Literaturforschung* (Steinitz-Festschrift), Veröffentlichungen der sprachwissenschaftlichen Kommission der DAdW, 5, Berlin, 1965, S. 175–189. – Für diesen Band vom Autor überarbeitet. Druck mit der freundlichen Erlaubnis des Autors und des Akademie-Verlages Berlin.

[7]In deinem Anzug steckt sie, Genosse, und denkt in deinem Kopf.
[8]Wo ich wohne, ist ihr Haus, und wo du angegriffen wirst, da kämpft sie.
[9]Zeige uns den Weg, den wir gehen sollen und wir
[10]Werden ihn gehen wie du, aber
[11]Gehe nicht ohne uns den richtigen Weg
[12]Ohne uns ist er
[13]Der falscheste.
[14]Trenne dich nicht von uns!
[15]Wir können irren, und du kannst recht haben, also
[16]Trenne dich nicht von uns.
[17]Daß der kurze Weg besser ist als der lange, das leugnet keiner
[18]Aber wenn ihn einer weiß
[19]Und vermag ihn uns nicht zu zeigen, was nützt uns seine Weisheit?
[20]Sei bei uns weise!
[21]Trenne dich nicht von uns!

In der genannten Pariser Ausgabe ist das Gedicht nach der ersten fragenden Strophe »Wer aber ist die Partei« betitelt, in der Berliner Anthologie Brechts *Hundert Gedichte* (1951) nach der ersten antwortenden Zeile der zweiten Strophe »Wir sind sie«. Das Gedicht stammt aus der Blütezeit seines Schaffens, die sich annähernd mit dem dritten Jahrzehnt seines Lebens und dem dritten Dezennium unseres Jahrhunderts deckt: diese Periode wird eingeleitet durch *Die Dreigroschenoper* (1928) sowie den *Aufstieg und Fall der Stadt Mahagonny* (1928–29), und durch zwei nicht minder bedeutende Dramen *Leben des Galilei* (1938–39) sowie *Mutter Courage und ihre Kinder* (1939) abgeschlossen.

In die gleiche Zeitspanne kämpferischen Suchens »unter schwierigen Umständen« fällt auch Wolfgang Steinitz' Buch über den *Parallelismus in der finnisch-karelischen Volkspoesie*[1]. Die »Grammatik des Parallelismus«, eine kühne Fragestellung, hat in diesem Werk zum ersten Mal eine wissenschaftliche Lösung erfahren. Der grammatische Parallelismus dient als kanonisches Mittel in der von Steinitz sorgfältig untersuchten finnisch-karelischen Tradition und ganz allgemein in der uralischen und altaischen Folklore, aber auch in vielen anderen Arealen der Weltpoesie; er gehört z. B. zum unabdingbaren Prinzip der altchinesischen Wortkunst, er liegt dem chanaanischen und insbesondere dem altbiblischen Vers zugrunde. Aber auch in jenen Versifikationssystemen, in denen der grammatische Parallelismus nicht zu den obligatorischen Regeln zählt, unterliegt seine kardinale Rolle im Aufbau und in der Komposition der Verse keinem Zweifel. Die programmatischen Thesen des Forschers bleiben für alle poetischen Formen in Kraft: »Die Untersuchung des Wortparallelismus wird nach verschiedenen Richtungen hin zu geschehen haben. Einmal handelt es sich um die *inhaltlichen* Beziehungen der Wortpaare: nach welchen (psychologischen) Gesetzen findet die Parallelisierung statt. Sodann: welche *formale* Übereinstimmung herrscht zwischen den parallelen Worten (bzw. Elementen). Sehr wichtig erscheint auch die Feststellung der *grammatischen* Kategorien, die parallelisiert werden. Weiterhin sind die Begriffskategorien, die parallelisiert werden, und die Beziehungen, die zwischen Wortparallelismus und Alliteration bestehen, zu untersuchen« (*op. laud.*, 179; Hervorhebungen des Originals).

Diese Probleme tauchen auf bei aufmerksamer Lektüre des Brechtschen Gedichts *Wir sind sie*, eines Musterbeispiels jener künstlerischer Neuerungen des Dichters, die in seinem Aufsatz *Über reimlose Lyrik mit unregelmäßigen Rhythmen* eine klare Charakteristik erhielten (*Das Wort*, 1939; jetzt auch in *Versuche* 27/32, Heft 12, Berlin 1961, 137–143). Die Unterdrückung des Reims und der metrischen Norm läßt die grammatische Architektonik des Verses im ganzen Gedicht besonders deutlich hervortreten. In den Kommentaren zu Brechts Schaffen wurden seine bevorzugten Kunstmittel – Kontrastierung zusammengehöriger Sätze, Parallelismus, Wiederholung, Inversion – mit seiner aufschlußreichen Antwort auf die Frage eines Journalisten verglichen, welches Buch den Dichter am meisten beeinflußt hätte; die Antwort lautete: »Sie werden lachen – die Bibel« (Die Dame, Berlin, 10. 1. 1928).

Das oben angeführte Gedicht besteht aus vier Strophen, entsprechend der Zahl der »vier Agitatoren« in Brechts Lehrstück, die vor einem Gericht des »Kontrollchores« ihr Gespräch mit dem von ihnen getöteten »jungen Genossen« wiedergeben: »Sie stellen sich drei gegen einen auf, einer von den vieren stellt den jungen Genossen dar.« Die erste Strophe gibt die Rede des jungen Genossen wieder, die übrigen drei Strophen sind den Agitatoren in den Mund gelegt, wobei laut Anweisung des Verfassers »der Text der drei Agitatoren aufgeteilt werden kann« (354). Die Länge der vier Strophen ist verschieden: auf zwei Vierzeiler (I, II) folgt ein Achtzeiler (III) und ein Fünfzeiler (IV). Gemäß der skurrilen und aufdringlich konsequenten Interpunktion Brechts enthalten die Strophen mit der geringsten Verszahl, nämlich die beiden ersten Verse, je vier Gesamtsätze *(sentences)*, die Strophen mit mehr als vier Versen, nämlich die beiden letzten, je drei. Auf die vier Fragesätze der ersten Strophe, die je einen Vers einnehmen, antwortet die zweite Strophe mit Aussagesätzen zu wiederum je einem Vers. Sowohl die dritte als auch die vierte Strophe enden auf je zwei Ausrufesätze, wobei der Fragesatz des vierten Verses an die vier Fragesätze der ersten Strophe anklingt. Der erste Satz der dritten Strophe ist seinerseits mit den vier Aussagesätzen der zweiten Strophe durch seine Aussageform innerlich verwandt. In diesem syntaktischen Zug, wie auch in einer ganzen Reihe anderer grammatischer Eigenheiten, offenbart sich die geschlossene Komposition des Gedichts. Das folgende Schema gibt die syntaktischen Entsprechungen innerhalb der Strophen wieder:

$$I\ ????\quad II\ \ldots.$$
$$IV\ ?!!\quad III\ .!!$$

Das Bertolt-Brecht-Archiv in Berlin hat uns liebenswürdigerweise den gleichen Text in zwei verschiedenen Varianten zur Verfügung gestellt, die im Zuge der Arbeit Brechts an seinem Lehrstück *Die Maßnahme* entstanden waren (die erste Variante trägt die Signatur 460/33, die zweite die Signatur 401/32–33). Ein Vergleich der beiden Varianten untereinander ebenso wie eine Gegenüberstellung der in den

Drucktext des Lehrstücks aufgenommenen Version mit der endgültigen Redaktion des in den Band *Lieder Gedichte Chöre* aufgenommenen Gedichts zeigt, daß sich die ursprüngliche Phrasierung des Textes von der späteren Redaktion immerhin unterschied. Sowohl in den beiden Varianten des Brecht-Archivs, als auch im Drucktext des Lehrstücks stand am Ende des Verses ⁷*In deinem Anzug steckt sie, Genosse, und denkt in deinem Kopf* noch kein Punkt, wobei Brecht ganz allgemein das Komma am Versende hartnäckig ausließ. In der älteren handschriftlichen Version lautete der 18. Vers ursprünglich »aber *wer weiß ihn? und* wenn ihn einer weiß«, doch wurden die hier durch Kursivschrift hervorgehobenen Worte der Maschinenschrift später vom Autor selbst getilgt. Im Urtext sah die Verteilung der Sätze innerhalb der Strophen folgendermaßen aus:

$$\text{I ???? II ...}$$
$$\text{IV ??!! III .!!}$$

Der gemeinsame Nenner der Strophen I und II ließe sich demnach folgendermaßen formulieren: alle Sätze umfassen je einen Vers und sind innerhalb der Strophe syntaktisch gleichartig; die Strophen III und IV enden auf je zwei Ausrufesätze; die Strophen I und IV enthalten je vier, die Strophen II und III je drei Sätze; außer den beiden Ausrufesätzen, die sowohl die dritte als auch die vierte Strophe beschließen, sind alle Sätze in der ersten und der vierten Strophe Fragesätze, in der zweiten und dritten Strophe Aussagesätze.

Nicht nur die Verteilung grammatisch verschiedener Satztypen, sondern vor allem die Verteilung der grammatischen Kategorien innerhalb der vier Strophen zeigt eindeutig, daß das Gedicht in zwei *Paare* von Strophen gegliedert ist, in ein Anfangspaar und in ein Endpaar. Die grammatischen Übereinstimmungen zwischen den beiden Strophen innerhalb jedes dieser Paare kann man als Binnenpaarentsprechungen ansehen. Solche Binnenpaarentsprechungen gibt es sowohl innerhalb des Anfangs- als auch innerhalb des Endpaares. Andererseits lassen sich grammatische Eigentümlichkeiten feststellen, die je zwei Strophen verschiedener Paare eigen sind, mit anderen Worten Zwischenpaarentsprechungen. Es ist bezeichnend, daß das Gedicht »Wir sind sie« eigentlich keine grammatischen Übereinstimmungen zwischen den beiden ungeraden und den beiden geraden Strophen kennt, wobei aber andererseits gemeinsame Züge die zweite Strophe mit der dritten und die erste Strophe mit der vierten verbinden. Dies bedeutet so viel, daß die beiden Strophenpaare hier nicht durch direkte, sondern durch Spiegelbildsymmetrie miteinander verknüpft sind, wobei alle vier Strophen ein geschlossenes grammatisches Ganzes bilden: die erste Strophe steht in Korrelation mit der zweiten, die zweite mit der dritten, die dritte mit der vierten und die vierte mit der ersten. Die grammatischen Entsprechungen zwischen der Anfangs- und der Endstrophe werden im weiteren als *periphere*, die zwischen der zweiten und der dritten Strophe als *mittlere* Entsprechungen bezeichnet. Aus dem Vergleich der Verteilung der Gesamtsätze in den Strophen verschiedener Redaktion geht hervor, daß der Urtext Zwischenpaarentsprechungen bevorzugte, während die Endfassung den Binnenpaarentsprechungen den Vorrang gab.

Der weitere Textabschnitt, der dem hier wiedergegebenen Gespräch des »jungen Genossen« mit den Agitatoren folgt, die Chornummer »Lob der Partei«, ist zugleich mit den übrigen Tiraden des Kontrollchores dazu berufen, in Brechts Stück eine rein organisatorische, strategische Rolle zu spielen. Dies hängt wiederum mit der Forderung des Dichters zusammen, »melodische Buntheit zu vermeiden« (S. 352). Das Streben nach einheitlicher Form dieses Chorals offenbart sich in einem kanonischen, wahrlich biblischen Parallelismus, der den ersten vier der sechs Zweizeiler dieses Panegyrikums zugrunde liegt:

> [1]Der einzelne hat zwei Augen
> [2]Die Partei hat tausend Augen.
>
> [3]Die Partei sieht sieben Staaten
> [4]Der Einzelne sieht eine Stadt.
>
> [5]Der Einzelne hat seine Stunde
> [6]Aber die Partei hat viele Stunden.
>
> [7]Der Einzelne kann vernichtet werden
> [8]Aber die Partei kann nicht vernichtet werden.

Abgesehen von der strengen grammatischen und lexikalischen Symmetrie, wird jedes Verspaar durch dreifache Klangwiederholung zusammengeschweißt: [1]**Ein**zelne – z**wei** – [2]*Partei;* [1]**Augen** – [2]*tau*sen*d* – **Augen;** [3]*Partei* – [4]**Einzelne** – *eine;* [3]*sieht* – sie**ben** – [4]**sieht;** [5]**Einzelne** – **sein**e – [6]*Partei;* [7]*ver***nicht***et* – [8]**nicht** – *ver***nicht***et.*

Das Gedicht »Wir sind sie«, welches im Lehrstück *vor* dem Panegyrikum steht, im Sammelband *Lieder Gedichte Chöre* aber unmittelbar auf dieses *folgt,* verwendet, bei aller Launenhaftigkeit seiner Komposition, überaus anschaulich die Gegenüberstellung gleichförmiger syntaktischer Konstruktionen, und zwar unter Ausnützung gleichartigen Wortmaterials:

> [1]Wer aber ist die Partei?
> [4]Wer ist sie?
>
> [3]Sind ihre Gedanken geheim,
> ihre Entschlüsse unbekannt?
>
> [7]In deinem Anzug steckt sie, Genosse,
> und denkt in deinem Kopf.
>
> [8]Wo ich wohne, ist ihr Haus,
> und wo du angegriffen wirst, da kämpft sie.

Der Text ist durchwirkt von so typischen Äußerungen des Parallelismus, wie etwa Wiederholung einzelner Wörter oder ganzer Wortgruppen (z. B. [14], [16], [21] *Trenne dich nicht von uns!*), oder Variierung einzelner Wörter, d. h. Ausnützung verschiedener Glieder eines Paradigmas bzw. verschiedener Bildungen von ein und derselben Wurzel: [2]*in einem Haus* – [8]*ihr Haus,* [9,11]*den Weg* – [17]*der Weg.* [9,15]*wir* – [11,12] *ohne uns* –

[14,16]*von uns,* [9]*gehen sollen –* [10]*werden gehen –* [11]*gehe.* [9]*zeige –* [19]*zu zeigen;* [3]*Gedanken –* [7]*denkt,* [11]*richtigen –* [15]*recht haben,* [18]*weiß –* [19]*Weisheit –* [20]*weise.*

Sowohl das Polyptoton als auch das Paregmenon lassen die grammatischen Kategorien um so schärfer hervortreten, so daß ihre Verteilung zu einem erstrangigen Faktor des gesamten Gedichtes wird.

Innerhalb des Gesamttextes, der 142 Wörter enthält, bietet das quantitative Verhältnis zwischen den einzelnen Wortklassen eine Reihe charakteristischer Eigentümlichkeiten. Das Gedicht enthält 13 substantivische Nomina und 40 substantivische Pronomina, ferner 8 adjektivische Nomina und ebenso viele adjektivische Pronomina, denen sich 7 Artikelformen hinzugesellen (eine *Null*form des unbestimmten Artikels steht außerhalb der von uns gezählten tatsächlich vorhandenen Wörter). Bei Vorhandensein von 6 pronominalen Adverbien fehlen nominale Adverbien völlig. Die Verben sind durch 20 lexikalische und 13 formale Verben vertreten, die sich von der ersteren nicht nur durch ihren semantischen Bau und ihre syntaktische Funktion, sondern auch durch spezifische Eigentümlichkeiten im Paradigma des Präsens unterscheiden: [1,4,12,17]*ist,* [3,5]*sind,* [20]*sei,* [8]*wirst,* [10]*werden,* [9]*sollen,* [16]*kannst,* [15]*können,* [19]*vermag.* Fügt man den 61 Pronomina (einschließlich der 7 Artikelformen) die 13 formalen Verben und die 27 »Partikeln« (Präpositionen, Konjunktionen, Modalpartikel) hinzu, so ergibt sich, daß 101 Wörter, d. h. über 70% der Gesamtwortzahl des Gedichts auf formale, grammatische Wörter (Greimas' *mots-outils*) entfallen[2]. Während in den lexikalischen Wörtern *(mots pleins)* die Wurzelmorpheme eine lexikalische, alle übrigen Morpheme (Affixe) dagegen eine grammatische, formale Bedeutung haben, besitzen die formalen Wörter, und zwar sowohl die mono- wie die polymorphematischen, keinerlei Morpheme mit lexikalischer Bedeutung, so daß jedes vorhandene Morphem lediglich eine formale Bedeutung besitzt[3]. Ein formales Wort gibt keinerlei konkrete, materielle Charakteristik, es nennt weder noch beschreibt es irgendwelche Erscheinungen an sich; es zeigt bloß die Beziehungen an, die zwischen den Erscheinungen bestehen, und bestimmt sie. Bezeichnenderweise weichen in diesem Gedicht die Nomina vor den Pronomina zurück, die die Verbindung zwischen der bezeichneten Erscheinung mit dem Kontext und dem Redeakt herstellen. In dieser pronominalen Manier findet offenbar jene Einstellung auf Sprechbarkeit ihren krassesten Ausdruck, die mit der Bühnenerfahrung Brechts aufs engste zusammenhängt und in seinem Aufsatz *Über reimlose Lyrik mit unregelmäßigen Rhythmen* beschrieben ist: »Ich dachte immer an das Sprechen. Und ich hatte mir für das Sprechen (sei es der Prosa oder des Verses) eine ganz bestimmte Technik erarbeitet. Ich nannte sie gestisch. Das bedeutet: die Sprache sollte ganz dem Gestus der sprechenden Person folgen« (S. 139).

In der Sprache kommt die deiktische Natur des Pronomens dem Gestus am nächsten, und es ist wohl kein Zufall, daß der Verfasser acht Verse Lucretius' mit 16 Pronomina als anschauliches Beispiel des Reichtums an gestischen Elementen anführt. Denken wir nur an jene durchweg pronominalen Zeilen Brechts, von denen die mittlere als fakultativer Titel des ganzen Gedichts verwendet wurde. Diese drei Zeilen bestehen aus dreizehn Formalwörtern; unter ihnen neun Pronomina:

> ⁴Wer ist sie?
> Wir sind sie!
> Du und ich und ihr – wir alle.

Es ist zu erwarten, daß die zahlreichen Pronomina des Gedichts »Wer aber ist die Partei«, insbesondere aber die 38 persönlichen und die entsprechenden possessiven Formen, d. h. 51% aller deklinierbaren Wörter und weitere vier, im Aufbau des Gedichts sowie in dessen dramatischer Entfaltung eine ganz wesentliche Rolle spielen.

Zu den Binnenpaarentsprechungen gehört das Auftreten der femininen Form *sie* und des entsprechenden Possessivs *ihr* nur in der ersten und zweiten Strophe: beide Strophen enthalten je vier Belege, wobei in jeder der beiden Strophen je zwei dieser Belege auf eine Zeile entfallen, während je zwei Zeilen je ein Beispiel enthalten. Erst in der dritten und vierten Strophe tauchen Personalpronomina in obliquen Kasus auf: *uns* fünfmal in der dritten und viermal in der vierten Strophe, *dich* zweimal in der dritten und einmal in der vierten Strophe. Die ersten beiden Strophen enthalten 15 substantivische Pronomina im Nominativ und kein einziges in einem obliquen Kasus. In den Strophen III und IV verknüpft das Pronomen *der, die, das* den Hauptsatz mit dem Nebensatz der Anfangszeile: *⁹Zeige uns den Weg,* **den** *wir gehen sollen* und *¹⁷Daß der kurze Weg besser ist als der lange,* **das** *leugnet keiner.*

Es sei hier, was die Zwischenpaarentsprechungen betrifft, vermerkt, daß der Nominativ der persönlichen und possessiven Pronomina der 1. und 2. Person in den Strophen I und IV fehlt, während das Pronomen *du* je zweimal in Strophe II und III auftritt, das Pronomen *wir* zweimal in II und dreimal in III, die Pronomina *ich, ihr* und *dein* aber ausschließlich in Strophe II. Darüber hinaus erscheint das Interrogativpronomen nur in den peripheren Strophen: zweimal (im Nominativ) *wer* in I und einmal (im Akkusativ) *was* in IV. Schließlich ist das Vorkommen des unbestimmten Artikels *einer* in IV als Widerhall des unbestimmten Artikels in I aufzufassen, wobei hier die Form *ein* und die Null-Form des Plurals (*²in einem Haus mit Telefonen*) auftritt.

Das Gedicht enthält 13 Substantive, von denen nur die Anrede *Genosse*, die außerhalb der Sätze steht, die Kategorie der Belebtheit aufweist. Von den übrigen 12 Substantiven treten vier im ersten, zwei im zweiten Strophenpaar im Nominativ auf und ebensoviel (4 + 2) in merkmalhaltigen, d. h. obliquen Kasus. Davon stehen drei abstrakte Substantive (*²Gedanken, Entschlüsse, ¹⁹Weisheit*) und ein Kollektivum (*¹Partei*) nur im Nominativ, wobei sie ausschließlich den peripheren Strophen angehören, während die eigentlichen unbelebten Dingnamen entweder nur in präpositionalen Verbindungen im Dativ und nur im *ersten* Strophenpaar stehen, oder aber sie stehen erst in einem obliquen Kasus und nehmen beim Übergang in die folgende Strophe die Nominativform an: dies ist das statische Bild des Anfangspaares *²in einem Haus – ⁸ist ihr Haus* und das dynamische Bild des Endpaares *⁹den Weg, ¹¹den richtigen Weg – ¹⁷der kurze Weg.* Es sei noch am Rand vermerkt, daß feminine Substantive nur in den Fragesätzen der peripheren Strophen stehen: *¹die Partei? | – ¹⁹Weisheit? |.*

Von den substantivischen Pronomina der 3. Person bezieht sich jedes ausnahmslos auf ein unbelebtes Nomen: *sie* = die Partei, *er* = der Weg. Zusammen mit dem Interrogativpronomen [1,4]*wer*, welches den Text eröffnet, kündigt die Verwendung des anaphorischen [2,4]*sie* (und *ihre*) für das Substantiv *Partei* den Übergang zur Kategorie der Belebtheit an, der gleich zu Beginn der zweiten Strophe durch die Gleichsetzung des *sie* mit *wir* und durch Verdrängung des ersten Pronomens durch das zweite in den beiden Endstrophen vollzogen wird. Die Überzeugungskraft einer solchen Metamorphose ist gestützt durch die synekdochische Annäherung dieses *sie* an die eigentlich persönlichen Pronomina im Singular: [7]*in deinem Anzug steckt sie, Genosse, und denkt in deinem Kopf. | Wo ich wohne, ist ihr Haus, und wo du angegriffen wirst, da kämpft sie.*

Lediglich in der ersten Strophe gibt es pluralische Substantive: [2]*mit Telefonen,* [3]*Gedanken, Entschlüsse.* Diese Pluralia bereiten gleichsam den Platz für den Plural der Personalpronomina vor, den sie dann in den Strophen II–IV an diese abtreten. Insbesondere an die Formen *wir* (II–III) und *uns* (III–IV). Im Verse [6]*Du und ich und ihr – wir alle* schließt das Pronomen *wir* nicht nur den Sprecher *ich* und den direkt Angesprochenen *du* ein, sondern auch eine Vielzahl namenloser Angesprochener – *ihr*. Eine gegenseitige Implikation verbindet auf Biegen und Brechen die Formen *du* (II–III) und *dich* (III–IV) mit den Formen *wir* (II–III) und *uns* (III–IV). Das *ich* fordert die Teilnahme des *du* im gleichen Vers: [6]*Du und ich, ...,* [8]*Wo ich ... und wo du ...* In der zweiten Strophe sind sowohl das *ich* als auch das *du* Teile des kollektiven *wir alle;* dabei ist hier *wir* gleichgesetzt mit jedem dieser Teile, ja mehr noch, *wir* ist unabtrennbarer Teil sowohl des *ich* als auch des *du.* Ist aber das *du* in dieser Strophe ein *pars pro toto* und *wir* ein *totum pro parte,* so ändert sich dieses Verhältnis kraß in den folgenden Strophen: der innere, synekdochische Zusammenhang verwandelt sich mit einem Schlag in eine metonymische äußere Affinität und steigert sich zu einem tragischen Konflikt zwischen dem Einzelnen und dem Kollektiv: es kommt zum »Verrat«, wie Brecht die ganze Szene mit diesen Versen in seinem Stück genannt hatte. Das inklusive *wir,* welches den Angesprochenen einschließt, wird abgelöst vom exklusiven *wir,* welches der zweiten Person gegenübergestellt ist[4]. Die semantische Labilität und die innere Widersprüchlichkeit, die dem Personalpronomen der 1. Person Plural innewohnt, wird zum Leitmotiv im *Lied des Kulis,* welches Brecht ursprünglich (1930) in sein Lehrstück *Die Ausnahme und die Regel* aufgenommen hatte (vgl. *Versuche* 22/23/24, Heft 10, Berlin 1961, 156f.), das aber später selbständig unter dem vielsagenden Titel »Lied vom ich und wir« gedruckt wurde (vgl. *Gedichte,* Frankfurt a. M., 1961, 211). Die Endstrophe dieses Liedes entblößt die metasprachliche, pronominale Thematik:

> Wir und ich: ich und du
> das ist nicht dasselbe.
> Wir erringen den Sieg
> Und du besiegst mich.

Die Formen *du* und *wir* gehen aus der zweiten Strophe in die dritte über, aber außer dem Nominativ, dem einzigen Kasus der Personalpronomina in den beiden Anfangsstrophen, tauchen in der dritten Strophe der Akkusativ [14],[16]*dich* auf neben dem Nominativ [10],[15]*du* und die akkusativisch-dativische Form [9],[11],[12],[14],[16]*uns* neben dem Nominativ [9 bis 15]*wir;* darüber hinaus erhält hier ein neues zentrales Motiv – *der Weg* – eine anaphorische Bezeichnung im Nominativ [12]*er* und im Akkusativ [10]*ihn.* Somit treten die pronominalen Mitwirkenden am Sujet des Gedichts zum ersten Mal in der dritten Strophe in der Rolle der Objekte der Handlung auf. Es ist hervorzuheben, daß von den acht lexikalischen Verben der dritten Strophe sechs, in der vierten Strophe alle fünf den Akkusativ regieren, während in den beiden Anfangsstrophen weder ein Akkusativ noch ein präpositionsloser Dativ vorkommt und die transitive Konstruktion durch eine Passivform ersetzt ist: [8]*wo du angegriffen wirst.* Den Präpositionalfügungen der Anfangsstrophen fehlt jedwede Dynamik: [2]*in einem Haus mit Telefonen,* [7]*in deinem Anzug . . . in deinem Kopf.* Demgegenüber sind in den beiden Endstrophen fast alle Kasusformen durch das ablativische Motiv der Trennung zusammengefaßt: [11]*Gehe nicht ohne uns;* [12]*ohne uns;* [15],[16],[21]*Trenne dich nicht von uns.* Innerhalb der beiden Anfangsstrophen treten in den obliquen Kasus nur Substantive, und zwar nur in Verbindung mit Präpositionen auf, während sich in den beiden Endstrophen ausschließlich Pronomina mit Präpositionen verbinden.

Die Fragen und Antworten der beiden Anfangsstrophen befassen sich mit den inneren Beziehungen der Erscheinungen unabhängig von deren weiterer Entwicklung und möglicher praktischer Schlußfolgerungen; in der dritten Strophe sind dagegen die beiden Brennpunkte des Schemas – *du* und *wir* ebenso wie die Resultante der beiden Kräfte – *er*, nämlich der gesuchte Weg – nacheinander in verschiedener perspektivischer Verkürzung gegeben. Das Thema der Kollisionen und ihrer Überwindung wird immer eindringlicher. In der Schlußstrophe schwindet der selbstgenügsame Nominativ aller drei Pronomina vollends und räumt seinen Platz zur Gänze den obliquen Formen [21]*dich*, [18]*ihn* und [19],[20],[21]*uns* ein. Und wenn das betont unpersönliche anaphorische *sie* ([4]*Wer ist sie?*) in der zweiten Strophe vom persönlichen *Wir* abgelöst wurde, so ist andererseits in der vierten Strophe das persönliche *du* polemisch durch den entpersonifizierenden Nominativ [18]*einer* ersetzt.

Zu den Neuerungen, die die Endstrophen von den Anfangsstrophen abheben, gehören auch syntaktische Vergleiche, die Konfrontierung zweier mit einem Mal getrennter Faktoren: *wir* | [10]*Werden ihn gehen wie du* oder zweier entgegengesetzter Wege, von denen »wir« den einen bekennen und »du« den anderen: [17]*der kurze Weg besser ist als der lange.* Nebenbei bemerkt steht in der gedruckten Ausgabe des Lehrstücks *wie der lange*, und diese umgangssprachliche Form verband syntaktisch den zweiten Vergleich mit dem ersten.

Von der Bildhaftigkeit der Anfangsstrophen gehen die weiteren Strophen zu einem rückhaltlosen Ansturm sich wiederholender Stoßparolen über. Der passiven Aufeinanderfolge von Verben im merkmallosen indikativen Modus in den beiden Anfangsstrophen stehen in den Endstrophen (neben fünf indikativischen Formen) sechs imperativische und fünf Verbindungen von Modalverben mit dem Infinitiv gegenüber: [9]*gehen sollen*, [10]*werden gehen*, [15]*können irren, kannst recht haben*, [19]*vermag zu zeigen.* Ganz allgemein kennzeichnet die beiden Endstrophen der Sättigungsgrad mit merkmalhaften Kategorien: es sind dies die merkmalhaften Modi und Kasus ebenso wie die 20 Pluralformen der Personalpronomina, gegenüber nur dreien in den beiden Anfangsstrophen. Bezeichnenderweise bildet das Formalverb *werden*, welches in den beiden inneren Strophen vorkommt, in der zweiten Strophe (mit dem Partizip) die Diathese, in der dritten Strophe dagegen (mit einem Infinitiv) eine Modalform: [8]*angegriffen wirst* und [10]*werden gehen.*

Parallel mit dem Imperativ und mit den übrigen merkmalhaften modalen Formen dringen in den Text Verneinungssätze ein, die der ersten und zweiten Strophe fremd sind. Die Negation *nicht* wird fünfmal in den Endstrophen wiederholt. Außerdem erscheint in der vierten Strophe das Negativpronomen [17]*keiner* und die rhetorische Frage [19]*was nützt uns* in der Bedeutung ›es nützt uns nicht‹.

Alle pronominalen Bezeichnungen der Helden werden von verstärkenden Anklängen im Kontext des Gedichts begleitet. Dementsprechend ist die Form [2]*Ist sie* der ersten Niederschrift (460/33) im zweiten maschinenschriftlichen Manuskript (401/33) zunächst beibehalten und später gestrichen worden, um durch eine neue, mit Bleistift geschriebene Version *Sitzt sie* ersetzt zu werden. So lautet auch die endgültige Fassung der beiden Anfangsstrophen: [2]**Sitzt sie** – [3]**Sind** [4]**sie**/ – [5]**sind sie**/ – [7]**sie** – [8]**sie.** Es ist charakteristisch, daß die Verbindung *Wir sind sie*, die die zweite Strophe eröffnet, vom deutschen Leser als Verletzung der syntaktischen Norm aufgefaßt wird und daß in den weiteren Strophen zusammen mit dem *sie* auch das *sind* verschwindet. Das Pronomen [5]*wir* ist durch die Assonanz mit dem [1]*Wer* der ersten Strophe mitbestimmt. Die die erste Strophe abschließende Frage [4]*Wer ist sie?* wird an der Schwelle der zweiten Strophe durch parallele Phoneme und Formen der Antwort [5]*Wir sind sie* abgelöst. Den grammatisch und phonologisch gleichartigen Kontext unterstreichen die Wiederholungen *wir* – [6]*Du und ich und ihr* – *wir alle*/ [8]**Wo** – *wohne* – **wo wirst.** Die dritte Strophe schafft eine enge Alliterationsverbindung zwischen den Wörtern *wir* und *Weg*, von denen das zweite auch in die folgende Strophe übergeht, so daß beide Strophen in ein Netz identischer Anlautkonsonanten verstrickt werden: [9]**Weg** – **wir** – **wir** / – [10]**Werden** – **wie** – [11]**Weg**/ – [15]**Wir** – [17]**Weg** – [18]*wenn*–*weiß*/[19]**was** – **Weisheit**/ – [20]**weise.** Die beiden Endstrophen durchdringende oblique pronominale Kasusform *uns* ist durch die Wiederholung der anklingenden Konjunktion *und* vorbereitet und gestützt: [6]*und* – *und* – [7]*und* – [8]*und* – [9]*uns* – *und* – [11]*uns* – [12]*uns* – [14]*uns*/ – [15]*und* – [16]*uns*/ – [19]*Und* – *uns* – *uns* – [20]*uns* – [21]*uns*/.

Dem Verdacht über die Wohnstätte der Partei und über die Rätselhaftigkeit ihrer Bestrebungen und Ratschlüsse, der in den eindringlichen Fragen der ersten Strophe aufklingt, wird durch die Assonanzen der folgenden Strophe aufs entschiedenste begegnet: [1]... *die Partei?* [2]... *in einem Haus* ...?/ [3]... **Gedanken geheim,** ... *unbekannt?* – [7]**in deinem Anzug steckt sie, Genosse, und denkt in deinem Kopf.**/[8]... **angegriffen** ... **kämpft.** Nicht »in einem« Haus, sondern »in deinem« Anzug und »in deinem« Kopf steckt und denkt die Partei, wie der eigenartige Rührreim der zweiten Strophe antwortet, wobei das anlautende *d* des Pro-

nomens der 2. Person durch diese und durch die folgenden Strophen hindurch-
geht: *[6]Du – [7]deinem – denkt – deinem – [8]du – da – [9]den Weg, den – [10]du – [11]den – [13]Der – [14]dich – [15]du – [16]dich – [17]Daß der – der – das – [21]dich.*

Die Kette identischer Diphthonge *(Partei – in einem – geheim)*, durch die
die Andeutungen des jungen Genossen über die Entfremdung der Partei zusammengehalten werden, wird durch zweifache Bestätigung der unverbrüchlichen Verbindung zwischen ihm und der Partei pariert: *[7]in deinem* usw.

Der Kontrast *einem – deinem* der Anfangsstrophe findet seinen Widerhall im umgekehrten Kontrast der Endstrophe *[17]keiner – [18]einer.* Wenn sich die Partei aus dem
gesichtslosen *sie* der ersten Strophe im weiteren in ein pluralisches persönliches *wir*
verwandelt, so wird im Gegensatz dazu das persönliche *du* der beiden inneren
Strophen durch ein degradierendes, unbestimmtes *einer* ersetzt. Nur in den geraden
Strophen treten universale Pronomina auf: das positive *alle* in II und das negative
keiner in IV – wohl das einzige Beispiel einer direkten Symmetrie innerhalb der
Strophenpaare des Gedichts, wenn man von der Alternation der merkmalhaften
Kasus in den ungeraden Strophen mit dem Nominativ der gleichen Nomina in den
folgenden geraden Strophen absieht (siehe oben).

Doch im Gegensatz zur Solidarität zwischen dem *wir* und dem *alle* der zweiten
Strophe bilden die Pronomina *keiner* und *einer*, von denen Peirce das erstere zu den
universal selectives, das zweite zu den *particular selectives* rechnet[5], eine tiefe Antinomie.
Die Entzweiung zwischen dem jungen Genossen und der Partei, die in der ersten
Strophe die Frage nach der Entfremdung der Partei bewirkt hatte, suggeriert gegen
Schluß die fatale Schlußfolgerung über die Entfremdung des Genossen selbst. Das
Pronomen *keiner*, hervorgehoben durch einen Chiasmus der Alliterationen – *[17]Daß
der kurze Weg besser ist als der lange, das leugnet keiner* – andererseits das
Pronomen *einer* und das entsprechende Possessiv *seine*, diese drei pronominalen
Nominative verleihen der ganzen Strophe ein einheitliches diphthongisches Leit-
motiv: *[17]leugnet keiner | – [18]einer weiß | – [19]zeigen – seine Weisheit | – [20]Sei
bei uns weise! |*[6] In jedem dieser vier Verse klingt unter der Endbetonung der
gleiche Diphthong auf, den Zweilaut der Coda des ersten Verses aufgreifend: *Wer
aber ist die Partei?* und derselbe Diphthong begleitet im weiteren Verlauf die
Entwicklung desselben Themas in der folgenden Erwiderung des Kontrollchores
»Lob der Partei«: *[1]Der Einzelne hat zwei Augen | [2]Die Partei hat tausend
Augen | [3]Die Partei – [4]Der Einzelne – eine – [5]Der Einzelne – seine – [6]die
Partei – [7]Der Einzelne – [8]die Partei.*

Die erwähnte Verallgemeinerung des Diphthonges /ai/ in der letzten betonten
Silbe der ersten vier Zeilen der Strophe IV des Gedichts »Wir sind sie« gehört erst
der Endredaktion an: im zwanzigsten Vers bieten die früheren Niederschriften und
der Drucktext des Lehrstückes »Die Maßnahme« eine andere Wortfolge: *Sei weise
bei uns!* Diese Version bewahrte einen strengen Parallelismus zum folgenden Vers:
[21]Trenne dich nicht von uns! und eine deutliche dreifache Paronomasie *[18]einer weiß | –
[19]seine Weisheit | – [20]sei weise...* Andererseits verschärft die Endredaktion das Pareg-
menon, indem sie alle drei aufeinanderfolgenden Verse auf verwandte und gleich-

klingende Wörter ausgehen läßt und damit das Mittelglied und die zentrale Coda der ganzen fünfzeiligen Strophe hervorhebt.

[1]Die Partei, das erste Substantiv des Gedichts, und das letzte Nomen *[19]Weisheit*, beide im gleichen Kasus, unterscheiden sich von anderen substantivischen Nomina auch durch das gleiche Genus, lassen beiden den Vers auf den gleichen Diphthong ausklingen und stehen beide am Schluß einer Frage, der ersten und der letzten Frage des ganzen Textes, der Frage nach der Partei, die den Abtrünnigen so sehr bewegt *([1]Wer ist die Partei?)* und die im Namen der Partei vorgebrachte Frage nach dem klügelnden Abtrünnigen. Abstrakte Nomina verbinden den dritten Vers der Anfangsstrophe mit dem dritten Vers der Endstrophe. Die einleitende Strophe stellt die geheimen Absichten der Partei in Frage: *[3]Sind ihre Gedanken geheim, ihre Entschlüsse unbekannt?* Die Endstrophe reagiert darauf mit einer schon von vornherein beantworteten Frage, ob denn der Weitblick individueller verborgener Absichten von gesellschaftlichem Nutzen sei: *[19]was nützt uns seine Weisheit?*

Die im oben angeführten Zitat Arnold Zweigs erwähnten Gesetze der Interferenz und des Sichkreuzens werden anhand des untersuchten Gedichts anschaulich illustriert. Die grammatische Architektonik des Gedichts verbindet zwei Gliederungsprinzipien: das Prinzip der Aufgliederung des Gedichts in je zwei Paare von Strophen, also eine doppelte Dichotomie, mit einem anderen Prinzip, welches, im Unterschied zum vorangehenden, kein Vielfaches voraussetzt und folglich ein Zentrumsprinzip darstellt. Die erste, zweite und vierte Strophe enthalten je vier unabhängige Elementarsätze *(clauses)* mit finitem Verb, während die dritte Strophe vier solcher Elementarsätze im ersten Gesamtsatz (Vers III^1–III^5) und vier in den beiden folgenden Gesamtsätzen (Vers III^6–III^8) enthält. Somit zerfällt das Gedicht in fünf symmetrische syntaktische Gruppen mit je vier unabhängigen Elementarsätzen. Nur in den drei letzten Gruppen treten Imperativsätze auf, je zwei von den vier unabhängigen Elementarsätzen jeder Gruppe: der erste und dritte Elementarsatz in der dritten Gruppe, der erste und vierte in der vierten Gruppe, der dritte und vierte in der fünften Gruppe:

1. ist – sitzt – sind – ist
2. sind – steckt und denkt – ist – kämpft
3. *zeige* – werden gehen – *gehe nicht* – ist
4. *trenne dich nicht* – können – kannst – *trenne dich nicht*
5. leugnet – nützt – *sei* – *trenne dich nicht*

Es ist zu erwähnen, daß ursprünglich (in der Niederschrift 401/33) die vierte Gruppe von der dritten durch eine Leerzeile getrennt war, doch hat der Korrekturstift des Dichters das Spatium zwischen Zeile 13 und 14 getilgt.

Von diesen fünf Vierergruppen sind alle drei ungeraden Gruppen durch das Vorhandensein eines adversativen *aber* gekennzeichnet, und nur innerhalb dieser ungeraden Gruppen erscheint in unmittelbarer Nähe der Konjunktion jedesmal der bestimmte Artikel. Dieser Artikel hebt die beiden zentralen substantivischen Nomina des ganzen Gedichts – *Partei* und *Weg* – hervor und stellt sie zur Diskussion. Seiner Funktion nach fällt der Artikel mit dem analogen Demonstrativpronomen

zusammen, indem er semantisch dem lateinischen *ille* gleichkommt. In der Anfangsstrophe des Gedichts »Wer aber ist die Partei?« wird das im Titel stehende Nomen
durch den Nominativ des bestimmten Artikels eingeführt, unmittelbar auf die
Einführungsfrage folgt der parallele Fragesatz des zweiten Verses mit zwei unbestimmten Artikeln im Dativ: die Form *einem* und die Nullform des Plurals *²Sitzt
sie in einem Haus mit Telefonen?* Es ist bezeichnend, daß gerade jene Frage durch den
unbestimmten Artikel ausgezeichnet ist, die in der nächsten Strophe beseitigt wird:
⁸Wo ich wohne, ist ihr Haus.

Entsprechend den drei grammatischen Artikeln der ersten der ungeraden
Gruppen enthält die zweite (die mittlere) ungerade Gruppe ihrerseits drei Artikel,
diesmal freilich drei bestimmte Artikel männlichen Geschlechts: *Zeige uns* **den**
Weg ...| ... aber| Gehe nicht ohne uns **den** *richtigen Weg| Ohne uns ist er* **der** *falscheste.*

Schließlich verbinden sich in der dritten ungeraden Gruppe zwei bestimmte
Artikel, die sich wiederum auf *Weg* beziehen, mit dem etymologisch und funktions-
mäßig verwandten *das;* und wenn in der Anfangsgruppe die adversative Konjunktion der dreigliedrigen Gruppe voranging und in der zweiten Gruppe sich in diese
einkeilte, so steht in der Endgruppe die gleiche Konjunktion *hinter* der entsprechen-
den Gruppe: *¹⁷Daß der kurze Weg besser ist als der lange, das leugnet keiner| Aber ...*

Es ist auffallend, daß adjektivische Nomina nur in den ungeraden Gruppen erscheinen: in der ersten und fünften sind es je zwei Beispiele in prädikativer Funktion – *³sind geheim, ... unbekannt* und *¹⁷besser ist, ²⁰sei bei uns weise,* in der dritten und
fünften je zwei Antonyme in attributiver Funktion, einmal mit explizitem, das andere
Mal mit implizitem Beziehungswort: *¹¹Gehe nicht ohne uns den richtigen Weg| ¹²Ohne
uns ist er| ¹³Der falscheste* [Weg] und *¹⁷Daß der kurze Weg besser ist als der lange* [Weg].

Es zeigt sich, daß hier die Bewertung aufs engste mit den ungeraden Abschnitten,
den Knotenpunkten der Kontroverse, verbunden ist. Die zweite der drei ungeraden
Gruppen, der mittlere Abschnitt des ganzen Gedichts, verbindet alle vier Elementarsätze, und zwar abwechselnd imperative und deklarative Sätze zu einem einzigen Gesamtsatz, dem längsten Satz des Gedichts. Der auf die adversative Konjunktion folgende negative Aufforderungssatz, der von zwei positiven Aussagesätzen
umrahmt ist und der genau den zentralen Vers des ganzen Gedichts einnimmt, ist
zugleich auch dessen zentraler Leitsatz – GEHE NICHT OHNE UNS DEN
RICHTIGEN WEG –, während die beiden peripheren *aber* symmetrische Fragesätze einführen.

Das dialektische Spiel der Antonyme verwandelt diesen richtigen Weg unmittel-
bar in den falschesten, *wenn ihn einer weiß | Und vermag ihn uns nicht zu zeigen.* Die
Didaktik des Gedichts ist bewußt zweideutig und birgt einen unabwendbaren
Konflikt in sich. Der Zweifel – *wer weiß* – war vom Verfasser gestrichen worden,
und es schien, als sei der zweiten Person das Wissen um den kürzesten, den sichersten
Weg zugeschrieben, *den wir gehen sollen und wir werden ihn gehen,* sobald er uns gezeigt
wird. Es schien, als handle es sich hier lediglich um eines: Gehe nicht allein, sondern
zeige uns deinen sicheren Weg! Die Mitwirkenden des Lehrstückes geben jedoch
diesen Versen einen zutiefst vieldeutigen Sinn. Die Worte – *Wir können irren und du*

kannst recht haben – werden vom jungen Genossen wörtlich aufgefaßt: »Weil ich recht habe, kann ich nicht nachgeben.« Die Ratgeber des jungen Genossen interpretieren aber ihre eigene Aufforderung »zeige uns den richtigen Weg« als einen Befehl »zeige, beweise uns die Richtigkeit des eingeschlagenen Weges« *(Versuche uns zu überzeugen)*, und ihr hartes Urteil lautet: *Du hast uns nicht überzeugt.*

Die verlockende Bitte – *Zeige uns den Weg, den wir gehen sollen* – klingt in Wirklichkeit wie eine hemmende Frage – *sollen wir den gehen?* – und das feierliche Gelöbnis – *und wir | Werden ihn gehen wie du* – wandelt sich zu einem unerbittlichen Verbot, den eingeschlagenen Weg fortzusetzen. »Das sichere ist nicht sicher«, sagt der Dichter im *Lob der Dialektik*. Aus der Prämisse *Wir können irren, und du kannst recht haben*, folgert keineswegs die Annahme deines richtigen Weges, sondern der Befehl: *also | Trenne dich nicht von uns!* Der Wanderer, der dieses dreifache Gebot überhörte, ist damit unwiederbringlich verurteilt: *Dann muß er verschwinden und zwar ganz* (S. 347).

»Ich hielt es für meine Aufgabe, all die Disharmonien und Interferenzen, die ich stark empfand, formal zu neutralisieren«, schrieb Brecht über die Quellen seiner dramatischen Poesie (*Über reimlose Lyrik* ..., S. 138): »Es handelte sich, wie man aus den Texten sehen kann, nicht nur um ein ›Gegen-den-Strom-Schwimmen‹ in formaler Hinsicht, einen Protest gegen die Glätte und Harmonie des konventionellen Verses, sondern immer doch schon um den Versuch, die Vorgänge zwischen den Menschen als widerspruchsvolle, kampfdurchtobte, gewalttätige zu zeigen.«

ANMERKUNGEN

1. Wolfgang Steinitz, *Der Parallelismus in der finnisch-karelischen Volksdichtung*, FF Communications 115, Helsinki 1934.

2. A. J. Greimas, *Remarques sur la description mecanographique des formes grammaticales.* Bulletin d'information du Laboratoire d'analyse lexicologique II, Besançon 1960.

3. Das Wesen der Pronominalität ist von A. M. Peškovskij klar umrissen worden:
Парадоксальность этих слов заключается, стало бЫть, в том, ч них совсем нет вещественного значения, а что у них и основное [корневое] значение — формальное и добавочное [суффиксальное] — формальное. Получается, так сказать, ›форма на форме‹. Понятно, что в грамматике такая группа слов (имеющаяся, между прочим, в каждом язые и везде, разумеется, в ничтожной пропорции ко всем другим сдовам языка) занимает совершенно особое положение; ... она сугбо грамматична, так как по значению исключительно формальна и так как корневое значение в ней наиболее обще инаиболее отвлеченно из всех грамматических значений« (Русский синтаксис в научном освещении, Москва⁷1956, 155).

4. In der Bühnenbearbeitung des Dialogs ist die gegenseitige Beziehung zwischen dem *du* und dem *wir*, zwischen dem »jungen Genossen« und den »vier Agitatoren«, eindrucksvoll durch die Anweisung des Verfassers unterstrichen: Jeder der vier Spieler soll die Gelegenheit haben, einmal das Verhalten des jungen Genossen zu zeigen, daher soll jeder Spieler eine der vier Hauptszenen des jungen Genossen spielen (S. 534). Diese

Umschaltung macht die Rolle der *Wechselwörter (shifters)*, die die Personalpronomina nun einmal in erster Linie in der Sprache spielen, zu einem Kunstgriff; vgl. unseren Aufsatz *Shifters, verbal categories, and the Russian verb*, Cambridge, Mass., 1957, 1. 5.

5. Charles Sanders Peirce, *Collected Writings* II, Harvard University Press 1932, 164.

6. Daß die Verteilung der Diphthonge, besonders des Diphthongs /ai/ im Gedicht »Wir sind sie« bei weitem nicht zufällig ist, läßt sich anhand statistischer Daten zeigen. In der vierten Strophe entfallen auf 41 Silben 10 /ai/-Diphthonge, namentlich auf die fünf Silben des zwanzigsten Verses ganze drei Diphthonge, während nur drei solche Diphthonge auf 38 Silben der ersten Strophe entfallen; die zweite Strophe, die aus 45 Silben besteht, weist nur zwei Diphthonge auf, die dritte Strophe enthält einen einzigen Diphthong, und zwar in der ersten der 56 Silben der Strophe.

»Les Chats« von Charles Baudelaire

ROMAN JAKOBSON UND CLAUDE LÉVI-STRAUSS

Les Chats

[1]Les amoureux fervents et les savants austères,
[2]Aiment également, dans leur mûre saison,
[3]Les chats puissants et doux, orgueil de la maison,
[4]Qui comme eux sont frileux et comme eux sédentaires.

[5]Amis de la science et de la volupté,
[6]Ils cherchent le silence et l'horreur des ténèbres;
[7]L'Érèbe les eût pris pour ses coursiers funèbres,
[8]S'ils pouvaient au servage incliner leur fierté.

[9]Ils prennent en songeant les nobles attitudes,
[10]Des grands sphinx allongés au fond des solitudes,
[11]Qui semblent s'endormir dans un rêve sans fin;

[12]Leurs reins féconds sont pleins d'étincelles magiques,
[13]Et des parcelles d'or, ainsi qu'un sable fin,
[14]Étoilent vaguement leurs prunelles mystiques.

Die Katzen

[1]Die glühenden Verliebten und die strengen Gelehrten
[2]Lieben gleichermaßen in der Zeit ihrer Reife
[3]Die mächtigen und sanften Katzen, Stolz des Hauses,
[4]Die wie sie frösteln und wie sie seßhaft sind.

[5]Freunde des Wissens und der Lust,
[6]Suchen sie das Schweigen und den Schrecken der Finsternis;
[7]Der Erebos hätte sie als seine Totenrosse genommen,
[8]Wenn sie ihren Stolz der Knechtschaft beugen könnten.

[9]Sie nehmen sinnend die edlen Haltungen
[10]Der großen Sphinxe ein, die, ausgestreckt in der Tiefe der Einsamkeiten,
[11]Einzuschlafen scheinen in einem Traum ohne Ende;

[12]Ihre fruchtbaren Lenden sind voll magischer Funken,
[13]Und Goldpartikeln, wie feiner Sand,
[14]Besternen flimmernd ihre mystischen Pupillen.

Im Original: »Les Chats« de Charles Baudelaire, *L'Homme*. Revue française d'anthropologie II/1, 1962, S. 5–21. Deutsche Fassung in: *Sprache im Technischen Zeitalter*, 29, 1969, S. 2–19. Druck mit freundlicher Erlaubnis der Autoren und von *Sprache im Technischen Zeitalter*.

Zur Erstveröffentlichung des folgenden Aufsatzes schrieb Claude Lévi-Strauss folgende Vorbemerkung:

»*Der Leser wird vielleicht erstaunt sein, daß eine anthropologische Zeitschrift eine Studie veröffentlicht, die sich mit einem Gedicht aus dem 19. Jahrhundert befaßt. Die Erklärung ist jedoch einfach: Wenn ein Linguist und ein Ethnologe gemeinsam den Versuch unternommen haben herauszuarbeiten, woraus ein Sonett von Baudelaire besteht, so deshalb, weil sie sich unabhängig voneinander komplementären Problemen gegenüber sahen. Der Linguist erkennt in dichterischen Werken Strukturen, die denjenigen, die der Ethnologe bei der Analyse von Mythen findet, in erstaunlicher Weise analog sind. Der Ethnologe wiederum wird kaum leugnen, daß Mythen nicht nur bloße Begriffskonfigurationen sind: sie sind auch Kunstwerke, die bei den Zuhörern (und sogar bei den Ethnologen, die sie transkribiert lesen) starke ästhetische Empfindungen hervorrufen. Könnten die beiden Probleme sich nicht womöglich als ein und dasselbe erweisen?*

Gewiß hat der Unterzeichner dieser Vorbemerkung den Mythos bisweilen vom dichterischen Werk abgehoben[1]. Die ihm das zum Vorwurf machten, haben nicht berücksichtigt, daß im Begriff des Kontrastes die beiden Formen schon als komplementäre Termini konzipiert waren, als Termini, die derselben Kategorie zugehören. Die im folgenden sich abzeichnende Annäherung der beiden Standpunkte erübrigt die anfangs vorgenommene Unterscheidung keineswegs: Denn jedes dichterische Werk enthält in sich selbst seine Varianten. Diese lassen sich auf einer vertikalen Achse anordnen, da das Werk aus einander überlagernden Ebenen besteht: der phonologischen, phonetischen, syntaktischen, prosodischen, semantischen usw. Der Mythos hingegen kann – wenigstens im Prinzip – ausschließlich auf der semantischen Ebene interpretiert werden, da das System von Varianten (unerläßlich für die strukturale Analyse) hier von einer Vielheit von Versionen desselben Mythos geliefert wird; man kommt also mit einem horizontalen Schnitt aus, der lediglich auf der semantischen Ebene durch ein Korpus von Mythen gelegt wird. Dabei darf jedoch nicht übersehen werden, daß diese Unterscheidung vor allem einem praktischen Bedürfnis entspricht. Sie soll nämlich die strukturale Analyse von Mythen selbst dann erlauben, wenn die eigentlich linguistische Basis fehlt. Nur wer die beiden Methoden wirklich anwendet und selbst den plötzlichen Übergang von der einen zur anderen nicht scheut, wird über die anfangs aufgestellte Hypothese entscheiden können: Wenn je nach den Umständen die eine oder die andere Methode gewählt werden kann, dann letzten Endes, weil die eine gegen die andere austauschbar ist – ohne daß sie sich deshalb stets ergänzen müßten.«

Wenn man dem Beitrag *Le Chat Trott* von Champfleury glauben darf, in dem dieses Sonett von Baudelaire zum ersten Mal veröffentlicht wurde (*Le Corsaire*, 14. Nov. 1847), ist es bereits im März 1840 geschrieben, und der Text im *Corsaire* entspricht – entgegen den Behauptungen einiger Interpreten – wörtlich dem der *Fleurs du Mal*.

In der Verteilung der Reime folgt der Dichter dem Schema aBBa CddC eeFgFg (wobei die Verse mit männlichem Reim durch Großbuchstaben, die Verse mit weiblichem Reim durch Kleinbuchstaben gekennzeichnet sind). Diese Reimkette verteilt sich auf drei Versgruppen: zwei Quartette und einen Sechszeiler, der aus zwei Terzetten besteht, die eine gewisse Einheit bilden, denn die Gruppierung der Reime wird – wie das Grammont gezeigt hat – im Sonett »durch eben dieselben Regeln geleitet wie in jeder normalen Strophe aus sechs Versen«[2].

Die Anordnung der Reime im vorliegenden Sonett folgt drei dissimilatorischen Gesetzen: (1) zwei paarige Reime dürfen nicht aufeinander folgen; (2) wenn zwei benachbarte Verse verschiedene Reime haben, dann muß einer der Reime männlich, der andere weiblich sein; (3) am Schluß von benachbarten Strophen sollen sich männliche und weibliche Verse abwechseln: *⁴sédentaires - - -⁸fierté - - -¹⁴mystiques*. Nach dem klassischen Kanon enden alle weiblichen Reime auf eine stumme und alle männlichen auf eine vollautende Silbe; der Unterschied zwischen den beiden Klassen von Reimen bleibt auch in der geläufigen Aussprache, die das veraltete *e* der Endsilbe fallen läßt, erhalten, da in allen weiblichen Reimen des Sonetts auf den letzten vollen Vokal Konsonanten folgen *(austères – sédentaires, ténèbres – funèbres, attitudes – solitudes, magiques – mystiques)*, während alle männlichen Reime auf Vokal ausgehen *(saison – maison, volupté – fierté, fin – fin)*.

Die enge Beziehung zwischen der Reimordnung und der Wahl der grammatischen Kategorien macht deutlich, wie wichtig die Rolle ist, die Grammatik wie Reim in der Struktur dieses Sonetts spielen.

Sämtliche Verse enden mit einem Nomen: acht mit einem Substantiv, sechs mit einem Adjektiv. Die Substantive sind sämtlich Feminina. In allen acht Versen mit weiblichem Reim, die nach der traditionellen Norm um eine Silbe, in der heutigen Aussprache wenigstens um einen postvokalischen Konsonanten länger sind, steht das Nomen am Versende im Plural, während die kürzeren Verse mit männlichem Reim in allen sechs Fällen auf ein Nomen im Singular enden.

In den beiden Quartetten sind die männlichen Reimworte Substantive, die weiblichen Adjektive, ausgenommen das Schlüsselwort *⁶ténèbres*, das auf *⁷funèbres* reimt. Auf das Problem der Beziehung zwischen diesen beiden Versen werden wir später zurückkommen. Was die Terzette betrifft, so enden die drei Verse des ersten mit einem Substantiv, die des zweiten mit einem Adjektiv. Der die beiden Terzette verbindende Reim, der einzige homonyme Reim *(¹¹sans fin – ¹³sable fin)*, stellt somit einem femininen Substantiv ein maskulines Adjektiv gegenüber – unter den männlichen Reimen des Sonetts ist dieses auch das einzige Adjektiv und das einzige Beispiel eines Maskulinums.

Das Sonett enthält drei komplexe, mit einem Punkt abgegrenzte Sätze; und zwar bilden jedes der Quartette und die Gruppe der beiden Terzette je einen Satz. Nach der Zahl der Hauptsätze und der finiten Verbformen stellen die drei Sätze eine arithmetische Progression dar: (1) ein einziges finites Verb *(aiment)*; (2) zwei finite Verben *(cherchent, eût pris)*; (3) drei finite Verben *(prennent, sont, étoilent)*. Andererseits enthalten die zugehörigen Nebensätze nur jeweils ein finites Verb: (1) *Qui . . . sont;* (2) *S'ils pouvaient;* (3) *Qui semblent*.

Die Dreiteilung des Sonetts impliziert eine Antinomie zwischen den strophischen Einheiten mit zwei und der strophischen Einheit mit drei Reimen. Sie wird aufgewogen durch eine Dichotomie, die das Gedicht in zwei Strophenpaare teilt: in das Paar der Quartette und in das Paar der Terzette. Dieses binäre Prinzip, durch die grammatische Struktur des Textes gestützt, impliziert wiederum eine Antinomie: zwischen dem ersten Abschnitt mit vier und dem zweiten mit drei Reimen, bzw. zwischen den ersten zwei Unterabschnitten oder Strophen mit vier Versen und den letzten zwei Strophen mit drei Versen. Auf der Spannung zwischen diesen beiden Anordnungsarten und zwischen ihren symmetrischen und asymmetrischen Elementen beruht die Komposition des ganzen Stücks.

Deutlich ist ein syntaktischer Parallelismus zwischen dem Paar der Quartette einerseits und dem Paar der Terzette andererseits festzustellen. Das erste Quartett enthält ebenso wie das erste Terzett zwei Teilsätze, von denen der zweite – ein Relativsatz, der beide Male durch das Pronomen *qui* eingeleitet wird – den letzten Vers der Strophe bildet und sich einem maskulinen Substantiv im Plural anschließt, das im Hauptsatz als Ergänzung dient *(3Les chats, 10Des ... sphinx)*. Das zweite Quartett (und ebenso das zweite Terzett) enthält zwei koordinierte Sätze, von denen der zweite – seinerseits ein zusammengesetzter – jeweils die letzten beiden Verse der Strophe (7–8 und 13–14) umfaßt und einen Nebensatz enthält, der dem Hauptsatz durch Konjunktion angeschlossen ist. Im Quartett ist es ein Konditionalsatz *(8s'ils pouvaient)*, im Terzett ein Komparativsatz *(13ainsi qu'un)*. Der erste ist nachgestellt, der zweite ist ein unvollständiger Einschub.

In dem Text des *Corsaire* entspricht die Interpunktion des Sonetts genau dieser Einteilung. Das erste Terzett endet wie das erste Quartett mit einem Punkt. Im zweiten Terzett und im zweiten Quartett geht den beiden letzten Versen jeweils ein Semikolon voraus.

Der semantische Aspekt der grammatischen Subjekte verstärkt noch diesen Parallelismus zwischen den beiden Quartetten auf der einen und den beiden Terzetten auf der anderen Seite:

I Quartette	II Terzette
1. Erstes	1. Erstes
2. Zweites	2. Zweites

Die Subjekte des ersten Quartetts und die des ersten Terzetts bezeichnen ausschließlich belebte Wesen, während eines der beiden Subjekte des zweiten Quartetts und alle grammatischen Subjekte des zweiten Terzetts Substantive sind, die Unbelebtes bezeichnen: *7L'Érèbe, 12Leurs reins, 13des parcelles, 13un sable*. Außer diesen sozusagen horizontalen Entsprechungen läßt sich eine weitere Entsprechung beobachten, die man vertikal nennen könnte. Sie stellt die Gruppe der beiden Quartette der Gruppe der beiden Terzette gegenüber. Während alle direkten Objekte in den Terzetten unbelebte Substantive sind *(9les nobles attitudes, 14leurs prunelles)*, ist das einzige direkte Objekt des ersten Quartetts ein belebtes Substantiv *(3Les chats)*. Unter den Objekten des zweiten Quartetts findet sich neben den unbelebten Substantiven *(6le silence et l'horreur)* das Pronomen *les*, das sich auf *les chats* im vorhergehenden Satz bezieht. Hinsichtlich der Beziehung zwischen Subjekt und Objekt zeigt das Sonett zwei Entsprechungen, die man diagonal nennen könnte: eine absteigende Diagonale vereinigt die zwei äußeren Strophen (das Anfangsquartett mit dem Endterzett) und stellt sie der aufsteigenden Diagonale gegenüber, die die beiden inneren Strophen verbindet. In den äußeren Strophen gehört das Objekt zur gleichen semantischen Klasse wie das Subjekt: belebte Wesen im Quartett *(amoureux, savants – chats)*, unbelebte Wesen im Terzett *(reins, parcelles – prunelles)*. In den Binnenstrophen dagegen gehört das Objekt zu einer Klasse, die der des Subjekts entgegengesetzt ist: im ersten Terzett steht ein unbelebtes Objekt einem belebten Subjekt gegenüber *(ils* [= chats] – *attitudes)*, während im zweiten Quartett sowohl dasselbe Verhältnis *(ils* [= chats] *silence, horreur)* wie auch das umgekehrte nachweisbar ist: belebtes Objekt und unbelebtes Subjekt *(Érèbe – les* [= chats]).

So bewahrt jede der vier Strophen ihre Individualität: Im ersten Quartett kennzeichnet das Merkmal »belebt« sowohl Subjekt wie Objekt, im ersten Terzett nur das Subjekt; im zweiten Quartett entweder nur das Subjekt oder nur das Objekt und im zweiten Terzett weder das eine noch das andere.

Anfang und Schluß des Sonetts weisen in ihrer grammatischen Struktur mehrere überraschende Entsprechungen auf. Am Schluß finden sich genau wie am Anfang, aber nirgends sonst, zwei Subjekte mit nur einem Prädikat und einem direkten Objekt. Jedes dieser Subjekte, und auch das Objekt, wird durch ein Attribut bestimmt *(Les amoureux fervents, les savants austères – Les chats puissants et doux; des parcelles d'or, un sable fin – leurs prunelles mystiques)*. Die beiden Prädikate, das erste und das letzte des Sonetts, sind die einzigen, die Adverbien neben sich haben, wobei beide von Adjektiven abgeleitet und durch Assonanzreim gebunden sind: *[2]Aiment également – [14]Étoilent vaguement*. Das zweite und das vorletzte Prädikat des Sonetts haben als einzige eine Kopula mit Prädikatsnomen, und in beiden Fällen wird das Prädikatsnomen durch Binnenreim hervorgehoben: *[4]Qui comme eux sont frileux, [12]Leurs reins féconds sont pleins*. Ganz allgemein sind die beiden äußeren Strophen als einzige reich an Adjektiven: neun im Quartett und fünf im Terzett, während die inneren Strophen insgesamt nur drei Adjektive haben *(funèbres, nobles, grands)*.

Wie schon gesagt, gehören nur am Anfang und am Schluß des Gedichts die Subjekte derselben Klasse an wie das Objekt: im ersten Quartett der Gattung des Belebten, im zweiten Terzett der Gattung des Unbelebten. Die belebten Wesen, ihre Funktionen und Aktivitäten beherrschen die Anfangsstrophe. Die erste Zeile enthält nur Adjektive. Unter ihnen lassen die beiden substantivierten Formen, die als Subjekte dienen – *Les amoureux* und *les savants* –, verbale Wurzeln erkennen: der Text wird eröffnet durch »diejenigen, die lieben« und »diejenigen, die wissen«. In der letzten Zeile des Gedichts gilt das Umgekehrte: das transitive Verb *Étoilent*, das als Prädikat dient, ist von einem Substantiv abgeleitet. Letzteres ist mit der Reihe der unbelebten und konkreten Appellativa verwandt, die das Terzett beherrschen und es von den drei vorhergehenden Strophen abheben. Eine klare Homophonie zwischen diesem Verb und den Gliedern der betrachteten Reihe ist erkennbar: | etēsɛlə | – | e de parsɛlə | – | etwalə/. Schließlich enthalten die Nebensätze im letzten Vers der zweiten und dritten Strophe jeder einen adverbialen Infinitiv – es sind die einzigen Infinitive im Gedicht: *[8]S'ils pouvaient … incliner; [11]Qui semblent s'endormir*.

Wie wir gesehen haben, führen weder die dichotomische Spaltung des Sonetts noch die Gliederung in drei Strophen ein Gleichgewicht von isometrischen Teilen herbei. Zerlegt man hingegen die 14 Verse in zwei gleiche Teile, so würde der siebte Vers die erste Hälfte abschließen und der achte den Beginn der zweiten Hälfte markieren. Es ist bezeichnend, daß sich diese beiden mittleren Verse in ihrer grammatischen Konstitution am klarsten vom Rest des Gedichts unterscheiden.

In verschiedener Hinsicht zerfällt das Gedicht damit in drei Teile: in das mittlere Verspaar und zwei isometrische Gruppen, nämlich die sechs Verse, die dem Paar vorausgehen, und die sechs, die ihm folgen. Man erhält so eine Art Distichon, das von zwei Sechszeilern eingeschlossen ist.

Die finiten Verbformen mit den zugehörigen Subjekten, sowie die Pronomen stehen im Sonett sämtlich im Plural, ausgenommen den siebten Vers – *⁷L'Érèbe les eût pris pour ses coursiers funèbres* –, der den einzigen Eigennamen des Gedichts enthält und das einzige finite Verb, das (wie das zugehörige Subjekt) im Singular steht. Außerdem ist er der einzige Vers, wo das Possessivpronomen *(ses)* auf einen Singular verweist. Einzig die dritte Person kommt im Sonett vor. Einziges Tempus ist das Präsens, außer im siebten und achten Vers, wo der Dichter auf eine imaginäre Tätigkeit anspielt *(⁷eût pris)*, die von einer irrealen Prämisse ausgeht *(⁸S'ils pouvaient)*.

Das Sonett zeigt eine deutliche Tendenz, jedes Verb und jedes Substantiv näher zu bestimmen. Die Verbformen werden von einem abhängigen Ausdruck (Substantiv, Pronomen, Infinitiv) oder von einem Attribut begleitet. Alle transitiven Verben regieren durchweg Substantive *(²⁻³Aiment ... les chats; ⁶cherchent le silence et l'horreur; ⁹prennent ... les ... attitudes; ¹⁴Étoilent ... leurs prunelles)*. Die einzige Ausnahme bildet das Pronomen, das im siebten Vers als Objekt dient: *les eût pris*.

Mit Ausnahme der adnominalen Ergänzungen, die nirgends im Sonett näher bestimmt werden, haben alle Substantive (einschließlich der substantivierten Adjektive) Epitheta (z. B. *³chats puissants et doux)* oder andere Ergänzungen *(⁵Amis de la science et de la volupté)* neben sich. Die einzige Ausnahme findet man wieder im siebten Vers: *L'Érèbe les eût pris*. Alle fünf Epitheta des ersten Quartetts *(¹fervents, ¹austères, ²mûre, ³puissants, ³doux)* und alle sechs Epitheta der beiden Terzette *(⁹nobles, ¹⁰grands, ¹²féconds, ¹²magiques, ¹³fin, ¹⁴mystiques)* sind qualifizierende Adjektive, während das zweite Quartett keine anderen Adjektive enthält als das determinierende Epitheton des siebten Verses *(coursiers funèbres)*. Der siebte Vers unterbricht auch die Reihenfolge belebt-unbelebt, die das Verhältnis von Subjekt und Objekt in den anderen Versen des Quartetts bestimmt. Er bleibt der einzige Vers im Sonett, der statt dessen die Reihenfolge unbelebt-belebt annimmt.

Es zeigt sich, daß mehrere Besonderheiten gerade den siebten Vers oder auch die letzten beiden Verse des zweiten Quartetts auszeichnen. Allerdings ist festzuhalten, daß die Tendenz, das mittlere Distichon hervorzuheben, mit dem Prinzip der asymmetrischen Trichotomie konkurriert. Diese stellt das gesamte zweite Quartett einerseits dem ersten Quartett, andererseits dem folgenden Sechszeiler gegenüber und hebt auf diese Weise eine zentrale Strophe hervor, die sich in mancher Hinsicht von den Randstrophen unterscheidet. Wir hatten darauf hingewiesen, daß nur im siebten Vers Subjekt und Prädikat im Singular stehen. Diese Beobachtung kann erweitert werden: die einzigen Verse, in denen entweder das Subjekt oder das Objekt im Singular vorkommen, sind die des zweiten Quartetts; und wenn im siebten Vers der Singular des Subjekts *(L'Érèbe)* dem Plural des Objekts *(les)* gegenübersteht, so kehren die benachbarten Verse dieses Verhältnis um, indem sie das Subjekt in den Plural und das Objekt in den Singular setzen (*⁶Ils cherchent le silence et l'horreur; ⁸S'ils pouvaient . . . incliner leur fierté*). In den anderen Strophen stehen Objekt und Subjekt beide im Plural (*¹⁻³Les amoureux . . . et les savants . . . Aiment . . . Les chats; ⁹Ils prennent . . . les . . . attitudes; ¹³⁻¹⁴Et des parcelles . . . Étoilent . . . leurs prunelles*). Man beachte auch, daß im zweiten Quartett der Singular von Subjekt oder Objekt mit Unbelebtheit zusammenfällt, der Plural mit Belebtheit. Die Wichtigkeit dieser grammatischen Numeri für Baudelaire ist besonders hervorzuheben wegen der Rolle, die ihrer Opposition in den Reimen des Sonetts zufällt.

Hinzugefügt sei, daß sich die Reime des zweiten Quartetts in ihrer Struktur von allen übrigen Reimen des Gedichts unterscheiden. Unter den weiblichen Reimen ist der des zweiten Quartetts, *ténèbres – funèbres* der einzige, der zwei verschiedene Wortarten einander gegenüberstellt. Zudem weisen alle reimenden Zeilen des Sonetts, mit Ausnahme eben dieses einen Quartetts, ein oder mehrere identische Phoneme auf, die der betonten Silbe (die normalerweise mit einem Stützkonsonanten versehen ist) entweder unmittelbar oder in einem gewissen Abstand vorangehen: *¹savants austères – ⁴sédentaires, ²mûre saison – ³maison, ⁹attitudes – ¹⁰solitudes – ¹¹un rêve sans fin – ¹³un sable fin, ¹²étincelles magiques – prunelles mystiques*. Im zweiten Quartett hat weder das Paar *⁵volupté – ⁸fierté* noch das Paar *⁶ténèbres – ⁷funèbres* eine Entsprechung in den dem eigentlichen Reim vorausgehenden Silben. Andererseits alliterieren die letzten Wörter des siebten und des achten Verses: *⁷funèbres – ⁸fierté*. Der sechste Vers ist an den fünften gebunden: *⁶ténèbres* wiederholt die letzte Silbe von *⁵volupté*; ein Binnenreim *⁵science – ⁶silence* verstärkt noch die Affinität der beiden Verse. So bestätigen sogar die Reime eine gewisse Lockerung der Bindung zwischen den beiden Hälften des zweiten Quartetts.

In der lautlichen Textur des Sonetts spielen vor allem die nasalierten Vokale eine wichtige Rolle. Diese Vokale, die – nach einem glücklichen Ausdruck von Grammont[3] – »wie verschleiert sind durch die Nasalierung«, häufen sich im ersten Quartett (9 Nasale, zwei bis drei pro Zeile) und besonders im Endsechszeiler (21 Nasale, mit einer steigenden Tendenz im ersten Terzett – ⁹3 – ¹⁰4 – ¹¹6: Qui semblent s'endormir dans un rêve sans fin – und mit einer fallenden Tendenz im zweiten – ¹²5 – ¹³3 – ¹⁴1). Dagegen hat das zweite Quartett nur drei Nasale, je einen pro Vers, ausgenommen den siebten, der somit als einziger Vers im Sonett keinen nasalierten Vokal enthält; und dieses Quartett ist auch die einzige Strophe, deren männlicher Reim keinen nasalierten Vokal aufweist. Dafür dominieren im zweiten Quartett statt der Vokale die konsonantischen Phoneme, besonders die Liquiden: 23 Liquide gegenüber 15 im ersten Quartett, 11 im ersten Terzett und 14 im zweiten Terzett. In den Quartetten ist die Zahl der /r/ etwas höher als die der /l/, in den Terzetten etwas niedriger. Der siebte Vers, der nur zwei /l/ enthält, hat aber fünf /r/, d. h. mehr als jeder andere Vers: L'Érèbe les eût pris pour ses coursiers funèbres. Es sei daran erinnert, daß in Opposition zum /r/ das /l/ nach Grammont »den Eindruck eines Lautes macht, der weder knarrend noch kratzend noch rauh ist, sondern im Gegenteil gleichmäßig abläuft, fließt . . . und klar ist«[4].

Die Schroffheit jedes /r/ und besonders des französischen r, im Vergleich mit dem *glissando* des /l/, ergibt sich deutlich auch aus der akustischen Analyse dieser Phänomene in einer neueren Untersuchung von Durand[5]; das Zurücktreten des /r/ zugunsten des /l/ begleitet beredt den Übergang vom empirisch Katzenartigen zu den mythischen Transfigurationen.

Die ersten sechs Verse des Sonetts werden durch ein sich wiederholendes Merkmal zusammengehalten: ein symmetrisches Paar von koordinierten Ausdrücken, verbunden durch die Konjunktion *et* (*[1]Les amoureux fervents et les savants austères; [3]Les chats puissants et doux; [4]Qui comme eux sont frileux et comme eux sédentaires; [5]Amis de la science et de la volupté*), in dem die Zweigliedrigkeit des determinierenden Ausdrucks einen Chiasmus bildet mit der Zweigliedrigkeit des determinierten Ausdrucks im folgenden Vers – *[6]le silence et l'horreur des ténèbres* –, mit dem dieses binäre Konstruktionsprinzip, das fast alle Verse dieses ersten »Sechszeilers« kennzeichnet, endet. Es kommt auch später nicht wieder vor. Eine Variation desselben Schemas ist die Nebeneinanderstellung ohne Konjunktion: *[2]Aiment également, dans leur mûre saison* (parallele Umstandsergänzungen); *[3]Les chats . . ., orgueil* (Substantiv als Apposition zu einem anderen Substantiv).

Diese Paare koordinierter Ausdrücke und auch die Reime (nicht nur die Endreime, die semantische Beziehungen unterstreichen, wie *[1]austères – [4]sédentaires, [2]saison – [3]maison*, sondern auch und gerade die Binnenreime) dienen dazu, die Verse dieser Einleitung zu festigen: *[1]amoureux – [4]comme eux – [4]frileux – [4]comme eux; [1]fervents – [1]savants – [2]également – [2]dans – [3]puissants; [5]science – [6]silence*. So wurden auch alle personencharakterisierenden Adjektive des ersten Quartetts zu Reimworten, ausgenommen *[3]doux*. Eine doppelte etymologische Figur, die drei Versanfänge verbindet – *[1]Les amoureux – [2]Aiment – [5]Amis* – trägt noch zur Geschlossenheit dieser sechszeiligen »Similistrophe« bei; sie beginnt und endet mit einem Verspaar, dessen erste Halbzeilen jeweils reimen: *[1]fervents – [2]également; [5]science – [6]silence*.

[3]Les chats, direktes Objekt des Satzes, der die drei ersten Sonettverse umfaßt, wird in den Sätzen der drei anschließenden Verse zum impliziten Subjekt (*[4]Qui comme eux sont frileux; [6]Ils cherchent le silence*). Damit zeichnet sich eine Teilung dieses Quasi-Sechszeilers in zwei Quasi-Terzette ab. Das mittlere »Distichon« rekapituliert die Metamorphose der Katzen: vom (nunmehr ebenfalls impliziten) Objekt im siebten Vers (*L'Érèbe les eût pris*) zum gleichfalls impliziten grammatischen Subjekt im achten Vers (*S'ils pouvaient*). In dieser Hinsicht nähert sich der achte Vers dem nachfolgenden Satz (*[9]Ils prennent*).

Im allgemeinen bilden die nachgestellten Gliedsätze eine Art Übergang zwischen dem zugehörigen Hauptsatz und dem Satz, der diesem folgt. So räumt das implizite Subjekt »chats« des neunten und zehnten Verses im elften Vers seinen Platz dem Subjektspronomen des Relativsatzes, das auf die Metapher »sphinx« bezogen ist (*Qui semblent s'endormir dans un rêve sans fin*). Damit wird dieser Vers den Tropen genähert, die im Schlußterzett als grammatische Subjekte fungieren. Der unbestimmte Artikel, der den ersten zehn Versen mit ihren 14 bestimmten Artikeln völlig fremd war, ist in den letzten vier Versen des Sonetts als einziger zugelassen.

Dank der mehrdeutigen Verweise der beiden Relativsätze, des elften und des vierten Verses, lassen die vier Schlußverse die Umrisse eines fiktiven Quartetts ahnen, das scheinbar eine Entsprechung zu dem echten Quartett am Anfang des Sonetts herstellt. Andererseits hat aber auch das Endterzett eine formale Struktur, die sich in den ersten drei Zeilen des Sonetts widerzuspiegeln scheint.

Das belebte Subjekt wird niemals durch ein Substantiv ausgedrückt, sondern in der ersten Zeile des Sonetts durch substantivierte Adjektive *(Les amoureux, les savants)* und in den späteren Zeilen durch Personal- oder Relativpronomen. Menschliche Wesen erscheinen nur im ersten Satz und werden dort durch doppeltes Subjekt mit Hilfe substantivierter Verbaladjektive bezeichnet.

Die Katzen, Titelfiguren des Sonetts, werden im Text nur einmal namentlich erwähnt – im ersten Satz, in dem sie direktes Objekt sind: [1]*Les amoureux ... et les savants ...* [2]*Aiment ...* [3]*Les chats.* Nicht nur das Wort »chats« kommt im Laufe des Gedichts nicht wieder vor, auch der Anfangszischlaut / ʃ / erscheint nur noch in einem einzigen Wort: [6]/il ʃɛr ʃə/. Er bezeichnet, hier zudem verdoppelt, die charakteristische Aktivität von Katzen. Dieser stimmlose Zischlaut, der mit dem Namen der Titelfiguren des Sonetts verbunden ist, wird in der Folge sorgfältig vermieden.

Schon im dritten Vers werden die Katzen zum impliziten Subjekt, das auch das letzte belebte Subjekt im Sonett ist. Das Substantiv *chats* wird in den Rollen des Subjekts, des Objekts und der adnominalen Ergänzung anaphorisch durch Pronomen ersetzt: [6],[8],[9]*ils,* [7]*les,* [8], [12], [14]*leur(s)*, und die substantivischen Pronomen *ils* und *les* beziehen sich sogar nur auf die Katzen. Diese (adverbalen) Ersatzformen treten nur in den beiden inneren Strophen auf, im zweiten Quartett und im ersten Terzett. Im Anfangsquartett entspricht ihnen die autonome Form [4]*eux* (zweimal), die sich im Sonett nur auf menschliche Wesen bezieht. Das letzte Terzett enthält überhaupt kein substantivisches Pronomen.

Die beiden Subjekte des Anfangssatzes haben dasselbe Prädikat und dasselbe Objekt; so finden auch [1]*Les amoureux fervents et les savants austères* schließlich [2]*dans leur mûre saison* ihre Identität in einem Zwischenwesen, in einer Kreatur, die die Antinomie der zwei zwar menschlichen, aber entgegengesetzten Seinsarten umfaßt. Die beiden Kategorien des Menschlichen stehen einander gegenüber als: sinnlich/geistig. Es obliegt den Katzen, zwischen ihnen zu vermitteln. Die Rolle des Subjekts wird schon hier implizit von den Katzen übernommen, die zugleich Gelehrte und Verliebte sind.

Die beiden Quartette stellen die Figur der Katze objektiv vor, während die beiden Terzette deren Transfigurationen durchführen. Jedoch unterscheidet sich das zweite Quartett fundamental vom ersten und überhaupt von allen anderen Strophen. Die doppelsinnige Formulierung [6]*Ils cherchent le silence et l'horreur des ténèbres* gibt Anlaß zu einem Trugschluß, den der siebte Vers hervorruft und der darauffolgende entlarvt. Der Ausnahmecharakter dieses Quartetts, vor allem die Eigentümlichkeit der zweiten Strophenhälfte (insbesondere des siebten Verses), wird unterstrichen durch die besonderen Züge seiner grammatischen und lautlichen Textur.

Die semantische Affinität zwischen *L'Érèbe,* (»finsteres, an die Hölle grenzendes Gebiet«, metonymisches Substitut für die »Mächte der Finsternis« und besondres für *Érèbe*, »Bruder der Nacht«) und der Neigung der Katzen für den *horreur des ténèbres*, verstärkt durch die lautliche Ähnlichkeit von /tenɛbrə/ und /erɛbə/, hat die Katzen, die Helden des Gedichts, schon fast mit dem schauerlichen Geschäft der *coursiers funèbres* in Verbindung gebracht. Handelt es sich bei der Unterstellung *L'Érèbe les eût pris pour ses coursiers* um ein frustiertes Verlangen oder um eine Sinnestäuschung? Die Bedeutung dieser Passage, nach der die Kritiker oft gefragt haben[6], bleibt mit Absicht offen.

Jede der vier Strophen sucht den Katzen eine neue Identifikation zuzuweisen. Da das Quartett die Katzen mit zwei Typen der Menschengattung in Verbindung gebracht hat, vermögen sie kraft ihres Stolzes die im zweiten Quartett angestrebte neue Identifikation von sich zu weisen, die sie an eine Tiergattung binden wollte: die mythologisch gefaßten Rosse. Innerhalb des Gedichtes ist dies die einzige Gleichsetzung, die zurückgewiesen wird. Die grammatische Komposition dieser Passage, die sich deutlich von der der anderen Strophen abhebt, verrät ihren ungewöhnlichen Charakter: irrealer Modus, Fehlen von qualifizierenden Adjektiven, ein unbelebtes Subjekt im Singular, das ohne jede Bestimmung bleibt und ein belebtes Objekt im Plural regiert.

Aufeinander anspielende Oxymora verbinden die Strophen. [8]*Wenn sie ihren Stolz der Knechtschaft beugen KÖNNTEN (*[8]*S'ils POUVAIENT au servage incliner leur fierté) —* aber sie »können« (peuvent) es nicht, denn sie sind die wahrhaft [3]*MÄCHTIGEN (PUISSANTS)*. Sie können nicht passiv [7]*GENOMMEN (PRIS)* werden, um eine aktive Rolle zu spielen; vielmehr [9]*NEHMEN (PRENNENT)* sie selbst aktiv eine passive Rolle ein, denn sie beharren in ihrer Seßhaftigkeit.

Ihr [8]*Stolz* prädestiniert sie für [9]*die edlen Haltungen* [10]*der großen Sphinxe.* Die [10]*ausgestreckten Sphinxe* und die Katzen, die sie [9]*sinnend* nachahmen, werden zusammengehalten durch ein paronomastisches Band zwischen den zwei Partizipien, den einzigen partizipalen Formen im Sonett: / ãsɔ̃ʒã / (= [9]*en songeant*) und / alɔʒe / (= [10]*allongés*). Die Katzen scheinen sich mit den Sphinxen zu identifizieren, die ihrerseits [11]*einzuschlafen scheinen.* Der Vergleich, der die Katzen in ihrer Seßhaftigkeit (und implizit alle, die [4]*wie sie* sind) mit der Reglosigkeit übernatürlicher Wesen in Beziehung bringt, bekommt den Wert einer Metamorphose. Die Katzen und die menschlichen Wesen, die ihnen gleichgesetzt werden, vermischen sich in den Fabelwesen mit Menschenkopf und Tierleib. So ist die zurückgewiesene Identifikation schließlich durch eine neue, gleichfalls mythologische ersetzt.

[9]*Sinnend* gelingt es den Katzen, sich mit den [10]*großen Sphinxen* zu identifizieren; die Metamorphose wird bekräftigt durch eine Kette von Paronomasien, die mit diesen Schlüsselwörtern verbunden sind und die nasalierten Vokale mit dentalen und labialen Reiblauten kombinieren: [9]*en songeant* | ãsɔ̃ .. | − [10]*grands sphinx* | ..ãsfɛ .. | − [10]*fond* | fõ | −[11]*semblent* | sã ... | −[11]*s'endormir* | sã ...... | − [11]*dans un* |.ãzœ̃| − [11]*sans fin* | sãfɛ/. Der scharfe Nasal /ɛ/ und die anderen Phoneme in dem Wort [10]*sphinx* |sfɛ̃ks/ setzen sich im zweiten Terzett fort: [12]*reins* |.ɛ̃| − [12]*pleins* | ..ɛ̃| − [12]*étincelles* |..ɛ̃s...| − [13]*ainsi* |ɛ̃s.| − [13]*qu'un sable* |kɔ̃ɛs...|.

Im ersten Quartett hieß es: [3]*Les chats puissants et doux, orgueil de la maison.* Bedeutet dies, daß die Katzen, stolz auf ihre Behausung, die Inkarnation dieses Stolzes sind, oder ist vielmehr das Haus stolz auf seine Katzenbewohner und legt, wie der Erebos, Wert darauf, sie zu zähmen? Wie dem auch sei, das *³Haus*, das die Katzen im ersten Quartett umgrenzt, verwandelt sich in eine geräumige Wüste, *¹⁰fond des solitudes;* und die Furcht vor der Kälte, die die *chats ⁴frileux* und die *amoureux ¹fervents* einander nähert (man beachte die Paronomasie /fɛrvã/ – /frilø/), findet ein geeignetes Klima in der (nach Art der Gelehrten) strengen Abgeschiedenheit der (nach dem Muster der glühend Verliebten) sengenden Wüste, die die Sphinxe umgibt. Auf der zeitlichen Ebene hat *²mûre saison*, das im ersten Quartett auf *³la maison* reimte und diesem sich in seiner Bedeutung näherte, im ersten Terzett ein klares Gegenstück gefunden: diese beiden sichtlich parallelen Gruppen *(²dans leur mûre saison* und *¹¹dans un rêve sans fin)* stehen zueinander in Opposition, wobei die eine auf die Zeitlichkeit, die andere auf die Ewigkeit anspielt. Sonst gibt es in dem Sonett keine weiteren Konstruktionen mit *dans*, auch keine mit einer anderen auf das Verb bezogenen Präposition.

Das Geheimnis der Katzen beherrscht die beiden Terzette. Die Metamorphose entfaltet sich bis zum Schluß des Sonetts. Schwankte im ersten Terzett das Bild der in der Wüste ausgestreckten Sphinxe schon zwischen Kreatur und Trugbild, so verschwinden im folgenden Terzett die Lebewesen hinter Materiepartikeln. Die Synekdochen ersetzen die Katzen-Sphinxe durch ihre Körperteile: *¹³leurs reins,* *¹⁴leurs prunelles.* Das implizite Subjekt der inneren Strophen wird im zweiten Terzett wieder zur Ergänzungsbestimmung: die Katzen erscheinen zunächst als adnominale Ergänzung des Subjekts – *¹²Leurs reins féconds sont pleins –*, dann im letzten Satz des Gedichts nur noch als adnominale Ergänzung des Objekts: *¹⁴Étoilent vaguement leurs prunelles.* Die Katzen sind also im letzten Satz des Sonetts an das Objekt des transitiven Verbs und im vorletzten, einem Kopulasatz, an das Subjekt gebunden. Dadurch entsteht eine doppelte Entsprechung: einmal in bezug auf die Katzen, die direktes Objekt im ersten Teilsatz des Sonetts sind, zum andern in bezug auf die Katzen, die Subjekt des – gleichfalls kopulativen – zweiten Teilsatzes sind.

Gehörten am Anfang des Sonetts Subjekt und Objekt gleichermaßen zur Klasse des Belebten, so fallen im letzten Satz beide in die Klasse des Unbelebten. Generell sind alle Substantive des letzten Terzetts Konkreta dieser Klasse: *¹²reins, ¹²étincelles, ¹³parcelles, ¹³or, ¹³sable, ¹⁴prunelles.* Dagegen waren in den vorhergehenden Strophen alle unbelebten Appellativa – ausgenommen die adnominal gebrauchten – Abstrakta: *²saison, ³orgueil, ⁶silence, ⁶horreur, ⁸servage, ⁸fierté, ⁹attitudes, ¹¹rêve.* Die Unbelebtheit und das feminine Geschlecht, die dem Subjekt und dem Objekt des Schlußsatzes gemeinsam sind – *¹³⁻¹⁶des parcelles d'or ... Étoilent ... leurs prunelles* – wiegen die Belebtheit und das maskuline Geschlecht von Subjekt und Objekt des Anfangssatzes auf – *¹⁻³Les amoureux ... et les savants ... Aiment ... Les chats.* Im ganzen Sonett ist das einzige feminine Subjekt *¹³parcelles* und es kontrastiert mit dem Maskulinum am Ende desselben Verses, *¹³sable fin;* dieses ist seinerseits unter den männlichen Reimen des Sonetts das einzige Maskulinum.

Im letzten Terzett nehmen die Materieteilchen abwechselnd die Stellung des

Objekts und des Subjekts ein. Diese weißglühenden Partikeln sind es, die in einer neuen Identifikation, der letzten des Sonetts, mit [13]*feinem Sand* in Beziehung gesetzt und in Sterne verwandelt werden.

Der bemerkenswerte Reim, der die beiden Terzette verbindet, ist der einzige homonyme Reim im Sonett und der einzige männliche Reim aus verschiedenen Wortarten. Zwischen den beiden Reimwörtern besteht eine gewisse syntaktische Symmetrie, da beide am Schluß eines Nebensatzes stehen, wobei der eine vollständig, der andere elliptisch ist. Die Entsprechung beschränkt sich durchaus nicht auf die letzte Silbe des Verses, sondern verbindet die gesamten Zeilen: [11]| *sāblə sādərmir dãnzœ rɛvə sãfɛ* | – [13]/*parsɛlə dɔr ɛ̃si kœ sablə fɛ* |. Nicht zufällig wird gerade in diesem Reim, der die beiden Terzette verbindet, der [13]*feine Sand* genannt und damit das Motiv der Wüste wieder aufgenommen, in die das erste Terzett den [11]*Traum ohne Ende* der großen Sphinxe verlegt hatte.

[3]*Das Haus*, das die Katzen im ersten Quartett umgrenzt, wird im ersten Terzett aufgehoben, wo als wahrhaftes Nicht-Haus der Katzen-Sphinxe die Einöde herrscht. Dieses »Nicht-Haus« wiederum weicht der kosmischen Vielzahl der Katzen (die, wie alle Figuren des Sonetts, als *pluraliatantum* behandelt werden). Sie werden, wenn man so sagen darf, zum Haus des Nicht-Hauses, da sie in ihren Pupillen den Wüstensand und das Sternenlicht bergen. Der Epilog nimmt das Anfangsthema der in [3]*Les chats puissants et doux* vereinten Verliebten und Gelehrten wieder auf. Der erste Vers des zweiten Terzetts scheint eine Antwort auf den ersten Vers des zweiten Quartetts zu geben. Die Katzen sind die Freunde der Wollust *([5]Amis ... de la volupté)*, ihre fruchtbaren Lenden sind gefüllt ([12]*Leurs reins féconds sont pleins*). Man könnte annehmen, daß die Zeugungskraft gemeint ist, doch neigt Baudelaire zu ambivalenten Lösungen. Ist es die Kraft der Lenden, oder sind es elektrische Funken im Fell des Tieres? Wie dem auch sei, den Lenden wird eine *magische* Kraft zuerkannt. Es waren gleichfalls *zwei* koordinierte Ergänzungsbestimmungen, die das zweite Quartett eröffneten: [5]*Amis de la science et de la volupté;* entsprechend bezieht das Schlußterzett sich nicht nur auf die [1]*amoureux fervents,* sondern gleichermaßen auf die [1]*savants austères.*

Im letzten Terzett reimen die Suffixe. Damit wird eine enge semantische Beziehung hervorgehoben einerseits zwischen den [12]*étin*CELLES, [13]*par*CELLES und [14]*prun*ELLES der Katzen-Sphinxe und andererseits zwischen den [12]*étincelles mag-IQUES*, die vom Geschöpf ausstrahlen, und seinen [14]*prunelles myst*IQUES, die von einem inneren Licht erleuchtet und dem verborgenen Sinn geöffnet sind. Wie um die Äquivalenz der Morpheme *bloß*zulegen, hat dieser Reim als einziger im Sonett keinen Stützkonsonanten, und die Alliteration des anlautenden /m/ verbindet die beiden Adjektive. Der [6]*Schrecken der Finsternis* verfliegt unter diesem zweifachen Gleißen. Dieses Licht spiegelt sich auf der lautlichen Ebene wider in der Vorherrschaft der hellen Phoneme im nasalen Vokalismus der Schlußstrophe (7 Palatale gegenüber 6 Velaren), während in den vorhergehenden Strophen die Velare zahlenmäßig stark überwogen (16 gegen 0 im ersten, 2 gegen 1 im zweiten Quartett, 10 gegen 5 im ersten Terzett).

Mit dem Übergewicht der Synekdochen am Schluß des Sonetts, die einerseits die Teile für das Ganze des Fabeltiers setzen, andererseits das Ganze des Universums für dieses Tier, das doch nur Teil von ihm ist, scheinen die Bilder sich mit Absicht im Ungefähren verlieren zu wollen. Der bestimmte Artikel weicht dem unbestimmten, und der Ausdruck, den der Dichter seiner Verbmetapher gibt – [14]*Étoilent vaguement* –, spiegelt die Poetik dieses Epilogs. Zwischen den Terzetten und den entsprechenden Quartetten herrscht erstaunliche Übereinstimmung (horizontaler Parallelismus). Antwortet das erste Terzett auf die im ersten Quartett eng gezogenen Grenzen von Raum ([3]*maison)* und Zeit ([2]*mûre saison)*, indem es diese Grenzen entfernt oder aufhebt ([10]*fond des solitudes,* [11]*rêve sans fin)*, so triumphiert im zweiten Terzett die Magie des von den Katzen ausgestrahlten Lichts über den [6]*Schrecken der Finsternis,* aus dem das zweite Quartett beinahe falsche Konsequenzen gezogen hätte.

* * *

Wir wollen nun die Stücke unserer Analyse zusammensetzen und aufzeigen, wie die verschiedenen Ebenen, die wir untersucht haben, sich decken, ergänzen und miteinander verbunden sind, und damit dem Gedicht den Charakter eines absoluten Gegenstandes geben.

Zunächst die Gliederung des Textes. Deutlich lassen sich mehrere Gliederungen unterscheiden, sowohl hinsichtlich der Grammatik als auch der semantischen Beziehungen zwischen den verschiedenen Teilen des Gedichts. Wir haben bereits festgestellt, daß die drei Passagen, die jeweils mit einem Punkt enden, also die beiden Quartette und das Ganze der beiden Terzette, eine erste Gliederung darstellen. Das erste Quartett bringt in Form eines objektiven und statischen Tableaus einen wirklichen oder als wirklich angenommenen Sachverhalt. Das zweite Quartett schreibt den Katzen Bestrebungen zu, die von den Mächten des Erebos gedeutet werden, und den Mächten des Erebos Bestrebungen, die auf die Katzen gerichtet sind, aber von diesen zurückgewiesen werden. Diese beiden Abschnitte erfassen also die Katzen von außen: in der Passivität, für die die Verliebten und die Gelehrten empfänglich sind, bzw. in der Aktivität, die die Mächte der Finsternis für sich in Anspruch nehmen. Diesen Gegensatz nun überwindet der letzte Teil, der den Katzen eine passive Rolle zuerkennt, die sie aktiv ausüben. Sie wird nicht mehr von außen, sondern von innen her interpretiert.

Eine zweite Gliederung ergibt sich, wenn man die Gruppe der zwei Terzette der Gruppe der zwei Quartette gegenüberstellt. Dabei zeigt sich eine enge Beziehung zwischen dem ersten Quartett und dem ersten Terzett, ebenso zwischen dem zweiten Quartett und dem zweiten Terzett. In der Tat: (1) Die Gruppe der beiden Quartette steht zur Gruppe der beiden Terzette in Opposition, weil letztere den Betrachterstandpunkt *(Verliebte, Gelehrte,* Macht des *Erebos)* aufgeben und die Katzennatur jenseits aller räumlichen und zeitlichen Grenzen ansiedeln. (2) Im ersten Quartett wurden diese räumlich-zeitlichen Grenzen eingeführt *(maison, saison);* im ersten Terzett werden sie aufgehoben *(au fond des solitudes, rêve sans fin)*. (3) Das zweite Quartett definiert die Katzen durch die Finsternis, in die sie sich begeben; das zweite Terzett durch das Licht, das sie ausstrahlen *(étincelles, Étoilent)*.

Schließlich ist dem noch eine dritte Gliederung hinzuzufügen. Sie faßt, diesmal in einem Chiasmus, einerseits das Anfangsquartett und das Endterzett zusammen, andererseits die inneren Strophen, also das zweite Quartett und das erste Terzett. In der ersten Gruppe weisen die Hauptsätze den Katzen die Rolle des Objekts, bzw. des Attributs zu, während die beiden andern Strophen ihnen von Beginn an die Rolle des Subjekts vorbehalten.

Diese Phänomene der formalen Distribution haben ihre semantische Grundlage. Ausgangspunkt des ersten Quartetts ist das Zusammenleben der Katzen mit den Gelehrten oder den Verliebten im selben Haus. Aus dieser Kontiguität (Nachbarschaft) ergibt sich eine doppelte Ähnlichkeit *([4]comme eux ... comme eux)*. Auch im Schlußterzett entwickelt sich eine Kontiguitätsrelation bis zur Ähnlichkeit: während aber im ersten Quartett das metonymische Verhältnis von Katzen und menschlichen Hausbewohnern deren metaphorisches Verhältnis begründet, ist diese Situation im letzten Terzett in gewisser Weise verinnerlicht: die Kontiguitätsrelation ist eher synekdochisch als eigentlich metonymisch. Die Nennung der Körperteile der Katze *(Lenden, Pupillen)* trägt bei zu einer metaphorischen Evokation der astralen und kosmischen Katze, die mit dem Übergang von der Genauigkeit zur Ungenauigkeit *([2]également – [14]vaguement)* zusammenfällt. Die Analogie zwischen den inneren Strophen beruht auf Äquivalenzbeziehungen, wobei die eine (Katzen und *Totenrosse*) vom zweiten Quartett zurückgewiesen, die andere (Katzen und *Sphinxe*) vom ersten Terzett angenommen wird. Im ersten Fall führt das zu einer Verweigerung der Kontiguität (ziwschen den Katzen und dem Erebos), im zweiten zur Ansiedlung der Katzen *in der Tiefe der Einsamkeiten*. Es zeigt sich also, daß dieser Abschnitt, in Umkehrung des vorhergehenden, durch eine Äquivalenzrelation gebildet wird, die sich von der Ähnlichkeit (also einem metaphorischen Mittel) bis hin zu positiven bzw. negativen Kontiguitätsrelationen (also metonymischen Mitteln) steigert.

Bisher ist uns das Gedicht als ein Gefüge von Äquivalenzen erschienen, die in ihrer Gesamtheit das Bild eines geschlossenen Systems bieten. Es bleibt ein letzter Gesichtspunkt, unter dem sich das Gedicht als offenes System darstellt, das dynamisch vom Anfang zum Ende hin fortschreitet.

Es sei daran erinnert, daß wir im ersten Teil dieser Arbeit eine Teilung des Gedichts in zwei Sechszeiler herausgearbeitet haben, die getrennt sind durch ein Distichon, dessen Struktur stark mit dem übrigen kontrastiert. In unserer Zusammenfassung haben wir diese Teilung vorläufig beiseite gelassen. Im Unterschied zu den anderen scheint sie uns nämlich die Etappen einer Progression von der Ordnung des Realen (im ersten Sechszeiler) zu der des Surrealen (im zweiten Sechszeiler) zu kennzeichnen. Der Übergang vollzieht sich innerhalb des Distichons. Dieses entführt den Leser für einen kurzen Augenblick durch die Häufung von semantischen und formalen Verfahren in ein zweifach irreales Universum, weil es mit dem ersten

Sechszeiler den Charakter der Außenperspektive teilt, zugleich aber die mythologische Resonanz des zweiten Sechszeilers vorwegnimmt:

Vers:	*1* bis *6*	*7* und *8*	*9* bis *14*
	von außen		von innen
	empirisch		mythologisch
	real	irreal	surreal

Mit diesem plötzlichen Umschwung in der Tonart wie im Thema erfüllt das Distichon eine Funktion, die derjenigen einer Modulation in musikalischen Kompositionen nicht unähnlich ist.

Ziel dieser Modulation ist es, den Gegensatz aufzulösen, der implizit oder explizit seit Beginn des Gedichts zwischen metaphorischem und metonymischem Verfahren besteht. Die Lösung, die der zweite Sechszeiler bringt, besteht darin, diesen Gegensatz in das Innere der Metonymie zu überführen, was allein mit metaphorischen Mitteln erreicht wird. In der Tat stellt jedes der beiden Terzette die Katzen in umgekehrter Weise dar. Im ersten Terzett sind die ursprünglich im Haus eingeschlossenen Katzen, wenn man so sagen darf, ausgeströmt, um sich räumlich und zeitlich in unbegrenzten Wüsten und im endlosen Traum zu entfalten. Die Bewegung geht von innen nach außen, von den eingeschlossenen Katzen zu den Katzen in Freiheit. Die Aufhebung der Grenzen ist im zweiten Terzett durch die Katzen, die kosmische Proportionen erreichen, verinnerlicht, da sie in gewissen Teilen ihres Körpers (den *Lenden* und den *Pupillen*) den Wüstensand und die Sterne des Himmels bewahren. In beiden Fällen vollzieht sich die Transformation mit Hilfe metaphorischer Verfahren. Doch sind die beiden Transformationen nicht ganz gleichgewichtig: Die erste enthält noch etwas von Schein *(prennent ... les attitudes ... qui semblent s'endormir)* und Traum *(en songeant ... dans un rêve)*, während die zweite den Vorgang durch ihren affirmativen Charakter wirklich abschließt *(sont pleins ... Étoilent)*. In der ersten Transformation schließen die Katzen ihre Augen, um einzuschlafen, in der zweiten halten sie sie offen.

Indes, die weitläufigen Metaphern des abschließenden Sechszeilers übersetzen lediglich einen Gegensatz, der implizit schon im ersten Vers des Sonetts formuliert war, in die Dimensionen des Universums. Die »Verliebten« und die »Gelehrten« sind zwei Begriffe, deren Inhalte sich als verengende oder erweiternde Beziehung herausstellen: Der liebende Mann ist mit der Frau vereint wie auch der Gelehrte mit dem Universum; das sind jedoch zwei Arten von Vereinigung, eine nahe und eine ferne[7]. Dieselbe Beziehung evozieren die Transfigurationen am Schluß: Ausdehnung der Katzen in Raum und Zeit, Verdichtung von Raum und Zeit in der Figur der Katzen. Doch auch hier ist, wie wir bereits angemerkt haben, die Symmetrie zwischen den beiden Formeln nicht vollkommen. Die letztere vereinigt sämtliche Gegensätze: Die fruchtbaren Lenden erinnern an die *volupté* der Verliebten, wie die Pupillen an die *science* der Gelehrten; *magiques* bezieht sich auf das aktive Glühen der einen, *mystiques* auf die kontemplative Haltung der anderen.

Zwei Bemerkungen zum Schluß: Die Tatsache, daß alle grammatischen Subjekte des Sonetts (den Eigennamen *Erebos* ausgenommen) im Plural stehen und daß alle weiblichen Reime aus Pluralformen gebildet sind, wird interessanterweise (wie übrigens das ganze Sonett) durch einige Passagen aus *Foules* erhellt: »Multitude, solitude: termes égaux et convertibles par le poète actif et fécond ... Le poète jouit de cet incomparable privilège, qu'il peut à sa guise être lui-même et autrui ... Ce que les hommes nomment amour est bien petit, bien restreint, et bien faible, comparé à cette ineffable orgie, à cette sainte prostitution de l'âme qui se donne tout entière, poésie et charité, à l'imprévu qui se montre, à l'inconnu qui passe«[8].

In Baudelaires Sonett werden die Katzen anfangs als *puissants et doux* qualifiziert, und der letzte Vers bringt ihre Pupillen mit den Sternen in Verbindung. Crépet und Blin[9] verweisen auf einen Vers von Sainte-Beuve: »... l'astre puissant et doux« (1829) und finden dieselben Epitheta in einem Gedicht von Brizeux (1832), in dem die Frauen folgendermaßen apostrophiert werden: »Êtres deux fois doués! Êtres puissants et doux!«[10]

Das würde, falls überhaupt noch nötig, bestätigen, daß für Baudelaire das Bild der Katze eng an das Bild der Frau gebunden ist. Das machen übrigens die beiden »*Le Chat*« betitelten Gedichte derselben Sammlung deutlich, nämlich das Sonett *Viens, mon beau chat, sur mon cœur amoureux* (das den aufschlußreichen Vers enthält: »Je vois ma femme en esprit ...«[11]) und das Gedicht *Dans ma cervelle se promène ... Un beau chat, fort, doux* ... (das geradezu die Frage stellt: »est-il fée, est-il dieu?«[12]). Dieses Motiv des Schwankens zwischen männlich und weiblich findet sich unterschwellig auch in *Les Chats*, wo es hinter beabsichtigten Zweideutigkeiten erkennbar wird *(Les amoureux ... Aiment ... Les chats puissants et doux ... Leurs reins féconds ...).* Michel Butor bemerkt zurecht, daß bei Baudelaire »diese beiden Aspekte: die ›féminité‹ und die ›supervirilité‹, weit entfernt davon sich auszuschließen, sich miteinander verbinden«[13]. Alle Figuren des Sonetts sind maskulinen Geschlechts, nur *les chats* und ihr alter ego *les grands sphinx* haben eine Zwitternatur. Dieselbe Zweideutigkeit wird im ganzen Sonett durch die paradoxe Wahl von femininen Substantiven für die sogenannten männlichen Reime unterstrichen[14]. Diese Zwischenstellung der Katzen erlaubt es dem Dichter, schon in der Anfangskonstellation des Gedichts (Verliebte und Gelehrte) auf die Figur der Frau zu verzichten: von Angesicht zu Angesicht stehen sich »der Dichter der Katzen«, befreit von der »recht beschränkten« Liebe, und das Universum, befreit von der Strenge des Gelehrten, gegenüber – wenn sie nicht gar miteinander verschmelzen.

ANMERKUNGEN

1. »Der Mythos [steht] auf der Stufenleiter der sprachlichen Ausdrucksweisen der Poesie genau gegenüber, was immer man auch gesagt haben mag, um sie einander nahezubringen. Die Poesie ist eine Form der Sprache, die nur unter großen Schwierigkeiten in eine andere Sprache übersetzt werden kann, und jede Übersetzung bringt zahlreiche Deformationen mit sich. Dagegen bleibt der Wert des Mythos als Mythos trotz der schlimmsten Übersetzung bestehen. [...] Die Substanz des Mythos liegt weder im Stil noch in der Erzählweise oder der Syntax, sondern in der Geschichte, die darin erzählt wird.« C. Lévi-Strauss, *Strukturale Anthropologie*, Frankfurt/M. 1967, S. 230f. [Anm. d. Übers.].

2. M. Grammont: *Petit traité de versification française*, Paris 1908, S. 86.

3. M. Grammont: *Traité de phonétique*, Paris 1930, S. 384.

4. M. Grammont: a. a. O., S. 388.

5. M. Durand: La spécificité du phonème. Application au cas de R/L, in: *Journal de Psychologie* LVII (1960) S. 405–419.

6. Vgl. *L'Intermédiaire des chercheurs et des curieux*. LXVII, col. 338 und 509.

7. M. E. Benveniste, der freundlicherweise das Manuskript dieser Studie gelesen hat, machte uns darauf aufmerksam, daß auch *mûre saison* die Funktion eines verbindenden Gliedes zwischen *les amoureux fervents* und *les savants austères* hat: Denn wirklich kommen diese sich in der Zeit ihrer Reife nahe, wenn sie sich *également* mit den Katzen identifizieren. Denn, so fährt M. Benveniste fort, bis in *die Zeit der Reife glühende Verliebte* zu bleiben, bedeutet schon, daß man außerhalb des gewöhnlichen Lebens steht, genauso wie die *strengen Gelehrten* durch ihre Berufung außerhalb des gewöhnlichen Lebens stehen: Die Eingangssituation des Sonetts ist die eines Lebens außerhalb der Welt (trotzdem wird das Leben in der Unterwelt abgelehnt), und sie bewegt sich, auf die Katzen übertragen, von der fröstelnden Zurückgezogenheit auf die große sternklare Abgeschiedenheit zu, in der Wissenschaft und Lust Traum ohne Ende sind.

Zur Stützung dieser Beobachtungen, für die wir ihrem Autor danken, können einige Wendungen aus einem anderen Gedicht der *Fleurs du Mal* zitiert werden: »Le savant amour ... fruit d'automne aux saveurs souveraines« [Die wissende Liebe ... eine herbstliche Frucht von höchstem Reiz] *(L'Amour du mensonge)*.

8. »Menge, Einsamkeit: für den aktiven und fruchtbaren Dichter gleichwertige und vertauschbare Begriffe ... Der Dichter genießt das unvergleichliche Privileg, daß er nach Belieben er selbst sein kann oder ein anderer ... Was die Menschen Liebe nennen, ist recht klein, recht beschränkt und recht schwach, verglichen mit jener unaussprechlichen Orgie, mit jener heiligen Prostitution der Seele, die sich ganz gibt, Poesie und Barmherzigkeit, gegenüber dem Unvermuteten, das sich zeigt, dem Unbekannten, der vorbeikommt.« Vgl. Baudelaire: *Œuvres* II. Bibliothèque de la Pléiade. Paris 1961, S. 243ff.

9. Ch. Baudelaire: *Les Fleurs du Mal*. Édition critique établie par J. Crépet et G. Blin. Paris 1942, S. 413.

10. »Zweifach begabte Wesen! Wesen mächtig und sanft!«

11. »Ich sehe meine Frau im Geiste ...«

12. »ist sie Fee, ist sie Gott?«

13. M. Butor: *Histoire extraordinaire. Essai sur un rêve de Baudelaire*, Paris 1961, S. 85.

14. In der Broschüre *Rime et sexe* von L. Rudrauf (Tartu 1936), folgt der Darstellung einer »Theorie über den Wechsel der männlichen und weiblichen Reime in der französischen Dichtung« »eine Kontroverse« mit Maurice Grammont (S. 47ff.). Diesem zufolge »hat man sich für den Wechsel, der im 16. Jahrhundert festgesetzt wurde, und der auf dem Vorhandensein oder Nichtvorhandensein eines unbetonten *e* am Wortende basierte, der Termini *weibliche* und *männliche* Reime bedient, weil das unbetonte *e* am Ende eines Wortes in den meisten Fällen das Kennzeichen des Femininums war: un petit chat/une petite chatte«. Es ließe sich vielmehr sagen, daß die spezifische Endung des Femininums die es vom Maskulinum abhebt, immer das »unbetonte *e*« enthielt. Rudrauf meldet nun gewisse Zweifel an: »Haben denn allein grammatische Überlegungen die Dichter des 16. Jahrhunderts geleitet, als sie die Regel dieses Wechsels aufstellten und die Epitheta *männlich* und *weiblich* wählten, um die beiden Arten des Reims zu bezeichnen? Vergessen wir nicht, daß die Dichter der Pléiade ihre Strophen für den Gesang geschrieben haben und daß das Lied den Wechsel von starker (männlicher) und schwacher (weiblicher) Silbe viel mehr hervorhebt als der gesprochene Vortrag. Der musikalische Gesichtspunkt und der des Geschlechts müssen, mehr oder weniger bewußt, neben der grammatischen Analogie eine Rolle gespielt haben. . . .« (S. 49). Da ein solcher Reimwechsel, der auf dem Vorhandensein oder Nichtvorhandensein eines unbetonten *e* am Ende der Verse beruht, nicht mehr aktuell ist, sieht Grammont ihn einem Wechsel von Reimen weichen, die auf einen Konsonanten oder auf einen betonten Vokal enden. Wenn Rudrauf auch bereit ist anzuerkennen, daß »alle vokalischen Ausgänge männlich sind« (S. 46), so ist er doch zugleich versucht, eine 24stufige Skala für die konsonantischen Reime aufzustellen, »die von den schroffsten und männlichsten Endsilben bis zu den weiblich-anmutigsten geht« (S. 12ff.): Die Reime mit einem stimmlosen Verschlußlaut bilden den äußersten männlichen Pol (1°) und die Reime mit einem stimmhaften Reibelaut den weiblichen Pol (24°) der genannten Skala. Wendet man diesen Klassifizierungsversuch auf die konsonantischen Reime der *Chats* an, so läßt sich eine schrittweise Bewegung auf den männlichen Pol hin beobachten, der schließlich den Gegensatz zwischen den beiden Reimarten mildert: *¹austères – ²sédentaires* (Liquid: 19°); *⁶ténèbres – ⁷funèbres* (stimmhafter Verschlußlaut und Liquid: 5°); *⁹attitudes – ¹⁰solitudes* (stimmhafter Verschlußlaut: 3°); *¹²magiques – ¹⁴mystiques* (stimmloser Verschlußlaut: 1°).

Strukturalismus in der Gedichtinterpretation

Textdeskription und Rezeptionsanalyse
am Beispiel von Baudelaires »Les Chats«

ROLAND POSNER

> [...] les choses les plus simples dans la nature ne s'abordent pas
> sans y mettre beaucoup de formes, faire beaucoup de façons, les
> choses les plus épaisses sans subir quelque amenuisement. C'est
> pourquoi l'homme, et par rancune aussi contre leur immensité qui
> l'assomme, se précipite aux bords ou à l'intersection des grandes
> choses pour les définir.
>
> *Francis Ponge*

»Der Strukturalismus ist tot«: Noam Chomskys Buch *Syntactic Structures*[1] besiegelte vor mehr als einem Jahrzehnt das Ende der genuin strukturalistischen Linguistik in den USA.

In Frankreich konnten die neuen Entwicklungen auf dem Gebiet der Linguistik dem Strukturalismus zwar nicht mehr gefährlich werden, denn seine Methoden waren zu der Zeit schon von anderen sozialwissenschaftlichen Disziplinen wie der Ethnologie, Psychoanalyse und Literaturwissenschaft übernommen worden, doch haben auch die Pariser Strukturalisten, die noch zu Beginn der sechziger Jahre durch ihre Frontstellung gegen Sartres Existenzialismus[2] einen ungeheuren Einfluß auf Frankreichs Intellektuelle ausübten, inzwischen viel von ihrer Anziehungskraft verloren.

In der Literaturwissenschaft interessiert man sich nicht mehr nur für die statischen Strukturen einer scheinbar unwandelbaren Gegebenheit, genannt »Text«, man untersucht wieder Bedingungen der Produktion (vgl. den marxistischen Ansatz von P. Macherey und die Rehabilitierung der Autorintention bei E. D. Hirsch)[3] und Voraussetzungen der Rezeption von Literatur (vgl. H. R. Jauss und H. Weinrich)[4].

Wäre der Strukturalismus nichts als eine vorübergehende Mode gewesen, so wäre es in der Tat anachronistisch, ihn jetzt in Deutschland zu propagieren, indem man ihm ganze Zeitschriften-Nummern[5], Übersetzungen[6] und erneute Analysen[7] widmet. Doch hat die Bewegung in verschiedenen Wissenschaften den Anstoß zu einer vielversprechenden methodischen Neuorientierung gegeben. Zu diesen Wissenschaften könnte auch die deutsche Literaturwissenschaft gehören, die heute an ihrer eigenen Tradition zu ersticken droht, indem sie Begriffsapparate, die wegen ihrer Vagheit bestenfalls die Funktion von Assoziationshilfen haben können, sinnlos akku-

Eine im systematischen Teil erweiterte Fassung des in *Sprache im Technischen Zeitalter*, 29, 1969, S. 27–58, veröffentlichten Aufsatzes. Der Abdruck erfolgt mit der freundlichen Genehmigung des Autors und von *Sprache im Technischen Zeitalter*.

muliert. Wie sich gezeigt hat, kann auch der Rückgriff auf die Alltagssprache der Literaturwissenschaft nicht weiterhelfen, denn er fördert nur die Bildung neuer Metaphern, die die Tendenz haben, sich mit der Zeit zu einem ähnlich unkontrollierbaren Jargon zu verfestigen.

In dieser Situation ist die strukturalistische Methode schon deshalb zu begrüßen, weil sie ein Instrumentarium bereitstellt, das die exakte Deskription literarischer Texte ermöglicht. Verfahrensweisen der werkimmanenten Interpretation, die weit über den Bereich der linguistischen Textanalysen hinausgehen, lassen sich durch den strukturalistischen Ansatz überschaubar machen und präzisieren. Wer allerdings strukturalistische Methoden in die Literaturwissenschaft einzuführen versucht, muß zuvor mit zwei Hindernissen fertig werden, die einander wert sind: mit der traditionellen Ignoranz der Geisteswissenschaftler in bezug auf alles, was nach Mechanik aussieht, ebenso wie mit den übertriebenen Erwartungen harmloser Techniker, die verlernt haben, nach dem Zweck ihrer Apparate zu fragen. Es ist also nötig, im folgenden nicht nur die theoretischen Grundlagen, die hermeneutische Funktion und den darstellungstechnischen Wert der Strukturanalyse deutlich werden zu lassen, sondern auch auf die Grenzen ihrer Leistungsfähigkeit hinzuweisen. Sie sind bedingt durch den textimmanenten Ausgangspunkt und zwingen dazu, eine komplementäre Betrachtungsweise hinzunehmen, die die psychischen und sozialen Prozesse untersucht, die sich im Zusammenhang mit der Produktion und Rezeption eines Textes abspielen, und die historischen Gegebenheiten einbezieht, die diese Prozesse determinieren.

Die folgende Untersuchung[8] stützt sich vor allem auf die weit verstreuten theoretischen Anmerkungen Roman Jakobsons[9] und auf das wichtigste Beispiel strukturalistischer Textanalyse, das er, zusammen mit dem Ethnologen Claude Lévi-Strauss, vorgelegt hat: die Interpretation des Sonetts *Les Chats* aus Baudelaires *Les Fleurs du Mal*[10].

Als Kontrastbeispiel wird die strukturalistische Rezeptionsanalyse dienen, die Michael Riffaterre von demselben Gedicht geliefert hat[11].

I. KOMMUNIKATIONSTHEORETISCHE GRUNDLAGEN

Schreiben und Lesen sind spezielle Ausprägungen der Kommunikation zwischen Menschen. In jedem sprachlichen Kommunikationsprozeß wirken (nach Bühler[12], Morris[13], Jakobson[14] und Riffaterre[15]) notwendig folgende Faktoren zusammen: Der *Sender* (Sprecher, Autor) übermittelt
– dem *Empfänger* (Rezipient, Angesprochener, Hörer, Leser)
– über einen *Kanal* (physikalische Verbindung zwischen Sender und Empfänger, sowie psychische Einstellung des Senders – bzw. des Empfängers – auf den möglichen oder tatsächlichen Empfänger – bzw. Sender)
– eine *Nachricht* (message, Information)
– die gemäß einem *Kode* (Sprachsystem)
– auf bestimmte *Designate* (Sachverhalte, Kontext) verweist[16].

Alle physikalisch feststellbaren Elemente, die während eines Kommunikationsprozesses durch den Kanal transportiert werden, gehören – ohne Rücksicht darauf, welche semiotische Relevanz sie haben – zur **Zeichenmaterie**. Sie ist zugleich Produkt der Sendung (»output«) und Ausgangspunkt der Rezeption (»input«), in ihr schlägt sich die Nachricht sinnlich wahrnehmbar nieder.

Ist eine Zeichenmaterie schon im Hinblick auf ein gegebenes Reproduktionsverfahren entworfen worden, so ist es möglich, einen Teil ihrer Elemente von vornherein aus der Betrachtung auszuschließen: nur das, was auch im Reproduktionsprozeß invariant bleibt, ist potentiell von semiotischer Relevanz. Auf Texte angewandt, bedeutet das, daß man im allgemeinen von den Besonderheiten eines speziellen Textexemplars (Papierunreinheiten u. ä.) abstrahieren kann.

Die Nachricht ist zumeist mehrschichtig. Welche Ebenen sie enthält, hängt von der Kodierung ab. Die Schwärzungen zum Beispiel, die die Zeichenmaterie eines sprachlichen Textes ausmachen, liefern vermittels ihrer kodierten Form unter anderem Informationen typographischer, graphematischer, phonetischer, phonologischer, morphematischer, syntaktischer und semantischer Art. Eine Schwärzung von der Form *aber* kann mithin als Zeichenmaterie für folgende Informationen dienen:

1. *typographische Ebene:* die erste, zweite, fünfte und achtzehnte Letter der Antiqua Petit kursiv in horizontaler Sequenz

2. *graphematische Ebene:* der erste, zweite, fünfte und achtzehnte Buchstabe des lateinischen Alphabets in direkter Folge

3.1. *phonetische Ebene, artikulatorisch phonetische Schicht:*
Lautkomplex, dessen erstes Element bei seiner Erzeugung folgende Gegebenheiten im Artikulationsraum voraussetzt: a) Luftstrom pulmonalen Ursprungs und exhalatorischer Richtung, b) Stimmbänder in Vibrationsposition, c) oraler Trakt oberhalb des Kehlkopfes ohne blockierende oder wirbelbildende Verengung, d) Absperrung des Nasenraums durch Hebung des Velums, e) Zunge mit flachem Querschnitt in hinterer und tiefer Position, f) Lippen ungerundet

3.2. *phonetische Ebene, akustisch phonetische Schicht:* Lautkomplex, dessen erstes Element bei seiner Erzeugung die Luft in Bewegung folgender Art versetzt: periodische, exponential abklingende Schwingungen, deren erster und zweiter Formant in den Frequenzbereichen um 750 Hertz und um 1200 Hertz liegen

4. *phonologische Ebene:* Phonemfolge, deren erstes Element durch folgende Merkmale gekennzeichnet ist: +vokalisch, −konsonantisch, −nasal, +stimmhaft, −hoch, +hinten, +tief, +lang, −gerundet, +gespannt, +akzentuiert

5. *morphematische Ebene:* Morphem *aber*

6. *syntaktische Ebene:* koordinierende Konjunktion

7. *semantische Ebene:* adversatives Synkategorematon.

Die ebenenspezifischen Informationen sind in verschiedener Weise auf die Zeichenmaterie bezogen. Typographische und graphematische Informationen sind direkt aus der Zeichenmaterie eines gedruckten Textes zu gewinnen. Die Informationen anderer Ebenen werden erst auf der Basis solcher Primärinformationen entschlüsselt. Semantische Informationen zum Beispiel sind nur auf dem Umweg über syntaktische und phonologische bzw. graphematische Trägerinformationen zu ermitteln.

Ebenenspezifische Informationen, zu denen es keinen gültigen Kode gibt, in dem sie als Trägerinformationen auftreten, heißen »Endinformationen«. In Nachrichten von größerer Komplexität liefert meist mehr als eine Nachrichtenebene Endinformationen. Ein normales Schreibmaschinen-Typoskript zum Beispiel enthält Endinformationen sowohl auf der typographischen als auch auf der semantischen Ebene: die Wahl des Schrifttyps ist irrelevant für den Inhalt, und die Wahl des Inhalts ist irrelevant für die Gestaltung der Lettern und des Satzes; aus dem Inhalt lassen sich keine Informationen ableiten, die nicht wiederum den Inhalt betreffen, auch der Schrifttyp läßt keine Rückschlüsse zu, die mehr als nur die Gestaltung der Lettern und des Satzes betreffen.

Die semiotisch relevanten Teile der Zeichenmaterie und diejenigen Teile der Nachricht, die als Trägerinformationen für andere Teile der Nachricht fungieren, werden unter dem Begriff des **Zeichenträger**s zusammengefaßt[17]. Der Zeichenträger ist wie fast jede Nachricht mehrschichtig. Die unterste Ebene bilden die physikalischen Informationsträger, d. h. die semiotisch relevanten Elemente der Zeichenmaterie. Darüber folgen die Informationsebenen der Nachricht mit Ausnahme der Endinformationen. Der Zeichenträger bildet also die Brücke zwischen der Zeichenmaterie und den Endinformationen und spielt somit die zentrale Rolle im Rezeptionsprozeß: Wer eine Mitteilung ohne Abstriche verstehen will, muß aus der gegebenen Zeichenmaterie den Zeichenträger und aus diesem die Endinformationen rekonstruieren können.

Die Rezeption eines Textes, eines Werks der bildenden Kunst, eines Musikstücks setzt voraus, daß die Zeichenmaterie auf einen rezeptionsbereiten Empfänger trifft. Rezeptionsbereit ist ein Empfänger, wenn er über eine Reihe unblockierter Kanäle verfügt, und eine Anzahl von Kodes beherrscht, die er einzusetzen gewillt ist, um aus der Zeichenmaterie die Nachricht abzuleiten. In einer kurzen Anpassungsphase ermittelt der Empfänger zu Beginn des Rezeptionsvorgangs einen passenden Übertragungskanal: aus dem Empfänger optischer oder akustischer Reize wird ein Leser, ein Kunstbetrachter oder ein Musikhörer. Die ersten Erfolge in der Entschlüsselung der Nachricht steuern die Wahl eines geeigneten Dekodierungssystems: der Leser beginnt einen Text als Sachbuch oder als Gedicht zu lesen; der Hörer achtet auf den Rhythmus, auf die Melodie oder auf die Zahl der Töne, je nachdem, ob er ein Jazzstück, ein Lied oder aber eine Pendeluhr vor sich zu haben glaubt; der Betrachter spezialisiert sich angesichts eines Plakats auf dessen Appellcharakter, angesichts einer Plastik auf die Effekte des Perspektivenwechsels.

Der sogenannte »hermeneutische Zirkel« enthüllt sich als ein trial-and-error-Verfahren. Der Einstieg in den Verstehensprozeß geschieht nicht über ein Vorwissen, das ja seinerseits unfundiert erscheinen müßte, wenn es selber nur durch ein Vorwissen zu erlangen war usw., vielmehr setzt der Empfänger direkt an der Zeichenmaterie an.

Durch die Erfahrungen während des Rezeptionsvorgangs wird die Einstellung des Empfängers fortwährend bestätigt oder in Frage gestellt, stabilisiert oder – im Rahmen seiner Möglichkeiten – korrigiert. In keinem dieser Fälle bedarf es einer zusätzlichen Steuerung durch den Autor, maßgeblich sind allein die Organisation der Zeichenmaterie, sowie die Kanal- und Kodebeherrschung des Empfängers. Sie bestimmen, welche Informationen er aus seinem Gedächtnis oder aus anderen Quellen zusätzlich heranzieht (bzw. bewußt außer acht läßt), um die Nachricht zu verstehen. Will der Autor oder ein Interpret das Verständnis der Nachricht bei den Rezipienten über die Gegebenheiten der Zeichenmaterie hinaus beeinflussen, so bleibt ihm nichts anderes übrig, als neue Zeichenmaterie zu schaffen[18].

II. DAS KUNSTWERK IN DER KOMMUNIKATION

Was sich bisher als rudimentäre Voraussetzung allen Verstehens darstellte, wird bis zur Meisterschaft kultiviert, wo es um die Rezeption von Kunstwerken geht. Denn wer in einer Äußerung Sprache mit **poetischer Funktion** erwartet, wird seine Aufmerksamkeit viel stärker auf den Zeichenträger selbst konzentrieren als jemand, der nur in Kommunikation tritt,
– um einen Bericht zu geben oder anzuhören (*kognitive Funktion* der Sprache),
– um Kontakte zu pflegen (*phatische Funktion* der Sprache),
– um Befehle auszusprechen oder entgegenzunehmen (*konative* oder *direktive Funktion* der Sprache),
– um Stellungnahmen abzugeben oder anzuhören (*emotive* oder *expressive Funktion* der Sprache),
– stärker auch als jemand, der sich nur über den Sprachgebrauch informiert (*metasprachliche Funktion* der Sprache).

In der künstlerischen Kommunikation erhält der Zeichenträger einen Eigenwert, den er in den anderen semiotischen Prozessen nicht hat. Dort lenken die Endinformationen die Aufmerksamkeit des Rezipienten primär über den Zeichenträger hinaus: auf das Sprachsystem, das sie benutzen, auf den Sender, auf den Empfänger, auf den Kanal, oder, wie meist, auf die nicht am Kommunikationsvorgang beteiligten Wirklichkeitsbereiche. Das Kunstwerk aber weist – zumindest solange es als Kunstwerk betrachtet wird – auf sich selbst zurück. In der Kunstbetrachtung wird jede Endinformation primär auf die anderen Endinformationen derselben Ebene, auf die übrigen Informationsebenen der Nachricht und auf die Zeichenmaterie zurückbezogen. Ein Gedicht, das lautmalerisch imitiert, worüber es spricht, ein Roman, in dem das Erzähltempo mit dem Tempo des erzählten Geschehens kontrastiert, ein Theaterstück, das selber zu sein vorgibt, was es darstellt, sie alle enthalten einen Überschuß an Information, der mit den kodierten Endinformationen in Konkurrenz tritt. Diese zusätzlichen Informationen werden von den nicht vorkodierten Eigenschaften der Zeichenmaterie und der ebenenspezifischen Informationen getragen.

Die Zeichenmaterie enthält in jeder Art von Kommunikation Elemente, die von keinem der üblichen Kodes als Informationsträger anerkannt werden. Diese Elemente bleiben in den semiotischen Prozessen ohne künstlerische Funktion ungenutzt. Für die Mitteilung wissenschaftlicher Nachrichten zum Beispiel ist es unerheblich, ob der Empfänger sie vom Tonband abhört oder in Morseschrift liest. Er nimmt ja gewöhnlich nicht einmal die kodierten Eigenschaften der graphematischen, phonetischen, phonologischen, morphematischen, syntaktischen, prosodischen usw. Trägerinformationen bewußt wahr, auch die Übertragungsqualität (Lesbarkeit) ist für ihn zweitrangig, verglichen mit der semantischen Ebene, die die einzig relevanten Endinformationen liefert. – In der künstlerischen Kommunikation dagegen ist damit zu rechnen, daß gerade solche Elemente der Zeichenmaterie, die aus den Zeichenrepertoiren aller bekannten Zeichensysteme herausfallen, eine Funktion als Informationsträger erhalten. Die am Kunstkonsum Beteiligten bestätigen diese Auffassung durch ihr Verhalten: Wer es mit einem Kunstwerk zu tun zu haben glaubt, schenkt jedem noch so kleinen Detail der Zeichenmaterie Beachtung. Man denke an die Praxis philologischer Textedition, das Authentizitätsstreben der Musikinterpreten, das Bemühen der Galerien um eine angemessene Plazierung ihrer Ausstellungsstücke, den Anspruch der Kunstliebhaber, keine noch so aufwendige Reproduktion könne das Original (bzw. den Originaldruck) ersetzen. Die gesamte Zeichenmaterie gehört im Kunstwerk potentiell zum Zeichenträger.

Für die ebenenspezifischen Informationen gilt dasselbe wie für die Zeichenmaterie: sie haben außer ihren vorkodierten Merkmalen Eigenschaften, die in keinem der üblichen Kodes als Informationsträger anerkannt werden. Diese Eigenschaften spielen in den semiotischen Prozessen ohne künstlerische Funktion gewöhnlich keine Rolle. Wer aber ein Kunstwerk vor sich zu haben glaubt, setzt sie miteinander in Beziehung, stellt Zusammenhänge zu den vorkodierten Informationen her und mißt diesen Zusammenhängen einen Informationswert bei[19]. Die Beeinflussung der Rezeption durch die Wechselbeziehungen zwischen den Teilen der Nachricht kann so weit gehen, daß die Informationen der semantischen Ebene in ihr Gegenteil verkehrt erscheinen.

Ist kein signifikanter Zusammenhang vorhanden, der die vorkodierten Informationen einer Nachricht mit den nicht vorkodierten Eigenschaften der vorkodierten Informationen und der Zeichenmaterie verbindet, so wird sich der heutige Kunstrezipient nicht bereitfinden, ein gegebenes Werk als *Kunst*werk anzuerkennen. Hier macht sich ein objektives Kriterium bemerkbar, das den Gebrauch des Prädikates »Kunst« bestimmt. Die These, daß allein subjektive oder gesellschaftlich gesteuerte Willkür entscheiden, was als Kunst gelten darf, ist demnach nicht zu halten.

Die Besonderheiten der künstlerischen Kommunikation lassen darauf schließen, daß sich während der Rezeption der künstlerischen Nachricht im Rezipienten ein spezieller Kode bildet, der ihn in die Lage versetzt, auch nicht vorkodierte Eigenschaften der Zeichenmaterie und der ebenenspezifischen Informationen als Informationsträger zu interpretieren. Legt man das Schichtenmodell der Nachricht zugrunde, so kann man sagen, daß die nicht vorkodierten Informationen die vorkodierten Informationen überlagern. Da alle diese Informationsebenen einschließlich der Endinformationen in den künstlerischen Zusammenhang einbezogen sein können, liegt es nahe, im Falle von Kunstwerken auch die Endinformationen und die nicht vorkodierten Informationen als Teile des Zeichenträgers zu betrachten. Die erweiterte Funktion des Zeichenträgers in der künstlerischen Kommunikation muß sich deshalb in der Beschreibungsterminologie durch den erweiterten Begriffsinhalt des Terminus »Zeichenträger« spiegeln.

Der Zeichenträger übernimmt im Kunstwerk die Rolle eines ästhetischen Kommentars zu den von ihm übermittelten kognitiven, emotiven, direktiven, phatischen oder metasprachlichen Informationen. Der spezielle Kode, der dem Rezipienten diesen Kommentar erschließt, heißt daher »**ästhetischer Kode**«. Er operiert teils auf Merkmalen der Zeichenmaterie, teils auf Merkmalen von Elementen der Nachricht, die ihrerseits durch den linguistischen Kode, den rhetorischen Kode oder andere kulturelle Zeichensysteme definiert sind. Für einen Rezipienten, der nicht über eine ausreichende Kenntnis der betreffenden kulturellen Zeichensysteme verfügt, ist der ästhetische Kode, und damit auch die ästhetische Information des betreffenden Zeichenträgers also gar nicht zugänglich.

Der ästhetische Kode setzt zwar meist die Kenntnis anderer Zeichensysteme voraus, er unterscheidet sich aber von ihnen in folgender Hinsicht: er ist dem Zeichenträger, der ihn realisiert, nicht vorgegeben, sondern konstituiert sich erst in diesem, und er ist dem Rezipienten meist nicht im vorhinein bekannt, sondern wird erst bei der Rezeption der Informationen, die er entschlüsseln soll, ermittelt. Der ästhetische Kode entscheidet über die semiotische Relevanz aller nicht vorkodierten Elemente und entschlüsselt sie. Der Dekodierungsvorgang ist hier also bestenfalls mit dem Entziffern einer Geheimschrift vergleichbar, zu der nur ein einziger Text und seine Verwendung bekannt sind[20].

Da der ästhetische Kode eines Kunstwerks niemals völlig von den allgemeinen Zeichensystemen der Zeit determiniert wird, können von ihm Impulse für die Veränderung der allgemeinen Zeichensysteme ausgehen. Von den Gegebenheiten des Kunstmarkts hängt es ab, welche Teile eines werkspezifischen ästhetischen Kodes in den stilistischen Kode der Zeit übernommen werden[20a]. Die Häufung solcher Übernahmen führt zum Stilwandel und bestimmt auf diese Weise den Gang der Kunstgeschichte. Die unmodifizierte Wiederholung entwertet allerdings die zunächst werkspezifische ästhetische Information zum beliebig anwendbaren Stilmittel. In einem Werk, das nur auf altbekannte Weise aus altbekannten Mitteln zusammengesetzt ist, bewundert man heutzutage mehr die handwerkliche als die künstlerische Leistung. Nur wer es vermag, mit nicht vorkodierten Mitteln signifikante Zusammenhänge im Zeichenträger zu schaffen, wird als Künstler anerkannt.

Von der Organisation des Zeichenträgers hängt es ab, wie die Endinformationen einer künstlerischen Nachricht vom Rezipienten aufgenommen werden. Der besondere Genuß, den man bei der Kommunikation mit einem Kunstwerk verspürt, ist auf die Erfolge zurückzuführen, die sich bei der Suche nach dem ästhetischen Kode und der Entschlüsselung der ästhetischen Information einstellen. Der Nachvollzug der internen Beziehungen im künstlerischen Zeichenträger braucht jedoch nicht zu einem In-sich-Kreisen der Rezeption zu führen. Wenn der Zeichenträger danach ist, verstärkt das mehrmalige Durchlaufen der Rückkopplungsbezüge die Wirkung der Endinformationen. Wenn die Endinformationen auf direktive oder kognitive Effekte abzielen, so können durch eine kunstgemäße Rezeption Einstellungen oder Handlungen beim Rezipienten gefördert werden, die selbst mit Kunst nichts zu tun haben.

Kunstwerke sind zugleich statisch und dynamisch: einerseits sind sie fixiert in der Form von Zeichenträgern (Texten, Skulpturen, Noten), die gekauft, veräußert, verändert, zerstört werden können; andererseits bedürfen sie einer Realisierung im Rezeptionsprozeß, denn der ästhetische Kode ist nur dem Leser, Betrachter, Hörer zugänglich[21]. Dementsprechend ist die ästhetische Information eines Literaturstücks entweder aus der formalen Organisation des Zeichenträgers, der Textstruktur, zu entnehmen, oder sie muß in den besonderen Eigenschaften des Rezeptionsvorganges gesucht werden. Die erste Aufgabenstellung fällt in den Bereich der Syntaktik[22], d. h. jener semiotischen Disziplin, die gegebene Zeichenmengen in ihrem Systemzusammenhang untersucht. Jakobson hat sich mit seiner Theorie der poetischen Funktion der Sprache für diese Alternative entschieden. Die zweite Aufgabenstellung gehört zum Bereich der Pragmatik[22], d. h. jener semiotischen Disziplin, die die systematischen Beziehungen zwischen den Zeichen und ihren Interpreten erforscht. Diesen Weg verfolgt Riffaterre. Da beide Autoren ihre Auffassungen durch die Analyse desselben Sonetts verdeutlicht haben, sollte es möglich sein, den Ansatz der Textdeskription und den Ansatz der Rezeptionsanalyse an ihren Ergebnissen zu messen.

III. DER ÄQUIVALENZBEGRIFF ALS ANALYSEINSTRUMENT

Jakobson geht davon aus, daß sowohl der ästhetische Charakter des Gesamttexts als auch die ästhetische Funktion seiner Teile durch die Struktur des Textes festgelegt sind. Unter »Struktur« versteht er hier ein System textinterner Relationen. Daß zwischen den Elementen eines Textes Relationen bestehen können, die die grammatischen Beziehungen (Kontiguitätsbeziehungen[23]) überlagern, läßt sich an folgendem außerliterarischen Beispiel[24] demonstrieren: Ein Mädchen hatte sich angewöhnt, von einer bestimmten Person immer als dem »horrible Harry« zu reden. – »Warum ›horrible‹?« – »Weil er mir zuwider ist.« – »Aber warum nicht ›dreadful‹, ›terrible‹, ›frightful‹, ›disgusting‹?« – »Ich weiß auch nicht, aber ›horrible‹ paßt einfach *besser*.« Ohne es zu merken – kommentiert Jakobson – bedient sich das Mädchen des poetischen Mittels der Paronomasie (horri-: Harry).

Aufschlußreich für Jakobsons Theorie und Methode sind die Fragen, die er dem Mädchen stellt: nachdem er herausgefunden hat, worauf es der Sprecherin ankommt (Epitheton für hassenswerte Person), stellt er ihr eine Klasse äquivalenter Ausdrücke zur Wahl und fragt sie, warum sie zu dem gegebenen Kontext (»... Harry«) gerade den Ausdruck »horrible« wählt. Wie sich herausstellt, hat die Sprecherin es bei der Wahl des »passenden« Adjektivs auf eine Äquivalenzbeziehung zwischen zwei Elementen ihres »Textes« abgesehen: die phonologische Äquivalenz /hɔri/ : /hæri/.

In dem Formulierungsvorgang spielen also zwei verschieden gelagerte Äquivalenzrelationen eine Rolle:

1. die »vertikale« Äquivalenz zwischen alternativen Ausdrücken, von denen einer in eine Leerstelle des Textes eingesetzt werden muß,

2. die »horizontale« Äquivalenz zwischen zwei verschiedenen Stellen der Textsequenz:

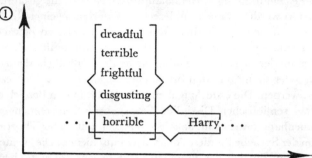

Die Formulierung eines Textes läßt sich in diesem einfachen Modell als sukzessive Selektion der Textelemente aus einer Reihe vertikaler Äquivalenzklassen (Paradigmen) beschreiben[25]. Die Möglichkeiten der Sukzession werden durch die Regeln der Grammatik eingeschränkt, die bestimmen, in welcher Anordnung (Kontiguität) die gewählten Elemente erscheinen dürfen[26]. Die Selektion wird jeweils durch den Kommunikationszweck gesteuert. Wenn der Hauptakzent dabei nicht auf dem Zeichenträger, sondern auf einem der anderen Kommunikationsfaktoren liegt, wird die Selektion sich auf diesen hin orientieren und kaum horizontale Äquivalenzen in der Textsequenz (Syntagma) anstreben. So erklärt sich die vergleichsweise schwache Verklammerung der Textelemente (die geringe »Dichte«) in normalen Gebrauchstexten:

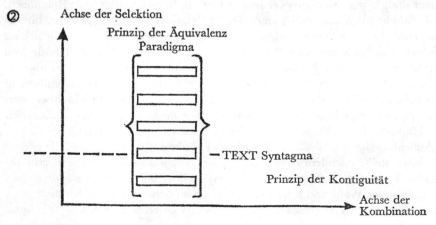

Die textinternen Relationen auf der Achse der Kombination sind fast nur von der Art der Kontiguitätsbeziehungen; falls gleichartige Elemente im Text wiederholt werden, ist das durch andere Zwecke bedingt und bleibt ästhetisch zufällig.

Im poetischen Sprachgebrauch aber bestimmt das Prinzip der Äquivalenz nicht nur das Reservoir der zur Wahl stehenden Ausdrücke, sondern auch die Kriterien des Wählens. In Jakobsons Worten: »Die poetische Funktion projiziert das Prinzip der Äquivalenz von der Achse der Selektion auf die Achse der Kombination«[27]. Diese »Projektion« läßt sich durch Figur 3 veranschaulichen:

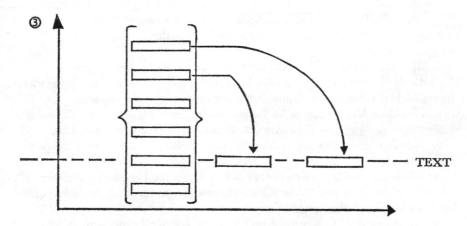

Elemente aus einer Äquivalenzklasse finden Aufnahme in den Text und werden zu Gliedern der Textsequenz; eine Teilmenge (von Gliedern) des Textes ist nun selber als Äquivalenzklasse anzusehen. Zwischen gleichartigen Textelementen bestehen Äquivalenzrelationen, die auf dem Rücken der Textsequenz ein Bezugssystem bilden, das die Kontiguitätsbeziehungen überlagert[28].

Für den Strukturanalytiker ergibt sich daraus die Aufgabe zu prüfen, zwischen welchen Elementen eines gegebenen Textes Äquivalenzrelationen bestehen und wie sie sich definieren lassen. Die Zahl der möglichen Untersuchungsgesichtspunkte ist beinahe unbegrenzt: »In der Dichtung wird eine Silbe mit jeder andern Silbe derselben Textsequenz gleichgesetzt; eine Wortbetonung scheint der andern zu gleichen, so wie Unbetontheit der Unbetontheit gleicht; Längen der Prosodie stimmen überein mit andern Längen, Kürzen mit andern Kürzen; Wortgrenzen entsprechen Wortgrenzen, ihr Fehlen an einer Stelle entspricht dem Fehlen der Wortgrenze an einer andern Stelle; syntaktische Einschnitt werden mit syntaktischen Einschnitten gleichgesetzt, ihr Fehlen an einer Stelle mit ihrem Fehlen an einer andern«[29]. Auch die semantische Ebene des Zeichenträgers läßt sich in ein Gefüge enger- oder weitergespannter Äquivalenzen auflösen. Außer den rein linguistischen Beschreibungskategorien kann jedes beliebige Merkmal, das im Text vorkommt, als Äquivalenzkriterium benutzt werden. Es bestimmt dann die Klasse derjenigen – und nur derjenigen – Textelemente, die dieses Merkmal haben und also in bezug auf dieses Merkmal miteinander äquivalent sind: die zugehörige Äquivalenzklasse und die zugehörige Äquivalenzrelation. Als Textmerkmale sind nicht nur Eigenschaften, sondern auch Relationen zugelassen: auch sie zerlegen den Text in eine Klasse von Elementen, für die sie gelten, und eine Klasse von Elementen, für die sie nicht gelten. Da jedem *Untersuchungsgesichtspunkt* höchstens ein Textmerkmal zugeordnet ist und jedes *Textmerkmal* in der Strukturanalyse die Form einer *Äquivalenzrelation* zwischen Textelementen hat, können die drei Begriffe in unserem Rahmen als austauschbar betrachtet werden.

Formal sind alle Äquivalenzrelationen durch die Eigenschaften Reflexivität, Symmetrie und Transitivität gekennzeichnet[30]. In der Textanalyse kann man jedoch nur sinnvoll mit ihnen arbeiten, wenn sie außerdem den folgenden beiden Bedingungen genügen:

1. Die Definition jeder Äquivalenzrelation liefert ein Kriterium, das

a) die empirische Auffindung aller ihrer und nur ihrer Relate im Text gewährleistet (d. h. die zugehörige Äquivalenzklasse eindeutig bestimmt) und

b) eine klare Abgrenzung jedes Relats gegen andere Elemente derselben Äquivalenzklasse und gegen benachbarte Elemente anderer Klassen ermöglicht.

2. Jede Äquivalenzrelation zerlegt den untersuchten Text in zwei Klassen von Elementen:

A: die Klasse der Textelemente, zwischen denen die betreffende Relation gilt (sie ist eine Teilklasse von A', der Klasse aller möglichen Elemente, zwischen denen die betreffende Relation gilt),

B: Die Klasse der Elemente, die im restlichen Teil der Textsequenz stehen.

Fallunterscheidung:

(α) A enthält kein Element, B umfaßt folglich den gesamten Text.

Der Text wird nicht in Segmente zerlegt. Das Äquivalenzkriterium ist auf den Text nicht anwendbar.

(β) A enthält nur ein Element, es ist koextensional mit der Textsequenz, B ist folglich leer.

Der Text wird nicht in Segmente zerlegt. Aussage über den Text als ganzen durch Vergleich mit anderen Texten (die Elemente von A' sind).

(γ) A enthält nur ein Element, es ist koextensional mit einem Teil der Textsequenz, B ist folglich nicht leer.

Der Text zerfällt in mindestens zwei Segmente. Aussage über ein Textsegment durch Vergleich mit den (zu A' gehörigen) Segmenten anderer Texte.

(δ) A enthält mehrere Elemente, A ist koextensional mit der ganzen Textsequenz, B ist folglich leer.

Der Text zerfällt in mindestens zwei Segmente. Aussage über die Textsegmente durch Vergleich der Textsegmente miteinander.

(ε) A enthält mehrere Elemente, A ist koextensional mit einem Teil der Textsequenz, B ist folglich nicht leer.

Der Text zerfällt in mindestens drei Segmente. Aussage über die zu A gehörigen Textsegmente durch Vergleich dieser Textsegmente miteinander.

Die Fälle (α) und (β) können als Grenzfälle außer acht gelassen werden[31]. Die Strukturanalyse arbeitet ausschließlich mit Textsegmentierungen der Art (γ), (δ) und (ε). Das erklärt, warum in ihr streng genommen keine Aussagen über den Text als Ganzes gemacht werden können, die nicht seinen Aufbau betreffen.

Aus den Punkten 1 und 2 ergibt sich ein entscheidendes Merkmal des Strukturbegriffs: die Priorität der Strukturbeziehungen vor den Elementen der Struktur. Das ist wichtig, weil viele der empirischen Äquivalenzrelationen (vgl. etwa die Reimbindung und den Rhythmus) von der Art konstitutiver Relationen sind: die Elemente, zwischen denen die betreffende Relation besteht (Äquivalenz in bezug auf phonologische Merkmale bzw. Äquivalenz in bezug auf prosodische Merkmale), konstituieren sich erst im Hinblick auf die Relation, erst der Relatcharakter macht sie von ihrer Umgebung unterscheidbar.

Wie fruchtbar der Äquivalenzbegriff in der Textanalyse ist, zeigen die vielen Quasi-Synonyme, die, je nach der untersuchten Textebene, statt seiner in Gebrauch sind: Entsprechung, Übereinstimmung, Beziehung (in einem inhaltlich akzentuierten Sinn), Gemeinsamkeit, Wiederholung, Identität, Gleichartigkeit, Gleichförmigkeit, Gleichheit, Ähnlichkeit, Synonymität, Analogie usw.[32].

Auch der Begriff der **Opposition** (Gegensatz, Antinomie, Antonymie) läßt sich mit seiner Hilfe explizieren. Zunächst ein Beispiel aus der Baudelaire-Interpretation: Wenn Jakobson schreibt, »die Dreiteilung des Sonetts impliziert eine *Antinomie* zwischen den strophischen Einheiten mit zwei Reimen und der strophischen Einheit mit drei Reimen«[33], so ist damit gemeint, daß die Äquivalenzklasse der »strophischen Einheiten« (erstes Quartett, zweites Quartett, abschließender Sechszeiler) in zwei weitere Äquivalenzklassen unterteilt werden kann, die in bezug auf sie komplementäre Extensionen haben; es sind dies I. die Klasse der strophischen Einheiten mit zwei Reimen, bestehend aus dem ersten und dem zweiten Quartett, und II. die Klasse der strophischen Einheiten mit drei Reimen, bestehend aus dem abschließenden Sechszeiler als einzigem Element:

④

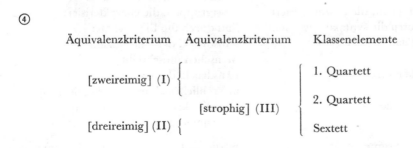

Äquivalenzkriterium	Äquivalenzkriterium	Klassenelemente
[zweireimig] (I)		1. Quartett
	[strophig] (III)	2. Quartett
[dreireimig] (II)		Sextett

Zwei unabhängig voneinander definierte Äquivalenzklassen stehen in Opposition, wenn sie einander ausschließen und in bezug auf eine dritte übergreifende Klasse komplementär zueinander sind. Figur 5 verdeutlicht die Extensionsverhältnisse:

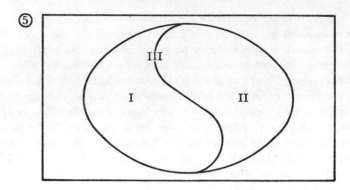

Der Begriff des **Parallelismus** läßt sich – zumindest in seinem üblichen Gebrauch – definieren als Koextensionalität zweier verschieden definierter Äquivalenzklassen, deren eine (die Position oder) die Funktion ihrer Elemente in größeren Text-segmenten zum Äquivalenzkriterium hat[34]. Als Beispiel mag das *Lob der Partei* aus Brechts Lehrstück *Die Maßnahme* dienen:

> [1]Der Einzelne hat zwei Augen
> [2]Die Partei hat tausend Augen.
>
> [3]Die Partei sieht sieben Staaten
> [4]Der Einzelne sieht eine Stadt.
>
> [5]Der Einzelne hat seine Stunde
> . . .

Ich greife den ersten Zweizeiler heraus und stelle in der folgenden Liste je zwei Äquivalenzkriterien zusammen, die ihn in koextensionale Teilklassen zerlegen[35]:

a) Klasse von Wörtern oder Wortgruppen, die charakterisiert sind durch die syntaktische Funktion:

[Subjektausdruck]

[Objektausdruck]

[Prädikatskern]

b) Klasse von Wörtern oder Wortgruppen, die charakterisiert sind durch die Eigenschaft:

[Ausdruck, der eine Anzahl von Menschen umschreibt]

[Ausdruck, der eine Anzahl von menschlichen Attributen bezeichnet]

[Ausdruck, der die Besitzrelation bezeichnet]

Diejenigen Segmente des ersten Zweizeilers, die (auf der semantischen Ebene) eine Anzahl von Menschen umschreiben, erscheinen zugleich (auf der syntaktischen Ebene) als Subjektausdrücke: [1]*Der Einzelne* und [2]*Die Partei*. Demnach bilden [1]*Der Einzelne* und [2]*Die Partei* in bezug auf die genannte syntaktische Funktion und die genannte semantische Eigenschaft einen Parallelismus. Analoges gilt für die Textsegmente ^{1}*zwei Augen* und ^{2}*tausend Augen*: sie sind parallel in bezug auf die syntaktische Funktion, Objektausdrücke zu sein, und das semantische Merkmal, eine Anzahl von menschlichen Attributen zu bezeichnen. (Bei den Textsegmenten ^{1}*hat* und ^{2}*hat* kommt zu der Gleichheit der syntaktischen und semantischen Merkmale noch die Äquivalenz in bezug auf die phonologischen Merkmale hinzu, so daß hier ein und dasselbe Wort durch sein zweimaliges Auftreten einen Parallelismus bildet.)

Jedes Kriterium unter a) definiert eine Klasse, die genau zwei Elemente enthält (je eines in der ersten und eines in der zweiten Gedichtzeile), und diese Klasse ist koextensional mit der Klasse, die durch das entsprechende Kriterium unter b) definiert ist. Sowohl die Folge der unter a) aufgeführten syntaktischen Merkmale, als auch die Folge der unter b) aufgeführten semantischen Merkmale erfaßt den untersuchten Zweizeiler in seiner Gesamtheit. Obwohl sie verschiedenen Textebenen entnommen sind, definieren die beiden Merkmalsfolgen dieselbe Zerlegung auf dem Zweizeiler. – Es erhöht den Reiz der Zeilen, daß einige ihrer Glieder nicht nur parallel sind, sondern außerdem in semantischer Opposition zueinander stehen: die Nominalgruppen des Zweizeilers werden durch die Zeilengrenze eingeteilt in Ausdrücke, die kleine Anzahlen bezeichnen, und Ausdrücke, die große Anzahlen bezeichnen. Parallelismus und Opposition wiederholen sich auch in den folgenden Zweizeilern.

Weitere Stilmerkmale (die Anapher, der Chiasmus usw.) lassen sich auf ähnliche Weise mit Hilfe des Äquivalenzbegriffs explizieren.

IV. DIE KORRELATION DER ÄQUIVALENZKLASSEN

Wie das Beispiel des Parallelismus zeigt, können strukturierte Mengen aufeinander bezogener Elemente ihrerseits Elemente von Mengen zweiter Stufe sein, diese wiederum Elemente von Mengen dritter Stufe usw., es ist also mit der Äquivalenz von Äquivalenzklassen zu rechnen[36]. Man kann über einem gegebenen Text ständig neue Äquivalenzklassen höherer Stufe dadurch bilden, daß man die Äquivalenzklassen niederer Stufe unter gewissen Gesichtspunkten höherer Stufe in Beziehung zueinander bringt. Eine obere Grenze für die Hierarchie der Äquivalenzklassen ist kaum anzugeben. Selbst bei Beschränkung auf den Zeichenträger und Vernachlässigung aller textfremden Gesichtspunkte[37] kann ein Interpret niemals behaupten, er habe »das Ganze« mit all seinen Merkmalen erfaßt. Es läßt sich nämlich nicht ausschließen, daß ein anderer Interpret zusätzlich Merkmale unterster Stufe findet, die noch nicht berücksichtigt wurden, oder daß er Äquivalenzkriterien hinzukonstruiert und die Hierarchie von Äquivalenzklassen nach oben fortsetzt[38]. Freilich werden die Textmerkmale von einer bestimmten Stufe ab immer uninteressanter, je weiter sich der Interpret bei ihrer Konstruktion von der Basis der Pyramide, den Primärinformationen des Zeichenträgers, entfernt. In der Praxis wird sich die Analyse also nicht in einem Wust von abstrakten Textmerkmalen verlieren.

Auch vor der Unmenge mehr oder weniger kohärenter Teilmengen, in die der

Text zerstückelt werden kann, braucht der Interpret nicht zu kapitulieren; denn
diese Mengen lassen sich nach der Art der zugehörigen Äquivalenzkriterien in eine
überschaubare Ordnung bringen und auf dieser Grundlage miteinander vergleichen.
Claude Lévi-Strauss praktiziert ein entsprechendes Verfahren in seiner Analyse der
Mythen. Er sammelt zunächst zu einem bestimmten Mythos ein Korpus von Versionen, das als repräsentativ gelten kann. Keine der Versionen »ist« der Mythos,
umgekehrt aber kennen wir den Mythos nur aus diesen Versionen, er muß also aus
ihnen zu entnehmen sein: Die Fassungen des Mythos werden notiert und wie die
Blätter eines Buches aufeinandergelegt. Durchleuchtet man das Buch, so findet
man alles, was sich von Blatt zu Blatt wiederholt, auf den Buchdeckel projiziert: es
konstituiert die Struktur dieses Mythos[39].

   In der Gedichtinterpretation geht man ähnlich vor. Bereits der Formulierungsprozeß, der zum Gedicht führt, vollzieht sich längs einer horizontalen Achse
(Sukzession/Kombination) und einer vertikalen Achse (Selektion)[40]. Das Ergebnis
der Formulierung ist auch seinerseits nicht nur horizontal (Textsequenz), sondern
auch vertikal strukturiert. Wie das Lévi-Strauss'sche Buch aus übereinandergelegten
Seiten besteht, ist der Gedichttext aus vertikal übereinandergelagerten Ebenen aufgebaut, der phonologischen, syntaktischen, semantischen, prosodischen usw. Auf
jeder Ebene sind Äquivalenzklassen zusammengefaßt, die von einer einheitlichen
Untersuchungsperspektive aus im Text aufgefunden werden können. Ihre Extensionen decken, ergänzen und überlappen sich gegenseitig und legen so auf der Textsequenz eine bestimmte Segmentierung fest. Jede solche Segmentierung läßt die
Gliederung des Gesamtgedichts wie durch einen Filter erkennen. Jede Textebene
verkörpert also auf ihre Weise die Gedichtstruktur. Nur die besondere Akzent-
setzung und der Grad der Differenzierung unterscheidet die Ebenen voneinander.
Sie verhalten sich zum Gesamtgedicht wie die Versionen zum Mythos: Jede Ebene
variiert die invariante Gedichtstruktur. Wenn sich eine Struktur nur da zu erkennen
gibt, wo eine Menge von Versionen vorhanden ist, die sie realisieren, so ist die
strukturalistische Textinterpretation nicht denkbar ohne die Voraussetzung, daß
»jedes dichterische Werk seine Versionen in sich selbst enthält«[41]. Aus diesen Versionen gilt es die Textstruktur zu rekonstruieren. Sie scheint sich wie von selbst zu
ergeben, wenn man die Segmentierung der Ebenen zueinander in Beziehung setzt
und die Korrelation der beteiligten Äquivalenzklassen prüft.

   So sieht jedenfalls die Konzeption aus, die Jakobson und Lévi-Strauss in ihrer
Interpretation zugrunde legen. Es sollte allerdings nicht übersehen werden, daß ein
Strukturbegriff, der einseitig auf der Segmentierung der Textebenen basiert, die
horizontale Achse des Gedichts überbetont. In der Interpretation von *Les Chats*
ist dementsprechend mit »Struktur« vorwiegend die Einteilung der Textsequenz in
nebeneinanderliegende Segmente[42] gemeint, der Terminus wird fast in der gleichen
Bedeutung verwendet wie der traditionellere Ausdruck »Gliederung«. Die Strukturanalyse scheint sich zu reduzieren auf ein besonders gründliches Verfahren zur
Bestimmung der Gliederung eines Textes. Den Beziehungen zwischen Textelementen, die auf verschiedenen Ebenen übereinanderliegen, schenken die Autoren nur

soweit Beachtung, als sie einer bestimmten horizontalen Segmentierung ein gerin-
geres oder größeres Gewicht zu geben scheinen. Das Zusammenwirken von Elementen verschiedener Ebenen an ein und derselben Textstelle wird in seinem
Eigenwert nicht erfaßt. Nun spielen aber gerade die Entsprechungen zwischen
phonologischen, syntaktischen und semantischen Elementen im ästhetischen Gefüge
vieler Texte eine große Rolle. Ein Beispiel aus Baudelaires Sonett mag verdeutlichen,
worum es sich handelt: Im letzten Terzett reimen die Suffixe dreier Wörter, die
semantisch etwas Funkelndes, hell Leuchtendes bezeichnen, auf die Silbe *(c)elles*,
die hell klingt: *étinCELLES* : *parCELLES* d'or : *prunELLES*. Aufgrund der Synästhesie
helles Licht – heller Klang gilt also die Feststellung: Das Suffix *(c)ELLES*, das einen
bestimmten Klang verkörpert, erscheint im Gedicht nur in Wörtern, die ein eben-
solches Licht bezeichnen. An der betreffenden Stelle der Textsequenz besteht demnach eine Äquivalenz zwischen Textelementen, die vertikal übereinanderliegen[43].
Die phonologischen und die semantischen Bestandteile desselben Wortes sind in
bezug auf die Helligkeit miteinander äquivalent. Äquivalenzklassen, die dieses
Äquivalenzkriterium gemeinsam haben, treten im Gedicht in drei verschiedenen
Wörtern auf, die sich auf die letzten drei Gedichtzeilen verteilen. Die vertikalen
Äquivalenzklassen sind also ihrerseits auch noch Elemente einer horizontalen
Äquivalenzklasse[44].

Hier bietet sich ein Vergleich an, der auch Jakobson und Lévi-Strauss geläufig
ist[45]: Das Gedicht ist einem Orchesterstück viel ähnlicher als es der eindimensionale
Drucktext nahelegt. Die Instrumentalstimmen geben sich gegenseitig Profil und
sind darin den Textebenen vergleichbar. Aber auch die gleichzeitig erklingenden
Töne sind harmonisch aufeinander abgestimmt, und die Harmonien (ihnen entsprechen vertikale Schnitte durch die Orchesterpartitur) erhalten ihren unverwech-
selbaren Charakter, indem sie sich von ihren Vorgängern und Nachfolgern abheben.
Die Wiederkehr gleich definierter Äquivalenzklassen (z. B. mit dem Merkmal
»phonologische und semantische Helligkeit«) auf wechselnden sprachlichen Elementen *(étincelles, parcelles, prunelles)* ist zu vergleichen mit der Wiederkehr gleicher
Harmonien (z. B. »Septimenakkord«) auf verschiedenen Grundtönen. Wenn
für den Text des Gedichts das gleiche gilt wie für den »Text« des Musikstücks,
müßte demnach die Verteilung der vertikalen Äquivalenzklassen auf die Folge der
Textebenen in der Strukturanalyse eine ähnliche Rolle spielen wie die Verteilung
der horizontalen Äquivalenzklassen auf die Textsequenz.

Ein entsprechend erweiterter Strukturbegriff läßt sich auf dem Boden der Jakobsonschen Voraussetzungen formulieren[46].

V. DIE ANALYSEPROZEDUR

Wie setzen Jakobson und Lévi-Strauss ihre Theorie poetischer Texte nun in die
Praxis der Interpretation um? Lévi-Strauss unterscheidet in seiner *Strukturalen
Anthropologie*[47] zwei Stufen wissenschaftlicher Arbeit: 1. die heuristische, 2. die

systematisch-deduktive. Die Interpretation von *Les Chats* läßt den Leser an beiden Stufen teilhaben, indem sie ihm erst – allerdings in bereinigter Form – die Analyseprozedur vorführt (L'Homme II/1, S. 6–17; im vorliegenden Band S. 184–196) und dann die Ergebnisse zusammenfassend darstellt (L'Homme II/1, S. 17–20; im vorliegenden Band S.196–201)[48].

Die Analyse ist nicht in dem antiquierten Sinne empirisch, daß sie bei den kleinsten Einheiten (Lauten, Silben, Wörtern) beginnt und allmählich zu den komplexeren Textelementen der höheren Untersuchungsebenen übergeht. Im Gegenteil, das erkenntnisleitende Interesse der Interpreten gilt von Anfang an der Frage nach der überzeugendsten Gesamtgliederung des Textes. Sie gehen also von horizontalen Äquivalenzrelationen aus, die den gesamten Text erfassen und möglichst große Textsegmente zu Relaten haben[49]. Mit Hilfe von Superstrukturen wie Reim und Syntax werden Hypothesen über die Einteilung des Gedichts formuliert. Diese Hypothesen bestimmen den Gang der Detailuntersuchungen, denn sie lenken den Blick immer wieder auf die Gemeinsamkeiten und Unterschiede der Großsegmente. Die Hypothesen dienen also vor allem heuristischen Zwecken; sie belasten die Analyse nicht mit unumstößlichen Vorentscheidungen, sondern werden durch die empirische Untersuchung des Textes dauernd überprüft:

1. Jede Hypothese über die Gesamtgliederung kann durch die Häufung entgegengesetzter Beobachtungen auf anderen Untersuchungsebenen widerlegt werden.

2. Der Interpret stellt gleichzeitig mehrere konkurrierende Hypothesen auf und vergleicht ständig ihre Leistungsfähigkeit in der Erschließung der Textstruktur. Erfüllt eine der Hypothesen die Ansprüche nicht, die er an ein Gliederungsprinzip des Gedichts stellt, so konstatiert er, inwiefern sie versagt – auch dies ist ja eine Aussage über das Gedicht – und geht zu einer neuen Hypothese über.

Die Sätze über die Gesamtgliederung des Gedichts werden so zu Gelenkstücken des Interpretationstextes. Sie motivieren den Übergang von einer Untersuchungsebene zur nächsten, indem sie nach der Korrelation der Äquivalenzklassen fragen.

Während die Autoren empirisches Material für die adäquateste Einteilung des Gedichts zusammentragen, wird nebenbei auch ihr Instrumentarium für die Bestimmung kleinster Textsegmente immer präziser. Die Entdeckung, daß zwei verschieden definierte Äquivalenzklassen im Text die gleiche Distribution haben, trägt einerseits zur Gesamtgliederung bei, denn eine Segmentierung ist für die Textstruktur um so relevanter, je mehr Textebenen ihr unabhängig voneinander zugeordnet werden können; zum andern erhöht sich dadurch auch die Zahl der Bestimmungsgrößen für jedes Textsegment, das mit einem Element der betreffenden Klassen koextensional ist. Das Wort[13] *fin* zum Beispiel

> (A) ist Adjektiv,
> (B) ist maskulinen Geschlechts,
> (C) steht am Versende,
> (D) hat männliche Kadenz,
> (E) reimt auf ein Homonym.

fin liegt also im Durchschnitt der Äquivalenzklassen A bis E. Zur Kennzeichnung des Wortes innerhalb des Gedichttextes würde es genügen, wenn man es durch den Durchschnitt der zwei Klassen A und E beschriebe, denn es ist das einzige Segment des Gedichts, das Adjektiv ist und auf ein Homonym reimt. In der Jakobsonschen Analyse wird es gleich zweifach überdeterminiert, denn dort wird auch noch darauf hingewiesen[50], daß die Klassendurchschnitte von A, B, C und die von A, C, D »fin« als einziges Element enthalten[51].

Eine solche Summierung von Struktureigenschaften ergibt sich nur bei der Beschreibung von Textsegmenten, denen im ästhetischen Gefüge des Zeichenträgers ein hoher Grad von Notwendigkeit (d. h. Unersetzlichkeit) zukommt. Umgekehrt sind die strukturell weniger determinierten Textstücke entsprechend leichter durch andere Ausdrücke derselben Sprache zu ersetzen und also ästhetisch weniger notwendig. Je mehr verschiedene horizontale Äquivalenzklassen ein Textsegment erfassen und je mehr Äquivalenzklassendurchschnitte es aus dem übrigen Text herausheben, um so bedeutender ist der Stellenwert dieses Segments im Gesamttext. Diese Beziehung gilt analog auch für die vertikale Achse des Textes: Je mehr verschiedene vertikale Äquivalenzklassen eine Textebene erfassen und je mehr Äquivalenzklassendurchschnitte sie aus dem übrigen Text herausheben, um so bedeutender ist der Stellenwert dieser Ebene im Gesamttext. Die *Struktur* des Gedichts, gegeben durch eine signifikante Äquivalenzklassenverteilung, und der **Stellenwert** der Textstücke, gegeben durch die Durchschnitte signifikanter Äquivalenzklassen, sind also Wechselbegriffe. Mit ihrer Hilfe kann man heute auf intersubjektive Weise am Detail belegen, was seit dem Sturm und Drang immer wieder pauschal über das literarische Kunstwerk behauptet wurde: Kein Bestandteil ist überflüssig, jeder ist notwendig, nimmt man einen heraus, so fällt das Ganze in sich zusammen[52]. Seit Herder und Goethe beruft man sich auf die Verhältnisse im »lebendigen Organismus«, um den Wertzuwachs plausibel zu machen, der bei der Übernahme isolierter Einzelelemente in ein Kunstwerk festzustellen ist. In der Strukturanalyse sind wir nicht mehr auf vieldeutige Bilder angewiesen, der Strukturbegriff erlaubt eine adäquate und präzise Formulierung der betreffenden Beobachtungen. Auf der Grundlage der gewählten Beschreibungsgesichtspunkte läßt sich sogar eine Rangfolge angeben, die die Textelemente in bezug auf ihre ästhetische Notwendigkeit ordnet.

VI. DIE SYNTHESE

Für die Analyse der Feinstrukturen ist die strukturalistische Methode, wie man sieht, recht brauchbar. Sobald man aber an die Synthese der Einzelergebnisse geht, sobald man das Gebäude, das sich aus den Feinstrukturen aufbaut, zu rekonstruieren versucht[53], stellen sich Probleme ein. Sie sind an der Interpretation des Baudelaireschen Sonetts leicht aufzuzeigen.

Nach der Distribution der Textelemente auf Äquivalenzklassen und der Äquivalenzklassen auf den Gesamttext sind – so lautet das Resultat der Analyse – vier verschiedene Beziehungsbündel zu unterscheiden, die den Text auf viererlei Weise gliedern. Alle Einteilungen legen einen Einschnitt zwischen die achte und neunte Textzeile. Die anderen empirisch gut bestätigten Einschnitte teilen das Paar der Quartette, bzw. das Paar der Terzette bzw. die »mittlere strophische Einheit« (d. h. das zweite Quartett) in jeweils zwei Hälften. Diese Ergebnisse sind nichts Ungewöhnliches, sie waren fast vorherzusehen[54]; legt man alle Gliederungen übereinander, so ergibt sich eine völlig symmetrische Einteilung. Doch sind die vier Einteilungen nicht im strengen Sinne kompatibel, sie verhalten sich eher wie Vexierbilder:

1. Betrachtet man das Gedicht unter syntaktisch-metrischem Gesichtspunkt, so drängt sich die strophische Dreiteilung auf;

2. sieht man vor allem auf die Verteilung der raum-zeitlichen Lokalisierungen, so scheint eine Zweiteilung angebracht;

3. hat man die syntaktisch-semantischen Parallelen der Außenstrophen im Auge, so bietet sich eine chiasmusartige Gliederung an;

4. fixiert man die Besonderheiten der siebten und achten Zeile, so wird sich einem die symmetrische Dreiteilung aufdrängen.

Die Autoren tun in dieser Lage das, was man in der vorwissenschaftlichen Interpretation schon immer getan hat, wenn man Gliederungsprinzipien informell gegeneinander abwog: sie halten intuitiv eine der Einteilungen für die relevanteste und suchen nach Argumenten zur Rechtfertigung ihres Eindrucks:

a) Von den vorgeschlagenen Textgliederungen sind nach ihrer Ansicht die ersten drei als »statisch«, die vierte aber als »dynamisch« zu betrachten und deshalb am höchsten zu bewerten.

b) Die Absicht des Erebos, die Katzen zu domestizieren ist nicht einer unter vielen Gesichtspunkten, die im Gedicht an die Katzen herangetragen werden, sondern »l'unique équivalence rejetée«[55]. Die Interpreten halten daher diese Gleichsetzung und ihre Zurückweisung in der darauffolgenden Zeile für den Angelpunkt des Gedichts.

c) Der irreale Bedingungssatz der Zeilen *7* und *8* sei nicht ein Satz unter anderen, sondern er stelle wegen der Besonderheiten, die er biete, »den Übergang« her zwischen zwei entgegengesetzten Teilen des Textes.

Diese Feststellungen lassen sich nur dann als Argumente im Sinne der beiden Interpreten verstehen, wenn man sie so wie sie auswertet. Die Auswertung aber folgt ebensowenig aus der Textanalyse wie das, was sie stützen soll: die Sonderstellung des vierten Gliederungsprinzips. Schon die Unterscheidung »statischer« und »dynamischer« Textgliederungen läßt sich kaum durch Unterschiede in der Korrelation von Äquivalenzklassen definieren, noch weniger ist eine Bevorzugung der »dynamischen« Gliederungsprinzipien auf dieser Basis zu begründen. Auch kann man mit strukturalistischen Mitteln nicht zeigen, warum unter den vielen Textmerkmalen gerade die unter b) und c) genannten eine so starke Hervorhebung verdienen. Die Feststellung der »Einzigartigkeit« ist als Argument zu schwach, denn es gibt auch außerhalb der siebten und achten Sonettzeile Textmerkmale, die nur einmal vorkommen[56].

Dieser Befund macht eine an sich längst bekannte Tatsache wieder deutlich: wer aus den Analyseergebnissen eine wie auch immer geartete Synthese herstellen will, kommt nicht ohne – zumindest implizite – Wertungen aus. Die Ermittlung der Gesamtgliederung eines Gedichts aus der Äquivalenzklassenverteilung ist ein statisches Verfahren, es bleibt ohne gesichertes Fundament, solange nicht die Relevanz jeder einzelnen Äquivalenzbeziehung festgestellt worden ist. Eine angemessene Bewertung der Äquivalenzbeziehungen muß der Tatsache gerecht werden, daß die Extensionsgleichheit weniger, aber wichtiger Äquivalenzklassen einen größeren Einfluß auf die Textgliederung haben kann als das Zusammentreffen noch so vieler trivialer Segmentierungen[57]. Eine Bewertungsprozedur, die dieser Forderung genügt, müßte ähnlich exakt sein, wie die Definitionsprozeduren für Äquivalenzrelationen[58], sie würde voraussetzen:

1. Die Aufzählbarkeit[59] der Menge aller möglichen Äquivalenzkriterien (Analysegesichtspunkte),

2. Bewertungskriterien, die das relative Gewicht der Analysegesichtspunkte generell für alle Leser so festlegen, daß es auf einer Maßskala abgelesen werden kann.

Solche Kriterien wären entweder aufgrund ästhetischer Plausibilitätserwägungen normativ festzusetzen; oder sie müßten auf empirische Weise den Urteilsgewohnheiten bestimmter Lesergruppen entnommen werden[60]. Wieweit es möglich ist, die Untersuchungsgesichtspunkte für Kunstwerke ihrem Range nach so zu ordnen, daß diese Ordnung sowohl für jeden Text als auch für alle Leser gültig ist, läßt sich heute noch nicht übersehen. Es herrscht indes allgemein die Überzeugung, daß dieses Vorhaben entweder nur für die elementaren linguistischen Untersuchungsgesichtspunkte oder aber nur für kleine Gruppen von Texten und Lesern realisierbar ist. Denn nur wenn man eine relativ homogene Auswahl von Texten zugrunde legt und eine relativ homogene Gruppe literarischer Experten dazu Stellung nehmen läßt, werden die Urteile genügend konvergieren, daß man aus den vorkommenden Äquivalenzen eine Poetizitätsskala herstellen kann, die die Interpretationsgewohnheiten der gesamten Gruppe repräsentiert. Bedingung 2 ließe sich also höchstens in stark eingeschränkter Form verwirklichen. Bedingung 1 aber ist von vornherein unerfüllbar[61].

Diese Überlegungen bestätigen, daß es unmöglich ist, allein aus der Korrelation der Äquivalenzklassen auf zwingende Weise die Gesamtstruktur eines literarischen Kunstwerks zu bestimmen. Der ästhetische Kode des betreffenden Werkes bleibt weitgehend außerhalb der Reichweite eines Verfahrens, das sich auf die distanzierte Deskription des Textes und die Summierung der Textmerkmale beschränkt. – Freilich sollte man auch die Vorzüge einer solchen Beschränkung nicht übersehen: Eine Theorie, die ohne spezifische poetologische Postulate und ohne rezeptionstheoretische Voraussetzungen auskommt, ist universell anwendbar auf Texte aller Zeiten, Richtungen und Genres.

VII. DIE BESCHREIBUNG DER SEMANTISCHEN EBENE

Nicht immer sind von der Theorie gesteckte Grenzen verantwortlich zu machen, wenn die Autoren in der Praxis die strukturalistische Basis verlassen. Zum Beispiel fragt man sich als Leser der Interpretation, worauf das schlagartige Zunehmen metaphorischer Wendungen beim Übergang zur semantischen Analyse zurückzuführen ist. Es ist nicht ohne weiteres zu entscheiden, ob diese Formulierungen nur Strukturfeststellungen gefällig einkleiden sollen oder ob die Interpreten damit Assoziationen wecken wollen, die nach ihrer Ansicht bei der Produktion des Gedichts wirksam waren oder der Rezeption förderlich sind. Sätze, wie die unpersönliche Formulierung »L'affinité sémantique entre l'Érèbe [. . .] et le penchant des chats pour l'horreur des ténèbres [. . .] *a failli associer* les chats, héros du poème, à la besogne horrifique des coursiers funèbres«[62], sind ein Rückfall in den suggestiven Schreibstil herkömmlicher Sekundärliteratur[63].

»[. . .] la comparaison illusoire, assimilant les chats sédentaires [. . .] à l'immobilité des êtres surnaturels, *gagne la valeur d'une métamorphose*«[62]: wirklich? Diese – ebenfalls unpersönliche – Formulierung schildert einen Eindruck, den das Gedicht in den Autoren hinterläßt. Das als intersubjektive Gegebenheit hinzustellen, ist inkorrekt, denn was zwingt zu der Annahme, daß der Text auf eine – sei es auch eine noch so fiktive – Verwandlung der Katzen abzielt? – Genauso zweifelhaft ist die – ohne Einschränkung geäußerte – Behauptung: »[. . .] la maison qui *circonscrit* les chats dans le premier quartrain *se transforme* en un désert spacieux [. . .]«[64]. Abgesehen von der metaphorischen Dynamisierung (»se transforme«) des Vergleichs »maison« – »désert«: die Voraussetzung, »maison« werde in Zeile *3* im Sinne eines Umgreifenden, Bergenden gebraucht, ist schlicht falsch. Auf einen solchen Gedanken kann nur kommen, wer im Gedicht nach Ausdrücken für Räumliches sucht und zugleich »maison« außerhalb seines Kontextes *orgueil de la maison* betrachtet[65]. Dieses isolierende Verfahren entspricht den vereinfachten Analyseprozeduren, die auf der phonologischen Ebene adäquat sein mögen; in der semantischen Analyse indessen führt es zu Verfälschungen. Wenn die Äquivalenzrelationen nichts anderes sind als parasitäre Strukturen auf dem Rücken der Textsequenz, so darf man die Textsequenz nicht bei der Suche nach diesen Äquivalenzen zerstören. Ausschlaggebend für die Bedeutung jedes Textsegments sind die Kontiguitätsbeziehungen, die die Textsequenz konstituieren[66]; sie bestimmen mithin die Basis der semantischen Äquivalenzrelationen. Wer die Kontiguitätsrelationen vernachlässigt und sich in der semantischen Analyse damit begnügt, von isolierten Wortkörpern auszugehen, wird vielfach abstrakt-lexikalische Äquivalenzen erhalten, deren Relate nur phonologisch identisch sind mit Elementen des Textes. Er ist nicht dagegen geschützt, daß die von ihm postulierten Äquivalenzklassen textfremde Bedeutungsatome in das Gedicht hineinprojizieren.

Außerdem begünstigt das isolierende Verfahren hermeneutische Fiktionen, die die Gedichtrezeption mehr stören als fördern: Jakobson und Lévi-Strauss behandeln das Gedicht so, als stünden alle einmal angesprochenen inhaltlichen Vorstellungen bis auf weiteres im Raum, auch nachdem die Lektüre den Leser längst in neue Kontexte hineingeführt hat. Das Auftreten vergleichbarer Vorstellungen wird dann nach dem Schema der Metamorphose oder der Identifikation gedeutet. Die zerstörte Kohärenz des Textes soll wiederhergestellt werden, indem man einen Entwicklungsvorgang fingiert, in dessen Verlauf sich die alten Vorstellungen in neue verwandeln oder einfach durch neue ersetzt werden. Der Status dieses Vorgangs bleibt unklar, er findet nicht in der Psyche des rezipierenden Lesers statt, noch ist er am Text aufweisbar – verräterische Schwierigkeiten, die durch die pseudo-objektive Formulierungsweise nur unzureichend kaschiert werden:« »En songeant«, les chats parviennent à *s'identifier* aux »grands sphinx« [. . .]«[64]; »Ce sont ces parcelles incandescentes qu'une nouvelle *identification*, la dernière du sonnet, associe avec le »sable fin« et *transforme* en étoiles«[67]. »Chacun des quatrains et des tercets cherche pour les chats une nouvelle *identification*.«[68] »La *métamorphose* se déroule jusqu'à la fin du sonnet.«[69] In diesen Sätzen laufen Inhalte des Gedichts und Vorgänge der Textanalyse ineinander. Das daraus resultierende geheimnisvolle Geschehen umgeben die Interpreten mit einer mystischen Aura, indem sie es ins All verlegen. Offensichtlich haben nicht nur die *Sphinxe*, die ja in der Wüste *(solitudes)* zu finden sind und *ohne Ende* zu träumen scheinen, sondern auch die *Goldpartikeln*, die die Katzenaugen *besternen*, die Interpreten dazu angeregt, den Katzen zu »kosmischen Proportionen« zu verhelfen[70]. Die Analysebegriffe der Metapher und Metonymie – von Lévi-Strauss schon in *La Pensée Sauvage* fast bis zur Unkenntlichkeit strapaziert[71] – haben zu dieser Erweiterung des Gedichts nicht unwesentlich beigetragen. Aus ihnen entfaltet sich in der Manier der Begriffsspekulation (die bei einigen französischen Semiologen eine neue Heimat gefunden zu haben scheint) ein barocker Überbau von quasi-räumlichen Relationen, der die viel schlichteren Sachverhalte des Gedichts überwölbt. Dieses **Supergedicht** wird im synthetischen Teil der Interpretation alleiniger Untersuchungsgegenstand. Das Sonett von Baudelaire scheint nur noch als Materiallieferant für solche Analysepoesie eine Rolle zu spielen.

In einem derartigen Kontext können andere Verfälschungen nicht ausbleiben. Formale Kategorien wie Genus, Numerus und Reimart werden bedenkenlos semantisch ausgeschlachtet. Die Interpreten scheinen anzunehmen, daß Plural-Morpheme und semantische Vielheit immer zusammengehen. Das ist indes nicht einmal in dem Baudelaire-Gedicht der Fall. *solitudes* z. B. ist heute wie zu Baudelaires Zeiten nicht mehr als ein poetisches Klischee für »désert«; schon im Lateinischen bezeichnete die (ursprünglich emphatisch gebrauchte) Pluralform »solitudines« nicht eine Mehrzahl von Abstrakta (»Einsamkeiten«), sondern ein Konkretum in der Einzahl (»wilde Gegend, Einöde«). Den Interpreten aber signalisiert das Wort die paradoxe Einheit von Einsamkeit und Vielheit – womit es sich für den Anschluß eines Baudelaire-Zitats legitimiert, das die Einsamkeit des Großstadtmenschen beschwört[72]. Das Bestreben, formal definierte Äquivalenzklassen nachträglich auch inhaltlich zu charakterisieren, verführt die Interpreten immer wieder zu unkritischem Analogisieren. Besonders peinlich ist das, wo die Analogie auf den Konnotationen historisch zufälliger Beschreibungstermini beruht. So beruft man sich, um die ohnehin zweifelhafte These von der Zwitternatur der Katzen zu stützen, auf das Vorkommen femininer Substantive im männlichen Reim[72].

VIII. TEXTDESKRIPTION KONTRA REZEPTIONSANALYSE

Das Mißlingen der semantischen Analyse ist nicht auf die strukturalistische Methode, sondern auf ihre Anwendung durch Jakobson und Lévi-Strauss zurückzuführen. Offensichtlich läßt sich weder die Prosodie[73] noch die Semantik des Gedichts durch die bloße Deskription des geschriebenen Textes erschließen – ganz zu schweigen vom ästhetischen Kode des Gedichts, der sich vor allem dieser Textebenen bedient. Ähnlich wie man den prosodischen Merkmalen nur gerecht werden kann, wenn man von ihrer akustischen Verwirklichung ausgeht, kann man auch die Semantik nur adäquat beschreiben, wenn man von einem Text ausgeht, der bereits voll rezipiert und verstanden worden ist. Dasselbe gilt auch für den ästhetischen Kode: Die Entzifferung des »zweiten Kodes« setzt die Beherrschung und Realisierung aller Gegebenheiten des »ersten Kodes« in dem untersuchten Werk voraus[20]. Wenn poetische Kommunikation dadurch gekennzeichnet ist, daß die Sprachfunktionen der Nachricht von der poetischen Funktion überlagert werden, muß man diese Funktionen erst zur Geltung kommen lassen, bevor man nach ästhetischen Äquivalenzen sucht, die auf ihnen operieren. Die Interpretation von Jakobson und Lévi-Strauss läßt den Eindruck entstehen, als seien die syntagmatischen Äquivalenzen die Basis und nicht das organisierende Prinzip der Funktionen, die der Text in der Rezeption erhält. Riffaterre macht den Autoren diesen Vorwurf: »Das Poetische [. . .] zeigt sich nicht einfach in der Nachricht [. . .], sondern erst im gesamten Kommunikationsvorgang.«[74] Es gilt also, die Reaktionen zu untersuchen, die der Text verlangt, und die sind nicht identisch mit den sprachlichen Mitteln, durch die sie hervorgerufen werden. Riffaterres Kritik beruht auf dem Argument, daß sich die Elemente des unrezipierten Zeichenträgers nicht eindeutig auf die Momente des Rezeptionsprozesses abbilden lassen, obwohl jedem Text als Ganzem ein spezifischer Rezeptionsverlauf zugeordnet ist. Er schlägt daher vor, man solle zunächst nur den Rezeptionsverlauf analysieren und erst nachträglich versuchen, die eingetretenen Wirkungen auf ihre Ursachen im Text zurückzuführen.

Eine Analyse des Rezeptionsverlaufs bietet freilich viel größere Schwierigkeiten als die Untersuchung der materiell fixierten Bestandteile des Zeichenträgers. Es geht hier nicht mehr um einen statischen Gegenstand, dessen Elemente synoptisch gegeben sind, sondern um die flüchtigen Momente eines Prozesses. Riffaterre selbst schien das deskriptionstechnische Problem, an Prozessen Strukturen aufzufinden, noch 1961 unlösbar: »L'absence de structure [. . .] est le corollaire de la nonpermanence.«[75] Diese Schwierigkeit mag auch der Grund dafür sein, daß Jakobson und Lévi-Strauss vorgeben, nur zu analysieren, »woraus der Text gemacht ist«[41]. Da sie aber zugleich ihre Zielsetzung, »die poetische Struktur« des Gedichts zu bestimmen, aufrechterhalten, sind sie immer wieder gezwungen, von ihrer Untersuchungsbasis abzugehen und andere Gesichtspunkte zu berücksichtigen:

So, wenn sie die herausgefundenen Möglichkeiten zur Strukturierung des Textes nachträglich mit Kriterien abwägen und bewerten, die aus der Rezeption stammen; – wenn sie zwischen den Stücken ihrer Analyse einen pseudo-poetischen Zusammenhang herstellen;

– wenn sie subjektive Eindrücke in die Analyse mit hineinnehmen und sie in ihrer Darstellungsweise objektiv feststellbaren Textmerkmalen angleichen;

– wenn sie schließlich nebenbei auf mögliche Faktoren des dichterischen Schaffens hinweisen und die Ergebnisse ihrer Analyse nachträglich in die Baudelaire-Biographie einzubetten versuchen.

Was bei Jakobson und Lévi-Strauss nur am Rande einer ganz anders gearteten Analyse vorkommt und deshalb unzureichend und irreführend bleiben muß, rückt bei Riffaterre ins Zentrum des Interesses[76]. Er folgt dem normalen Ablauf der Lektüre, umreißt den Erwartungshorizont eines Lesers, der einen Text in Gedichtform vor sich sieht, und beginnt schon beim Titel mit der Analyse: Es wird beschrieben, was für einen Eindruck die Überschrift im Leser weckt, wie der Leser dadurch veranlaßt wird, einen bestimmten Kontext zu ergänzen, wie sich daraus bestimmte Leseerwartungen ergeben, die im folgenden teils bestätigt, teils auf überraschende Weise widerlegt werden, wie die Überraschungen die Aufmerksamkeit des Lesers erhöhen und so den Kontakt zwischen Leser und Gedicht verstärken (den Kanal offenhalten), wie sich im Laufe der Lektüre die Haltung des Lesers gegenüber dem Autor, dem Text und den kommunizierten Inhalten verändert usw.

Der kognitive Gehalt, der sich bei Jakobson und Lévi-Strauss als feststehende Gegebenheit präsentierte, wird hier aufgelöst und auf ein Wechselspiel von Antizipationen und Korrekturerlebnissen verteilt. Die Darstellung des kognitiven Gehalts wird ergänzt und ins rechte Licht gerückt durch die Analyse der phatischen Prozesse und der emotiven Reaktionen, die der Text steuert, sowie der direktiven Impulse, die von ihm ausgehen. Spannung (= Erwartungsintensität), Überraschung, Enttäuschung, Ironie und komischer Effekt sind die Kategorien, mit denen Riffaterre Äquivalenzklassen bildet. Elemente der Klassen sind jene Stellen im Rezeptionsablauf, an denen der Leser sich aufgehalten fühlt, stockt, aus dem Lektürekontinuum ausbricht und übergreifende Beziehungen zu dem bisher Gelesenen herstellt. Jede derartige Stelle läßt sich rein formal kennzeichnen

1. durch den Kontrast, der sie von den unmittelbar vorhergehenden Rezeptionserlebnissen trennt, und

2. durch die Menge der anderen herausragenden Stellen, mit denen sie in irgendeiner Hinsicht äquivalent ist.

Kontrasterlebnis und Äquivalenzenbindung konstituieren die Rezeptionsstruktur des sprachlichen Kunstwerks. Jedes Kontrasterlebnis verändert den Erwartungshorizont für die nachfolgende Lektüre. Es strahlt aber auch auf das Verständnis des zurückliegenden Textes aus, denn es betont im Nachhinein dessen kontrastierende Aspekte. Der Verstehensprozeß besteht in der fortlaufenden Integration hinzukommender Erlebnisse in den Verstehenskontext. Am auffälligsten ist dieser Rückkopplungsprozeß in der Ironisierung, die nicht nur die weniger relevanten

Teile der Lektüre, sondern auch bestimmte zentrale Kontrasterlebnisse in neuem Licht erscheinen läßt und dadurch einander angleicht. Umgekehrt stellt der Leser auch zwischen jenen Überraschungen eine Verbindung her, die gleichartige Erwartungen enttäuschen. Und schließlich ist eine Erwartung, die auf unerwartete Weise enttäuscht wird, häufig selbst durch eines oder mehrere Kontrasterlebnisse erzeugt worden. Es besteht also auch eine Entsprechung zwischen Überraschungen, die einander inhaltlich (teilweise) aufheben. Alle diese Beziehungen sind Äquivalenzrelationen und werden als solche vom Leser in der Rezeption realisiert. Durch die Wahrnehmung dieser Beziehungen wird das Verständnis des bis dahin Gelesenen vertieft und die folgende Lektüre intensiviert. Im Laufe der Rezeption entsteht ein Netz von Äquivalenzrelationen, das den Lektüreablauf überlagert, indem es die herausragenden Lektürestellen zu Äquivalenzklassen zusammenfaßt. Die Rezeptionsüberraschungen sind somit die Elemente eines komplexen Systems einander ergänzender oder überlappender Äquivalenzklassen. Das System der Rezeptionsüberraschungen bestimmt die Struktur des Rezeptionsprozesses.

Probleme, die von Jakobsons Ansatz aus unlösbar scheinen, tauchen bei Riffaterre erst gar nicht auf: Seine Analyse kann sich nicht in der Unzahl der Textmerkmale verlieren, da von vornherein nur solche Merkmale berücksichtigt werden, die Kontrasterlebnisse des Lesers erklären. Relevant ist, was den Prozeß von Antizipation und Korrektur vorantreibt. Der Lektüreprozeß und die begrenzte Aufnahmefähigkeit des Lesers entscheiden also über die Auswahl der Analysegesichtspunkte, die im ästhetischen Kode eine Rolle spielen.

Auch die Schwierigkeit über mehrerlei Strukturierungsmöglichkeiten durch eine improvisierte Wertung entscheiden zu müssen, wird umgangen. Riffaterre klassifiziert nicht abstrakte Elemente des Textes, sondern Leserreaktionen, die durch starke Wertungen gekennzeichnet sind. Er wertet nicht Strukturen, sondern strukturiert eine gegebene Menge von Wertungen.

Freilich kann man bei Riffaterre nicht im Lévi-Strauss'schen Sinne von »Gedichtstruktur« sprechen, denn seine Analyseprozedur macht keine textimmanenten Versionen verfügbar. Doch läßt sich der Riffarerreschen Rezeptionsstruktur ebenfalls eine Menge von Realisierungen zuordnen. Zu ihnen gehören alle realen Rezeptionsabläufe, die dem Gedicht heutzutage gerecht werden. Das ist eine starke Behauptung, doch hat Riffaterre Vorkehrungen getroffen, die den normativen Anspruch, mit dem sie auftritt, begründet erscheinen lassen, soweit er überhaupt begründet werden kann[77].

1. Der ideale Leser verfügt über ein so großes Wissen, daß er alle Anforderungen des Zeichenträgers erfüllen kann; insbesondere kennt er außer dem sprachlichen Kode auch alle kulturellen Zeichensysteme aus der Entstehungszeit des Textes, denn diese können ebenso wie der sprachliche Kode Elemente bereitstellen, auf denen der ästhetische Kode operiert.

2. Der ideale Leser kann Zufälligkeiten und Defekte in der Rezeptionssituation ausschalten, insbesondere ist der Kontakt zum Zeichenträger nicht durch Zerstreutheit, Müdigkeit u. dgl. gestört.

3. Der ideale Leser ist fähig, die ästhetischen Eindrücke bewußt zu registrieren und zu klassifizieren und dabei von privaten Kontexten und privaten ästhetischen Präferenzen zu abstrahieren.

4. Der ideale Leser ist in der Lage, den ästhetischen Eindrücken diejenigen Textmerkmale zuzuordnen, die sie bedingen.

Riffaterre hat versucht, sich die geforderten pragmatischen Eigenschaften zu eigen zu machen. Da er das französische 19. Jahrhundert wie wenige kennt und über ein immenses philologisches Wissen sowie eine ungewöhnliche Intuition verfügt, ist eine vielseitige Rezeption gewährleistet (ad 1). Er liest abstraktiv, so daß er den Lektüreverlauf als Kette von Rezeptionsüberraschungen angeben kann (ad 3). Trotzdem kann er nach einer einmaligen Lektüre nie sicher sein, alles Relevante erfaßt zu haben – so wie Jakobson nie sicher sein kann, alles Irrelevante ausgespart zu haben – deshalb informiert er sich über alle bekanntgewordenen Äußerungen zu *Les Chats* und variiert die Situationen und die Zielsetzungen der eigenen Gedichtlektüre so lange, bis sich keine neuen Kontrasterlebnisse mehr einstellen. Sodann legt er die durch abstraktive Rezeption gewonnenen Erlebnisketten übereinander und vereinigt sie zur Rezeptionsstruktur des Gedichts (ad 2). Schließlich sucht er, z. T. unter Benutzung der Ergebnisse von Jakobson und Lévi-Strauss, im Gedichttext diejenigen Steuerungsfaktoren auf, die zu strukturell relevanten Leserreaktionen führen, beschreibt sie und schaltet diese Beschreibungen in die Darstellung der Rezeptionsstruktur ein (ad 4).

Aus all dem ergibt sich eine Interpretation, die sich wie ein Protokoll der idealen Gedichtrezeption liest. Der Interpret erscheint als der ideale Leser, der allen anderen Lesern mitteilt, wie eine adäquate Rezeption des betreffenden Gedichts aussehen müsse. Die strukturalistische Rezeptionsanalyse führt demnach zur Fiktion eines **Superlesers**[78], ähnlich wie die strukturalistische Textanalyse die Fiktion eines *Supergedichts* begünstigt. Doch während diese auch ohne eine solche Fiktion auskommen könnte, ist jene darauf angewiesen, wenn sie nicht ihren normativen Charakter aufgeben will. Außerdem ist das Supergedicht nur ein Konglomerat von Textmerkmalen und (in die Objektsprache transponierten) Analysetechniken, der Superleser aber verkörpert eine Synthese aus verschiedenen Kommunikationshaltungen: Seine Einstellung wechselt ständig zwischen distanziert beobachtender Haltung gegenüber dem Text (wegen 4), rezeptiver Aufgeschlossenheit für alle Feinheiten seiner Wirkung (wegen 1 und 2) und Distanz gegenüber den eigenen Reaktionen, wie sie für das überprüfende Registrieren dieser Feinheiten erforderlich ist (wegen 3). Trotz der Trennung der Prozeduren macht sich in Riffaterres zusammenfassender Darstellung eine gewisse Interferenz zwischen der Beschreibungshaltung und der beschriebenen Haltung bemerkbar. Ohne daß es theoretisch notwendig gewesen wäre, haben ja schon Jakobson und Lévi-Strauss ihr wissenschaftliches Ethos auf der semantischen Ebene in den Text hineingetragen und ihn so verfälscht: der exemplarische Ernst, mit dem die beiden Textforscher an das Gedicht herangehen, läßt ihnen auch dessen Inhalt als ernste Angelegenheit erscheinen. Bei Riffaterre drohen umgekehrt die Wirkungen des Gedichts und die dadurch evozierten Assoziationen die Darstellung der Struktur zu überwuchern.

Weitere Fehlerquellen bietet ein so grundlegendes Verfahren wie die Zusammenfassung der Rezeptionsüberraschungen zu Äquivalenzklassen. Dazu benötigt man nämlich Äquivalenzkriterien, also Kennzeichnungen der Kontrasterlebnisse, die über die bloße Angabe ihrer Position hinausgehen. Es ist aber unklar, welche inhaltlichen Merkmale von Rezeptionserlebnissen des Interpreten als verbindlich für alle Leser betrachtet werden können. Wie in jeder herkömmlichen Interpretation gibt es also auch bei Riffaterre eine Anzahl von Sätzen, die zwar als Rezeptionsnormen auftreten, die aber nicht viel mehr als subjektive Erlebnisse des Interpreten beschreiben.

Wer mit Riffaterres Zielsetzung interpretiert, kommt nicht ohne Introspektion und psychologisierende Begriffe aus. Riffaterres Schreibweise hat zwar für den professionellen Literaturliebhaber die Evidenz der herkömmlichen Kategorien und Ausdrucksschemata, sie hat aber auch deren Schwächen: Mehrdeutigkeit, Vagheit, geringe Kontrollierbarkeit und theoretische Ungesichertheit.

Wer sich auf die Deskription des Zeichenträgers beschränkt, vermeidet diese Fehlerquellen. Die Syntaktik eines jeden sprachlichen Kunstwerks läßt sich auf allen Textebenen präzise, theoretisch durchsichtig und empirisch kontrollierbar beschreiben. Voraussetzung ist nur, daß man die Theorie durch eine umfassende Systematisierung der möglichen Äquivalenzkriterien weiter ausbaut und die Analyse des jeweiligen Textes pragmatisch besser absichert, als es Jakobson und Lévi-Strauss möglich war. Eine solche Beschreibung erfaßt auf extrakommunikative Weise alle Voraussetzungen, die der Zeichenträger für die künstlerische Kommunikation bietet. Sie liefert damit zugleich verläßliche Kriterien für die Disqualifizierung von Interpretationsaussagen, die unzulässige Annahmen über den Text machen. Der ästhetische Kode und die poetische Struktur eines Kunstwerks lassen sich allerdings durch die bloße Deskription des Zeichenträgers nicht erschließen.

Wer sein eigenes Kunsterlebnis zum Gegenstand der Untersuchung macht, hat mehr Aussicht, den künstlerischen Qualitäten einer Dichtung gerecht zu werden. Er gewinnt Maßstäbe zur Unterscheidung der ästhetisch relevanten Stellen und vermag den Zusammenhang zu erkennen, der sie miteinander verbindet. Aber auch dieses Verfahren ist unzureichend, wenn es darum geht, über den literarischen Wert zu urteilen, der eine Dichtung in ihrer Ganzheit auszeichnet. Er kann durch die Untersuchung eines einzelnen Werkes allein nicht ermittelt werden, denn er ergibt sich erst aus den Maßstäben, die man an das Werk anlegt; diese aber sind von dem historischen Kontext abhängig, in dem Werk und Betrachter stehen. Der historische Kontext wird in der Rezeptionsanalyse nur in impliziter Form berücksichtigt, insofern die Varianten der Rezeptionsstruktur von ihm abhängen. Bei der Ermittlung des literarischen Wertes muß er jedoch offen diskutiert werden.

Auch die Historie ist indes ein semiotisches System. Es geht in ihr einerseits um »uninterpretierte Fakten«, die entsprechend ihrer Zugehörigkeit zu den verschiedenen Ebenen der Realität mit Hilfe der systematischen Wissenschaften rekonstruiert und auf der Zeitachse lokalisiert werden: Eine solche Beschreibung erfaßt nur die Trägerinformationen, die unserem Geschichtsbild zugrunde liegen. Die historische Bedeutung der Fakten wird erst offenbar, wenn man sie als Ereignisse auffaßt, denen in einer Entwicklung ein bestimmter Stellenwert zukommt. Auch das literarische Kunstwerk ist bei seinem Erscheinen ein solches Ereignis. Paßt es in den Rahmen des bis dahin Üblichen, so wird es in den Erlebnissen der Zeitgenossen keine überdurchschnittliche Rolle spielen. Bringt es aber etwas »Neues«, überrascht es die Zeitgenossen, verlangt es eine Umstellung von ihnen, wirkt sich sein Erscheinen auf die Einschätzung zurückliegender Werke aus, so kann es seinerseits Maßstab für die Beurteilung künftiger Werke werden: Es wird in den Kanon der wichtigen Bücher aufgenommen und bestimmt so den Erwartungshorizont der Zeitgenossen. Jede Generation sieht diesen Kanon in neuem Licht, sie verteilt die Gewichte anders, scheidet einige Werke aus und nimmt andere hinzu. An dem Kanon der Weltliteratur wiederholt sich somit von Generation zu Generation, was sich an der einzelnen Dichtung anläßlich jeder Lektüre abspielt. Bei jedem neuen Rezeptionsversuch bilden sich neue Varianten in der Kette der Kontrasterlebnisse, werden andere Äquivalenzen und Oppositionen aktualisiert, entsteht eine neue Version der Literaturgeschichte. Könnte man alle Versionen übereinanderlegen, die sich im Laufe der Zeit ansammeln, so ergäbe sich aus den Invarianten die Struktur der Literaturgeschichte. In ihr hätte jedes Einzelwerk seinen festen Platz, so wie in der Struktur des Einzelwerks jede mögliche Rezeptionsüberraschung ihren festen Platz hat. Beide Arten von Struktur lassen sich aber an jedem historischen Zeitpunkt nur annäherungsweise erfassen, denn die Menge der Versionen ist nach der Zukunft hin offen.

ANMERKUNGEN

1. In Manfred Bierwischs Aufsatz über: Strukturalismus – Geschichte, Probleme und Methoden, *Kursbuch* 5, 1966, wird Chomsky allerdings noch mit zum Strukturalismus gerechnet, da er, trotz seiner Auseinandersetzung mit der taxonomischen Sprachwissenschaft des Strukturalisten Zellig S. Harris, an »den wichtigsten Gedanken von Saussure, Sapir, Trubetzkoj und Jakobson« festhalte (S. 104). Eine solche Einordnung wird aber dem historischen Schritt von der strukturalistischen zur generativ-transformationellen Grammatiktheorie nicht gerecht.

2. Vgl. etwa das Buch *La pensée sauvage* (Paris 1962) von Claude Lévi-Strauss, in dem die Polemik gegen die Geschichtsauffassung von Sartres *Critique de la raison dialectique* (Paris 1960) ein ganzes Kapitel einnimmt.

3. Pierre Macherey: *Pour une théorie de la production littéraire*, Paris 1966. – E. D. Hirsch: *Validity in Interpretation*, New Haven-London 1967.

4. Hans Robert Jauss: *Literaturgeschichte als Provokation der Literaturwissenschaft*, Konstanz 1967. – Harald Weinrich: Für eine Literaturgeschichte des Lesers, *Mercur*, November 1967.

5. *Kursbuch* 5 (Mai 1966): Strukturalismus. – *Alternative* 54 (Juni 1967): Strukturalismusdiskussion. – *Alternative* 62/63 (Dezember 1968): Strukturalismus und Literaturwissenschaft.

6. Louis Althusser: *Für Marx*. 1968, = Reihe Theorie 2 (frz. 1965); – Roland Barthes: *Kritik und Wahrheit*, 1967, = ed. suhrkamp 218 (frz. 1966); – ders: *Literatur oder Geschichte*, 1969, = ed. suhrkamp 303 (frz. 1964 und 1966); – Claude Lévi-Strauss: *Das Ende des Totemismus*, 1965, = ed. suhrkamp 128 (frz. 1962); – ders.: *Strukturale Anthropologie*, 1967 (frz. 1958); – ders.: *Das wilde Denken*, 1968 (frz. 1962). – Lucien Sebag: *Marxismus und Strukturalismus*, 1967, = Reihe Theorie 2 (frz. 1964); – (alle im Suhrkamp-Verlag, Frankfurt/Main).

7. Vgl. z. B. Urs Jaeggi: *Gesellschaft und Struktur*, Frankfurt/Main 1968, = Reihe Theorie 2. – Günther Schiwy: *Der französische Strukturalismus – Mode, Methode, Ideologie*. Mit einem Textanhang, Reinbek 1969, = rde 310/11.

8. Für wertvolle Hinweise und Kritik danke ich Prof. Helmut Schnelle und Dieter Wunderlich, auf dessen Anregung auch der Aufsatz zurückgeht. Die Verantwortung für den Inhalt liegt allein bei mir.

9. Vgl. die Bibliographie: Strukturalismus und Literaturwissenschaft, *Alternative* 62/63 (1968) S. 229–231, sowie die Jakobson-Bibliographie, in: *To Honor Roman Jakobson*, Bd. I, Den Haag 1967, S. XI–XXXIII.

10. Roman Jakobson und Claude Lévi-Strauss: »Les Chats« de Charles Baudelaire, in: *L'Homme – Revue française d'anthropologie* II/1 (1962) S. 5–21; dt. in: *Alternative – Zeitschrift für Literatur und Diskussion* 62/63 (1968) S. 156–170; vgl. in diesem Band S. 184–201, abgedruckt von: *Sprache im Technischen Zeitalter* 29, 1969, S. 2–19. Außerdem wurden berücksichtigt: R. Jakobson: Der grammatische Bau des Gedichts von B. Brecht »Wir sind sie«, in: *Beiträge zur Sprachwissenschaft, Volkskunde und Literaturforschung* (Festschrift für Wolfgang Steinitz) Berlin (Ost) 1965, in diesem Band S. 169–183. – Ders.: The Grammatical Texture of a Sonnet from Sir Philip Sidney's »Arcadia«, in: *Studies in Language and Literature in Honor of M. Schlauch*, Warschau 1966, S. 165–174. – Ders.: Une microscopie du dernier spleen dans les Fleurs du Mal, in: *Tel Quel* 29, 1967, S. 12–24.

11. Michael Riffaterre: Describing Poetic Structures – Two Approaches to Baudelaire's »Les Chats«, in: *Yale French Studies* 36/37 (1966), S. 200–242. – Ein weiterer Interpretationsversuch stammt von Lucien Goldmann und Norbert Peters (Xerokopie, Paris 1969). Er beschränkt sich auf die Deskription der semantischen Ebene des Zeichenträgers und bleibt methodisch in dem von Jakobson und Lévi-Strauss vorgezeichneten Rahmen.

Im folgenden werden zum leichteren Verständnis der Diskussion die wichtigsten Passagen der Riffaterreschen Baudelaire-Interpretation in der Übersetzung von Roland Posner wiedergegeben:

Michael Riffaterre: *Analyse von Baudelaires »Les Chats«*

Titel:

Der bestimmte Artikel und der Plural lassen uns eine genaue und konkrete Beschreibung erwarten: nach dieser Vorbereitung kommt die Spiritualisierung der Katzen später um so überraschender. Als Strukturelement betrachtet, lenkt der Titel unsere Aufmerksamkeit auf die erste Wiederkehr von *chats* im Text. Sie fördert die Geschlossenheit des Gedichts, denn jedes folgende Pronomen bezieht sich unzweideutig auf dieses Wort zurück, es ist das einzige Substantiv, das auf diese Weise hervorgehoben wird.

Quartett I:

Im Anschluß an den knappen Titel erweckt die kontrastierende erste Zeile den Eindruck einer um so größeren Fülle. Die Stelle für das Attribut, die neben *chats* freigeblieben ist, wird hier gleich zweimal mit einem Adjektiv besetzt; diese Sättigung der Nominalgruppe wird noch betont durch die parallele Wortstellung; die Akzente, sowie der Umstand, daß die beiden Wortgruppen je eine Halbzeile einnehmen, bestätigen die Symmetrie auch auf anderer Ebene. Natürlich trägt der Binnenreim *fervents – savants* zur Geschlossenheit der Zeile bei: die Ähnlichkeit der Reimglieder (vielleicht unterstrichen durch den Kontrast, in dem sie grammatisch stehen) gleicht die Zäsur aus und prägt die Intonationskurve. Das Enjambement betont *aiment*, natürlich auf der Ebene der Grammatik, denn der Leser wird zum Ausgleich für den metrischen und rhythmischen Einschnitt am Zeilenende stärker auf die grammatische Verbindung zwischen dem Verb und den Subjekten achten; andererseits betont es auf der prosodischen Ebene auch das Versende, indem es die Bedeutung des Ganzen für einen flüchtigen Augenblick offenläßt. So sieht die Zeile als ganze fast wie ein Untertitel aus, eine Vorwegnahme der tiefen Verwandtschaft von *chats, amoureux* und *savants* (dieser Eindruck wird sich überall dort bestätigen, wo uns Paare von Nominalgruppen begegnen; denn das Modell Substantiv-Adjektiv wird an keiner anderen Stelle im Text in derart symmetrischer Form aktualisiert).

Wie in einer Gleichung verstärkt sich somit die Verbindung zwischen den beiden durch *et* verknüpften Wortgruppen. Nun sind Gelehrte und Verliebte aber doch diametral einander entgegengesetzt, so weit entfernt voneinander wie Venus Urania und die fleischliche Aphrodite. Wir haben hier ein archetypisches Bild der Menschheit: in der Vorstellung sind Verliebte und Gelehrte durch Opposition miteinander verbunden; es sind zwei Arten von Menschen, die sich dadurch definieren lassen, daß sie sich gegenseitig ausschließen. Erst ein Gelehrter, der in seiner Gelehrsamkeit getroffen wurde und den Kopf verloren hat, der ruinierte Scholar, wird zum verliebten Gelehrten; der Widerspruch ist so absurd oder rührend wie der eines anderen Stereotyps, des verliebten Greises. Gehen wir sie alle durch, von Aristoteles – auf allen Vieren, gezäumt, gesattelt und von seiner Kurtisane bestiegen – bis zu jenem Professor Delteil (in den *Contes d'été*, 1852, von Champfleury, dem Busenfreund Baudelaires), der sich an dem Konflikt von Liebe und Lexikographie berauschte; Verliebtheit und Gelehrtheit scheinen unvereinbar in demselben Individuum. Es ist kein Zufall, daß Balzac die Keuschheit für eine der fundamentalen Eigenschaften des Wissenschaftlers hält; und es ist kein Zufall, daß Baudelaire in seinem erotischen *Lesbos* seine Zuflucht zu einer Antithese nimmt, indem er Platos gestrengen Blick *(Oeil austère)* indigniert auf dem lasziven Schauspiel der Verworfenen ruhen läßt.

Diese Opposition ist Teil einer größeren psychologischen Struktur, der archetypischen Vorstellung nämlich, daß die Menschheit in verschiedene Klassen eingeteilt ist. Im Gedicht wird die Opposition aber noch dadurch verstärkt, daß hyperbolische Aussagen an ihren Polen stehen. *Amoureux* und *fervents* sind die Synonyme, die einander wiederholen, da ja Liebe und Glühen oft assoziiert werden und Glühen als Metonymie für Liebe gebräuchlich ist; *fervent* entfaltet ein schon offenliegendes Merkmal des Substantivs und gibt ihm damit größeres Gewicht. *Fervent* hat eine Funktion, die im klassischen Stil das »natürliche Epitheton« besaß, ein Adjektiv, das stereotyp zu einem gegebenen Substantiv hinzugesetzt wurde. *Austère* (oder seine Synonyme) spielt dieselbe Rolle in bezug auf *savant*: es kennzeichnet die Gemütsverfassung des meditierenden Gelehrten, wie er in der

volkstümlichen Vorstellung gesehen wird: Hugos *Magier* sind *die strengen Artisten* ...
Die Gelehrten, die traurigen Erfinder, die Schöpfer im Schatten (Contemplations, 3. 30. 383,
391–4). Also verhält sich *fervent* zu *amoureux* und *austères* zu *savants* wie »noble« zu »lord«
oder »ungelöst« zu »Rätsel«. Gelehrte und Verliebte sind Standardbeispiele ihrer Gattungen, was bedeutet, daß auch ihr Verhältnis zueinander exemplarisch ist und eine
noch stärkere Polarität sie auseinanderhält. Darüber hinaus ist *fervent* etymologisch mit
Feuer verwandt (in *Le Léthé* entfacht das Glühen des Liebenden den brennenden
Schmerz unerwiderter Liebe), und *austère* läßt sich mit kalt assoziieren (vgl. die »strenge
Kälte« des Klosters in *Le Mauvais Moine*).

Dieser Kontext verstärkt den Kontrast zu *aiment également* ... *Les chats puissants et
doux;* diese Einheit des Gefühls, diese so unerwartete Übereinstimmung sticht ab gegen
die beiden einander entgegengesetzten Subjekte, ein Effekt, den *également* unterstreicht.
Auf der semantischen Ebene verstärkt sich das Gewicht von *également* noch insofern, als
es der Antonymie der ersten Zeile eine Synonymie aufzwingt, es wird zudem durch den
darauffolgenden Einschub betont, da das Verb ein Objekt verlangt, das noch nicht erscheint; und der Einschub verwirklicht seinerseits die metrische Zäsur – so daß bei
mündlichem Lesen auch das Metrum die Wirkung unterstützt.

Die Hervorhebung des Adverbs hat noch eine weitere Funktion: sie ist ein erster Hinweis darauf, daß Verliebte und Gelehrte viel gemeinsam haben und daß gerade diejenigen Eigenschaften, die ihre Unterschiede kennzeichnen, sie auch vereinen. Eine
mögliche Analogie wird nun sichtbar – eine Analogie, die es Baudelaire erlaubt zu behaupten, daß die, die Schönheit lieben, *ihre Tage mit strengen [austères] Übungen hin-
bringen* ... *(La Beauté)*, eine Analogie, die die Leidenschaft zu einer alltäglichen
Metapher für das Erkenntnisstreben macht. Während wir weiterlesen, nimmt die Bedeutung von *également* zu, denn es wird inhaltlich noch zweimal durch die These bestätigt,
daß zwischen Katzen, Verliebten und Gelehrten eine tiefe Ähnlichkeit besteht – allerdings von der Perspektive der Katzen aus (Zeilen *4* und *5*): Gelehrte und Verliebte lieben
Katzen, Katzen lieben Gelehrtheit und Verliebtheit.

Durch eine ähnliche Rückblendung erhöht sich nachträglich der Kontrast zwischen
[3]*les chats* und dem Vorhergehenden (wobei auf [3]*les chats* als Wiederholung des Titels ein
besonderes Gewicht liegt); der Kontrast besteht in dem Abstand, der die beiden Subjekte
in der Wirklichkeit vom Objekt trennt: die Wahl unter den möglichen Konnotationen
von *chat* wird durch den vorhergehenden Einschub bestimmt; er ist formal ein span-
nungssteigerndes und aufschiebendes Mittel, inhaltlich veranlaßt er den Leser, eine reife
Verbundenheit mit einem passenden Gegenstand zu erwarten, nicht eine bloße Zuneigung, fast kindisch, zu Lieblingstieren.

Was auch die Lesererwartung war, die Emphase, die auf [3]*les chats* liegt, wird durch
[3]*puissants et doux* verstärkt. Die zweiteilige Adjektivgruppe wird ihrerseits hervorgehoben
durch den Kontrast zu den entsprechenden Adjektiven der ersten Zeile (sie haben dieselbe Stellung; ihr Inhalt ist gleichfalls positiv, und zwar im Verhältnis eins zu zwei),
sowie durch den inneren Kontrast, der *doux* und *puissants* zu einer merkwürdigen Kombination macht. Dieser letzte Kontrast ist so stark, daß er ein Klischee geworden ist –
darüber später mehr. Das hinzutretende *orgueil* läßt die Opposition besonders gut zur
Wirkung kommen, es bestätigt den Inhalt der Adjektive und verstärkt ihre Ausdrucks-
kraft durch seine direkte Nachbarschaft (Kontiguität) zu dem Adjektivpaar. Diese kraftvolle Wortverbindung beherrscht die absteigende Kurve des Satzes: er scheint seinem
Ende zuzugehen, nachdem er unmißverständlich festgestellt hat, daß die aller Vorstel-

lung nach am meisten entgegengesetzten Leute wenigstens die Liebe zu Katzen gemeinsam haben. Immerhin symbolisiert die *puissants-doux*-Opposition die Ambivalenz der
Katzen, was erklärt, warum zwei gegensätzliche Menschentypen der Katze mit gleicher
Liebe zugetan sein können: in seiner Weise besitzt jeder Typ eine Verbindung von Kraft
und Heiterkeit; die Katze spiegelt sie in der Tierwelt – zweifelsohne eine der »correspon-
dances« zwischen der Menschheit und der übrigen Natur.

Die implizite Gleichheit (implizit, weil sie unsere eigene Deduktion ist, wir haben von
der Liebe zu den Katzen auf sie geschlossen) wird nun in der vierten Zeile explizit gemacht: die Wiederholung von *comme eux*, wobei *eux* sowohl Verliebte als auch Gelehrte
umfaßt, schlägt jede Deutung aus dem Feld, die die Adjektive trennt und je einer der
beiden Gruppen zuordnet (Jakobson und Lévi-Strauss [p. 15] sehen eine Paronomasie –
für meine Auffassung sehr weit hergeholt –, die *fervent* mit *frileux* verbindet): Verliebte und
Gelehrte sind gleichermaßen fröstelnd und seßhaft; daher der unvermeidliche Schluß,
daß sie identisch sind, denn sie lieben nicht nur in gleicher Weise, sie ähneln auch in
gleicher Weise den Katzen, ihrem *tertium comparationis*. In der anfangs so evidenten
Opposition enthüllt sich eine tiefere Identität. Zeile *4* weicht vom Kontext ab: ich habe
an anderer Stelle gezeigt, wie stark die Geschlossenheit der Zeile ist und wie sie die
Adjektive heraushebt, insbesondere *sédentaires;* diese Zeile ist in ihrer Struktur so verschieden von den ersten drei, daß aus diesem Kontrast und dem *pattern* am Strophenende eine
echte rhythmische Klausel entsteht. Die parallelen Relativsätze ergänzen den *aiment*-
Satz: die Energie, die die Lautfolge in einem Atem bis zur Zäsur in Zeile *3* getragen und
dann über die Pause hinweg fortgesetzt hat, ist nun ganz aufgebraucht; auch die Intonationskurve macht somit die erste Strophe zu einer natürlichen Einheit, nicht bloß zu
einer konventionellen Einheit, die in ein Sextett inkorporiert ist, wie Jakobson und
Lévi-Strauss es haben wollen.

An dieser Stelle aber ergeben sich aus der Wichtigkeit von *frileux* und *sédentaires* neue
Rückwirkungen für unser Verständnis des Quartetts. Die wiederholte Identifizierung
comme eux . . . comme eux unterstützt den Aufweis der Identität zwischen den Katzen und
ihren menschlichen Gegenstücken. Hier auf dem Strophengipfel hätten wir Adjektive
erwarten können, die es mit ihren – panegyrischen – Vorgängern aufnehmen; wir hätten
sogar eine klimaxartige Anspielung auf irgendwelche rühmlichen Eigenschaften erwarten
können, die beiden Teilen gemeinsam sind. Stattdessen müssen wir uns mit der Medio-
krität von *frileux* und *sédentaires* begnügen – ein komischer Effekt, der um so ärgerlicher
ist, als diese Epitheta nicht einen Deut weniger stimmen als die vorhergehenden, obzwar
sie das bis dahin aufgebaute Bild zerstören. *Frileux* wirkt umständlich und altjüngferlich;
Baudelaire gebraucht es wirkungsvoll in einem parodistischen Selbstporträt, dem sati-
rischen *Spleen I: eines fröstelnden [frileux] Phantoms. Sédentaire* beschwört die Karikatur des
ungesunden Bourgeois: die Vorstellung des an Verstopfung leidenden Stubenhockers.
Der Leser fügt sich dieser Überraschung, aber er hat das ganze Quartett vor Augen, so
daß *orgueil de la maison* immer noch ausgleichend wirkt, vielleicht mit einem Anflug von
Parodie in *maison*, das ja der Verbreitung des Ruhms enge Grenzen setzt: gerade so stellt
sich der Fuchs bei La Fontaine mit seinen Schmeicheleien auf die Verhältnisse des Raben
ein, indem er ihn zwar zum *Phönix dieser Wälder* krönt, doch damit auch den unsterblichen
Vogel zum Vergleich in seine Nähe rückt. Auch *mûre saison*, die konventionelle poetische
Entsprechung zu *l'âge mûre*, könnte jetzt ein bißchen zu elegisch scheinen, während man
es ohne den Bruch in Zeile *4* einfach als die erwartete schmückende Wendung gewertet
hätte, die zur Verschönerung der Alltagswirklichkeit benötigt wird. Gelehrte, in dem

Kontext und auf der Stufe von *amoureux*, sind in Gefahr, ihre Würde zu verlieren: ihre strenge Miene beeindruckt uns nicht länger, jetzt, da wir sie uns als fröstelnde Pantoffelhelden vorstellen. *Amoureux* ist nicht, wie *amants*, auf ernste oder tragische Kontexte beschränkt: die Druckwelle von Zeile 4 zerstört die Synonymität mit *amants* und mobilisiert Konnotationen abwertender oder geringschätziger Art: die Lexika des neunzehnten Jahrhunderts stufen *amoureux* tiefer ein als *amants; amoureux*, und nicht *amant*, steht im Mittelpunkt vieler spöttischer Wendungen wie *amoureux transi;* auch Baudelaire verwendet es sonst nur, um Verliebte zu verspotten (in dem burlesken *La Lune offensée*, nimmt er das alberne Sichgehenlassen *auf den üppigen Betten* zum Anlaß, in *Hymne à la Beauté* – wo die Ironisierung ganz sein Werk ist, wie aus einem Vergleich mit der Quelle hervorgeht – die linkische Bettgymnastik: *Der Verliebte in vorgebeugter Haltung keuchend auf seiner Schönen;* Baudelaires *amants* sind dagegen niemals zweideutig, immer poetisch).

Quartett II:
[...]

Das Distichon (wenn wir der Einteilung von Jakobson und Lévi-Strauss folgen) ist der Höhepunkt sowohl von Ironie als auch von Dunkelheit. Beachtung fordert zunächst *L'Érèbe,* und zwar einmal weil es eine mythologische Anspielung ist, dann wegen seiner Form (es ist das einzige französische Wort auf / rɛb /, wenn man von einem Namen absieht, den nur die Ornithologen kennen), und schließlich weil es eine Personifikation ist. Dann *coursiers funèbres,* weil es das mythologische Bild von einem göttlichen Wagenlenker vervollständigt: was aber an diesem Bild konventionell sein mag, wird durch [7]*funèbres* wieder wettgemacht, dessen Wirkung einerseits auf seiner Bedeutung beruht und andererseits darauf, daß es [6]*ténèbres* wiederholt: als stereotypes Reimwort und als Ausdruck, der den Begriff der Dunkelheit auf den Bereich der Sitten und Gebräuche überträgt. Und schließlich [8]*servage* und [8]*fierté,* weil dies konkretisierte Abstrakta sind, wie in Zeile 5, und weil die Zeile einen Nebensatz mit Inversion enthält *(au servage,* das in seiner abweichenden Stellung durch die Zäsur noch betont wird). Natürlich ist die Diskrepanz, die wir zwischen [5]*Amis de la science* . . . und der vorhergehenden Zeile fühlten, jetzt sogar noch größer: Baudelaire ruft Erebus an, den Sohn des Chaos, den mächtigen Bruder und Gemahl der Nacht, den Vater des Styx und der Parzen und des Schlafs – und stellt fest, daß Kater sich im Dunkeln wohlfühlen. Das ist gerade so, wie wenn La Fontaine einen Gärtner als Priester von Flora und Pomona anspricht; die zweite Ironiestruktur erreicht hier offensichtlich ihren Höhepunkt. Doch bringt die Stelle auch das zentrale Thema höchst wirkungsvoll zum Ausdruck: *Érèbe* ist von drei Wörtern, die durch ihren Klang miteinander verbunden sind *(Érèbe, ténèbres, funèbres)* dasjenige mit der größten Ausstrahlung, es bringt sie phonetisch auf einen Nenner. Das gilt auch semantisch, denn Erebus bedeutet »Dunkelheit«. (Nodier geht so weit, das Wort als normales Substantiv mit dieser Bedeutung zu gebrauchen.) Wir können jetzt sagen, daß der Begriff der Dunkelheit der Reihe nach ausgedrückt wurde durch das passende Substantiv *(ténèbres* ist wörtlich dieses Inhalts, stammt aber vom oberen Ende der Ausdrucksskala, an deren unterem Ende wohl *obscurité* steht), durch eine Metonymie *(horreur),* durch eine Metapher *(funèbre),* sowie durch einen Eigennamen, der »Dunkelheit« nicht nur metonymisch (als Person), sondern auch metaphorisch (als Symbolwert dieser Person) anzeigt. Ein Paradigma aus vier Synonymen ist so auf die Achse der Kombination projiziert worden. Diese verschiedenen Varianten (fügen wir noch die phonetische hinzu, die drei der Schlüsselwörter verbindet) repräsentieren die Invariante »Dunkelheit«. Diese ist ihrerseits Teil eines Systems, das Katzen, Wissenschaft und Liebe umfaßt: Katzen symbolisieren etwas, das der Liebe und der Wissenschaft gemeinsam ist. Dieses Symbol teilt uns daher mit, daß Liebe und Wissenschaft im Dunkeln blühen.

Damit wird deutlich, daß die letzten zwei Zeilen des Quartetts nicht eine für sich stehende Einheit sind: ihre vielen formalen Besonderheiten folgen einfach aus der Komplexität eines hyperbolischen Bildes, sie werden zu seiner Formulierung benötigt. Die dramatische Versuchung, an die Jakobson und Lévi-Strauss dabei denken, ist ganz übertrieben. Alles, was wir finden, ist die Feststellung, daß Katzen und Dunkel einander zuzuordnen sind, und außerdem eine spöttische Hypothese; in einer alltäglichen Unterhaltung würde es sich, meine ich, so anhören: »Klar, daß sie sich im Dunkeln wohlfühlen. Oh ja! – sie könnten sehr wohl die schwarzen Höllenpferde sein, wenn sie nicht . . . usw.«

Mit dieser Anmerkung sind die zwei Quartette zu Ende – und auch die Ironie hört auf, sie hat ihren Zweck erfüllt. Mit »seriösen« Feststellungen verflochten, stützt sie diese. Nicht der Inhalt wird ironisiert, das wäre destruktiv; der Stil wird ironisiert, es wird mit der Zungenspitze in der Wange gesprochen, eine Art zu reden, die auf das Gesagte aufmerksam macht. Ironie als Stilmittel ist im neunzehnten Jahrhundert gebräuchlich, sie dient in Monographien oder populärwissenschaftlichen Büchern dazu, den Kontakt zum Leser herzustellen. Ich finde sie in Toussenels *L'Esprit des Bêtes*, 1848, dem ersten Band seiner – von Fourier angeregten – *Zoologie passionelle* (wir wissen, daß Baudelaire zumindest den zweiten Band las), wo die Katze als »Liebhaber der Nacht« geschildert wird, oder in einem Aufsatz, der von demselben Toussenel in *L'École normale* veröffentlicht wurde, wo die Katze als Chemiker, Physiker, Arzt usw. im Königreich der Tiere gefeiert wird – kurz: als Freund der Wissenschaft. Dasselbe Thema und dieselbe Ironie finden sich in E. T. A. Hoffmanns *Kater Murr*.

Wo Baudelaire die Techniken der konventionellen Poesie benutzt, um wie hier einen niedrigen Gegenstand auszuschmücken, da macht seine Ironie den Leser gleichzeitig aufmerksam, daß das nur ein Spiel ist, eine bloße Konvention, deren Grenzen der Dichter kennt. Das Preislied schreibt den Katzen menschliche Eigenschaften zu und macht aus ihrer Nacht mehr als bloß eine Gelegenheit, am Hinterzaun zu jaulen. Diese »Poetisierung« des Metaphernträgers ermöglicht ironische Distanzierung, die ihrerseits wieder eine höhere Stilebene gestattet; und diese erlaubt schließlich den Vergleich mit mythischen Pferden und bereitet so die Erhebung der Katzen zu Sphinxen vor. Die Ironie eröffnet dem Skeptiker einen Zugang zum Erhabenen; indem sie es unterstreicht, lenkt sie die Aufmerksamkeit von oberflächlichen Entsprechungen *(frileux)* auf eine esoterische Sympathie. Wie jetzt klar wird, kennzeichnete die Polarität von Verliebten und Gelehrten zwei äußerste Möglichkeiten eines Menschen, der das Schweigen und das Dunkel sucht: nur in dieser Umgebung kann das so verwandte Streben der beiden Menschentypen Erfüllung finden: das Streben nach einem Leben, das ganz von Lust erfüllt ist, und das Streben nach einem Universum, das von der Wissenschaft ganz erforscht ist.

Erstes Terzett:
[. . .]

Zweites Terzett:
[. . .]

Das Gedicht als ganzes:

sollte offensichtlich einerseits als *blason* gelesen werden, als enkomiastische Beschreibung, als *laus cattorum*, andererseits als Symbolgedicht – die Katzen sind zugleich Katzen und eine Hieroglyphe für etwas anderes. Das abschließende Wort *mystiques*, das eigentlich eine metasprachliche Bemerkung über das Bild der Katze ist, [. . .] lädt uns ein, dieses Bild in seinem Licht erneut zu überprüfen. Zum Vollzug der literarischen Kommunikation gehört sicher auch die globale Betrachtung, das summierende Erfassen des Textes durch erneutes Lesen und Überdenken, auch wenn die erste Lektüre schon vorüber ist. Dabei fließt die Gesamtheit allen Wissens und aller Daten, die am Schluß präsent sind, zurück und modifiziert, was wir am Anfang in uns aufgenommen haben (solch eine Wirkung hatte auch die Ironisierung in den Quartetten).

[. . .]

Faust hat dieselbe Daseinsberechtigung wie Don Juan: das unermüdliche Streben nach dem Absoluten, symbolisiert durch die enge Verbindung von Gelehrtheit und Vergnügen – Baudelaire sagt es unzweideutig: seine »Femmes damnées« sind *Sucherinnen des Unendlichen;* Dichtung, Kunst sind *der unersättliche Durst nach allem, was darüber hinausgeht* (*Nouvelles histoires extraordinaires*, Conard, S. XXf.). – Nun gibt es aber zwei Wege zum Absoluten: da ist die Gralssuche, *le voyage;* und da ist die Suche im Innern, die Meditation. *Mûre saison, doux, maison, frileux, sédentaire* wiederholen beständig, daß Abenteuer ausgeschlossen sind: gewählt wird die Besinnlichkeit der Katzen. Daß sie diese Bedeutung haben, wird bestätigt durch ihre Verwandtschaft mit dem Erebus, einem Bild für ihre Liebe zum Schweigen und zum Dunkel; und durch ihre Verwandtschaft mit der Sphinx, einem Bild unbeweglicher mystischer Kontemplation. Die Struktur des Sonetts läßt sich so als Folge synonymer Bilder beschreiben, die alle den Symbolismus der Katze als eines Repräsentanten für beschauliches Leben variieren.

[. . .]

Die Schilderung der vertrauten Haltungen von Katzen reicht für sich allein schon aus, sie als Symbole der Beschaulichkeit annehmbar zu machen; sollen wir jedoch dahin gebracht werden, die Katze als ein Wesen zu sehen, das eine Beziehung zum Übernatürlichen hat, so ist eine Stellungnahme erforderlich, die ihren physischen Eigenschaften eine zusätzliche Bedeutung verleiht. Die Transfiguration der Katzen ist demnach die Folge eines Stilwechsels in der Beschreibung: das Vokabular wechselt aus dem Bereich der Lebewesen (*frileux, sédentaires* etc.), wo die Konnotationen beschränkt sind, hinüber in den Bereich der Metaphysik (*magiques, mystiques*), wo der Suggestionskraft keine Grenzen gesetzt sind. [. . .] Doch bietet das Gedicht keine »Rechtfertigung« dafür, von einer »kosmischen« Transfiguration zu reden.

[. . .]

Wir wollen diejenigen lexikalischen Elemente, die zusammen eine Version einer Struktur darstellen, die sich in ihnen verwirklicht, »Kode« nennen. Dann können wir sagen, daß in »Les Chats« drei Symbolsstrukturen durch einen *Katzen-Kode* realisiert werden (*sphinx* ist nur eine Spezialisierung von *chat,* ein Subkode). Diese Symbolstrukturen sind zwar semantischer Art, sie sind aber nur in wirklichen Texten zu finden, nicht im Sprachsystem; symbolisiert werden das Geheimnisvolle und zwei Arten der Kontemplation.

[. . .]

12. Karl Bühler, *Sprachtheorie*, Stuttgart 1934, ²1965, S. 24ff.

13. Charles W. Morris: *Foundations of the Theory of Signs*, Chicago-London 1938. [12]1966 (erscheint 1972 in der deutschen Übersetzung von Roland Posner und Jochen Rehbein bei Hanser, München); – ders.: *Signification and Significance – A Study of the Relations of Signs and Values*, Cambridge/Mass. 1964.

14. Roman Jakobson: Linguistics and Poetics, in: Thomas A. Sebeok, Hrsg.: *Style in Language*, Cambridge/Mass. 1960, S. 350–377.

15. Michael Riffaterre: Vers la définition linguistique du style, in: *Word* 17, 1961, S. 318–343.

16. In nichtsprachlicher Kommunikation kann der Bezug auf Designate fehlen.

17. Der Ausdruck »Zeichenträger« wurde 1954 von Max Bense eingeführt, er entspricht in der Wortbildung dem englischen »sign vehicle« und dem griechischen Fremdwort »Semaphor«. Vgl. Helmar Frank, Hrsg.: *Kybernetische Maschinen*, Frankfurt/Main 1964, Einleitung.

18. Diese Darstellung läßt eine Reihe von Einzelfragen offen:
1. Wie lernt der menschliche Kommunikator Kodes und Kanäle beherrschen?
2. Unter welchen Umständen und mit welchen Mitteln läßt sich beim menschlichen Kommunikator ein rezeptionsbereiter Zustand herbeiführen?
3. Wie sind die Signale beschaffen, aufgrund derer ein Rezipient unter den Kodes und Kanälen, die er beherrscht, die optimalen auswählt?
4. In welchen Fällen sind mehrere verschiedene Rezeptionsweisen gleichermaßen als optimal zu bezeichnen, und wie verhalten sich diese Rezeptionsweisen zueinander?
5. Welchen Teilen der Informationstheorie entsprechen Theoreme der traditionellen Hermeneutik und umgekehrt?

19. Beispiele für dieses Verhalten liefern die literarischen Interpretationen, die im folgenden besprochen werden, vgl. Kapitel IV, V und VIII des vorliegenden Aufsatzes.

20. Vgl. Samuel R. Levin, *Linguistic Structures in Poetry*, Den Haag 1964, S. 41: »[...] the poem generates its own code of which the poem is the only message«. Julia Kristeva, *Le texte du roman – Approche sémiologique d'une structure discursive transformationelle*, Den Haag 1970, bezeichnet den speziellen Kode eines gegebenen Kunstwerks als »zweiten Kode« und stellt ihn den für mehr als eine Nachricht gültigen Zeichensystemen (»erster Kode«) gegenüber.

20a. Andererseits können gerade auch die Gegebenheiten des Marktes und die Gepflogenheiten des Konsums zu Trägern von ästhetischer Information gemacht werden. Künstler wie Andy Warhol und John Cage haben ästhetische Kodes geschaffen, die das leisten.

21. Vgl. Jauss, 1967, S. 30: »Das literarische Werk [...] ist wie eine Partitur auf die immer erneuerte Resonanz der Lektüre angelegt, die den Text aus der Materie der Worte erlöst und ihn zu aktuellem Dasein bringt [...].«

22. Vgl. Morris, 1938, S. 9 und S. 30. – Die Syntaktik des Kunstwerks beschreibt nicht nur die grammatische Syntax, sondern erfaßt alle Ebenen des Textes unter dem Gesichtspunkt ihrer formalen Organisation.

23. Kontiguitätsbeziehungen sind jene Beziehungen, die eine Menge isolierter Sprachelemente zu einem grammatisch korrekten Satz verbinden. Zu ihnen gehören sowohl die semantischen Kontextrelationen, z. B. Phänomene relativer Häufigkeit wie die Verbindung von »Pfeife« und »Rauch«, »Messer« und »Gabel«, als auch die syntaktischen Beziehungen zwischen den Satzteilen: Koordination, Subordination, Rektion usw. (Vgl. Roman Jakobson und Morris Halle: *Fundamentals of Language*, Den Haag, 1956, S. 58 und 71.)

24. Vgl. Jakobson, 1960, S. 357.

25. Vgl. Jakobson/Halle, 1956, S. 58 ff. und Jakobson, 1960, S. 358. Die Jakobson-schen Vorstellungen sind bis zu Mikolaj Kruszewski (einem Vertreter des Kazaner Linguistenkreises) zurückzuverfolgen, der seinerseits auf die Assoziationspsychologie der englischen Rationalisten zurückverweist. In Techmers *Internationaler Zeitschrift für allgemeine Sprachwissenschaft*, Bd. I, S. 304, schrieb Kruszewski 1884: »Wir sind über-zeugt, daß die Aneignung und der Gebrauch der Sprache unmöglich wären, wenn sie eine Menge von vereinzelten Wörtern darstellte. Die Wörter sind miteinander ver-bunden: 1. vermittels der *Ähnlichkeitsassoziationen* und 2. vermittels der *Angrenzungs-assoziationen*.« (Vgl. G. F. Meier im Vorwort zur deutschen Übersetzung von Jakobson/ Halle, 1956: *Grundlagen der Sprache*, Berlin (Ost) 1960, S. IV.)

26. Jakobsons Modell des Formulierungsprozesses soll zwar nicht das Sprachsystem, sondern die Sprachverwendung erklären, trotzdem gehen die Regeln der Grammatik als eine Determinante jeder Formulierung in sein Modell ein. Daß gerade die syntak-tischen Regeln unter dem Terminus »Kontiguität« zusammengefaßt werden, ist ein Relikt aus der Zeit der strukturalistischen Linguistik, in der man die Grammatik auf die relative Häufigkeit der Morpheme zurückzuführen versuchte. Seit Chomskys »Syntactic Structures« (1957) geht die Sprachwissenschaft davon aus, daß sich die Syntax nicht auf die Distribution von Morphemen reduzieren läßt. Dadurch wurde der Terminus »Kon-tiguität« (wörtlich: »Angrenzung«, »Nachbarschaftsbeziehung«) anachronistisch. Da er sich jedoch in der Gegenüberstellung zur »Äquivalenz« eingebürgert hat, soll er auch im folgenden zur Bezeichnung derjenigen textinternen Relationen beibehalten werden, die die Verkettung der Sprachelemente zu grammatisch korrekten Sätzen gewährleisten. Als Relationen zwischen den Elementen der Endkette eines generativen Ableitungspro-zesses sind sie zu unterscheiden von den grammatischen Regeln, die den Ableitungsweg bestimmen. Erst wenn man die Knoten des Konstituentenbaumes auf die Endkette pro-jiziert, erhält man Kontiguitätsbeziehungen zwischen deren Elementen.

27. Vgl. Jakobson, 1960, S. 358 und Jakobson: Poesie der Grammatik und Gram-matik der Poesie, in: Rul Gunzenhäuser/Helmut Kreuzer, Hrsg.: *Mathematik und Dich-tung*, München, 1965, [2]1967, S. 26. – Durch die umgekehrte Operation, die Projektion des Prinzips der Kontiguität von der Achse der Kombination auf die Achse der Selektion läßt sich metonymischer Sprachgebrauch beschreiben: Sagt jemand »Rauch«, wenn er »Pfeife« meint, so ist im Reservoir der bei der Formulierung zur Wahl stehenden Aus-drücke eine Kontiguitätsbeziehung (wo Pfeife ist, da ist auch Rauch) an die Stelle der Äquivalenz (z. B. zwischen »Pfeife«, »Tabaksflöte«, »Knösel«) getreten. (Vgl. Jakobson/ Halle, 1956, S. 69.)

28. Nicht immer sind beim Formulieren poetischer Texte die Forderungen des Prin-zips der horizontalen Äquivalenz mit den Forderungen des Kontiguitätsprinzips zu ver-einbaren. Wo Konflikte auftreten, werden sie entweder auf Kosten der Poetizität oder auf Kosten der Grammatikalität gelöst. Das Ergebnis ist dann entweder ein grammatisch normaler Text mit geringer ästhetischer Superstruktur, oder aber ein Text, der die grammatische Norm durchbricht, dafür aber ästhetisch besonders kohärent ist.

29. Vgl. Jakobson, 1960, S. 358. – Verglichen werden nicht Elemente des Sprach-systems, sondern Textstücke, d. h. Vorkommnisse von Elementen des Sprachsystems im Text, derart, daß zwei gleiche Wörter, die in der Textsequenz an verschiedenen Stellen stehen, als verschiedene Textelemente aufgefaßt werden, die (u. a.) hinsichtlich ihrer Gestalt miteinander äquivalent sind.

Wesentlich in dem Jakobson-Zitat ist die Einbeziehung des »Fehlens« von möglichen Textelementen in die Analyse: Die Abwesenheit eines möglichen Merkmals ist auch ein Merkmal. Aus der Literaturgeschichte, der Autorbiographie oder der Gattungspoetik bekannte Merkmalskomplexe können die Suche nach elementaren Merkmalen anregen: z. B. impliziert der Merkmalskomplex »Sonett« die Eigenschaft »Reimbindung der Gedichtzeilen«. Das Fehlen eines elementaren Merkmals, das zu einem Merkmalskomplex gehört, dessen übrige Teilmerkmale im Text vorhanden sind (z. B. das Vorkommen einer reimlosen Zeile im Sonett) kann für die Struktur des Textes wichtiger sein als das Vorhandensein positiver Merkmale. Vgl. die Ausführungen zum Begriff der Opposition (s. u. S. 214) und der Rezeptionsüberraschung (s. u. S. 226f.).

30. D. h., für jedes Relat x, y, z und für jede Äquivalenzrelation R gilt: (1) xRx. (2) Wenn xRy, dann auch yRx. (3) Wenn xRy und yRz, dann auch xRz. – In (1) wird die Äquivalenz jedes Relates mit sich selbst angenommen. Dieser Grenzfall der Äquivalenzbeziehung ist in der Textanalyse trivialerweise immer erfüllt. Äquivalenzrelationen, die nur »Identität des Relates mit sich selbst« zum Äquivalenzkriterium haben, sind in der Strukturanalyse irrelevant, da sie für jedes Element und jeden Text gelten.

31. Fall (α) ist die Umkehrung der Fälle (β) und (δ), er ist deshalb leicht entweder in (β) oder in (δ) überführbar.

32. Diese Termini sind nicht nur in der Jakobsonschen Strukturanalyse zu finden, sondern in allen Interpretationen, die von der empirischen Beschreibung des Textes ausgehen.

33. *L'Homme* II/1, S. 7; in diesem Band S. 185. Die Hervorhebung stammt von mir.

34. Zwei auf verschiedenen Textebenen liegende horizontale Äquivalenzklassen sind koextensional, wenn sie dieselben Teile der Textsequenz (dieselben Abschnitte auf der Achse der Kombination) erfassen.

35. Vgl. Jakobsons Analyse, in: *Festschrift Steinitz*, S. 179. – Die Beschränkung auf Wörter oder Wortgruppen geschieht nur der Einfachheit halber. – Statt unter a) die syntaktische Funktion einer Wortgruppe im Satz anzugeben, könnte man zur Definition des Parallelismus ebensogut auch ihre Stellung in der Gedichtzeile (Position, metrische Funktion) als Äquivalenzkriterium benutzen.

36. Zur Veranschaulichung kann auch ein weiter unten behandeltes Beispiel dienen, in dem vertikale Äquivalenzklassen zugleich Elemente horizontaler Äquivalenzklassen sind (s. u. S. 216).

37. S. o. S. 203.

38. Vgl. A. Juilland: *Outline of a General Theory of Structural Relations*, Den Haag, 1961, S. 19: »[. . .] the number of dependencies or relations that hold within texts [. . .] is indefinite [. . .].«

39. Vgl. D. Wunderlich: Rezension von C. Lévi-Strauss': Strukturale Anthropologie, in: *Philos. Literaturanzeiger* XXI/5 (1968) S. 263.

40. S. o. S. 206f..

41. Lévi-Strauss in der Vorbemerkung zur Interpretation des Gedichts »Les Chats«, *L'Homme* II/1, S. 5; in diesem Band S. 185.

42. Der Ausdruck »Segment« wird daher im folgenden immer in diesem eingeschränkten Sinn gebraucht: er bezeichnet einen beliebigen Teil der Textsequenz (Abschnitt auf der Achse der Kombination); welche Abschnitte auf der vertikalen Achse dabei eine Rolle spielen, bleibt meistens unberücksichtigt.

43. Vertikale Äquivalenzklassen, die in einem fertigen Text zwischen Elementen

verschiedener Textebenen eine Verbindung herstellen, sind zu unterscheiden von vertikalen Äquivalenzklassen (Paradigmen), die den Formulierungsprozeß möglich machen, indem sie gleichartige Ausdrücke zur Wahl stellen. Ein Paradigma wird meist durch Merkmale einer einzigen Textebene definiert, es geht höchstens durch Projektion auf die horizontale Achse in den fertigen Text ein (s. o. S. 207). – Die Lautmalerei ist nur ein besonders häufiger Untersuchungsgesichtspunkt für vertikale Äquivalenzklassen. Z. B. geht es auch in der Frage, wieviele horizontale Äquivalenzklassendurchschnitte in einem einzigen Segment der Textsequenz zusammentreffen, um vertikale Äquivalenz (s. u. S. 218).

44. Es erhöht die Bedeutung dieser horizontalen Äquivalenzklasse für die Gedichtstruktur, daß auch an anderer Stelle (in den Zeilen 6 und 7) drei phonologisch (partiell) äquivalente Wörter semantisch äquivalent sind: *Ér*ÈB*e*, *té*NÈBRES und *fu*NÈBRES haben die Mittelsilbe (N)ÈB(RES) und das semantische Merkmal [dunkel] gemeinsam. Hier sind allerdings nicht die Wörter, sondern nur die beiden über ihnen gebildeten Klassen vertikal äquivalent – äquivalent in bezug auf den Teil der Textsequenz, den sie erfassen (»koextensional«); denn es ist innerhalb der Wörter keine Synästhesie festzustellen. Die beiden Worttripel *étincelles, parcelles, prunelles* und *Érèbe, ténèbres, funèbres* sind äquivalent hinsichtlich ihrer doppelten Kennzeichnung durch phonologische und semantische Merkmale. Da sie sich außerdem jeweils über die letzten Zeilen einer Gedichthälfte verteilen, besteht zwischen ihnen sogar ein Parallelismus.

45. Vgl. z. B. die Baudelaire-Interpretation, *L'Homme* II/1, S. 19, in diesem Band S. 198, oder die »Strukturale Anthropologie«, S. 233.

46. Auch für die von Baumgärtner geforderte Explikation der Textkomplexität ist dieser erweiterte Strukturbegriff besser geeignet (vgl. Klaus Baumgärtner: Formale Erklärung poetischer Texte, in: Rul Gunzenhäuser/Helmut Kreuzer: *Mathematik und Dichtung*, München 1965, ²1967, S. 77f.).

47. S. 302f.

48. In den einleitenden Bemerkungen zur Textüberlieferung des Sonetts macht sich das gesteigerte Interesse des Strukturanalytikers für die Sicherung des Zeichenträgers bemerkbar – ein Interesse, das er mit den Philologen gemeinsam hat. Zwei Schlußbemerkungen führen wieder aus der strukturalistischen Interpretation zurück in den Zusammenhang herkömmlicher Baudelaire-Forschung, indem sie die Ergebnisse der Interpretation mit philologischen und biographischen Details zusammenbringen.

49. Eher noch als die z. T. mehr philologisch als linguistisch orientierten Untersuchungskategorien verweist das Verfahren der Segmentierung auf das Vorbild der strukturalistischen Linguistik.

50. *L'Homme* II/1, S. 7; in diesem Band S. 184.

51. Auch die Klassendurchschnitte von A, B, E, von A, C, E und von A, D, E (wegen A und E), sowie von B, C, D, von B, C, E und von B, D, E enthalten *fin* als einziges Element, während die übrigen Dreierkombinationen außer *fin* noch andere Wörter des Gedichts kennzeichnen, die Durchschnitte von A, B, D: *fin* und *frileux*, die Durchschnitte von C, D, E: *¹³fin* und *¹¹fin*. –

Der Versuch, mit Hilfe der Äquivalenzklassen den Funktionswert eines Textelements im Gesamttext zu bestimmen, beschränkt sich nicht auf die kleinen Textsegmente. Auch größere Einheiten, wie z. B. die Gedichtstrophen, werden auf diese Weise strukturalistisch rekonstruiert, vgl. *L'Homme* II/1, S. 9; in diesem Band S. 188: »So bewahrt jede der vier Strophen ihre Individualität: Im ersten Quartett kennzeichnet das Merkmal

»belebt« sowohl Subjekt wie Objekt, im ersten Terzett nur das Subjekt, im zweiten Quartett entweder nur das Subjekt oder nur das Objekt und im zweiten Terzett weder das eine noch das andere.«

52. Vgl. etwa Goethe: »Das Lebendige ist zwar in Elemente zerlegt, aber man kann es aus diesen nicht wieder zusammenstellen und beleben. Dieses gilt schon von vielen anorganischen, geschweige von organischen Körpern.« (Einleitung zur Morphologie) – »In jedem lebendigen Wesen sind das, was wir Teile nennen, dergestalt unzertrennlich vom Ganzen, daß sie nur in und mit demselben begriffen werden können [. . .].« (Philos. Studie 1784/85) – »Willst du dich am Ganzen erquicken, so mußt du das Ganze im Kleinsten erblicken.« (Gott, Gemüt und Welt) – Aufgrund solcher Auffassungen stellt Goethe im Brief an Schiller vom 28. Febr. 1798 die Forderung, die lebendige Ganzheit »als solche zu erkennen, ihre äußeren, sichtbaren, greiflichen Teile im Zusammenhang zu erfassen, sie als Andeutungen des Inneren aufzunehmen und so das Ganze in der Anschauung gewissermaßen zu beherrschen«.

53. Vgl. *L'Homme* II/1, S. 17: »En rassemblant maintenant les pièces de notre analyse, tâchons de montrer comment les différents niveaux [. . .] se recoupent, se complètent ou se combinent [. . .].«

54. Außer der Halbierung des zweiten Quartetts läßt sich jeder der gefundenen Einschnitte in jedem normalen Sonett wiederfinden.

55. *L'Homme* II/1, S. 14; in diesem Band S. 193: »die einzige Gleichsetzung, die zurückgewiesen wird«. Vgl. auch die Kritik Riffaterres in: *Yale French Studies* 36/37, S. 205; vgl. in diesem Bd., S. 230 ff.

56. Man vergleiche etwa die Phonologie, Metrik und Semantik der Terzette (siehe *L'Homme* II/1, S. 16 f.; in diesem Band S. 194).

57. Jakobson und Lévi-Strauss reden zwar von »balance«, »contrebalance«, »tendance«, »tension« und »équilibre« in ihrer Interpretation; diese Formulierungen beruhen aber nicht auf einer expliziten Bewertung der betreffenden Äquivalenzklassen, sondern sind rein intuitiv.

58. S. o. S. 212.

59. Eine Menge ist aufzählbar, wenn ein Regelsystem angegeben werden kann, durch dessen Anwendung sich die Elemente dieser Menge der Reihe nach produzieren lassen. Aufzählbarkeit impliziert nicht Endlichkeit, denn einem Erzeugungssystem, das rekursiv ist, d. h., das eine beliebig häufige Anwendung seiner Regeln im Erzeugungsprozeß zuläßt, entspricht eine unendliche Menge von Elementen. Aufzählbarkeit ist auch nicht mit Abzählbarkeit zu verwechseln: Obwohl die Menge der Quadratwurzeln aus den ersten zehn Primzahlen trivialerweise abzählbar ist, läßt sich keine einzige dieser Wurzeln produzieren, denn ihre Dezimalzahlentwicklung bricht nicht ab. Nur die Elemente einer aufzählbaren Menge kann man nach Gesichtspunkten, die für diese Menge nicht konstitutiv sind, in eine Reihenfolge bringen (auf einer Skala anordnen).

60. Vgl. M. Bierwisch: Poetik und Linguistik, in Kreuzer/Gunzenhäuser, Hrsg.: *Mathematik und Dichtung*, S. 58 ff.

61. S. o. S. 215.

62. *L'Homme* II/1, S. 14; in diesem Band S. 192. Die Hervorhebung stammt von mir.

63. Genausowenig Anhaltspunkte liefert der Text für so klischeehafte Deutungen wie: »[. . .] ses prunelles mystiques éclairées d'une lumière interne [. . .] sont ouvertes au sens caché.« (*L'Homme* II/1, S. 17; in diesem Band S. 195).

64. *L'Homme* II/1, S. 15; in diesem Band S. 193. Die Hervorhebung stammt von mir.

65. Eine sprachliche Wendung aktualisiert ebenso wie ein längerer Text nur einen Teil der potenziellen Bedeutungen seiner Bestandteile. Die Selektion der Bedeutungen wird durch die Kombination der Bestandteile determiniert. – Auch im Deutschen ist in »sein ganzer Stolz«, »der Stolz der Familie«, »der Stolz des Chefs«, »der Stolz der Firma«, »der Stolz des Hauses« das Genitivattribut immer nur die Angabe der individuellen oder kollektiven Person, die »stolz« ist. – In der generativen Grammatik wird »der Stolz des Hauses« beschrieben als Transformat aus einem Ausdruck der Art »das Haus ist stolz«. Niemand käme auf die Idee, sich »das Haus« in diesem Zusammenhang als etwas »Bergendes« vorzustellen.

66. Es sind bisher allerdings keine einwandfreien formalen Kriterien bekannt, die einen lockeren Kontext, der der Evokationskraft der Wörter Raum läßt, von einem kohärenteren Kontext unterscheiden helfen.

67. *L'Homme* II/1, S. 16; in diesem Band S. 194.

68. *L'Homme* II/1, S. 14; in diesem Band S. 192.

69. *L'Homme* II/1, S. 15; in diesem Band S. 193. Die Hervorhebungen stammen von mir.

70. *L'Homme* II/1, S. 19; in diesem Band S. 198.

71. Vgl. u. a. die Ausführungen zum »Totem-Operator« in: *Das Wilde Denken*, S. 175–180.

72. *L'Homme* II/1, S. 20 f.; in diesem Band S. 198 f.

73. In der Vorbemerkung rechnet Lévi-Strauss zwar die Prosodie zu den Textebenen, in der Interpretation aber fehlt die prosodische Analyse. Das ist kein Zufall.

74. »[...] the poetic phenomenon [...] is not simply the message [...] but the whole act of communication.« (*Yale French Studies* 36/37, S. 214.)

75. *Word* 17, S. 330, Anm. 31.

76. Vgl. vor allem *Yale French Studies* 36/37, S. 213 ff. Die folgenden Ausführungen setzen die Lektüre der in Anmerkung 11 abgedruckten Baudelaire-Interpretation von Riffaterre voraus.

77. Vgl. *Yale French Studies* 36/37, S. 213–216.

78. Vgl. *Yale French Studies* 36/37, S. 215.

Probleme der Textstrukturation

JULIA KRISTEVA

1. DISKURS UND TEXT. DER TEXT ALS SIGNIFIZIERENDE PRAXIS

Für die traditionelle Ästhetik und noch mehr für das traditionelle Denken in den Abhandlungen über einen bestimmten Typ von gesprochenem Diskurs oder von geschriebenen Texten, gilt die Literatur als ein *realer Gegenstand*, der mit einem *ästhetischen Wert* ausgestattet ist und den das abendländische Denken von seinen griechischen Anfängen an (mittels der Poetik) zu erläutern versucht hat.

Mit der marxistischen Erkenntnistheorie werden wir *realen Gegenstand* und *Erkenntnisgegenstand* unterscheiden; und von unserer semiotischen Position aus werden wir es uns versagen, den Begriff von ›Literatur‹ operational zu gebrauchen. Diese Weigerung soll heißen, daß wir den Begriff von ›Literatur‹ historisch und ideologisch einer bestimmten Gesellschaftsordnung zuschreiben – der Tausch- und Konsumgesellschaft – und daß wir über den *realen Gegenstand* unserer Analyse nur sagen können, daß er sich gleich anfangs als ein Typus von signifizierender Praxis darstellt, während der Erkenntnisgegenstand, den wir dann in diesem realen Gegenstand sehen, *ein Text* sein soll.

Von diesem Postulat aus stellen sich sofort ein paar Fragen:

Was ist der Unterschied zwischen dem realen Gegenstand und dem Erkenntnisgegenstand, das heißt zwischen der signifizierenden Praxis als linguistischer Struktur und als Text? Was ist der Unterschied zwischen diesem Text, von dem wir gerade sprechen, und allen anderen Texten, die zwar linguistische Strukturen und/oder signifizierende Praktiken sind, aber keinesfalls Literatur? Und überhaupt, warum von *Text* statt von *Diskurs* sprechen, wenn uns doch letzterer Terminus der Linguistik und ihren Forschungsprozeduren näher gebracht hätte?

Wie sehr man die These vom ›literarischen‹ Diskurs einschränken muß, ist bekannt (denken wir nur daran, daß das Mittelalter Diskurse als literarisch verstand, die für die Moderne didaktisch oder religiös sind). Es ist gelungen, mehrere Kriterien aufzuschließen, mit deren Hilfe ein Diskurs in einem bestimmten Zeitalter als ›literarisch‹ begriffen werden kann. Einige sowjetische Semiotiker beispielsweise, deren Untersuchungen sich von der Informationstheorie leiten lassen, meinen, daß der Diskurs ›literarisch‹ sei, der seine Entropie nicht ausgeschöpft habe, mit anderen Worten, jener Diskurs, dessen Bedeutungswahrscheinlichkeit

Im Original, Problèmes de la structuration du texte, *La Nouvelle Critique*, numéro spécial, 1968, S. 55–64. Erweiterte Fassung in: *Théorie d'ensemble*, S. 298–317. Aus dem Französischen übersetzt von Irmela und Jochen Rehbein. Druck mit freundlicher Genehmigung der Autorin.

(probabilité de sens) vielfach ist, nicht abgeschlossen, nicht definiert; ist die Entropie einmal ausgeschöpft, die Bedeutung fixiert, kann man den Diskurs nicht mehr als ›litararisch‹ ansehen. »Je wahrscheinlicher die Nachricht, desto weniger Information liefert sie. Die Gemeinplätze klären weniger auf als die großen Dichtungen« (N. Wiener).

Diese Ebene der Analyse wird uns hier jedoch nicht interessieren. Wir werden uns hüten, unsere Reflexion mit einem *apriorischen* Etikett zu versehen, das einen Gegenstand – den Gegenstand unserer Arbeit – als *literarisch* abstempeln würde, bevor die Untersuchung selbst begonnen hätte, und dies sei's aus Intuition, sei's aus bestimmten ideologischen Wertvorstellungen einer Gesellschaft (oder einer Kultur). Wenn die Semiologie die sprachlichen Strukturen analysiert, hat sie den Vorteil – oder mindestens die nicht zu unterschätzende subversive Eigenschaft –, die Einteilung literarisch/nichtliterarisch zu sprengen, ebenso wie die Einteilung in Gattungen (Gedicht, Roman, Novelle usw.), die von der klassischen Rhetorik vorgenommen wurde. Sie sucht neue strukturale Eigenschaften. (Die ›Literatur‹ selbst scheint bereits seit einem Jahrhundert mit Mallarmé, Lautréamont, Joyce usw. diese Einteilung zu verwerfen.) Was man ›literarischen Gegenstand‹ nennen konnte, sollte für die Semiologie lediglich ein Typ von *signifizierender Praxis* ohne die geringste ästhetische oder andere Bewertung sein. Die Semiologie betrachtet deshalb die ›Literatur‹ unter demselben Wertindex wie den Zeitungsartikel, den wissenschaftlichen Diskurs usw., wenn sie sie als dialytische Arbeit bezeichnet.

Eine linguistische Struktur als semiotische Praxis zu definieren gibt schon das Doppelspiel unseres Vorgehens an:

1. Der Organismus, um den es geht, wird verstanden als Diskurs, den die Gesellschaft sich selbst mitteilt und der seine Bedeutung eben dieser Kommunikation verdankt; und als solcher kann er von der strukturalen Linguistik beschrieben werden.

2. Mehr denn als Diskurs, d. h. als *Tauschobjekt* zwischen einem Sender und einem Empfänger, kann die *signifizierende Praxis*, die wir erörtern, aufgefaßt werden als ein *Prozeß von Sinnproduktion*. Anders gewendet, wir werden unsere ›signifizierende Praxis‹ (habe sie den Namen Literatur, Zeitungsartikel, Maxime usw.) nicht wie eine bereits fertige Struktur untersuchen können, vielmehr wie eine *Strukturation*, wie ein Apparat, der Sinnquanten produziert und transformiert, bevor dieser Sinn bereits fertig ist und in Umlauf gebracht wird. So werden wir eher von *Text* als von *Diskurs* sprechen. Diese Unterscheidung hat einen zweifachen Vorteil. Erstens läßt sie uns der für die allgemeine Semiologie gefährlichen Versuchung entgehen, jede signifizierende Praxis der gesprochenen Sprache (langue parlée) gleichzusetzen und, von da aus, den Pluralismus von signifizierenden Praktiken mit Hilfe eines reduktiven Denkens aufarbeiten zu wollen, welches im übrigen bei der Untersuchung denotativer Sprache angemessen ist. Zweitens siedelt uns die Untersuchung Diskurs/Text ein weiteres Mal in einer marxistischen Perspektive an, weil sie die *Produktion von Sinnquanten* betont vor dem *Austausch von Sinnquanten* (échange de sens) (und bekanntlich vereinigt dieser Austausch unter dem Namen Kommunikation das Interesse der strukturalen Linguistik auf sich). Wir wollen den Text

nicht auf die mündliche Rede reduzieren, sondern darauf beharren, daß wir ihn nicht außerhalb der Sprache (langue) lesen können, wenn wir ihn definieren werden als *translinguistischen* Apparat (appareil), der die Sprachordnung (ordre de la langue) umordnet (redistribue), wobei er eine kommunikative Rede, welche unmittelbare Information anstrebt, mit verschiedenen Typen von vorhergehenden oder gleichzeitigen Aussagen (énoncés) verbindet. Der Text ist also *Produktivität;* das bedeutet:

1. sein Verhältnis zu der Sprache, in der er sich erstreckt, ist redistributiv (destruierend-konstruktiv), daher logischen und mathematischen Kategorien besser zugänglich als rein linguistischen;

2. ist er eine Permutation von Texten, eine Inter-Textualität: in dem Raum eines Textes überlagern sich mehrere Aussagen, die aus anderen Texten stammen und interferieren.

Fassen wir unser Vorhaben zusammen:

Die Semiologie, auf die wir uns berufen, wenn wir den Text als *Produktion und/oder Transformation* betrachten, wird die *Strukturation* eher zu formalisieren suchen als die Struktur.

Als Demonstrationsbeispiel nehmen wir den klassischen Roman zu einem Zeitpunkt, an dem er sich artikuliert und also unschwer Einblick in seine Machart gewährt: nämlich JEHAN DE SAINTRÉ von Antoine de la Sale, 1456 geschrieben. Wir wollen ihn zunächst als interne Transformation untersuchen, d. h. auf der Syntaxebene des Textes (seiner Syntagmatik). In einem zweiten Durchgang werden wir unseren Text in die Gesamtheit von Texten jener Epoche verlegen und seine Strukturation in bezug auf externe Texte erforschen.

2. DIE TRANSFORMATIONELLE METHODE

Allererst wollen wir unser Modell nicht länger von der Phonologie borgen (die die Grundlage der strukturalen Linguistik ist), sondern von der transformationellen Liguistik, die unter dem Namen generative Grammatik von Chomsky bekannt ist. Wir möchten von vornherein betonen, daß wir nicht Schritt für Schritt dem Vorgehen der Grammatiker folgen, sondern uns einiger ihrer *methodologischen* Forschungsprinzipien bedienen werden. Rufen wir uns zwei Grundprinzipien der generativen Grammatik ins Gedächtnis, welche man sich ja als Algorithmus vorstellen kann, der aus einem Korpus von Elementen mittels bestimmter Regeln[1] Sprache erzeugen kann.

1. Nach Chomsky ist die g. G. »ein System von Regeln, das Signale auf semantische Interpretationen bezieht«[3]. Chomsky unterscheidet zwei Strukturen, eine Oberflächen- und eine Tiefenstruktur, und bemerkt, daß »die Unfähigkeit der Oberflächenstruktur, grammatische Beziehungen, die semantisch signifikant sind, anzugeben (also als Tiefenstruktur zu dienen), ein Hauptmotiv war, die generative Grammatik zu entwickeln. ... Die Oberflächenstruktur ist ein ›labeled bracketing‹

(indizierte Klammerung)[4], und die Tiefenstruktur muß im allgemeinen von der Oberflächenstruktur verschieden sein.« Wenn wir diese Überlegung auf die Ebene einer Diskursstruktur, die ausgedehnter ist als der Satz, anwenden, in unserem Fall auf die Romanebene, dann können wir postulieren, daß die Unfähigkeit der manifesten Romanstruktur, die signifikanten Strukturbeziehungen semantisch anzugeben, einerseits einer der Hauptgründe ist, die zur Anwendung der Transformationsmethode auf die Romanforschung berechtigen, und die andererseits das transformationelle Feld des Romans selbst schafft.

2. Die zweite Eigenschaft der transformationellen Analyse, die uns bei unserem Vorhaben nützlich ist, besteht darin, daß die g. G. eine *Äquivalenz* zwischen Operand und Resultat fordert: 1. Äquivalenz der Morpheme, die zu ein und derselben grammatikalischen Klasse gehören (oder beim Text Äquivalenz der Sätze); 2. Äquivalenz des syntaktischen Kontextes, der das Morphem umgibt (bzw. die Sätze); 3. Äquivalenz von Sinnquanten der zu transformierenden und der transformierten Struktur.

Dieser Konzeption des generativen Modells fügen wir jene Modifikationen hinzu, die die sowjetische Linguistik und vor allem Šaumjan eingeführt hat. Daraus entsteht ein applikatives transformationelles Modell mit folgenden Konsequenzen:

1. Man muß klar und streng die beiden Abstraktionsebenen im generativen Modell trennen: *Kompetenz* und *Performanz*. Wir kommen zu dieser Unterscheidung, wenn wir die *Ketten* (strings) (die Chomsky verwendet) durch *Komplexe* ersetzen (mit denen Šaumjan operiert), wobei der Komplex als eine Menge von Elementen definiert wird, deren Anordnung nicht relevant ist. Die Beziehung: Komplexstruktur/Kettenstruktur ist äquivalent der Beziehung Kompetenz/Performanz. Wir stellen uns also auf die Ebene der Kompetenz, wenn wir von Anordnung der *Komplexe* im Text reden.

2. Im applikativen generativen Modell wird man zwei Sorten von Regeln unterscheiden, die Komplexe erzeugen: 1. Formationsregeln der Komplexe, 2. Transformationsregeln der Komplexe. Die Regeln zur Formation der Komplexe beruhen auf einer Operation, die *Applikation*[5] heißt. Mittels der Applikation erhält man unterschiedliche Komplexe, so daß beim applikativen Modell keine Regeln zur Transformation von Komplexen notwendig sind. Das applikative generative Modell liefert also die Transformation auf sozusagen *automatische* Weise, während im Modell von Chomsky die Transformation arbiträr vorgegeben ist in einer begrenzten Zahl von Regeln.

3. Andererseits setzt das applikative Modell neben der Klasse der möglichen Sätze (propositions) auch die der möglichen *Worte* voraus (»Basis-Komponenten«, »P-Marker«[6]). Die Kalküle der Komplexe und Worte kann man im applikativen generativen Modell darstellen als zwei Generatoren, die homomorph sind: der Komplex-Generator und der Wort-Generator. Das Zusammenspiel dieser beiden Generatoren führt zu der Vorstellung eines Generators von »Transformen«. Eine Verdoppelung betrifft schließlich den Status von Worten und Sätzen, weil sich beide aus zwei verschiedenen Strukturen herleiten, aus der Kompetenz und zugleich der

Performanz. Wir unterscheiden also einen Status der Wort-Kompetenz und der Satz-Kompetenz von dem Status der Wort-Performanz und der Satz-Performanz. Derart ist das applikative Transformations-Modell ein Zwei-Ebenen-Modell[7].

Schema 1

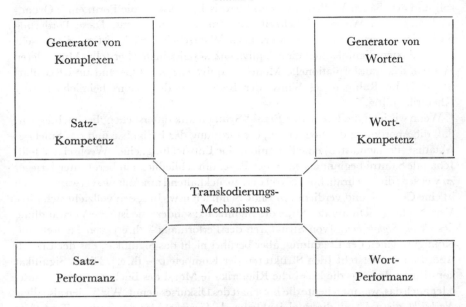

Was könnte man aus einer derart definierten transformationellen Methode für die Untersuchung von semiotischen Praktiken herausschlagen, die sich nicht auf die denotative Sprache reduzieren lassen? Wird die transformationelle Methode für die Formalisierung dessen, was unsere Kultur »die Literatur« nennt, ein Verfahren bereitstellen können, das der strukturalen Methode *komplementär* ist?

Das erste Problem, das sich bei einer Ausweitung der transformationellen Methode stellt, ist das Problem der Erhaltung des Sinnquantums während der Transformation. Da ja nur dann (grammatikalische oder syntaktische) Transformation vorliegt, wenn Operand und Resultat sinnäquivalent sind, stellen sich zwei Fragen, sobald wir nicht mehr die denotative Sprache, sondern den »literarischen« Diskurs untersuchen: 1. Darf man auf der Ebene des Signifikats (signifié) zwei Diskurse (oder zwei Diskurs-Sequenzen) als äquivalent ansehen, wenn sie auf der Ebene des Signifikanten (signifiant) offenbar verschieden sind? Oder besser: Welche Logik (welche Ideologie) schreibt diese Äquivalenz vor (ist die Voraussetzung dafür)? 2. In welchem Maß und bei welchem Typus von literarischem Diskurs kann man von Sinnäquivalenz reden, jenseits und trotz der Transformation, wenn doch der literarische Diskurs und noch mehr die Romanstruktur wegen ihrer Zielsetzung und wegen ihrer Struktur *Werden, Prozeß* sind?

Die Antwort auf die erste Frage, die die Linguistik sich anscheinend nicht stellt, wird dringlich, wenn die transformationelle Analyse eine transformationelle *Methode* wird. Wir glauben nun, daß diese Äquivalenz von Signifikaten, ungeachtet der Differenz ihrer Signifikanten, dem eingeschrieben ist, was man das logozentrische Denken hat nennen können, also das Denken der Identität mit sich (identité à soi) und des »Sagen-Wollens«, was im literarischen Diskurs die Form einer Grundforderung nach Wahrscheinlichkeit (vraisemblable) annimmt. Diese Forderung nach Sinn (oder, für die Literatur, nach Wahrscheinlichkeit) ist es, die jenseits von distinkten Signifikanten eine Äquivalenz des Signifikats herstellt. Mit anderen Worten, das transformationelle Modell (Äquivalenz von Operand und Resultat) ist einzig im Rahmen des Sinns (der Rede) und der Wahrscheinlichkeit (der Rhetorik) gültig.

Wenn wir jetzt die Ebene der Erzähl-Syntagmatik untersuchen, beobachten wir, daß die Anordnung der Sequenzen, die Ordnung der Ereignisse und das Spiel der Aktants[8] (Protagonisten) eine Evolution, eine Entwicklung, einen Wechsel darstellt. Jehan de Saintré beginnt als einfacher Page, um schließlich ein berühmter Krieger zu werden: die Edelfrau, hoheitsvoll und zurückhaltend am Anfang, verwandelt sich in eine Gemeine und verdient am Ende Schmach usw. Indessen vollzieht sich diese Verwandlung nicht auf der Stufe des Signifikats; sondern sie ist eine Verwandlung des *Erzähl-Signifikanten* [von Strukturen der Performanz – th. e.], von Figuren und Konfigurationen der Erzählung, aber berührt nicht das Signifikat, das der Erzähl-Anordnung untersteht [den Strukturen der Kompetenz – th. e.]. Dieses Signifikat konstituiert das, was die klassische Rhetorik die Moral des Buches nennen konnte, oder auch das, was man heute die Botschaft des Diskurses nennt. Wir finden also diese *Nachricht*, diese *Moral*, dieses gleichbleibende *Signifikat*, das den ganzen Text trotz der wahrnehmbaren Transformation durchzieht, am Anfang genauso wie am Ende des Romans vor. Wir wollen daher von dem romanesken Text als von einem *geschlossenen Text* sprechen. Wir schließen die folgende Darstellung als zweites Argument für die Anwendbarkeit des Transformationsmodells auf die Romananalyse an.

3. DER GESCHLOSSENE TEXT. DIE INITIALPROGRAMMIERUNG DER ROMANSTRUKTUR

Der Text »Jehan de Saintré« wird mit einer Einführung eröffnet, die den ganzen Ablauf des Romans vorformt (aufreißt): Antoine de la Sale *weiß*, was sein Text *ist* (»drei Geschichten«) und *für wen* er ist (eine Botschaft an Jean d'Anjou). Nachdem er so sein Vorhaben und den Adressaten (destinataire) dieses Vorhabens angekündigt hat, vollendet er in zwanzig Zeilen den ersten Rahmen (boucle)[9], der das Textganze umfaßt und es als Austauschmedium programmiert (intermédiaire d'un échange), also als Zeichen; das ist der Rahmen *Aussage* (Tauschobjekt)/*Adressat* (der Herzog, oder einfach der Leser). Übrig bleibt, das zu erzählen, auszufüllen, zu detaillieren, was begrifflich bereits festlag, gewußt war, »l'histoire ainsi que de mot en mot s'ensuit«, bevor Feder und Papier Kontakt hatten – [»die Historie, allwie sie sich von Wort zu Wort begibt«].

An dieser Stelle kann der *Titel* angegeben werden, der den zweiten Rahmen erforderlich macht, diesmal auf der thematischen Ebene der Nachricht: »Et premièrement l'histoire de madicte Dame des Belles Cousines et de Saintré« [»Und allererst die Geschichte von besagter Edelfrau von Belles Cousines und von Saintré«]. A. S. erzählt gekürzt das Leben von Jehan de Saintré bis zu seinem Ende (»son trespassement de ce monde« – »sein Hinscheiden aus dieser Welt«, S. 2). Daher wissen wir *schon*, wie die Geschichte ausgehen wird: das Ende der Erzählung ist berichtet, bevor die eigentliche Erzählung angefangen hat. Jedwedes anekdotische Interesse ist auf diese Weise ausgeräumt, so daß sich der Roman im Leben-Tod-Ausfüllen abspielen und nichts anderes sein wird als eine Beschriftung von *Leerstellen* (inscriptions d'écarts) (von Überraschungsmomenten), die aber nicht an der Gewißheit des thematischen Rahmens rüttelt, der das Ganze umschließt. Der Text ist thematisch axial konstruiert: es handelt sich um das Spiel von zwei einander ausschließenden Oppositionen, deren Benennung zwar wechselt (Laster – Tugend, Liebe – Haß, Applaus – Kritik: so folgen z. B. der Verteidigung der verwitweten Edelfrau in den romanischen Texten unmittelbar die misogynen Ausfälle des heiligen Jérôme), die aber stets auf derselben Sem-Achse (positiv-negativ) liegen. Sie alternieren innerhalb des einen Feldes (parcours), das allein durch die anfängliche Voraussetzung vom *ausgeschlossenen Dritten* begrenzt wird, d. h. durch die Unvermeidbarkeit der Wahl des einen *oder* des anderen Pols (*oder* exklusiv).

Nun ist im Roman die Axiomatisierung oppositioneller Terme nur insoweit zulässig, als der leere Raum des Bruches, der sie scheidet, durch ambivalente Sem-Kombinationen ausgefüllt wird. Die anfangs erkennbare Opposition Leben – Tod, Liebe – Haß, die den Romanablauf initiiert, wird sofort in ein *Vorher* verdrängt, um in einem *Jetzt* einem Netz von Füllseln zu weichen, einer Verzahnung von Abweichungen (enchaînement de déviations), die die beiden oppositionellen Pole durchziehen und im Streben nach Synthese sich in die Gestalten von *Verstellung* oder *Maskerade* auflösen. Die Negation wird auf diese Weise durch die Affirmation einer Verdoppelung wiederaufgenommen; die durch den thematischen Rahmen des Romans bedingte Ausgeschlossenheit beider Terme wird ersetzt durch eine *zweideutige positive Größe*, so daß die Disjunktion, die den Roman eröffnet und beschließt, ihren Platz an ein Ja-Nein abgibt (an eine Nicht-Disjunktion). Nach dem Vorbild dieser Funktion werden alle Figuren von doppelter Lesart (lecture), die der Roman enthält, organisiert: die Ränke, die Verrätereien, die Fremden, die Androgynen, die Doppelsinnigkeiten, die zweierlei Zwecke enthaltenden Aussagen (auf der Ebene des Signifikats des Romans), die Wappen, die »Ausrufe« (auf der Ebene des Signifikanten des Romans). Der Ablauf des Romans wäre unmöglich ohne jene Funktion der Nicht-Disjunktion, des *Doubles*, die den Roman von Anfang an programmiert.

Die Initialprogrammierung des Buches ist schon sein *strukturaler Abschluß*. Übrig bleibt nur, daß die kompositionelle Ausführung des Buches den strukturalen Abschluß einholt. Der Roman wird durch die Aussage des Akteurs, der die Erzählung, nachdem er die Geschichte über seine Figur Saintré bis zur Bestrafung der Edelfrau gebracht hat, unterbricht und das Ende ankündigt: »Et cy commencera la fin de ce compte – [und hier beginnt das Ende dieser Mär] – . . .«

»Die Geschichte« (l'histoire) kann als beendet angesehen werden, sobald einer der Rahmen ausgefüllt ist (eine der oppositionellen Dynaden aufgelöst), dessen Rahmen durch die Initialprogrammierung eröffnet wurde. Dieser Rahmen ist die Verdammung der Edelfrau, die eine Verdammung der Ambivalenz bedeutet. Die Erzählung hört hier auf. Der strukturale Abschluß jedoch, selbst wenn er durch die Konkretisierung der Grundfigur des Textes (der oppositionellen Dyade und ihres Verhältnisses zur Nicht-Disjunktion) noch einmal deutlich wird, ist nicht ausreichend dafür, daß auch mit dem Diskurs des Autors Schluß ist. Der wahre Schlußstrich wird gezogen, wenn die Arbeit selbst, die die Romanaussage hervorbringt, innerhalb dieser Romanaussage auf dieser Seite, jetzt, erscheint. Eine neue Kategorie, »der Protagonist«, deutet auf die zweite – die wahrhafte – Aufnahme des Endes hin: »Et cy donnray fin au livre de ces très vaillant chevalier qui . . . – [Und das beendet das Buch des sehr tapferen Ritters, der . . .] –« Eine kurze Erzählung der Erzählung folgt daraus, um den Roman damit zu beenden, daß die Aussage auf den Schreibakt (acte de l'écriture) zurückgeführt wird (»j'ay fait ce livre dit Saintré, que en façon d'une lettre je vous envoye . . .« [»ich habe dieses Buch gemacht, sagt Saintré, welches ich in Form eines Briefes schicke . . .«]), und damit endet, daß die Vergangenheit der Rede (parole) durch die Gegenwart des Schreibens (graphisme) ersetzt wird: »Et sur ce, pour le présent, mon très-redoubté seigneur autre ne vous escripts . . . – [Und anderes als das schreibe ich euch jetzt mein sehr geschätzter Herr nicht . . .] –«

So beendet Antoine de la Sale seinen Roman am Ausgang des Mittelalters auf doppelte Weise: als Erzählung (struktural) und als Diskurs (kompositionell), und bei diesem kompositionellen Schluß tritt, gerade am Ort seiner Unbefangenheit, noch ein Hauptmerkmal zutage, das die bürgerliche Literatur später verhüllt. Nämlich das folgende Merkmal: Der Roman hat einen zweifachen Status, er ist sprachliches *Phänomen* (Erzählung), und zugleich diskursiver *Kreislauf* (Brief, Literatur). Daß er eine Erzählung ist, ist nur eine – vorauslaufende – Erscheinungsform jener wesentlichen Besonderheiten, daß er *»Literatur«* ist. Wir stehen hier vor dem Unterschied, der den Roman im Verhältnis zur Erzählung charakterisiert: der Roman ist immer schon »Literatur«, d. h. ein Produkt der Rede, ein (diskursives) Austauschobjekt mit einem Eigentümer (Autor), einem Wert und einem Konsumenten (Publikum, Adressaten). Die Konklusion der Erzählung fiel mit der Vollendung der Abfolge eines Rahmens zusammen. Dieser Romanabschluß bleibt indessen bei dieser Konklusion nicht stehen. Die Instanz der Rede tritt häufig in Gestalt eines Epilogs am Ende hinzu, um die Erzählung zu verlangsamen und zu zeigen, daß es sich um eine Sprachkonstruktion handelt, die der Sprecher lenkt.

Den Roman als Erzählung zu beenden, ist ein rhetorisches Problem, das darin besteht, die programmierende Figur, die ihn eröffnet hat, wiederaufzunehmen. Den

Roman als literarisches Faktum zu vollenden (ihn als Diskurs = Zeichen zu verstehen), ist ein Problem der gesellschaftlichen Praxis, des kulturellen Textes und besteht darin, die Rede (das Produkt, das Werk) ihrem Tod in der Schrift (der textuellen Produktivität) gegenüberzustellen. Hier kommt eine dritte Konzeption vom Buch hinzu, die der *Arbeit*, im Gegensatz zur Konzeption des Buches als Phänomen (Erzählung) oder Literatur (Diskurs). Antoine de la Sale bleibt wohlverstanden diesseits einer solchen Auffassung. Der gesellschaftliche Text, der auf ihn folgt, schließt von seiner Bühne jede Produktion aus, um sie durch das Produkt (die Wirkung, den Wert) zu ersetzen; so ist die Herrschaft der *Literatur* die Herrschaft des *Marktwertes*, und sie verbirgt selbst das, was Antoine de la Sale undeutlich praktiziert hat: die diskursiven Ursprünge des literarischen Faktums. Man müßte die Überwindung des bürgerlichen, gesellschaftlichen Textes abwarten, damit die Überwindung der »Literatur« (des Diskurses) durch die Ankunft der Schriftarbeit am Text zustandekommt.

Unterdessen bleibt die Funktion der Schrift (écriture) als Arbeit, die die Abbildung (das literarische Faktum) zerstört, latent, nicht verstanden und nicht ausgesprochen, obwohl im Text oft am Werk und leicht zu dechiffrieren. Für A. S. ebenso wie für jeden sogenannten »realistischen« Schriftsteller, *ist* die Schrift Rede, insofern sie Gesetz ist (ohne daß eine Übertretung möglich ist).

Aus allem, was wir an dem Text »Jehan de Saintré« selbst aufgedeckt haben, können wir schließen, daß, wenn die Initialprogrammierung des Romans am Ende einer Transformationskette, die wir später untersuchen werden, durch den strukturalen Abschluß wiederaufgenommen wird, dann nachdrücklich betont werden muß, daß diese Transformation nicht nur durch die Aufzweigung des semantischen Romansystems in Erzähl-Signifikat und Erzähl-Signifikant ermöglicht wird, sondern auch durch die Eigenschaft jener *nicht-disjunkten Dyade*, die den Roman eröffnet und beschließt. Anders gesagt, da der Roman-*Dualismus* ein ambivalenter Dualismus ist und als solcher im Erzähl-Signifikat von Anfang an gegeben (im Doppelspiel des Schriftstellers als Autor und Protagonist, im »scheinheiligen« Diskurs der Edelfrau, in den Doppelfiguren der Verstellung, der Maskerade, des Zwittertums usw.), entwirft er ein Feld des *dynamischen, transformationellen* Denkens. Der Typus selbst dieses *Dualismus* enthält im Keim Prozeß, Austausch. Durch Affirmation einer dyadischen Opposition *positiv vs negatig* (Leben vs Tod, Liebe vs Haß usw.), aber sofortige Subsumtion dieser Opposition unter eine ambivalente Synthese (das Ja-Nein, das Double, die Maske, den Verrat usw.) ist die romaneske Nicht-Disjunktion der Triade ähnlich, und eben daraus gewinnt sie ihren Evolutionismus, der an die Hegelsche Spirale erinnert. Das Feld, in dem die Nicht-Disjunktion sich entwickelt, ist ein ternäres, also hierarchisches; es setzt die Dominierung der beiden oppositionellen Terme (positiv vs negativ) durch den dritten voraus (die ambivalente Synthese oder die neubewertete Entität). Im Gegensatz zur Epopöe, welcher eine symmetrische dyadische Struktur entsprach, entspricht dem Roman wegen seiner nicht-disjunkten Funktion eine asymmetrische dyadische Struktur. Hierin erinnert der Roman an den »konzentrischen Dualismus«, von dem Lévi-Strauss spricht und dem er den »diametralen Dualismus« gegenüberstellt[10].

Obwohl die nicht-disjunkte (ambivalente, konzentrische) Funktion des Romans ebenso am Anfang wie am Ende steht und so die Sinnäquivalenz von Operand und Resultat beweist, verhilft sie der Romanaussage zu einer Dialektik, die differenzierter ist als die der Epopöe. Diese Nicht-Disjunktion erfordert an einem Punkt der Transformation das Auftreten eines Faktors, der die Erzählung (narration) im vollen Wortsinn *transformiert*, d. h. sie umkehrt, sie in ihr Gegenteil verwandelt, ohne ihr irgendetwas von der Ähnlichkeit mit der Initialprogrammierung (mit dem Operanden) zu rauben. Die Möglichkeit, oder besser, der Anstoß für diese Umkehrung wird also in der Funktion selbst der Romanaussage in dem Maße *gegeben*, in dem diese Aussage ambivalent und asymmetrisch ist. Asymmetrie und Ambivalenz, um die es geht, verlassen sozusagen ihren semantischen Kern, entfalten und manifestieren sich auf der Ebene der Erzähl-Syntagmatik mit Hilfe der Umgestaltung des *Handlungsverlaufs* (intrigue) einerseits, und der Aktanten andererseits. Diese Überdeterminierung des romanesken Denkens durch die Nicht-Disjunktion (den konzentrischen Dualismus) zeigt den theologischen Einschlag dieses Denkens und der ganzen Epoche, welche von jener Nicht-Disjunktion quer durch die phantastischen Darstellungen oder die Tagesschriftstellerei, durch die politische Rhetorik oder die wissenschaftliche Ideologie beherrscht wird. Hierarchisch oder triadisch, dieses Denken ist religiös, obwohl verfälscht religiös; deshalb können wir sagen, daß das Denken zusammengefügte und zusammenfügende Theologie ist und sich dadurch an die äußerste Grenze (den Ausgang) der Theologie stellt. Obwohl die Romanstruktur (die Zeichenstruktur) eine Entwicklung (Signifikant) und ein Ziel (Signifikat) anstrebt, *produziert* sie nichts »Neues«, sondern reproduziert sich, indem sie sich in der Leerstelle von dem, was man die »Beliebigkeit« des Zeichens genannt hat (im Raum zwischen Signifikant und Signifikat), transformiert. Die Transformation manifestiert jene Nicht-Disjunktion, die den Bezug des Signifikanten zum Signifikat innerhalb des Zeichen- und Diskursmodells regelt, welches an deren Ideologem teil hat.

Als nicht-disjunkter erzeugt der Roman-Dualismus die *Zeit* (nicht mehr die *Dauer*, die episch ist) und erlegt dem Denken die Problematik der *Zeitlichkeit* auf. Sagen wir, es gibt *Zeit* in dem Maße, in dem es Ambivalenz gibt.

Nicht zufällig erscheint der wissenschaftliche Begriff der Transformation zusammen mit der transformationellen Linguistik, im Rahmen jener Zivilisation, die wir die »romaneske« nennen könnten, genau in dem Augenblick, in dem die romaneske Denkweise (die nicht-disjunkte Funktion) unseren geistigen Umkreis regiert. Die transformationelle Analyse wäre, weil auch sie dieser Funktion untersteht, der wissenschaftliche Spiegel dieses Diskurses, in dem unser Denken seit mehr als sechs Jahrhunderten befangen ist. Die transformationelle Analyse enthüllt, wenn sie, gegen den Strich, auf einen Romantext angewendet wird, dessen pseudo-dynamischen Charakter; denn die Sinnäquivalenz, die den Roman in einen Rahmen einschließt (ihn programmiert und terminiert), offenbart die trügerische Seite des romanesken »Dynamismus« und folglich von jedem abbildenden, expressiven, »literarischen« Dynamismus, der neben dem Problem der Sinnproduktion (der Diskursproduktion) einhergeht. Auch der romaneske Diskurs ist ebenso geschlossen, statisch und stillstehend wie der epische Diskurs, wenngleich in abweichender Weise. Sein »Dynamismus« ist verzahnt durch das (schreibende) *Subjekt*, welches ein der Expression vorangehendes Signifikat ausdrückt, und zugleich durch das Prinzip dieser *Expression*, die das Zeichen selbst stiftet. Aber solchermaßen, in diesen expressionistischen Grenzen und gerade ihretwegen, ist der Roman-Diskurs vollständig erfaßbar durch eine transformationelle Analyse, wie vielleicht jede abbildende oder phantastische Darstellung.

Anders verhält sich dies bei einem Text, der dem Abbilden abschwört und Beschriftung seiner eigenen Hervorbringung ist. Dies gilt in unserer Kultur für Mallarmé, Lautréamont, Roussel. Diese textuelle Produktivität ist in dem Maße, in dem sie durch Abbildung (und Sinn) *hindurch*gegangen ist, nicht mehr ausdrückbar in transformationellen Kategorien. Wir begnügen uns mit diesen Bemerkungen, die rechtfertigen sollen, warum wir das Transformationsmodell benutzt haben, um die Transformation der Romansyntax darzustellen.

In Analogie zu dem applikativen Transformationsmodell des Satzes (proposition) ist das des Romans etwa folgendermaßen:

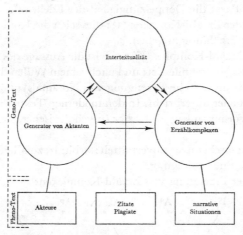

Die Erzähl-Komplexe sind Sequenzen in der Romansyntagmatik, die verschiedenen Erzähl-Situationen entsprechen. Die Aktanten (die nach Greimas einen metasprachlichen Status haben) entsprechen den Worten in Schema 1. Im Verlauf von deren wechselseitiger Transformation artikuliert sich dieser gewaltige Satz Erzählung.

Den beiden Strukturtypen, der Kompetenz und der Performanz, entspricht einmal der Geno-Text, d. h. die Ebene, auf der der Text gedacht, transformiert, produziert, generiert wird, zum anderen der Phäno-Text, d. h. die Ebene des vollendeten Textes, des Phänomens Text, dieses Sediments, in dem der Produktionsprozeß hin- und herschwingt und der stets *weniger* als der dem Produkt voraufgehende Transformationsprozeß ist.

Auf der Ebene des Geno-Textes können wir die Transformation der Aktanten und der Komplexe *graphisch* darstellen; diese Darstellung hat die Form eines *Baumes*.

Wir wollen hier nicht die Transformation der Aktanten-Reihe behandeln, sondern nur kurz die Transformation der Erzähl-Komplexe aufzeigen, die wir zu diesem Zweck in 3 Kategorien einteilen:

1. Der Adjunktor ist das Erzähl-Syntagma, das zu dem Aktanten hinzukommt, wobei es zwei Arten von Veränderungen hervorruft: entweder behält der Aktant in der Syntagmatik der Erzählung seine Funktion als »Name«, dann wird der Adjunktor *qualifizierend*, A^q, genannt; oder der Aktant gibt den Nominalstatus auf und fügt sich in ein Syntagma von verbalem Charakter ein, dann wird der Adjunktor *prädikativ*, A^p, genannt. Im Roman werden *qualifizierende Adjunktoren* A^q all jene Syntagmen sein, welche die Aktanten qualifizieren, ohne daß die *Handlung* der Erzählung eigentlich schon begonnen hätte. Prädikative Adjunktoren A^p seien die Syntagmen, die das *Verb* in die Erzählung einführen: die Handlung. Der prädikative Adjunktor tritt in doppelter Form auf: einerseits treibt er die Erzähl-Handlung voran (die verschiedenen Schlachten von Saintré), andererseits kehrt er die Erzählung um und verleiht ihr einen Sinn, der dem entgegengesetzt ist, den sie zu Anfang hatte (der Abbé entlarvt die Doppelzüngigkeit der Edelfrau).

2. Identifizierender Erzähl-Komplex (I): dies seien die Komplexe, die Ort, Zeit und Modalität der Erzählung angeben.

3. Konnektiver Erzähl-Komplex (K): dies ist die Aussage des Sprechers, der sich als Subjekt des Aussagens manifestiert und nach seinem Willen die Erzählung organisiert, indem er die unendliche Erzeugung von Nominalsyntagmen oder Verbalsyntagmen fortsetzt oder unterbricht. In den modernen Texten nimmt der konnektive Komplex die Form von kausalistischer (psychologischer, sozialer, moralischer) Rechtfertigung an.

Bei A. de la Sale erscheint er unvermittelt: arbiträr, zufällig, ohne Motivierung oder auch als naive Entschuldigung.

Hier die Tafel der Erzeugung von Erzähl-Komplexen:

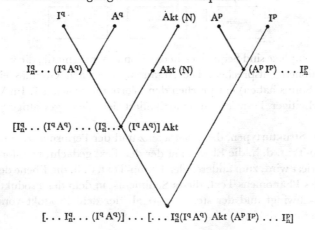

Wenn diese Formel Aufschluß über den Transformationsprozeß von Erzählkomplexen im Inneren des Romantextes gibt, erklärt sie doch nicht, warum der eine Komplex qualifizierend sein kann und ein anderer prädikativ; sie erklärt auch nicht, warum ein Komplex dem Roman vorschreitende Richtung gibt und ein anderer ihn in einem umgekehrten Sinn ausrichtet. Andererseits gibt diese Sichtweise keinen Aufschluß über die distinktiven Merkmale eines bestimmten Texttyps (über das Märchen im Verhältnis zum Roman) und über die besondere Stellung dieses Textes in dem Ganzen von Texten einer Kultur.

Offensichtlich kann die transformationelle Analyse über all diese Besonderheiten keine Auskunft geben, weil sie selbst an dem Zeichen-Denken in dem Maße teilhat, als sie die Dichotomie Signifikant/Signifikat voraussetzt und von dem Grundsatz ausgeht, daß eine Transformation des Signifikanten nur dann möglich ist, wenn sie durch die Äquivalenz (die Unveränderlichkeit) des Signifikats abgesichert ist. Wir entwickeln anderswo das Problem jener Ideologie, die der generativen Grammatik zugrunde liegt. Wir weisen daher auf die Grenzen der transformationellen Analyse hin: Diese Analyse hat den Vorteil, über die Veränderungen im Innern einer abgeschlossenen Struktur Aufschluß zu geben, aber sie kann die Verschachtelung dieser Struktur in einem gesellschaftlichen oder geschichtlichen Text nicht erfassen.

4. DIE INTERTEXTUALITÄT. DER TEXT ALS IDEOLOGEM

Daher werden wir die transformationelle Analyse in eine *transformationelle Methode* umwandeln, und die verschiedenen Sequenzen (oder Kodes) einer bestimmten textuellen Struktur als ebensoviele »Transforme« von Sequenzen (von Kodes) ansehen, die anderen Texten entnommen wurden. So kann die Struktur des französischen Romans im 15. Jahrhundert als das Resultat einer Transformation von mehreren anderen Kodes betrachtet werden, nämlich der Scholastik, der höfischen Dichtung, der mündlichen (öffentlichen) Literatur der Stadt, dem Karneval. Die transformationelle Methode führt uns dazu, die literarische Struktur ins soziale Ganze zu stellen, das als ein textuelles Ganzes verstanden wird. Wir nennen *Intertextualität* dieses textuelle Zusammenspiel, das im Inneren eines einzigen Textes abläuft. Für den Sachkenner ist Intertextualität ein Begriff, der anzeigt, wie ein Text die Geschichte »liest« und sich in sie hineinstellt. Die konkrete Weise, in der Intertextualität in einem bestimmten Text realisiert ist, gibt die höhere (»soziale«, »ästhetische«) Kategorie einer textuellen Struktur an[11].

So schreibt im »Jehan de Saintré« die *Scholastik* die Art vor, wie das Buch in Kapitel und Abschnitte gegliedert ist; den didaktischen Ton des Autors; die häufigen Erwähnungen des Schreibaktes; die Hinweise, die A. de la Sale in bezug auf das Manuskript selbst gibt, was die Art der Textkorrektur angeht.

Die *höfische Dichtung* wirkt in der Rolle, die die Edelfrau als vergöttlichter Mittelpunkt einer homosexuellen Gesellschaft spielt, die sich ihr eigenes Bild durch diese blinde Aufgabe hindurch zurückwirft, welche die Frau ist, nachdem sie ohne lange zu zögern, die Jungfrau geworden ist. Wir verweisen auf die Arbeiten von Nelli über die Erotik der Troubadoure, die genau diesen Sinn der höfischen Dichtung enthüllt: einen Sinn, der das Zwittertum von Jehan de Saintré sogleich enthüllt.

Die Stimme der Stadt, die um das 15. Jahrhundert endgültig im regen Handelsleben wahrnehmbar wird, tönt im Roman in den *öffentlichen* Ausrufen der Händler wieder: eine Art von Anpreisung bringen diese Wappenschilder (blasons) (das Wort »blâme« [Tadel] bedeutete ursprünglich »louange« [Lob]) in den Romantext den ökonomischen Text der Epoche ein. Sie werden im Buchganzen in ambivalente Aussagen transformiert, nicht lobend, nicht pejorativ, sondern beides zugleich, um an der Hauptfunktion der Romanaussage, der Nicht-Disjunktion, teilzunehmen.

Und schließlich spielt der *Karneval*-Diskurs eine gewichtige Rolle in der Romanstruktur. Dieser Prozeß ist deutlich spürbar bei Rabelais: die Kalauer, die Verwechselungen, die unzusammenhängenden Reden, das Lachen, die Problematik des Körpers und des Geschlechts, der Ausflüchte und der Maske dringt in den Text ein, der bis zu diesem Zeitpunkt heilig war.

Der Roman wird so das Buch (ein bis dahin der Scholastik vorbehaltenes Produkt), das die Stimme der Stadt, das höfische Lied und den Karnevalsspaß umfaßt, um nur einige jener Diskurse zu erwähnen, aus denen die Epoche gemacht wurde. Bei A. de la Sale ist es vor allem das Rollenspiel und der Mechanismus der Maske, die dem Karneval entlehnt sind.

Fixiert in einer neuen Struktur, ändern diese verschiedenen *Aussagen*, die unsere Analyse *a posteriori* in den verschiedenen vorhergehenden oder gleichzeitigen Diskursen wiedergefunden hat, nun ihre Bedeutung. Im Apparat des Romantextes mit seiner Nicht-Disjunktion und seinem transformationellen Charakter durchdringen sich die scholastische Aussage, die Maske, der öffentliche Ausruf usw. und bringen ein *ambivalentes Ganzes* hervor. Dieses neue Ganze setzt sich den Ausgangs-Ganzheiten entgegen. Es hat eine Funktion, die es an andere diskursive Manifestationen der Epoche bindet und diese Funktion bewirkt, daß das Zeitalter, das sich ankündigt, die Renaissance, eine mehr oder weniger festgelegte diskursive Einheit hat, die sie von der vorhergehenden Epoche unterscheidet.

Wir nennen *Ideologem* die gemeinsame Funktion, die eine bestimmte Struktur (sagen wir, den Roman) mit anderen Strukturen (sagen wir, mit dem Diskurs der Wissenschaft) in einem intertextuellen Raum verknüpft. Man bestimmt das Ideologem eines Textes durch seine Bezüge zu anderen Texten. So sagen wir, daß die Deckungsgleichheit (recoupement) einer gegebenen textuellen Organisation (einer semiotischen Praxis) mit den Aussagen (Sequenzen), die sie ihrem Raum einverleibt, oder auf die sie im Raum der außerhalb vorhandenen Texte (der semiotischen Praktiken) verweist, *Ideologem* genannt wird. Das Ideologem ist die intertextuelle Funktion, die man auf den verschiedenen Strukturebenen jeden Textes »materialisiert« lesen kann und die sich über seine Länge hin ausdehnt, wobei sie ihm seine geschichtlichen und gesellschaftlichen Koordinaten gibt. Es handelt sich hier nicht um eine explikative Gesinnung, die mittels Interpretation nachträglich der Analyse hinzugefügt wird und die das als »ideologische« Seinsweise »erläutert«, was zuvor als »sprachliche« Seinsweise »erkannt« worden ist. Einen Text als Ideologem zu verstehen, führt zu einer semiologischen Einstellung, die den Text in (dem Text) der Gesellschaft und der Geschichte denkt, weil sie den Text als Intertextualität untersucht. Das Ideologem eines Textes ist jener Brennpunkt, in dem die erkennende Rationalität die Transformation der *Aussagen* (auf die der Text nicht reduzierbar ist) in einem Ganzen (dem Text) erfaßt; und darin ebenfalls die Ansatzstellen dieser Totalität im geschichtlichen und gesellschaftlichen Text.

Das Problem des ideologischen Wertes in einem Diskurs, eines inhärenten, nicht ablösbaren Wertes, der jede Aussage in dem gesellschaftlichen Raum konstituiert, in dem sie ausgesprochen wird, wurde von den Nachfolgern des russischen Formalismus ins Auge gefaßt. »Die Literaturtheorie ist ein Zweig der ausgedehnten Wissenschaft von den Ideologien, die alle Gebiete der ideologischen Aktivität des Menschen umfaßt«, schrieb P. N. Medvedev, von dem wir den Begriff *des Ideologems* übernommen haben, obwohl wir ihm eine merkbar andere und genauere Bedeutung gegeben haben[12].

In dem Feld, das dieser Begriff eröffnet, können wir von einem Ideologem des *Symbols* (auffindbar im Mythos und allen signifizierenden Praktiken/Texten der synkretistischen Gesellschaft) und von einem Ideologem des *Zeichens* sprechen (auffindbar im Roman und in der Gesellschaft, die in der bürgerlichen Ökonomie gipfeln).

Das Symbol-Modell kennzeichnet die europäische Gesellschaft bis ungefähr ins 15. Jahrhundert und offenbart sich deutlich in ihrer Literatur und Malerei. Das ist eine kosmogonische semiotische Praxis. Diese Elemente (die Symbole) weisen auf eine (die) allgemeine(n), nichtabbildbare(n) und unkenntliche(n) Transzendenz(en) hin; univoke Verknüpfungen beziehen diese Transzendenzen auf die Einheiten, welche jene hervorrufen; das Symbol hat keine »Ähnlichkeit« mit dem Gegenstand, den es symbolisiert; die beiden Räume (symbolisierender-symbolisierter) sind getrennt und ohne Kommunikation.

Das Symbol nimmt das Symbolisierte (die Universalien) als nicht von dem Symbolisierenden (den Merkmalen) herleitbar. Das mythische Denken, das im Horizont des Symbols kreist und das sich in der Epopöe, den Volksmärchen, den Chansons de geste usw. zeigt, operiert mit den symbolischen Einheiten, die in bezug auf die symbolisierten Universalien (das »Heldentum«, die »Tapferkeit«, der »Adel«, die »Tugend«, die »Furcht«, der »Verrat« usw.) *restriktive Einheiten* sind. Die Funktion des Symbols ist also in der senkrechten Dimension (Universalien-Merkmale) eine *restriktive*. Die Funktion des Symbols ist in der waagerechten Dimension (der Fügung der signifikanten Einheiten untereinander) die, vor dem Paradox zu flüchten; man kann sagen, daß das Symbol in der Waagerechten *antiparadox* ist: nach der »Logik« des Symbols schließen zwei oppositionelle Einheiten einander aus. Gut und Böse sind unvereinbar, ebenso roh und gekocht, Honig und Asche usw.[13] – wenn der Widerspruch einmal auftritt, verlangt er sofort eine Lösung; so bleibt er verborgen, »entschieden«, daher unterschlagen.

In der Geschichte des wissenschaftlichen abendländischen Denkens heben sich nacheinander drei Hauptströme heraus, in denen das Symbol regiert und die über das *Zeichen* zur *Ko-Variablen* vordringen: nämlich der Platonismus, der Konzeptualismus und der Nominalismus[14].

Nach vielfachen Veränderungen, denen wir im einzelnen nicht folgen können, taucht ein anderes Ideologem auf, das *Ideologem des Zeichens.*

Das Zeichen behält das Hauptmerkmal des Symbols bei: die Axiomatisierung der Terme, d. h. die Unmöglichkeit, den Referenten auf das Signifikat, das Signifikat auf den Signifikanten und daher alle »Einheiten« der signifikanten Struktur aufeinander zu reduzieren. So ist das Ideologem des Zeichens in seinen allgemeinen Zügen dem Ideologem des Symbols gleich; das Zeichen ist dualistisch, hierarchisch und hierarchisierend. Der Unterschied indessen zwischen Zeichen und Symbol manifestiert sich sowohl senkrecht wie waagerecht. In seiner senkrechten Funktion verweist das Zeichen auf weniger ausgedehnte Entitäten, die mehr *konkretisiert* sind als das Symbol, nämlich auf die *reifizierten* Universalien, die im strengen Wortsinn *Objekte* geworden sind; als Relation in einer Zeichenstruktur wird diese Entität (Person oder Phänomen) schlagartig mit Transzendenz versehen und in den Rang einer theologischen Einheit erhoben. Die semiotische Praxis des Zeichens nimmt auf diese Weise die metaphysische Gesinnung des Symbols auf und überträgt sie auf das »unmittelbar Wahrnehmbare«; dergestalt aufgewertet, wird das »unmittelbar Wahrnehmbare« in *Objektivität* transformiert, die in der Zivilisation des Zeichens das herrschende Gesetz des Diskurses sein wird.

In ihrer waagerechten Funktion artikulieren sich die Einheiten der semiotischen Praxis des Zeichens als *metonymische Verkettung von Leerstellen,* welche *fortschreitende Schöpfung von Metaphern* bedeutet. Da die oppositionellen Terme einander immer ausschließen, sind sie in einer Verzahnung multipler und stets möglicher Leerstellen gefangen (die Überraschungen in den Erzählstrukturen), die eine *offene,* unmöglich zu beendende und letztlich *arbiträre* Struktur suggeriert. So manifestiert sich im literarischen Diskurs zur Zeit der europäischen Renaissance erstmalig prononciert die semiotische Praktik des Zeichens im Abenteuerroman, der auf der Ebene der Erzählstruktur durch das Unvorhergesehene und die *Überraschung* als Verdinglichung der Leerstelle, die jeder Zeichenpraktik eigentümlich ist, strukturell geprägt wird. Der Ablauf dieser Verkettung von Leerstellen ist praktisch unendlich – darum entsteht der Eindruck eines *arbiträren* Abschlusses des Werkes. Ein *trügerischer* Eindruck, der jede »Literatur« (jede »Kunst«) kennzeichnet, weil jener Ablauf programmiert wird durch das Grundideologem des Zeichens, nämlich durch die dyadische geschlossene (endliche) Gesinnung, die 1. eine Hierarchie Referent-Signifikat-Signifikant aufrichtet, 2. diese oppositionellen Dyaden hinunter bis zur Artikulationsebene der Terme verinnerlicht und ebenso wie das Symbol als eine *Lösung von Widersprüchen* aufgebaut wird. Wenn in einer relevanten semiotischen Praxis der Widerspruch durch eine Verknüpfung vom Typ der *ausschließenden Disjunktion* (der Nicht-Äquivalenz) oder der *Nicht-Konjunktion* gelöst wird, dann wird in einer relevanten semiotischen Praxis des Zeichens der Widerspruch durch eine Verknüpfung vom Typ der *Nicht-Disjunktion* — $\overline{V}$ — gelöst. – Diese Fähigkeit des Zeichens, ein offenes Transformations- und Generierungssystem zu schaffen, hat Peirce in seinen Bemerkungen über das Symbol aufgezeigt, das für ihn »vor allem mit einer gestifteten, wahrgenommenen Kontiguität zwischen Signifikant und Signifikat operiert« (es handelt sich also um den Ausdruckscharakter des Symbols, der mit jenem des Zeichens zusammengeht und der uns hier interessiert, und darum gelten die Urteile über das Symbol auch für das Zeichen): »Jedes Wort ist ein Symbol. Der Wert seines Symbols liegt darin, daß es dazu dient, Denken und Verhalten rational zu machen, und daß es uns die Zukunft vorherzusagen gestattet ... Alles, was wirklich allgemein ist, bezieht sich auf die unbestimmte Zukunft, denn die Vergangenheit enthält lediglich eine Ansammlung von besonderen Fällen, die tatsächlich realisiert wurden. Die Vergangenheit ist pures Faktum. Aber ein allgemeines Gesetz kann nicht vollständig realisiert werden. Es ist Potentialität; und seine Seinsweise ist *esse in futuro*«[15].

Interpretieren wir: das Ideologem des Zeichens bedeutet eine Unabschließbarkeit des Diskurses, der relativ unabhängig vom »Universellen« (von dem Begriff, von der Idee an sich), zur Möglichkeit von Verwandlung, zu einer beständigen Transformation wird, die trotz ihrer Unterordnung unter ein Signifikat fähig zu multiplen Generierungen ist, also fähig zu einer Projektion auf das, was nicht ist, sondern *sein wird* oder besser *sein können wird*. Und diese *Zukunft* übernimmt das Zeichen nicht mehr als durch einen äußerlichen Grund verursacht, sondern als eine mögliche Transformation [der Kombinatorik – th. e.] seiner eigenen Struktur.

Zusammenfassend stellen wir fest, daß das Zeichen als Hauptideologem des modernen Denkens und als Grundelement unseres Romandiskurses folgende Merkmale besitzt:

– Es *referiert* nicht auf eine einzigartige Realität, sondern *evoziert* ein Ganzes von Bildern und assoziativen Ideen. Es strebt danach, sich von dem transzendentalen Grund abzulösen, der es trägt (man kann sagen, daß er »arbiträr« ist), obwohl es dessen Ausdruck bleibt.

– Es ist *kombinatorisch* und darum *relativ:* sein Sinn rührt von der Kombinatorik her, an der es zusammen mit anderen Zeichen teilhat.

– Es birgt in sich ein *Transformations*prinzip (in seinem Feld entstehen die Strukturen und transformieren sich unendlich).

Heute scheint uns das Ideologem des Zeichens und/oder des Romans geschlossen. Ein neues Ideologem ist vom 20. Jahrhundert an dabei, sich mit den neuen Textstrukturen (Mallarmé, Lautréamont) zu konstituieren, die immer noch nicht vollendet sind.

Zur Zeit kann man unmöglich die Besonderheiten dieses Ideologems voraussehen, geschweige denn definieren. Alles, was wir behaupten können, ist, daß das Marxsche Denken uns anhält, über eine *Typologie der Kulturen* nachzudenken, die aufeinander nicht rückführbar sind, mit diesem Instrument, das die Semiologie (eine Wissenschaft, die gleichzeitig ihre eigene Theorie ist) bereitstellt, versuchen wir, diese Typologie der Kulturen zu konstituieren als »Funktion des Typs der Relation, die sie zu dem Zeichen einnehmen«[16]. Wenn wir also die signifizierenden Praktiken in ihrem Verhältnis zum Zeichen untersuchen, werden wir sie in die Geschichte verlegen, und die Semiologie wird statt einer Bastelei (bricologe)[17] eine Wissenschaft der Ideologien sein, die jede signifizierende Praxis durchziehen.

ANMERKUNGEN

1. Vorbemerkung der Übersetzer:

Für einige in diesen Arbeiten wichtige Ausdrücke ließ sich nur annäherungsweise eine adäquate deutsche Übersetzung finden. Leitend war dabei der Zusammenhang der Termini mit der französischen »Text«-Diskussion, weniger ihre *intuitive* Verständlichkeit im Deutschen. Sie seien der Übersicht halber im folgenden zusammengestellt:

actant	Aktant (Protagonist)
acteur	Akteur (tatsächliche, empirische Person)
absorption	Absorption
arbitraire	arbiträr
boucle	Rahmen
carnaval	Karneval
changement	Wechsel
clôture	Schluß
conclusion	Konklusion
croisement	Überlagerung
destinataire	Adressat
double	Double
écart	Leerstelle
échange	Austausch, Tausch
écriture	1. Schrift 2. Schreibweise
énoncé	Aussage
énonciation	Aussagen
finition	Abschluß
gramme	Gramm
inscription	Beschriftung
irréducibilité	Axiomatisierung
langue	1. Sprache 2. Sprachkompetenz
message	Nachricht
mutation	Verwandlung
narratif	Erzähl-
opérant	Operand
orale	mündlich
parole	Sprachverwendung
personnage	Person
pratique signifiante	signifizierende Praxis
récit	Erzählung
représentation	Abbildung
sens	Sinn, Sinnquanten
séquence	Reihe, Sequenz
signifiant	Signifikant

signifié	Signifikat
signification	Bedeutung
statut	Status
structuration	Strukturation
subversion	Aufruhr
trajet	Ablauf

2. th. e.:

Unter den transformationellen Theorien beziehen wir uns vorwiegend auf die von Harris (die Transformation als eine Relation zwischen den Sätzen) und besonders auf das applikative Transformationsmodell von Šaumjan. Die Wahl fiel auf die beiden Theorien, weil diese sich enger an ihr entsprechendes theoretisches Fundament halten und uns zugleich angemessener für die Formalisierung eines Textes erscheinen, der länger als der Satz ist, aber seine Strukturen (im Großen) hat; nämlich der Text des Romans. Wenn übrigens diese theoretischen Fundamente bei Chomsky weniger sichtbar sind, sind sie bei ihm doch in großem Maße dieselben wie bei seinen Vorläufern.

3. Noam Chomsky, *Topics in the Theory of Generative Grammar*, Den Haag, Paris, 1966, S. 18 (»It is difficult to see how a full generative grammar can be regarded, ultimately, as anything other than a system of rules that relate signals to semantic interpretations.«). Folgendes Zitat S. 17 und 18.

4. Nach Chomsky, *Aspekte* ..., S. 30. Chomsky, *Aspekte d. Syntax-Theorie*, Theorie, 2 Suhrkamp, 1969. A. d. Ü.

5. cf. den Gebrauch dieser Operation in der mathematischen Logik: H. B. Curry & R. Feys, *Combinatory Logic*, Bd. I, Amsterdam 1958.

6. cf. Chomsky, *Aspekte*, S. 29–32, Anm. d. Übers.

7. th. e.

cf. bei diesem Schema S. K. Šaumjan »La grammaire transformationnelle et le modèle génératif applicatif«, *La méthode transformationnelle dans la linguistique structurale*, Moskau, 1964.

8. Die Übersetzung actant mit Aktant (Protagonist) und acteur mit Akteur (Person) entspricht der deutschen Übersetzung der *Sémantique structurale*, Paris 1966 = *Strukturale Semantik*, Braunschweig 1970, von Jens Ihwe. (Anm. d. Übers.)

9. Der Terminus wird von Schklovskij benutzt in seiner Studie La construction de la nouvelle et du roman, *Théorie de la Littérature*, Éd. du Seuil, S. 170, Paris, 1965.

10. Claude Lévi-Strauss, Les organisations dualistes existent-elles?, *Anthropologie structurale*, S. 147–180.

11. Dieser Rekurs auf einen Generator, die Intertextualität, bedeutet keinesfalls, daß wir uns der Linguistik als Forschungsinstrument entledigen wollen, und noch weniger, daß wir die linguistische Wissenschaft für unfähig halten, gewisse impressionistisch erratbare Feinheiten aufzudecken. Ganz im Gegenteil. Allein, es geht darum, die Grenzen eines bestimmten Typs von Linguistik (der transformationellen Linguistik nämlich) kenntlich zu machen, um wahrnehmen zu können, daß eine ganz andere Linguistik, die man die *Neu-Firth'sche* nennt und deren Prinzipien kürzlich von dem englischen Linguisten M. A. K. Halliday dargestellt wurden – daß diese andere Linguistik den Text ähnlich konzipiert wie wir, nämlich als ein Funktionieren auf drei Abstraktionsebenen (Aktanten, Erzählkomplexe – Syntax der Erzählung, Intertextualität). Halliday, der ein glänzender Sinologe und ein Linguist ersten Ranges ist, unterscheidet drei Ebenen linguistischer Tätigkeit: 1. *die Substanz* (lautliche und graphische); 2. *die Form* (ihrerseits

unterteilt in eine grammatikalische und eine lexikalische Ebene); sie organisiert in der internen Struktur die Substanz als Sinnphänomen (bis jetzt stehen wir in einem Begriffsfeld, das die Sprache mit Hilfe von zwei Generatoren beschreibt); 3. *der Kontext* „»der eigentlich gesprochen ein Inter-Niveau ist, für den die Form in eine Beziehung mit außertextuellen Faktoren tritt, d. h. mit anderen linguistischen Gegebenheiten, die man im Laufe der Beschreibung gerade nicht untersucht, bzw. zu nicht-sprachlichen Merkmalen jener Situationen, in denen die Sprache [langue] gebraucht wird«. (Cf. G.C. Lepschy, *La linguistique structurale*, Paris, Payot, 1968; A. M. Intosh, M.A.K. Halliday, *Patterns of Language*, London, 1966)

12. »Für die marxistische Wissenschaft von den Ideologien gibt es zwei Hauptproblemkreise: 1. die Probleme der Besonderheiten und Formen des ideologischen Materials, was als Material des Signifikanten konstruiert, organisiert ist; 2. die Probleme der Besonderheiten und Formen gesellschaftlicher Kommunikation, die diese Bedeutung realisiert« (P.N. Medvedev, *Formal'nij metod v literaturovedeneij* ... *Die formale Methode in der Literaturtheorie. Kritische Einführung in eine Soziologie der Poetik*. Leningrad 1925.)

13. Die letzten beiden Gegensätze lauten im Französischen »le cru et le cuit« und »le miel et les cendres« und sind offenbar Anspielungen auf die entsprechenden Buchtitel von Claude Lévi-Strauss. A. d. Ü.

14. Cf. W.V. Quine, »Logic and Reification of universals«, in: *From a logical point of view*, Harvad University Press, 1953. Diese Arbeit entnehmen wir die Unterscheidung bei der Unterteilung des Signifikanten in den Raum des Symbols und in den des Zeichens.

15. In: Charles Peirce, *Existential Graphs*, posthum, mit dem Untertitel: My masterwork.

16. J. Lotman, Problèmes de la typologie des cultures, in: *Informations sur les sciences sociales*, VI-213, 1967.

17. Dieser Begriff wurde von Lévi-Strauss in *La Pensée sauvage*. Paris, 1962, zum erstenmal benutzt. A. d. Ü.

Die Kategorien der literarischen Erzählung

TZVETAN TODOROV

Untersucht die »Literarizität« und nicht die Literatur, diese Formel wies vor fast fünfzig Jahren auf den Beginn der ersten modernen Richtung in der Literaturwissenschaft hin; den russischen Formalismus. Mit diesem Satz versucht Jakobson den Gegenstand der literarischen Forschung neu zu definieren; die wahre Bedeutung des Satzes ist jedoch lange mißverstanden worden. Der Satz beinhaltet nicht, daß die bis dahin vorherrschende immanente Forschungsweise durch einen transzendenten (psychologischen oder philosophischen) Zugang ersetzt werden soll: d. h. die Forschung soll sich auf keinen Fall auf die Beschreibung eines Werkes beschränken, weil Beschreibung nicht das Ziel einer Wissenschaft sein kann (und es handelt sich hier um eine Wissenschaft im strengen Sinn). Richtiger ist die Deutung des Satzes, die sagt, daß in ihm das Werk statt auf einen andersartigen Diskurs auf einen literarischen Diskurs projiziert wird. Nicht das Werk, sondern das Wirkungsvermögen des literarischen Diskurses, das ihn ermöglicht hat, wird untersucht. So können Literaturstudien zur Wissenschaft von der Literatur werden.

Bedeutung und Interpretation. Wie man, um die Sprache (langage) zu begreifen, Sprachen (langues) studieren muß, müssen wir, um zum literarischen Diskurs Zugang zu gewinnen, ihn in konkreten Werken erfassen. Ein Problem stellt sich hier: wie können unter den verschiedenen Bedeutungen (significations), die während der Lektüre hergestellt werden, die ausgewählt werden, die Aufschluß über die Literarizität geben? Wie kann das eigentlich literarische Feld ausgesondert werden, indem dabei der Psychologie und Geschichte ihr Feld überlassen bleibt. Um diese Beschreibung zu vereinfachen, schlagen wir vor, vorläufig zwei Begriffe zu definieren: *Sinn* und *Interpretation*.

Der Sinn (oder die Funktion) eines Elements im Werk beruht auf der Möglichkeit, mit anderen Elementen dieses Werkes oder mit dem gesamten Werk in Korrelation zu treten[1]. Der Sinn der Metapher: sie setzt sich von einem anderen Bild ab oder ist um ein oder mehrere Grade intensiver. Der Sinn eines Monologs kann die Charakterisierung einer Person sein. Flaubert dachte an den Sinn von Elementen des Werkes, als er schrieb: »In meinem Buch gibt es keine isolierte zufällige Beschreibung; jede ist auf die Personen *bezogen* oder hat einen entfernten oder direkten Einfluß auf die Handlung.« Jedes Element des Werkes hat eine oder mehrere Bedeutungen (außer wenn es mangelhaft ist), die in begrenzter Zahl vorhanden sind. Jede Bedeutung kann ein für allemal aufgestellt werden.

Im Original: Les catégories du récit littéraire, *Communications*, 8, 1966, S. 125–151. Aus dem Französischen übersetzt von Irmela Rehbein. Druck mit freundlicher Erlaubnis des Autors.

Anders bei der Interpretation. Bei der Interpretation eines Werkes treten Unterschiede je nach dem Kritiker, seiner ideologischen Stellung und nach der Epoche auf. Um ein Element interpretieren zu können, schließt man das Element in ein System ein, das nicht zum Werk gehört, sondern zur Kritik. Die Interpretation einer Metapher kann z. B. eine Schlußfolgerung über den Todestrieb des Dichters sein oder darüber, ob der Dichter dieses »Element« der Natur mehr mag als ein anderes. Derselbe Monolog kann auf diese Weise als Negation der gültigen Ordnung oder als eine Infragestellung der menschlichen Natur interpretiert werden. Diese Interpretationen können gerechtfertigt werden, und sie sind in allen Variationen notwendig, aber es sind Interpretationen.

Der Gegensatz zwischen Sinn und Interpretation eines Elements des Werkes entspricht der klassischen Unterscheidung von Frage zwischen *Sinn* und *Vorstellung*. In einer Beschreibung des Werkes wird der Sinn der literarischen Elemente gesucht, die Kritiker versuchen, ihnen eine Interpretation zu geben.

Der Sinn des Werkes. Wenn die Bedeutung eines jeden Elements in der Möglichkeit besteht, sich in dem System, das das Werk ist, zu integrieren, hat das letztere dann selbst einen Sinn?

Wenn das Werk die größte literarische Einheit ist, so ist evident, daß die Frage nach dem Sinn des Werkes keinen Sinn hat. Um einen Sinn zu bekommen, muß das Werk in einem übergeordneten System eingeschlossen werden. Ist es dort nicht eingeschlossen, so hat das Werk keinen Sinn! Es tritt nur in Beziehung zu sich selbst, also ein index sui, es führt sich selbst an, ohne auf ein anderes zu verweisen.

Das Werk hat aber keine unabhängige Existenz. Es wird in eine literarische Welt schon vorhandener Werke integriert. Jedes Kunstwerk tritt in ein komplexes Beziehungsgeflecht mit Werken aus der Vergangenheit ein, die je nach Epoche andere Hierarchien bilden. Der Sinn von *Madame Bovary* liegt darin, daß der Roman gegen die romantische Literatur konzipiert wurde. Die Interpretation von *Madame Bovary* verändert sich je nach Epoche und je nach den Kritikern.

Wir versuchen hier, ein Begriffssystem vorzuschlagen, das einer Untersuchung des literarischen Diskurses dienen könnte. Wir haben auf der einen Seite Prosawerke und auf der anderen eine bestimmte Ebene im Werk ausgesucht, die vielen Werken gemein ist: die *Erzählung*. Wenn die Erzählung die meiste Zeit das dominierende Element in der Struktur des Prosawerkes ist, so ist es ebensooft nicht das einzige Element. Wir kommen bei den Werken, die wir im Einzelnen analysieren, meistens auf die *Liaisons dangereuses* zurück.

Geschichte und Diskurs. Auf der allgemeinsten Ebene hat das literarische Werk zwei Seiten: es ist zugleich Geschichte und Diskurs. Es ist Geschichte, weil es eine bestimmte Realität evoziert, Geschehnisse, die geschehen sein könnten, Personen, die von diesem Gesichtspunkt aus mit Personen des wirklichen Lebens ineinander verschwimmen. Dieselbe Geschichte hätte uns mit anderen Mitteln berichtet werden können z. B. in einem Film; sie hätte uns im mündlichen Bericht eines Zeugen, ohne daß sie zu einem Buch gemacht worden wäre, übermittelt werden können. Aber das Werk ist zugleich Diskurs; es gibt einen Erzähler, der die Geschichte berichtet, auf der anderen Seite gibt es einen Leser, der sie aufnimmt. Auf dieser Ebene zählen nicht die berichteten Geschehnisse, sondern die Weise, in der der Erzähler sie uns vermittelt. Die Begriffe Geschichte und Diskurs wurden definitorisch in die Sprachwissenschaft eingeführt in der kategorischen Formulierung von E. Benveniste.

Die russischen Formalisten haben zuerst die beiden Begriffe getrennt und haben sie »*Fabel*« (das, was sich tatsächlich abgespielt hat) und »*Sujet*« (die Weise, in der der Leser davon Kenntnis genommen hat,) genannt[2]. Aber schon Laclos hatte diese zwei Seiten des Werks geahnt; er hat zwei Einführungen geschrieben: das Vorwort des Redakteurs führt uns in die Geschichte ein, der Vorbericht des Herausgebers in den Diskurs. Schklovskij erklärte, daß die Geschichte kein künstlerisches Element sei, sondern vorliterarisches Material; einzig der Diskurs war für ihn eine ästhetische Konstruktion. Er glaubte, für die Struktur des Werkes sei bestimmend, daß die Lösung[3] vor den Knoten der Intrige gestellt wird, aber nicht, daß der Held diese Handlung anstelle einer anderen vollführt (tatsächlich untersuchten die Formalisten beides). Die beiden Aspekte, Geschichte und Diskurs, sind jedoch gleichermaßen literarisch. Die klassische Rhetorik hätte sich mit beiden beschäftigt: die Geschichte würde die *inventio*, der Diskurs die *dispositio* wieder aufnehmen.

Dreißig Jahre später wechselte derselbe Schklovskij in einem Anfall von Reue von einem Extrem zum anderen über, indem er erklärte: »Es ist unmöglich und unnötig, das Geschehen von seiner kompositionellen Anordnung zu trennen, denn es handelt sich immer um dieselbe Sache: die Erkenntnis des Phänomens.«[4] Diese Erklärung scheint uns genauso unzulänglich wie die erste: in ihr wird übergangen, daß das Werk zwei Seiten hat und nicht eine einzige. Es ist wahr, daß es nicht immer leicht ist, sie zu unterscheiden; aber wir glauben, daß um die Einheit des Werkes selbst begreifen zu können, die beiden Seiten zunächst getrennt werden müssen. Das wollen wir hier versuchen.

I. DIE ERZÄHLUNG ALS GESCHICHTE

Die Geschichte entspricht keiner idealen chronologischen Abfolge. Schon wenn es mehr als eine Person gibt, entfernt sich diese ideale Abfolge weit von einer »natürlichen« Geschichte. Soll diese Ordnung aufrechterhalten werden, so müßten wir bei jedem Satz von einer Person zur anderen springen, um zu sagen, was diese zweite Person »in der Zwischenzeit« gemacht hat. Denn die Geschichte ist selten einschichtig; sie enthält meistens mehrere »Fäden«, und erst von einem bestimmten Augenblick an laufen diese Fäden zusammen.

Die ideale chronologische Abfolge ist eher ein Vorgang der Darstellung, der in neueren Werken ausprobiert wird; wir beziehen uns nicht auf diesen Vorgang, wenn wir von Geschichte sprechen. Der Begriff der Geschichte entspricht eher einem pragmatischen Bericht von dem, was sich abgespielt hat. Die *Geschichte*[5] ist also eine Konvention, sie existiert nicht auf der Ebene der Geschehnisse selbst. Der

Bericht eines Polizeibeamten über irgendeine Sache folgt genau den Normen dieser Konvention, er stellt die Geschehnisse möglichst präzise dar (während der Autor, der daraus die Intrige seiner Erzählung macht, irgendein unwichtiges Detail mit Schweigen übergeht, um es erst am Ende hervorzuheben). Diese Konvention ist so weit verbreitet, daß die besondere Umformung, die der Autor in seiner Darstellung der Geschehnisse vornimmt, genau mit ihr konfrontiert wird, und nicht mit der chronologischen Abfolge. Die Geschichte ist eine Abstraktion, denn sie wird immer von irgend jemanden wahrgenommen und erzählt, sie existiert nicht »an sich«.

Wir werden, und darin unterscheiden wir uns nicht von der Tradition, zwei Ebenen der Geschichte unterscheiden.

a) Logik der Handlungen

Versuchen wir zunächst die Handlungen einer Erzählung allein zu betrachten, ohne auf die Beziehung einzugehen, die sie zu anderen Elementen haben. Welches Erbe hat uns hier die klassische Poetik hinterlassen?

Die Wiederholungen. Alle Erklärungen zur »Technik« der Erzählung beruhen auf einer einfachen Beobachtung: im ganzen Werk gibt es eine Tendenz zur Wiederholung in Hinsicht auf die Handlung, die Personen oder auch auf die Einzelheiten der Beschreibung. Dieses Gesetz der Wiederholung, dessen Anwendungsbereich nicht nur das literarische Werk betrifft, verdeutlicht sich in einigen Formen, die – begründet – denselben Namen tragen wie bestimmte rhetorische Figuren. Eine dieser Formen ist z. B. die *Antithese*, der Gegensatz, der, um als solcher erkannt zu werden, in beiden Gliedern einen identischen Teil voraussetzt. In den *Liaisons dangereuses* unterliegt die Abfolge der Briefe einer Kontrastierung; die verschiedenen Geschichten müssen sich abwechseln; die aufeinanderfolgenden Briefe beziehen sich nicht auf eine Person; wenn sie von einer Person geschrieben worden sind, so sind sie im Inhalt oder im Ton gegensätzlich.

Eine andere Form der Wiederholung ist die *Gradatio*. Wenn eine Beziehung zwischen zwei Personen über mehrere Seiten hin gleich bleibt, so werden ihre Briefe leicht monoton. Das ist z. B. der Fall bei den Briefen von Madame de Tourvel. Im ganzen zweiten Teil drücken ihre Briefe dasselbe Gefühl aus. Die Monotonie wird jedoch durch die Gradatio verhindert, denn jeder Brief liefert einen zusätzlichen Beweis für ihre Liebe zu Valmont, so daß das Geständnis dieser Liebe (Brief 90) wie eine logische Konsequenz aus den vorhergehenden Briefen folgt.

Die am meisten vorkommende Form des Identitätsprinzips ist der sogenannte *Parallelismus*. Jeder Parallelismus wird von wenigstens zwei Sequenzen gebildet, die ähnliche und unterschiedliche Elemente enthalten. Aufgrund der identischen Elemente werden die Unterschiede betont; wir wissen, die Funktion des Sprachsystems beruht auf seinen unterschiedlichen Elementen.

Die zwei Haupttypen des Parallelismus sind: der Typ der Intrigefäden, der die großen Einheiten der Erzählung betrifft; und der Typ der verbalen Formulierungen (die »Einzelheiten«). Hier einige Beispiele für den ersten Typus: Ein Muster stellt die Paare Valmont-Tourvel und Danceny-Cécile gegenüber. Zum Beispiel umwirbt Danceny Cécile, indem er sie um Erlaubnis bittet, ihr schreiben zu dürfen; Valmont wirbt in derselben Weise. Andererseits versagt Cécile Danceny die Erlaubnis, ihr zu schreiben, ebenso wie es Tourvel gegenüber Valmont tut. Jeder Beteiligte wird mit Hilfe dieses Vergleichs deutlicher charakterisiert: die Gefühle von Tourvel stehen im Gegensatz zu denen von Cécile, ebenso verhält es sich bei Valmont und Danceny.

Das andere Muster für den Parallelismus betrifft die Paare Valmont-Cécile und Merteuil-Danceny; es dient weniger der Charakterisierung der Helden als der Komposition des Buches, denn sonst würde Merteuil ohne wichtige Beziehung zu den anderen Personen bleiben. Einer der seltenen Fehler in der Komposition des Werkes ist die schwache Integration der Mme de Merteuil in das Beziehungsgeflecht der Personen untereinander; dadurch haben wir nicht genug Beweise für ihren weiblichen Charme, der indessen eine so große Rolle in der »Lösung« spielt (weder Belleroche noch Prévan sind im Roman direkt anwesend).

Der zweite Typus des Parallelismus beruht auf der Ähnlichkeit von sprachlichen Formulierung, die unter identischen Umständen geäußert werden. Zum Beispiel hier, als Cécile einen ihrer Briefe beendet: »Il faut que je finisse car il est près d'une heure; ainsi M. de Valmont ne doit pas tarder« (Brief 109)[6]. Mme de Tourvel schließt ihren Brief auf ähnliche Weise: »Je voudrais en vain vous écrire plus longtemps; voici l'heure où il (Valmont) a promis de venir, et tout autre idée m'abandonne«[7] (Brief 132). Hier betonen ähnliche Formulierungen und Situationen (zwei Frauen erwarten ihren Liebhaber, dieselbe Person) den Unterschied in den Gefühlen der beiden Mätressen von Valmont und stellen eine indirekte Anklage gegen ihn dar.

Man könnte uns hier vorwerfen, daß eine solche Ähnlichkeit Gefahr läuft, unerkannt zu bleiben, da die beiden Abschnitte manchmal Dutzende oder sogar Hunderte von Seiten voneinander getrennt sind. Aber ein solcher Vorwurf betrifft nur eine Untersuchung, die sich auf die Ebene der Wahrnehmung stellt, während wir uns ständig auf die Ebene des Werkes stellen. Es ist gefährlich, das Werk mit seiner Wahrnehmung durch ein Individuum gleichzusetzen, die gute Leseweise ist nicht die des »durchschnittlichen Lesers«, sondern die bestmögliche Leseweise.

Solche Bemerkungen über die Wiederholungen sind der klassischen Poetik geläufig. Aber dieses abstrakte Gitterwerk ist in vielen Werken zu finden und kann schwerlich einen Typus von Erzählung genauer als einen anderen charakterisieren. Auf der anderen Seite ist dieser Zugang zu »formalistisch«: er befaßt sich allein mit einem formalen Bezug zwischen den verschiedenen Handlungen, ohne im geringsten auf die Natur dieser Handlungen einzugehen. Tatsächlich besteht keine Alternative zwischen einer Untersuchung der »Beziehungen« und einer Untersuchung der »Inhalte«, sondern eine zwischen zwei Abstraktionsebenen, wobei die erste sich als zu hoch erweist.

Es gibt einen anderen Versuch, die Logik der Handlungen zu beschreiben; auch hier werden die Beziehungen, die sich bilden, untersucht; aber er ist spezifischer, und die Handlungen werden dabei näher charakterisiert.

Wir denken an die Untersuchung der Volkserzählung und des Mythos. Die Relevanz dieser Analysen für die Untersuchung der literarischen Erzählung ist größer als man gewöhnlich glaubt.

Die strukturale Untersuchung der Folklore gibt es noch nicht lange, und z. Z. gibt es keine Übereinstimmung darüber, wie man fortfahren könnte, eine Erzählung zu analysieren. Die jüngsten Forschungen werden den mehr oder weniger großen Wert der bestehenden Modelle beweisen. Wir werden uns hier anstelle einer Erläuterung auf die Anwendung zweier verschiedener Modelle auf die zentrale Geschichte der *Liaisons dangereuses* beschränken, um die Möglichkeiten der Methode zu erörtern.

Das triadische Modell. Die erste Methode, die wir auslegen, ist eine Vereinfachung der Konzeption von Cl. Bremond[8]. Nach dieser Konzeption wird die gesamte Erzählung durch die Verkettung und Verschachtelung von Mikroerzählungen gebildet. Jede Mikroerzählung wird aus drei (oder manchmal zwei) Elementen zusammengesetzt, die obligatorisch vorhanden sein müssen. Alle Erzählungen der Welt würden nach dieser Konzeption von verschiedenen Kombinationen zwischen einem Dutzend von Mikroerzählungen mit fester Struktur gebildet, die einer kleinen Zahl von wesentlichen Situationen im Leben entsprechen würden; man könnte sie mit Worten wie »Betrug«, »Vertrag«, »Schutz« usw. bezeichnen.

So kann die Geschichte der Beziehungen zwischen Valmont und Tourvel wie folgt dargestellt werden (vgl. nebenstehendes Schema):

Die Handlungen, die jede Triade bilden, sind vergleichsweise homogen und lassen sich leicht von den anderen trennen. Man stellt drei Typen von Triaden fest: der erste betrifft den mißlungenen oder gelungenen Versuch, ein Projekt zu realisieren (die Triaden links), der zweite einen »Anspruch«, der dritte eine Gefahr.

Das homologe Modell. Bevor wir irgendeinen Schluß aus dieser ersten Analyse ziehen, gehen wir zu einer zweiten über, die ebenfalls auf den gängigen Methoden der Folkloreanalyse und besonders der Mythenanalyse gründet. Dieses Modell kann nicht Lévi-Strauss zugeschrieben werden, denn er hat zwar ein erstes Bild davon gegeben, aber für die vereinfachte Formel, die wir hier vorlegen, kann er nicht verantwortlich gemacht werden. Wenn man ihr folgt, so nimmt man an, daß die Erzählung die syntagmatische Projektion eines Netzes von paradigmatischen Beziehungen ist. In der ganzen Erzählung besteht also eine Abhängigkeit zwischen bestimmten Elementen, die im Ablauf wiederkehren. Diese Abhängigkeit ist in den meisten Fällen eine »Homologie«, d. h. eine proportionale Relation mit vier Gliedern (A : B : : a : b). Die Reihenfolge kann auch umgekehrt werden: die Geschehnisse, die aufeinanderfolgen, werden auf verschiedene Weise angeordnet, um von den sich bildenden Beziehungen aus die dargestellte Welt in ihrer Struktur zu entdecken. Wir werden hier von der zweiten Art ausgehen, und mangels einer schon aufgestellten Regel begnügen wir uns mit einem direkten und einfachen Ablauf.

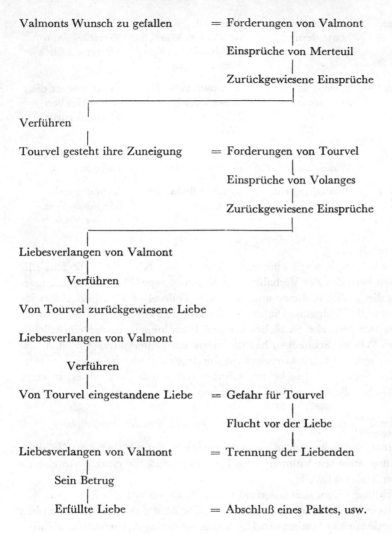

Valmonts Wunsch zu gefallen = Forderungen von Valmont

Einsprüche von Merteuil

Zurückgewiesene Einsprüche

Verführen

Tourvel gesteht ihre Zuneigung = Forderungen von Tourvel

Einsprüche von Volanges

Zurückgewiesene Einsprüche

Liebesverlangen von Valmont

Verführen

Von Tourvel zurückgewiesene Liebe

Liebesverlangen von Valmont

Verführen

Von Tourvel eingestandene Liebe = Gefahr für Tourvel

Flucht vor der Liebe

Liebesverlangen von Valmont = Trennung der Liebenden

Sein Betrug

Erfüllte Liebe = Abschluß eines Paktes, usw.

Die Sätze, die wir in der folgenden Tabelle eingetragen haben, fassen denselben Faden der Intrige zusammen, die Beziehungen Valmont-Tourvel bis zum »Sturz« von Tourvel. Dieser Faden kann in den horizontalen Linien verfolgt werden, die den syntagmatischen Aspekt der Erzählung darstellen. Der Vergleich der untereinanderstehenden Sätze (in derselben Kolonne, das vermutete Paradigma) führt zu dem gemeinsamen Nenner.

Valmont möchte gefallen	Tourvel läßt sich bewundern	Merteuil versucht, dem ersten Wunsch Hindernisse in den Weg zu legen	Valmont weist die Ratschläge von Merteuil zurück
Valmont *versucht* zu verführen	Tourvel gesteht ihm ihre Zu-neigung	Volanges versucht, dieser Zuneigung Hindernisse in den Weg zu legen	Tourvel weist die Ratschläge von Merteuil zurück
Valmont *gesteht* seine Liebe	Tourvel leistet Widerstand	Valmont verfolgt sie hartnäckig	Tourvel weist die Liebe zurück
Valmont *versucht* erneut zu ver-führen	Tourvel gesteht ihm ihre Liebe	Tourvel flieht vor der Liebe	Valmont weist scheinbar diese Liebe zurück

Die Liebe ist erfüllt ...

Versuchen wir jetzt, den gemeinsamen Nenner jeder Kolonne zu finden. Alle Sätze der ersten betreffen das Verhalten von Valmont gegenüber Tourvel. Umgekehrt betrifft die zweite Kolonne ausschließlich Tourvel und charakterisiert ihr Verhalten gegenüber Valmont. Die dritte Kolonne hat kein Subjekt als gemeinsamen Nenner, sondern alle Sätze beschreiben Handlungen, in der eigentlichen Bedeutung des Wortes. Schließlich hat die vierte ein gemeinsames Prädikat, das Von-Sich-Schieben, die Zurückweisung (in der letzten Reihe ist es ein vorgegebenes Von-Sich-Schieben). Die beiden Glieder von jedem Paar stehen in einer quasi antithetischen Beziehung, und wir können den Satz aufstellen:

Valmont: Tourvel: : die Handlungen: das Zurückweisen der Handlungen

Diese Darstellung scheint uns um so mehr gerechtfertigt, als sie genau die allgemeine Beziehung zwischen Valmont und Tourvel angibt, die einzige abweisende Handlung von Tourvel usw.

Mehrere Schlüsse bieten sich aufgrund dieser Analysen an:

1. Es scheint evident, daß in einer Erzählung der Ablauf der Handlungen nicht zufällig ist, sondern einer bestimmten Logik gehorcht. Das Auftreten eines Vorhabens bewirkt das Auftreten eines Hindernisses, die Gefahr bewirkt den Widerstand oder eine Flucht usw. Es ist sehr wahrscheinlich, daß diese Grundschemata in einer begrenzten Zahl vorhanden sind und daß die Intrige jeder Erzählung als eine Ableitung daraus dargestellt werden kann. Wir sind nicht sicher, ob der eine Aufriß dem anderen vorgezogen werden muß, und wir wollen es hier nicht anhand eines Beispiels entscheiden. Die Untersuchungen, die von den Folklorespezialisten gemacht wurden[9], werden zeigen, welche die geeignetste für eine Analyse der einfachen Formen der Erzählung ist.

Die Kenntnis dieser Techniken und der daraus gewonnenen Resultate ist notwendig für das Verständnis des Werkes. Die Erkenntnis, daß jeder Handlungsablauf

auf dieser Logik aufbaut, verhindert, daß wir eine andere Rechtfertigung im Werk suchen. Selbst wenn ein Autor sich nicht an diese Logik hält, müssen wir sie kennen: die Abweichung erhält ihre ganze Bedeutung aus der Beziehung zur Norm, die diese Logik aufstellt.

2. Die Tatsache, daß wir je nach dem gewählten Modell ein anderes Ergebnis für dieselbe Erzählung erhalten, ist ein wenig beunruhigend. Sie rührt einerseits daher, daß dieselbe Erzählung mehrere Strukturen haben kann, und uns die infragekommenden Techniken kein Kriterium bieten, eine davon auszuwählen. Andererseits haben wir bestimmte Teile der Erzählung in beiden Modellen in verschiedenen Sätzen dargestellt, wir haben uns jedoch in jedem Fall an die Geschichte gehalten. Diese Schmiedbarkeit der Geschichte warnt uns vor einer Gefahr: wenn die Geschichte dieselbe bleibt bei Abänderung bestimmter Teile, so heißt das, daß dies keine echten Teile sind. Die Tatsache, daß an derselben Stelle der Kette einmal »Forderungen von Valmont« erscheint und ein anderesmal »Tourvel läßt sich bewundern«, weist uns auf eine gefährliche Grenze zum Zufälligen hin und zeigt, daß wir uns des Wertes der gewonnenen Resultate nicht sicher sein können.

3. Ein Fehler unserer Darstellung rührt von der Beschaffenheit des gewählten Beispiels her. Wenn die Handlungen auf diese Weise untersucht werden, so werden sie als unabhängiges Element des Werkes hingestellt; dadurch verstellen wir die Möglichkeit, die Handlungen mit den Personen zu verbinden. Die *Liaisons dangereuses* gehören einem Erzähltypus an, den man den »psychologischen« nennen kann, in dem diese beiden Elemente eng miteinander verbunden sind. Bei einer Volkserzählung oder bei den Novellen von Bocaccio ist das nicht der Fall, dort ist die Person meistenteils nur ein Name, der eine Verknüpfung der verschiedenen Handlungen ermöglicht (hier findet sich das geeignete Feld für die Anwendung der Methoden, die für eine Studie über die Logik der Handlungen bestimmt sind). Wir werden weiter unten sehen, wie es möglich ist, die angeführten Techniken hier auf Erzählungen des Typus der *Liaisons dangereuses* anzuwenden.

b) Die Personen und ihre Beziehungen

»Der Held ist nicht mehr nötig für die Geschichte. Die Geschichte als Motivsystem kann einen Helden und seine charakteristischen Züge entbehren,« schreibt Tomachevski (TL, S. 296). Diese Aussage bezieht sich indessen eher auf anekdotische Geschichten oder eher auf Renaissance-Novellen als auf die klassische westliche Literatur von *Don Quichotte* bis *Ulysses*. In dieser Literatur scheint die Person eine wesentliche Rolle zu spielen, und von ihr aus werden die anderen Elemente der Erzählung eingeordnet. Anders in einigen Richtungen der modernen Literatur, in denen die Person wieder eine sekundäre Rolle einnimmt.

Die Untersuchung über die Stellung der Person in der Erzählung stellt vielfältige Probleme, die noch nicht gelöst sind. Wir beschränken uns auf einen Personentypus, der verhältnismäßig gut untersucht worden ist, den Typus, der völlig durch seine Beziehungen zu anderen Personen bestimmt wird. Aufgrund der Tatsache, daß die Bedeutung jedes Elements im Werk gleich der Gesamtheit seiner Beziehungen mit anderen Elementen ist, darf indessen nicht angenommen werden, daß jede Person völlig durch ihre Beziehungen zu anderen Personen bestimmt wird. Dies gilt dennoch für einen Teil der Literatur und besonders für das Drama. Aus dem Drama hat E. Souriau ein erstes Modell für die Beziehungen zwischen den Personen gewonnen; wir werden es in der Form anwenden, die ihm A.-J. Greimas gegeben hat. Der Briefroman *Liaisons dangereuses* ähnelt in vielen Punkten dem Drama und darum ist dieses Modell für ihn annehmbar.

Grundprädikate. Auf den ersten Blick können diese Beziehungen wegen der großen Personenzahl zu vielfältig erscheinen; es ist jedoch leicht, sie auf drei Elemente zu reduzieren: Verlangen, Kommunikation und Anteilnahme. Fangen wir mit dem *Verlangen* an, das bei fast allen Personen bezeugt wird. In der verbreitetsten Form, die man als die »Liebe« bezeichnen könnte, findet es sich bei Valmont (gegenüber Tourvel, Cécile, Merteuil, der Vicomtesse, Emilie), bei Merteuil (gegenüber Belleroche, Prévan, Danceny), bei Tourvel, Cécile und Danceny. Die zweite weniger sichtbare aber genauso wichtige Form ist die *Kommunikation*, die sich in der »vertraulichen Mitteilung« realisiert. Diese Beziehung rechtfertigt die freimütigen, offenen, informationsreichen Briefe, wie sie zwischen Vertrauten üblich sind. Im größten Teil des Buches sind Valmont und Merteuil auf diese Weise Vertraute. Tourvel hat als Vertraute Mme de Rosemonde; Cécile zunächst Sophie, dann Merteuil. Danceny vertraut sich Merteuil und Valmont an, Volanges Merteuil usw. Ein dritter Beziehungstypus kann *Anteilnahme* genannt werden, die sich in der »Hilfe« darstellt. Zum Beispiel hilft Valmont Merteuil bei seinem Vorhaben; Merteuil hilft zunächst dem Paar Danceny-Cécile, später Valmont in seinem Verhältnis zu Cécile. Danceny hilft ihm ebenso, obwohl ungewollt. Diese dritte Beziehung ist weit weniger oft vorhanden, sie tritt als eine der Achse des Verlangens untergeordnete Achse auf.

Diese drei Beziehungen sind so weit verbreitet, daß sie schon A.-J. Greimas in seiner Formulierung dieses Modells aufgenommen hat. Wir wollen jedoch nicht behaupten, daß man alle menschlichen Beziehungen in allen Erzählungen auf diese drei beschränken soll. Das wäre eine übertriebene Reduzierung, die uns daran hindern würde, einen Erzähltypus durch diese drei Beziehungen genau zu charakterisieren. Wir glauben vielmehr, daß die Beziehungen zwischen den Personen in jeder Erzählung auf eine kleine Zahl reduziert werden können und daß das Beziehungsgeflecht eine fundamentale Rolle in der Struktur des Werkes spielt. Danach rechtfertigt sich unser Vorgehen.

Wir verfügen also über drei Prädikate, die die Grundbeziehungen kennzeichnen. Alle anderen Beziehungen können von diesen dreien abgeleitet werden mit Hilfe von zwei *Ableitungsregeln*. Eine Ableitungsregel formalisiert die Beziehung zwischen Grundprädikat und abgeleitetem Prädikat. Wir ziehen diese Art der Darstellung der einfachen Aufzählung von Beziehungen zwischen Prädikaten vor, weil sie logisch einfacher ist und andererseits genauen Aufschluß über die sich im Laufe der Erzählung vollziehenden Veränderungen der Gefühle gibt.

Die Oppositionsregel. Wir nennen die erste Regel, für die Beispiele häufig sind,

Oppositionsregel. Jedes der drei Prädikate hat ein entgegengesetztes Prädikat (dieser Begriff ist enger gefaßt als der Begriff der Negation). Entgegengesetzte Prädikate finden sich seltener als ihre positiven Korrelate – erklärbar durch die Tatsache, daß die Existenz eines Briefes schon ein Zeichen einer freundschaftlichen Beziehung ist. So bildet der Gegensatz zur Liebe, der Haß, eher ein virtuelles Element als eine explizite Beziehung. Der Haß zeigt sich bei der Marquise in der Beziehung zu Gercourt, bei Valmont in der Beziehung zu Mme de Volanges, bei Danceny in der Beziehung zu Valmont. Der Haß bleibt immer Beweggrund, er wird nie in die Tat umgesetzt.

In der Beziehung, die der Vertrautenbeziehung entgegengesetzt ist, wird ein Geheimnis preisgegeben, ausposaunt; diese Beziehung ist häufiger, bleibt aber auch implizit. Die Erzählung über Prévan z. B. beruht völlig auf dem Recht, das Ereignis als erster zu erzählen. Ebenso wird der Knoten der Haupthandlung durch eine ähnliche Handlung gelöst: Valmont, dann Danceny veröffentlichen die Briefe der Marquise, und das ist für sie die schwerste Bestrafung. Dieses Prädikat ist häufiger vorhanden als man denkt, obwohl es verborgen bleibt: die Angst, von den Leuten erkannt zu werden, bestimmt einen großen Teil der Handlungen bei fast allen Personen. Angesichts dieser Gefahr gibt z. B. Cécile den Werbungen von Valmont nach. Unter diesem Motto stand auch größtenteils die Erziehung von Mme de Merteuil. Zu diesem Zweck versuchen auch Valmont und Merteuil ständig, sich kompromittierender Briefe (von Cécile) zu bemächtigen; es ist das beste Mittel, um Gercourt zu schaden. Bei Mme de Tourvel erfährt dieses Prädikat eine persönliche Abwandlung, bei ihr ist die Angst vor der Meinung der anderen verinnerlicht und zeigt sich darin, daß sie ihrem Gewissen eine große Bedeutung zumißt. Sie bedauert z. B. am Ende des Buches kurz vor ihrem Tod nicht die verflossene Liebe, sondern die Übertretung der Gewissensgesetze, die letztlich die der öffentlichen Meinung, die der anderen sind: »Enfin en me parlant de la façon cruelle dont elle avait été sacrifiée, elle ajouta: Je me croyais bien sûre d'en mourir, et j'en avais le courage; mais de survivre à mon malheur et à ma honte, c'est ce qui m'est impossible.«[10] (Brief 149)

Schließlich besteht das Gegenteil der Hilfe darin, Hindernisse aufzubauen, sich zu widersetzen. So widersetzt sich Valmont den Verbindungen Merteuil – Prévan, Danceny – Cécile, Mme de Volanges widersetzt sich denselben.

Die Passivregel. Die Ergebnisse der zweiten Ableitung aus den drei Grundprädikaten kommen weniger vor; sie entsprechen dem Übergang vom Aktiv zum Passiv, wir können diese Regel *Passivregel* nennen. Zum Beispiel begehrt Valmont Tourvel, aber er wird auch von ihr begehrt; er haßt Volanges und wird von Danceny gehaßt; er vertraut sich Merteuil an und ist selber der Vertraute von Danceny; er macht sein Abenteuer mit der Vicomtesse publik, aber Volanges prangert seine eigenen Handlungen an; er hilft Danceny und zugleich hilft dieser ihm, Cécile zu erobern; er widersetzt sich bestimmten Handlungen von Merteuil und unterliegt zugleich dem Widerstand von Volanges und Merteuil. Mit anderen Worten, jede Handlung hat ein Subjekt und ein Objekt, aber im Gegensatz zu der linguistischen

Transformation Aktiv-Passiv, verändern wir hier nicht ihre Stellung: nur das Verb geht ins Passiv über. Wir behandeln also diese Verben wie transitive Verben.

Wir sind auf zwölf verschiedene Beziehungen gekommen, die wir mithilfe der drei Basisprädikate und der zwei Ableitungsregeln beschrieben haben. Diese zwei Regeln haben nicht genau dieselbe Funktion: die Oppositionsregel dient dazu, einen Satz zu bilden, der nicht anders ausgedrückt werden kann (z. B. *Merteuil schadet Valmont* aus: *Merteuil hilft Valmont*); die Passivregel dient dazu, die Verwandtschaft der beiden schon existierenden Sätze zu zeigen (z. B. *Valmont hilft Tourvel* und *Tourvel hilft Valmont*: dieser letzte wird dank unserer Regel wie eine Ableitung aus der ersten in der Form *Valmont wird von Tourvel geliebt* dargestellt).

Das Sein und der Schein. Diese Beschreibung abstrahiert davon, daß die Beziehungen von einer Person hergestellt werden. Wenn wir sie unter diesem Gesichtspunkt betrachten, werden wir sehen, daß in den aufgezählten Beziehungen eine andere Unterscheidung vorhanden ist. Jede Handlung kann zunächst als Handlung aus Liebe, Vertrauen usw. auftreten, aber sie kann sich dann als ganz andere Beziehung erweisen, die dem Haß, dem Widerspruch usw. entspringt. Der Schein fällt nicht notwendigerweise mit der Substanz der Beziehung zusammen, auch wenn es sich um dieselbe Person und denselben Augenblick handelt. Wir können also die Existenz von zwei Bezugsebenen annehmen, die des Seins und die des Scheins. (Vergessen wir dabei nicht, daß die Begriffe die Wahrnehmung der Personen und nicht die unsrige betreffen.) Die Existenz dieser zwei Ebenen ist Merteuil und Valmont bewußt und sie benutzen die Verstellung, um an ihr Ziel zu kommen. Merteuil ist scheinbar die Vertraute von Mme de Volanges und von Cécile, aber in Wirklichkeit benutzt sie beide, um sich an Gercourt zu rächen. Valmont verhält sich Danceny gegenüber genauso.

Die anderen Personen zeigen auch diese Doppelbödigkeit in ihren Beziehungen; sie erklärt sich hier nicht durch die Verstellung, sondern durch die Unehrlichkeit oder Naivität. Zum Beispiel liebt Tourvel Valmont, aber sie wagt nicht, sich diese Liebe einzugestehen, und versteckt sie hinter dem äußeren Schein des Vertrauens. Das gilt auch für Cécile und Danceny (in seinen Beziehungen zu Merteuil). Wir können also ein weiteres Prädikat feststellen, das bei der Gruppe von »Opfern« auftaucht und das auf einer sekundären Ebene in Beziehung zu einer anderen steht: es handelt sich um das *Bewußtwerden*, um das *Erkennen*. Damit wird die Handlung bezeichnet, die ausgeführt wird, wenn sich eine Person Rechenschaft darüber ablegt, daß die Beziehung, die sie zu einer anderen Person hat, nicht die ist, die sie zu haben glaubt.

Die individuellen Transformationen. Wir haben mit demselben Namen Gefühle benannt – z. B. »Liebe« oder »Vertrauen« –, die von verschiedenen Personen empfunden werden und die oft einen unterschiedlichen Inhalt haben. Um die Nuancen zu finden, können wir den Begriff der *individuellen Transformation* einer Beziehung einführen. Wir haben bereits die Transformation aufgezeigt, der die Angst vor Anprangerung bei Mme de Tourvel unterliegt. Ein anderes Beispiel wird uns gegeben, als sich die Liebe von Merteuil und Valmont erfüllt. Diese Personen haben vorher das

Gefühl der Liebe zerlegt, könnte man sagen, und sie haben das Verlangen nach Besitz und zugleich Unterwerfung unter das geliebte Objekt entdeckt; und sie haben davon nur die erste Hälfte, das Verlangen nach Besitz behalten. Wenn dieses Verlangen einmal befriedigt ist, wird es durch Gleichgültigkeit ersetzt. So verhält sich Valmont gegenüber all seinen Geliebten, ebenso verhält sich auch Merteuil.

Ziehen wir daraus einen raschen Schluß. Um die Welt der Personen zu beschreiben, benötigen wir offensichtlich drei Begriffe: Zunächst die *Prädikate*, ein funktioneller Begriff, z. B. »lieben«, »sich vertrauen« usw. Auf der anderen Seite die Personen: Valmont, Merteuil usw. Diese können zwei Funktionen haben. Sie können sowohl Subjekte als auch Objekte der Handlungen sein, die durch die Prädikate beschrieben werden. Wir werden den generischen Begriff des *Agenten* verwenden, um zugleich das Subjekt und das Objekt der Handlung zu bezeichnen. Im Werk sind die Agenten und die Prädikate feste Einheiten, verändern tun sich die Kombinationen der beiden Gruppen. Der dritte Begriff ist schließlich der der *Ableitungsregeln:* diese beschreiben die Beziehungen zwischen den verschiedenen Prädikaten. Aber die Beschreibung, die wir mit Hilfe dieser Begriffe machen können, bleibt rein statisch; um die Bewegung dieser Beziehungen und damit die Bewegung der Erzählung zu beschreiben, werden wir eine neue Reihe von Regeln einführen, die wir, um sie von den Ableitungsregeln abzusetzen, *Aktionsregeln* nennen werden.

Aktionsregeln. Diese Regeln haben die Agenten und die Prädikate zum Ausgangspunkt, von denen wir gesprochen haben und die sich schon in einer bestimmten Beziehung befinden; sie werden als Endresultat die neuen Beziehungen, die sich zwischen den Agenten bilden sollen, vorschreiben. Um diesen neuen Begriff zu verdeutlichen, werden wir einige der Regeln formulieren, die die *Liaisons dangereuses* regieren.

Die ersten Regeln werden die *Verlangens*achse betreffen.

R 1. Es seien A und B, zwei Agenten, und es sei, daß A B liebt. Also handelt A so, daß die Passiv-Transformation dieses Prädikats (d. h. der Satz »A wird von B geliebt«) auch Wirklichkeit wird.

Die erste Regel soll die Handlungen der Personen, die verliebt sind oder vorgeben, es zu sein, abbilden. So versucht der in Tourvel verliebte Valmont alles, damit Tourvel sich in ihn verliebt. Danceny, verliebt in Cécile, verfährt auf dieselbe Weise; ebenso wie Merteuil oder Cécile.

Wir erinnern daran, daß wir in der vorhergehenden Diskussion eine Unterscheidung zwischen dem wahrnehmbaren Gefühl und dem wahren Gefühl, das eine Person für eine andere empfindet, zwischen dem Schein und dem Sein eingeführt haben. Wir benötigen diese Unterscheidung, um unsere nächste Regel zu formulieren.

R 2. Es seien A und B, zwei Agenten, und es sei, daß A B auf der Ebene des Seins liebt, aber nicht auf der Ebene des Scheins. Wenn A sich der Ebene des Seins bewußt wird, handelt A gegen diese Liebe.

Ein Beispiel für die Anwendung dieser Regel wird uns im Benehmen von Mme de Tourvel gegeben, als sie sich eingesteht, daß sie Valmont liebt; sie verläßt sofort das

Schloß und verhindert so selbst die Erfüllung der Liebe. Das gilt auch für Danceny, als er glaubt, daß er nur ein Vertrauter von Merteuil ist; indem Valmont ihn darauf hinweist, daß er für Merteuil dieselbe Liebe wie für Cécile empfindet, treibt er ihn dazu, dieser neuen Liebschaft zu entsagen. Wir haben bereits festgestellt, daß die »Entdeckung«, die mit dieser Regel vermutet wird, nur bei einer Personengruppe vorkommt, die man die »Schwachen« nennen kann. Valmont und Merteuil, die nicht zu dieser Gruppe gehören, haben nicht die Möglichkeit, sich eines Unterschiedes zwischen den beiden Ebenen »bewußt zu werden«, denn sie haben dieses Bewußtsein niemals verloren.

Gehen wir jetzt zu den Beziehungen über, die wir mit dem generischen Namen der *Anteilnahme* bezeichnet haben. Wir formulieren dazu die folgende Regel:

R 3. Es seien A und B und C, drei Agenten, und es sei, daß A und B eine bestimmte Beziehung zu C haben. Wenn A sich bewußt wird, daß die Beziehung B — C identisch mit der Beziehung A — C ist, handelt A gegen B.

Bemerken wir zunächst, daß diese Regel keine Handlung wiedergibt, die »von selbst kommt«. A hätte gegen C handeln können. Wir können mehrere Erklärungen zu dieser Regel geben. Danceny liebt Cécile und glaubt, daß Valmont ihr Vertrauter ist; sobald er begreift, daß es sich tatsächlich um Liebe handelt, wendet er sich gegen Valmont. Er fordert ihn zum Duell heraus. Ebenso glaubt Valmont, daß er der Vertraute von Merteuil ist, und er weiß nicht, daß Danceny dieselbe Beziehung hat; als er es dann erfährt, handelt er gegen Danceny (mit Hilfe von Cécile). Merteuil handelt bewußt nach dieser Regel, als sie Valmont beeinflussen will: sie schreibt ihm zu diesem Zweck einen Brief, in dem sie ihm zeigt, daß sich Belleroche bestimmter Vorteile bemächtigt hat, von denen Valmont glaubte, daß er sie allein besäße. Die Reaktion erfolgt prompt.

Viele Widerstandshandlungen ebenso wie Hilfeleistungen können sich nicht mit dieser Regel erklären lassen. Aber wenn wir diese Handlungen von nahem betrachten, werden wir bemerken, daß sie jedesmal die Konsequenz aus einer anderen Handlung sind, die aus der ersten Beziehungsgruppe, um das Verlangen herum gebildet, entsteht. Wenn Merteuil Danceny hilft, Cécile zu erobern, so geschieht es, weil sie Gercourt haßt und weil sie hier eine Gelegenheit hat, sich an ihm zu rächen; aus denselben Gründen hilft sie Valmont bei seinem Werben um Cécile. Wenn Valmont Danceny daran hindert, Mme de Merteuil zu umwerben, so geschieht es, weil Valmont sie auch begehrt. Schließlich hilft Danceny Valmont, sich mit Cécile zu befreunden, weil er glaubt, sich auf diese Weise Cécile nähern zu können, in die er verliebt ist usw. Man stellt gleicherweise fest, daß diese Handlungen der »Anteilnahme« bei den »starken« Personen (Valmont und Merteuil) bewußt sind, während sie bei den »schwachen« unbewußt (und ungewollt) bleiben.

Gehen wir jetzt zu der letzten Beziehungsgruppe über, auf die wir schon hingewiesen haben: die der *Kommunikation.* Hier ist also unsere vierte Regel:

R 4. Es seien A und B, zwei Agenten, und B sei der Vertraute von A. Wenn A der Agent eines Satzes wird, der von R 1 gebildet wird, wechselt er den Vertrauten (das Fehlen des Vertrauten wird als ein Grenzfall des Vertrauens angesehen).

Um R4 zu erläutern, können wir darauf hinweisen, daß Cécile ihre Vertraute wechselt (Mme de Merteuil anstelle von Sophie), sobald ihre Beziehung zu Valmont beginnt; ebenso nimmt Tourvel, als sie sich in Valmont verliebt, Mme de Rosemonde zur Vertrauten; aus demselben Grund, hier nur schwächer, hat sie aufgehört, sich Mme de Volanges anzuvertrauen. Die Liebe zu Cécile bringt Danceny dazu, sich Valmont anzuvertrauen; seine Beziehung zu Merteuil setzt diesem Verhältnis ein Ende. Diese Regel schränkt besonders Valmont und Merteuil stark ein, denn diese beiden Personen können sich nur gegenseitig anvertrauen. Jede Veränderung des Vertrauten bedeutet das Ende des Sich-Anvertrauens überhaupt. So hört Merteuil auf, sich anzuvertrauen, als Valmont in seinem Liebesverlangen zu fordernd wird. Ebenso verliert Valmont jedes Vertrauen, als Merteuil ihre eigenen Wünsche, die anders als seine eigenen sind, sehen läßt. Das Merteuil im letzten Teil bewegende Gefühl ist das Verlangen nach Besitz.

Wir schließen hier die Aufzählung der Regeln ab, die die Erzählung unseres Romans hervorbringen sollen, um einige Bemerkungen zu formulieren.

1. Verdeutlichen wir zunächst die Tragweite dieser *Handlungsregeln*. Sie spiegeln die Gesetze wider, die das Leben einer Gesellschaft bestimmen und zwar die der Personen in unserem Roman. Die Tatsache, daß es sich hier um vorgestellte und nicht um reale Personen handelt, taucht in der Formulierung nicht auf: mit ähnlichen Regeln könnte man die Gewohnheiten und die Gesetze, die irgendeiner homogenen Personengruppe innewohnen, beschreiben. Die Personen selbst können sich dieser Regeln bewußt sein; wir befinden uns also auf der Ebene der Geschichte und nicht der des Diskurses. Die formulierten Regeln entsprechen in groben Zügen der Erzählung, ohne genau anzugeben, wie jede in den Regeln beschriebene Handlung realisiert wird. Die Ausfüllung des Schemas kann, glauben wir, mit Hilfe von Techniken beschrieben werden, die von dieser »Handlungslogik« Rechenschaft ablegen, von der wir zuvor gesprochen haben.

Man kann an anderer Stelle bemerken, daß diese Regeln inhaltlich nicht merklich von den Bemerkungen abweichen, die schon über die *Liaisons dangereuses* gemacht worden sind. Das veranlaßt uns, das Problem des Aufklärungswertes unserer Darstellung anzusprechen; es ist offensichtlich, daß eine Beschreibung, die uns nicht zugleich einen Zugang zu den intuitiven Interpretationen, die wir der Erzählung geben, ermöglicht, ihr Ziel verfehlt. Es genügt, unsere Regeln in eine allgemeine Sprache zu übersetzen, um die Ähnlichkeit mit den Urteilen zu sehen, die über die Ethik der *Liaisons dangereuses* gefällt worden sind. Zum Beispiel wurde die erste Regel, die das Verlangen wiedergibt, seinen Willen einem anderen aufzuzwingen, von fast allen Kritikern aufgestellt, die das Verlangen als »Willen zur Macht« oder »Mythologie der Intelligenz« interpretiert haben. Außerdem erscheint uns die Tatsache, daß die Begriffe, die wir bei den Regeln benutzt haben, eng an die Ethik gebunden sind, höchst bedeutungsvoll: man kann sich leicht eine Erzählung vorstellen, in der die Regeln sozialer oder formaler Natur usw. wären.

2. Die Form, die wir diesen Regeln gegeben haben, fordert eine besondere Erklärung. Man könnte uns leicht vorwerfen, daß wir Banalitäten in pseudowissen-

schaftliche Formulierung bringen. Warum sagen: »A handelt so, daß sich die Passivtransformation dieses Prädikats auch verwirklicht« anstelle von: »Valmont zwingt Tourvel seinen Willen auf«? Wir glauben jedoch, daß der Wunsch, unsere Behauptungen präzise und deutlich zu formulieren, an sich kein Fehler sein kann; und wir werfen uns eher vor, daß sie nicht immer präzise genug sind. Die Geschichte der Literaturkritik wimmelt von Beispielen mit oft verführerischen Behauptungen, die aber aufgrund von terminologischer Ungenauigkeit die Untersuchung in Sackgassen geführt haben. Die Form der »Regel«, die wir unseren Ergebnissen gegeben haben, gestattet eine Anwendung, wenn man nacheinander die Peripetien der Erzählung hervorbringt.

Auf der anderen Seite kann nur die Präzision, die in Formulierungen erreicht wurde, einen gültigen Vergleich der Gesetze gestatten, die die Welt verschiedener Bücher bestimmen. Nehmen wir ein Beispiel: in seinen Untersuchungen über die Erzählung hat Schklovkij die Regel formuliert, die nach seiner Meinung gestattet, über die Bewegung der menschlichen Beziehungen bei Boiardo *(Roland amoureux)* und bei Puschkin *(Eugen Onegin)* auszusagen: »Wenn A B liebt, liebt B A nicht. Wenn B anfängt, A zu lieben, liebt A B nicht mehr.« (TL, S. 171) Die Tatsache, daß diese Regel ähnlich formuliert ist wie die oben ausgeführten, ermöglicht einen unmittelbaren Vergleich der Welt dieser Bücher.

3. Um die so formulierten Regeln zu verifizieren, sind zwei Fragen zu stellen: können alle Handlungen im Roman mit Hilfe dieser Regeln hervorgebracht werden? und: finden sich alle mit Hilfe dieser Regeln gewonnenen Handlungen im Roman? Um auf die erste Frage zu antworten, müssen wir zunächst daran erinnern, daß die hier formulierten Regeln hauptsächlich einen Beispielswert haben und nicht den Wert einer erschöpfenden Beschreibung; andererseits werden wir auf den folgenden Seiten die Beweggründe für die Handlungen zeigen, die von anderen Faktoren in der Erzählung abhängen. Was die zweite Frage betrifft, glauben wir nicht, daß eine negative Antwort an dem vorgeschlagenen Modell zweifeln läßt. Wenn wir einen Roman lesen, fühlen wir intuitiv, daß die beschriebenen Handlungen einer bestimmten Logik folgen; und wir können bei anderen Handlungen, die nicht dazu gehören, sagen, ob sie dieser Logik gehorchen oder nicht gehorchen. Mit anderen Worten: wir fühlen bei jedem Werk, das nur *Rede* ist, daß es auch eine *Sprache* gibt, von der die Rede nur eine Ausdrucksmöglichkeit ist. Unsere Aufgabe ist es, diese Sprache genau zu untersuchen. Nur aus dieser Perspektive können wir die Frage angehen, warum der Autor diese Peripetien für diese Personen ausgewählt hat und nicht jene anderen, wenn beide derselben Logik gehorchen.

II. DIE ERZÄHLUNG ALS DISKURS

Wir haben bis jetzt versucht, davon zu abstrahieren, daß wir ein Buch lesen, daß die infragestehende Geschichte nicht zum »Leben« gehört, sondern zur vorgestellten Welt, die wir nur durch das Buch kennen. Um den zweiten Teil des Problems zu untersuchen, gehen wir von einer entgegengesetzten Abstraktion aus: wir betrachten die Erzählung nur in ihrer Eigenschaft als Diskurs, als reale Rede, die vom Erzähler an den Leser gerichtet wird.

Wir teilen die Mittel des Diskurses in drei Gruppen ein: in die *Erzählzeit*, Ausdruck der Beziehung zwischen der Zeit der Geschichte und der des Diskurses; in die *Erzählaspekte*, oder in die Art, wie die Geschichte vom Erzähler wahrgenommen wird; und in die *Erzählmodi*, die von der Art des Diskurses abhängen, der vom Erzähler benutzt wird, um uns die Geschichte mitzuteilen.

a) Die Zeit der Erzählung

Das Problem der Darstellung der Zeit in der Erzählung stellt sich aufgrund der Ungleichheit der Zeitlichkeit der Geschichte und der des Diskurses. Die Zeit des Diskurses ist in einem bestimmten Sinn eine lineare Zeit, während die Zeit der Geschichte mehrdimensional ist. In der Geschichte können sich mehrere Ereignisse zur selben Zeit abspielen; aber im Diskurs müssen sie gezwungenermaßen in eine Folge nacheinander eingesetzt werden; eine komplexe Figur wird auf eine gerade Linie projiziert. Daher die Notwendigkeit, die »natürliche« Abfolge der Geschehnisse zu zerbrechen, selbst wenn der Autor ihr so nahe wie möglich bleiben will. Aber meistenteils versucht der Autor nicht, diese »natürliche« Abfolge zu finden, da er die zeitliche Deformation zu bestimmten ästhetischen Zwecken gebraucht.

Die zeitliche Deformation. Die russischen Formalisten sahen in der zeitlichen Deformation den einzigen Zug im Diskurs, der ihn von der Geschichte absetzt; darum stellen sie die Deformation in das Zentrum ihrer Untersuchungen. Zitieren wir zu diesem Thema einen Auszug aus der *Psychologie der Kunst* des Psychologen Lev Vygotski, ein Buch, das zwar 1925 geschrieben, aber erst jetzt veröffentlicht wurde. »Wir wissen bereits, daß die Grundlage der Melodie die dynamische Korrelation der Töne ist, die diese bilden. Beim Vers ist es ebenso; er ist nicht eine einfache Abfolge von Tönen, die ihn bilden, sondern eine dynamische Abfolge, eine bestimmte Korrelation. Gleichwie zwei Töne, wenn sie sich verbinden, oder zwei Worte, wenn sie aufeinanderfolgen, eine bestimmte Beziehung bilden, die sich völlig durch die Ordnung der Elementenabfolge definiert, ebenso bilden zwei Geschehnisse oder Handlungen, wenn sie sich verbinden, zusammen eine neue dynamische Korrelation, die völlig von der Ordnung und der Anordnung dieser Geschehnisse bestimmt wird. Zum Beispiel ändern die Töne *a*, *b*, *c* oder die Worte *a*, *b*, *c* oder die Geschehnisse *a*, *b*, *c* völlig ihren Sinn und die emotionale Bedeutung, wenn wir sie z. B. in die folgende Reihe bringen: *b*, *c*, *a*; *b*, *a*, *c*. Stellen wir uns eine Drohung vor und dann die Realisierung: einen Mord; man gewinnt einen bestimmten Eindruck, wenn man als Leser zunächst über die Drohung informiert wird, dann über die Realisierung in Unwissen gehalten wird, und der Mord erst nach dieser Unterbrechung erzählt wird. Der Eindruck ist aber ganz anders, wenn der Autor mit der Erzählung über die Entdeckung des Leichnams beginnt und dann erst in umgekehrter chronologischer Folge vom Mord und der Drohung berichtet. Infolgedessen gehorcht die Anordnung der Geschehnisse in der Erzählung, die Zusammenstellung der Sätze, Darstellungen, Bilder, Handlungen, Taten, Antworten denselben Gesetzen der ästhetischen Konstruktion, denen die Anordnung der Töne in der Melodie oder der Worte im Vers gehorcht.«[11]

Man sieht in diesem Abschnitt deutlich eine der wichtigen Charakteristika der formalistischen Theorie und auch der Kunst, die gleichzeitig entstand: die Natur der Geschehnisse zählt wenig, es ist einzig die Beziehung wichtig, die zwischen ihnen besteht (in dem vorliegenden Fall ist es eine zeitliche Abfolge). Die Formalisten sehen jedoch die Erzählung nicht als Geschichte an, wenn sie sich nur mit der Erzählung als Diskurs beschäftigen. Diese Theorie ist mit der Theorie der russischen Kineasten dieser Zeit zu vergleichen: es sind die Jahre, in denen die Montage als eigentliches künstlerisches Element des Films angesehen wurde. Bemerken wir nebenbei, daß die beiden von Vygotski beschriebenen Möglichkeiten in den verschiedenen Formen des Kriminalromans verwirklicht worden sind. Der »Detektivroman« beginnt mit dem Ende einer der erzählten Geschichten, um mit deren Anfang zu enden. Der Gruselroman dagegen gibt zunächst die Drohungen wieder, um in den letzten Kapiteln des Buches bei den Leichen anzukommen.

Verkettung, Alternanze, Einschub. Die vorhergehenden Bemerkungen beziehen sich auf die zeitliche Anordnung im Innern einer einzigen Geschichte. Aber die komplexeren Formen der literarischen Erzählung enthalten mehrere Geschichten. In den *Liaisons dangereuses* gibt es drei, die Abenteuer von Valmont mit Mme de Tourvel, Cécile und Mme de Merteuil. Ihre jeweilige Anordnung gibt uns einen anderen Aspekt über die Zeit der Erzählung wieder.

Die Geschichten können auf mehrere Arten verbunden werden. Die Volkserzählung und die Novellensammlungen kennen schon zwei Arten: Die *Verkettung* (Serienerzählung) und den *Einschub* (Rahmenerzählung). Die Serienerzählung besteht einfach darin, daß mehrere Geschichten nebeneinandergestellt werden: wenn die erste beendet ist, fängt die zweite an. Die Einheit wird in diesem Fall durch die Ähnlichkeit in der Konstruktion gewährleistet: z. B. reisen drei Brüder nacheinander ab, um nach einem kostbaren Gegenstand zu suchen; jede Reise liefert die Grundlage für eine der Geschichten.

In der Rahmenerzählung wird eine Geschichte in einer anderen eingeschlossen. Zum Beispiel sind alle Erzählungen aus *Tausend und einer Nacht* in der Erzählung über Scherezâd eingefaßt. Die zwei Arten der Verbindung stellen eine genaue Übertragung der beiden fundamentalen syntaktischen Beziehungen dar: die Koordination und die Subordination (Parataxe und Hypotaxe).

Es gibt jedoch eine dritte Art der Verbindung, die wir die *Alternanze* nennen. Diese besteht darin, zwei Geschichten gleichzeitig zu erzählen, indem mal die eine, mal die andere unterbrochen wird, um bei der nächsten Unterbrechung wieder aufgenommen zu werden. Diese Form charakterisiert offenbar literarische Gattungen, die jede Verbindung mit der mündlichen Literatur verloren haben: denn diese kann die Alternanze nicht kennen. Als berühmtes Beispiel für die Alternanze kann man Hoffmanns Roman *Der Kater Murr* nennen; in ihm wechselt die Erzählung der Katze mit der des Musikers ab; das gleiche gilt für Kierkegaards *Leidensgeschichte*.

In den *Liaisons dangereuses* sind zwei dieser Formen vertreten. Einerseits wechseln die Geschichten von Tourvel und Cécile in der ganzen Erzählung ab; andererseits sind beide in die Geschichte des Paares Merteuil – Valmont eingeschoben. Allerdings kann man in diesem Roman, da er gut konstruiert ist, keine klaren Grenzen zwischen den Geschichten aufstellen; die Übergänge sind verwischt und die Auflösung der einen dient der Entwicklung der nächsten. Außerdem sind sie durch das Bild von Valmont verbunden, der zu jeder der drei Heldinnen enge Beziehungen hat. Es gibt andere vielfältige Beziehungen zwischen den Geschichten; sie werden mit Hilfe der Nebenpersonen, die in mehreren Geschichten Funktionen erfüllen, gebildet. Zum Beispiel ist Volanges, die Mutter von Cécile, eine Freundin und Verwandte von Merteuil und zugleich Beraterin von Tourvel. Danceny bindet sich nacheinander an Cécile und an Merteuil. Mme de Rosemonde bietet ihre Gastfreundschaft ebenso Tourvel an wie auch Cécile und ihrer Mutter. Gercourt, der ehemalige Geliebte von Merteuil, möchte Cécile heiraten, usw. Jede Person kann mehrere Funktionen gleichzeitig erfüllen.

Neben den Hauptgeschichten kann der Roman auch andere enthalten, Nebengeschichten, die gewöhnlich nur dazu dienen, eine Person zu charakterisieren. Diese Geschichten (die Abenteuer von Valmont im Schloß der Komteß oder mit Emilie, die Abenteuer von Prévan mit den »Unzertrennlichen«; die Abenteuer der Marquise mit Prévan oder Belleroche) sind in unserem Fall weniger in das Ganze eingegliedert als die Hauptgeschichten, und wir empfinden sie als »eingeschoben«.

Produktionszeit, Rezeptionszeit. Es gibt außer dieser zeitlichen Bestimmung, die zu den Personen gehört, die alle in gleicher Perspektive stehen, noch zwei weitere zeitliche Bestimmungen, die einer anderen Ebene angehören: die Zeit des Aussagens (des Schreibens) und die Zeit des Wahrnehmens (der Lektüre)[12]. Die Zeit des Aussagens wird in dem Augenblick ein literarisches Element, in dem sie in die Geschichte eintritt; das ist der Fall, wenn der Erzähler von seiner eigenen Erzählung spricht, von der Zeit, die er hat, um sie zu schreiben oder um sie uns zu erzählen. Dieser Typus von Zeitbestimmung zeigt sich oft in der Erzählung, die sich selbst als solche darstellt. Denken wir z. B. an die berühmte Erörterung von Tristram Shandy über seine Unfähigkeit, die Erzählung zu beenden. Ein Grenzfall wäre es, wenn die Zeit des Aussagens die einzige in der Erzählung vorhandene Zeitbestimmung wäre: das wäre eine Erzählung, die sich nur um sich selbst drehte, die Erzählung einer Erzählung. – Die Zeit des Wahrnehmens ist eine irreversible Zeit, die unsere Wahrnehmung des Ganzen bestimmt; aber sie kann auch ein literarisches Element werden unter der Bedingung, daß der Autor sie in die Geschichte eingehen läßt. Zum Beispiel wird am Anfang der Seite gesagt, es ist zehn Uhr; auf der nächsten Seite ist es fünf Minuten nach zehn. Diese naive Einführung der Zeit des Wahrnehmens in die Struktur der Erzählung ist nicht die einzig mögliche. Es gibt noch andere, bei denen wir uns jedoch nicht aufhalten können; weisen wir nur darauf hin, daß man hier das Problem der ästhetischen Bedeutung der Dimensionen eines Werkes berührt.

b) Die Aspekte der Erzählung

Wenn wir ein fingiertes Werk lesen, so haben wir keine unmittelbare Wahrnehmung von den Geschehnissen, die es beschreibt. Wir nehmen zur gleichen Zeit wie diese Geschehnisse, wenn auch in anderer Weise, die Wahrnehmung wahr, die der Erzähler dieser Geschehnisse hat. Wir beziehen uns auf die verschiedenen Typen der Wahrnehmung, die in der Erzählung erkennbar sind, mit dem Begriff der *Aspekte* der Erzählung (indem wir das Wort in seiner eigentlichen Bedeutung im etymologischen Sinn, d. h. »Anblick«, nehmen). Genauer gesagt, gibt der Aspekt die Beziehung zwischen einem *er* (in der Geschichte) und einem *ich* (im Diskurs), zwischen der Person und dem Erzähler wieder.

J. Pouillon hat eine Klassifikation der Aspekte in der Erzählung vorgeschlagen, die wir hier übernehmen mit unbedeutenden Abänderungen. Diese innere Wahrnehmung kennt drei Haupttypen.

Erzähler > Person (Die Perspektive »von hinten«). Die klassische Erzählung benutzt am häufigsten diese Formel. In diesem Fall weiß der Erzähler mehr als seine Person. Er kümmert sich nicht darum, uns zu erklären, wie er diese Kenntnis erworben hat: er sieht ebenso durch die Mauern des Hauses wie durch den Schädel seines Helden. Seine Personen haben keine Geheimnisse für ihn. Offensichtlich stellt sich diese Form in verschiedenen Stufen dar. Die Überlegenheit des Erzählers kann sich entweder in der Kenntnis von geheimen Wünschen einer Person (die diese selbst nicht kennt), weder in der simultanen Einsicht in die Gedanken von mehreren Personen (wozu keine der Personen fähig ist), oder einfach in der Erzählung von Geschehnissen, die nicht von einer einzigen Person wahrgenommen werden, zeigen; z. B. erzählt Tolstoi in seiner Novelle *Drei Tote* nacheinander die Geschichte von dem Tod eines Aristokraten, eines Bauern und eines Baumes. Keine der Personen hat sie zusammen wahrgenommen; wir haben also eine Variante der Perspektive »von hinten« vor uns.

Erzähler = Person (Perspektive »mit«). Diese zweite Form ist auch in der Literatur verbreitet und wird besonders häufig in der Moderne angewandt. Wenn der Erzähler genauso viel weiß wie die Personen, kann er uns keine Erklärung über die Geschehnisse geben, bevor die Personen sie gefunden haben. Auch hier sind mehrere Unterschiede festzustellen. Einerseits kann die Erzählung in der ersten Person erzählt werden (was den Vorgang rechtfertigt) oder in der dritten Person, aber immer in der Perspektive, die ein und dieselbe Person den Geschehnissen gegenüber hat: das Resultat ist offensichtlich nicht dasselbe; wir wissen, daß Kafka angefangen hatte, das *Schloß* in der ersten Person zu schreiben und er hat die Perspektive erst sehr viel später geändert, als er in die dritte Person überging, aber immer in der Perspektive »Erzähler = Person«. Andererseits kann der Erzähler eine oder mehrere Personen verfolgen (die Veränderungen können dabei systematischs ein oder auch nicht). Schließlich kann es sich um eine Erzählung handeln, die von einer Person aus bewußt ist oder von einer »Sektion« seines Gehirns, wie in vielen Erzählungen von Faulkner. Wir kommen später auf diesen Fall zurück.

Erzähler < Person (Perspektive »von außen«). In diesem dritten Fall weiß der Erzähler weniger als irgendeine Person. Er kann uns nur beschreiben, was man sieht, hört usw., aber er hat keinen Zugang zu irgendeinem »Bewußtsein«. Sicher ist dieser reine »Sensualismus« eine Konvention, denn eine solche Erzählung wäre unvorstellbar, aber er besteht als Modell einer bestimmten Schreibweise (écriture). Die Erzählungen dieser Art sind viel seltener als die anderen und der systematische Gebrauch dieses Verfahrens wurde erst im zwanzigsten Jahrhundert üblich. Zitieren wir einen Abschnitt, der diese Perspektive charakterisiert:

»Ned Beaumont trat an Madvig vorbei und zerdrückte mit zittrigen schmalen Fingern das brennende Ende seiner Zigarre in der gehämmerten Kupferschale auf dem Tisch.

Madvig starrte auf den Rücken des Jüngeren, bis er sich aufrichtete und umdrehte. Dann grinste der Blonde ihn freundschaftlich und zugleich zornig an.«[13]

Bei einer solchen Beschreibung können wir nicht erkennen, ob diese zwei Personen Freunde oder Feinde sind, zufrieden oder unzufrieden, noch weniger, an was sie bei ihren Gesten denken. Sie werden auch kaum benannt: man sagt statt dessen »der blonde Mann«, »der junge Mann«. Der Erzähler ist also ein Zeuge, der nichts weiß und überdies nichts wissen will. Die Objektivität ist nicht so absolut, wie sie sich gibt (»freundschaftlich und zornig«).

Mehrere Aspekte desselben Geschehens. Kommen wir jetzt auf den zweiten Typus zurück, in dem der Erzähler über genauso viele Kenntnisse verfügt wie die Personen. Wir haben gesagt, daß der Erzähler von einer Person zur anderen überwechseln kann; aber man muß noch genauer unterscheiden, ob die Personen dasselbe Geschehen erzählen (oder sehen) oder verschiedene Geschehnisse. Im ersten Fall erhält man einen besonderen Effekt, den man eine »stereoskopische Perspektive« nennen kann. Tatsächlich gibt uns eine Vielzahl der Wahrnehmungen eine komplexere Sicht des beschriebenen Phänomens. Andererseits ermöglicht uns die Beschreibung desselben Geschehens, die Aufmerksamkeit auf die Person zu richten, die es wahrnimmt, denn wir kennen die Geschichte schon.

Betrachten wir erneut die *Liaisons dangereuses*. Die Briefromane des 18. Jahrhunderts benutzen gewöhnlich diese Technik, die Faulkner bevorzugt, die darin besteht, dieselbe Geschichte mehrmals zu erzählen, aber aus der Sicht verschiedener Personen. Die ganze Geschichte der *Liaisons dangereuses* wird tatsächlich zweimal erzählt, oft sogar dreimal. Aber genauer besehen haben diese Erzählungen nicht nur eine stereoskopische Perspektive von den Geschehnissen, sondern diese Erzählungen sind auch qualitativ verschieden.

Das Sein und der Schein. Von Anfang an werden die beiden Geschichten, die sich abwechseln, unter verschiedenen Gesichtspunkten dargestellt: Cécile erzählt Sophie naiv ihre Erfahrungen, während Merteuil sie in den Briefen an Valmont interpretiert, andererseits unterrichtet Valmont die Marquise von seinen Erfahrungen mit Tourvel, die selbst an Volanges schreibt. Von Anfang an können wir die Dualität klar sehen, die schon auf der Ebene der Beziehungen zwischen den Personen bemerkt wurde: die Schilderungen von Valmont geben uns ebenso Aufschluß über die üble Nachrede, die Tourvel in ihre Beschreibungen einfügt wie über die Naivität von Cécile. Bei der Ankunft von Valmont in Paris wird klar, was es tatsächlich mit Danceny und seinen Handlungen auf sich hat. Am Ende des zweiten Teils gibt Merteuil selbst zwei Versionen über die Affäre Prévan: die erste, wie sie wirklich ist, die andere, wie sie in den Augen der Leute aussehen muß. Es handelt sich erneut um den Gegensatz zwischen der Ebene des Scheins und der Wirklichkeits- und Wahrheitsebene.

Die Versionen treten nicht zwangsmäßig in einer bestimmten Reihenfolge auf, sondern sie werden nach den jeweiligen Zielen angeordnet. Wenn die Erzählung von Valmont oder von Merteuil der der anderen Personen vorausgeht, so lesen wir die letzte vor allem als Information über den, der den Brief schreibt. Im umgekehrten Fall erweckt eine Erzählung über die Erscheinungen unsere Neugierde, und wir erwarten eine genaue Interpretation.

Wir sehen also, daß der Aspekt der Erzählung, der vom »Sein« herkommt, sich der Perspektive »von hinten« annähert (im Fall »Erzähler > Person«). Die Erzählung wurde fast immer von den Personen erzählt; einige von ihnen können wie der Autor enthüllen, was die anderen denken oder fühlen.

Entwicklung der Aspekte in der Erzählung. Der Wert der Aspekte in der Erzählung hat sich schnell seit der Epoche von Laclos verändert. Die Kunstfertigkeit, die darin besteht, die Geschichte durch die Projektionen auf das Bewußtsein einer Person darzustellen, wird mehr und mehr im 19. Jahrhundert angewandt, und nachdem sie von Henry James systematisiert worden ist, gilt sie als obligatorische Regel im 20. Jahrhundert. Andererseits ist die Existenz zweier qualitativ verschiedener Ebenen ein Erbe aus frühen Epochen: das Zeitalter der Aufklärung fordert, daß die Wahrheit gesagt wird. Der spätere Roman begnügt sich mit verschiedenen Versionen des »Scheins«, ohne für eine Version in Anspruch zu nehmen, daß sie die einzig wahre sei. Die *Liaisons dangereuses* unterscheiden sich vorteilhaft von vielen Romanen der Epoche dadurch, daß die Ebene des Seins nicht betont wird; der Fall von Valmont läßt den Leser am Ende des Buches ohne Aufklärung. In derselben Richtung geht ein großer Teil der Literatur des 20. Jahrhunderts.

c) Die Modi der Erzählung

Die Aspekte der Erzählung betreffen die Art, wie die Geschichte vom Erzähler gesehen wird; die Modi der Erzählung betreffen die Art, in der der Erzähler sie uns vorstellt, sie uns darstellt. Auf diese Modi der Erzählung bezieht man sich, wenn man sagt, daß ein Schriftsteller uns die Dinge »zeigt«, während ein anderer sie uns »nur sagt«. Es gibt zwei Hauptmodi: die *Darstellung* und den *Bericht*. Beide Modi entsprechen auf einer konkreteren Ebene den zwei Begriffen, denen wir bereits begegnet sind: dem Diskurs und der Geschichte.

Vermutlich kommen die zwei Modi in der zeitgenössischen Erzählung aus zwei verschiedenen Quellen: aus der Chronik und aus dem Drama. Die Chronik oder die Geschichte ist ein reiner Bericht und der Autor ist ein einfacher Zeuge, der Tatsachen vermittelt; die Personen sprechen nicht; die Regeln sind die der histo-

rischen Gattung. Im Gegensatz dazu wird die Geschichte im Drama nicht vermittelt, sie spielt sich vor unseren Augen ab (selbst wenn wir das Stück nur lesen),
es gibt keinen Bericht, die Erzählung ist in den Gesprächen der Personen enthalten.

Rede der Personen, Rede des Erzählers. Wenn wir eine linguistische Grundlage für
diese Unterscheidung suchen, so müssen wir auf den ersten Blick zu dem Gegensatz
zwischen der Rede der Personen (direkter Stil) und der Rede des Erzählers zurückkehren. Ein solcher Gegensatz soll uns erklären, warum wir den Eindruck haben,
Handlungen beizuwohnen, wenn der angewandte Modus die Darstellung ist,
während dieser Eindruck in der Erzählung verschwindet. Die Rede der Personen
in einem literarischen Werk spielt eine besondere Rolle. Sie bezieht sich wie jede
Rede auf eine bezeichnete Realität, aber sie stellt ebenso eine Tat dar, die Tat,
diesen Satz auszusprechen. Wenn eine Person sagt: »Sie sind sehr schön«, so ist die
angeredete Person nicht nur schön (oder auch nicht schön), sondern die sprechende Person vollendet vor unseren Augen eine Tat, sie spricht einen Satz, sie
macht ein Kompliment. Die Bedeutung dieser Taten erschöpft sich nicht im einfachen »er sagt«; die Bedeutung ist ebenso vielfältig wie die Taten, die mit Hilfe des
Sprechens (langage) ausgeführt werden; und diese sind unzählbar.

Diese erste Identifikation von Bericht und Darstellung vereinfacht jedoch in
unzulässiger Weise. Daraus würde folgen, daß das Drama den Bericht, die nicht-
dialogisierende Erzählung, die Darstellung nicht kennt. Man kann sich jedoch leicht
vom Gegenteil überzeugen. Nehmen wir den ersten Fall: die *Liaisons dangereuses*
kennen ebenso wie das Drama nur den direkten Stil, da die Erzählung aus Briefen
besteht. Dennoch hat dieser Roman beide Modi: während die meisten Briefe
Taten wiedergeben und so die Darstellung ausmachen, informieren andere nur
über Geschehnisse, die sich anderswo abgespielt haben. Bis zur »Lösung« des Buches
wird diese Funktion durch die Briefe von Valmont an die Marquise erfüllt und
teilweise durch deren Antworten, nach der »Lösung« übernimmt Mme de Volanges
den Bericht. Wenn Valmont an Mme de Merteuil schreibt, so verfolgt er nur ein
Ziel: sie über das zu unterrichten, was ihm geschehen ist; darum beginnt er seine
Briefe mit diesem Satz: »Hier der Bericht von gestern«. Der Brief mit diesem »Bericht«
stellt nichts dar, er ist reiner Bericht. Dasselbe gilt für die Briefe von Mme de Volanges
an Mme de Rosemonde am Ende des Romans: sie sind »Berichte« über die Gesund-
heit von Mme de Tourvel, über das Unglück von Mme de Merteuil usw. Die
Verteilung der Modi in den *Liaisons dangereuses* resultiert aus der Existenz verschiedener Beziehungen: der Bericht erscheint in den Briefen, die nur durch ihre Existenz
eine Vertrauensbeziehung beweisen; die Darstellung betrifft die Liebesbeziehungen
und die Beziehungen der Anteilnahme, die so eine wahrnehmbarere Gegenwart
erhalten.

Nehmen wir jetzt den umgekehrten Fall, um zu sehen, ob der Diskurs des Autors
immer den Bericht hervorbringt. Hier ein Auszug aus *l'Éducation sentimentale:*
»... ils entraient dans la rue Caumartin, quand, tout à coup, éclata derrière eux
un bruit *pareil au craquement d'une immense pièce de soie que l'on déchire.* C'était la fusi-
lade du boulevard des Capucines.

– *Ah! on casse quelques bourgeois,* dit Frédéric tranquillement.

»*Car il y a des situations où l'homme le moins cruel est si détaché des autres, qu'il verrait périr le genre humain sans un battement de cœur.*«[14]

Wir haben die Sätze schräg gedruckt, die die Darstellung ausmachen, der direkte Stil deckt also nur einen Teil davon. Dieser Auszug enthält die Darstellung in drei verschiedenen Diskursformen: im direkten Stil, im Vergleich und in der allgemeinen Reflexion. Die letzten beiden machen die Rede des Erzählers aus, aber nicht der Erzählung. Sie geben über keine Realität Auskunft, die außerhalb des Diskurses liegt, sie erhalten aber ihre Bedeutung auf die gleiche Art wie die Antworten der Personen; nur unterrichten sie uns über das Bild des Erzählers und nicht über das einer Person.

Objektivität und Subjektivität in der Sprache (langage). Wir müssen also unsere Identifikation der Erzählung mit der Rede des Erzählers und der Darstellung mit der Rede der Personen aufgeben, um eine festere Grundlage zu suchen. Eine solche Identifikation beruht, so sehen wir jetzt, nicht auf den impliziten Kategorien, sondern auf ihrer Erscheinung, das kann uns leicht irreführen. Wir werden diese Grundlage im Gegensatz zwischen dem subjektiven und objektiven Aspekt der Sprache finden.

Jede Rede ist zugleich Aussage und Aussagen. Als Aussage bezieht sie sich auf das Subjekt der Aussage, bleibt also objektiv. Als Aussagen bezieht sie sich auf das Subjekt des Aussagens und behält einen subjektiven Aspekt, denn sie stellt in jedem Fall eine durch dieses Subjekt vollendete Tat dar. Jeder Satz hat diese beiden Aspekte aber in verschiedenen Abstufungen; bestimmte Teile des Diskurses haben zur einzigen Funktion, diese Subjektivität zu vermitteln (die Personal- und Demonstrativpronomen, die Zeiten des Verbs; bestimmte Verben)[15]; andere betreffen vor allem die objektive Realität. Wir können also mit John Austin von zwei Modi des Diskurses sprechen, feststellend (objektiv) und abändernd (subjektiv).

Nehmen wir ein Beispiel. Der Satz »M. Dupont est sorti de chez lui à dix heures, le 18 mars« hat einen wesentlich objektiven Charakter; er bringt auf den ersten Blick keine Information zu dem Subjekt des Aussagens hinzu (die einzige Information ist, daß das Aussagen nach der in ihm angegebenen Zeit stattgefunden hat. Im Gegensatz dazu haben andere Sätze eine Bedeutung, die fast ausschließlich das Subjekt des Aussagens betrifft, z. B. »Vous êtes un imbécile«. Ein solcher Satz ist vor allem eine Tat für den, der ihn ausspricht, eine Beleidigung, obwohl er auch einen objektiven Wert behält. Dennoch bestimmt nur der umfassende Kontext den Grad der Subjektivität eines Satzes. Wenn unser erster Satz in die Antwort einer Person aufgenommen wird, so kann er ein Hinweis auf das Subjekt des Aussagens werden.

Der direkte Stil ist im allgemeinen an den subjektiven Aspekt der Sprache gebunden; aber wie wir bei Valmont und Mme de Volanges gesehen haben, beschränkt sich diese Subjektivität manchmal auf eine einfache Konvention: die Information wird uns gegeben, als ob sie von der Person kommt und nicht vom Erzähler, aber wir erfahren nichts über diese Person. Umgekehrt gehört die Rede des Erzählers im allgemeinen der Ebene des historischen Aussagens an, aber bei einem Vergleich (wie bei jeder anderen rhetorischen Figur) oder bei einer Reflexion wird das Subjekt des Aussagens sichtbar und der Erzähler nähert sich so den Personen an. So weisen die Reden des Erzählers bei Flaubert auf die Existenz eines Subjekts des Aussagens hin, der Vergleiche oder Reflexionen über die menschliche Natur anstellt.

Aspekte und Modi. Die Aspekte und die Modi der Erzählung sind zwei Kategorien, die in eine sehr enge Beziehung treten und die beide das Bild des Erzählers betreffen. Darum hatten die Literaturkritiker die Tendenz, sie zu vermischen. So haben Henry James und danach Percy Lubbock zwei Hauptstile in der Erzählung unterschieden: den »Panorama-Stil« und den »Szenen-Stil«. Jeder Terminus ist zugleich von zwei Begriffen bestimmt: der Szenenstil ist zugleich die Darstellung und die Perspektive »mit« (Erzähler = Person); der Panorama-Stil ist zugleich die Erzählung und die Perspektive »von hinten« (Erzähler > Person).

Diese Identifikation ist jedoch nicht notwendig. Um auf die *Liaisons dangereuses* zurückzukommen: wir können daran erinnern, daß bis zur »Lösung« die Erzählung Valmont anvertraut ist, dessen Perspektive der »von hinten« ähnelt; im Gegensatz dazu versteht Mme de Volanges, die nach der »Lösung« den Bericht aufnimmt, von den Geschehnissen nichts; ihre Erzählung entsteht völlig aus der Perspektive »mit« (wenn nicht »von außen«). Die zwei Kategorien müssen darum gut unterschieden werden, damit ihre wechselseitigen Beziehungen aufgedeckt werden können.

Diese Vermischung erscheint uns noch gefährlicher, wenn wir uns daran erinnern, daß sich hinter all diesen Vorgängen das Bild des Erzählers abzeichnet, ein Bild, das manchmal für das des Autors selbst gehalten wird. Der Erzähler in den *Liaisons dangereuses* ist offensichtlich nicht Valmont, er ist nur eine Person, die vorübergehend mit der Erzählung belastet wird. Wir kommen hier an eine neue wichtige Frage: die vom Bild des Erzählers.

Bild des Erzählers und Bild des Lesers. Der Erzähler ist das Subjekt des Aussagens, das das Buch darstellt. Alle Vorgänge, die wir in diesem Teil behandelt haben, führen zu diesem Subjekt. Es ordnet bestimmte Beschreibungen vor den anderen an, obwohl die letzten den ersten in der Zeit der Geschichte vorangehen. Es läßt uns die Handlung mit den Augen von dieser oder jener Person sehen oder auch mit seinen eigenen Augen, ohne daß es auf der Szene erscheinen muß. Es entscheidet schließlich auch, ob die Peripetie mit Hilfe des Dialogs von zwei Personen vermittelt wird oder durch eine »objektive« Beschreibung. Wir haben also eine Menge Auskünfte über ihn, die es ermöglichen müßten, ihn zu begreifen, ihn genau einzuordnen; aber man kann sich diesem flüchtigen Bild nicht nähern und es legt ständig widersprüchliche Masken an, mal die eines Autors aus Fleisch und Blut, mal die einer beliebigen Person.

Es gibt jedoch eine Stelle, an der wir uns scheinbar diesem Bild genügend annähern: wir können sie die Wertebene nennen. Die Beschreibung der Teile der Geschichte enthält eine moralische Wertung; das Fehlen einer Wertung ist eine ebenso bedeutungsvolle Stellungnahme. Diese Wertung ist, um es vorwegzusagen, kein Teil unserer individuellen Erfahrung als Leser noch die des realen Autors; sie ist dem Buch implizit und die Struktur ist nicht genau erfaßbar, ohne daß man dies berücksichtigt. Man kann mit Stendhal der Meinung sein, daß Mme de Tourvel die unmoralischste Person der *Liaisons dangereuses* ist; man kann wie Simone de Beauvoir behaupten, Mme de Merteuil sei eine anziehende Person – aber das sind Interpretationen, die nicht zum Sinn des Buches gehören. Wenn wir Mme de Merteuil nicht verurteilen, wenn wir nicht die Partei der Präsidentin ergreifen, so würde sich dadurch die Struktur des Werkes ändern. Man muß sich darüber von Anfang an im klaren sein, daß es zwei moralische Interpretationen von ganz verschiedenem Charakter gibt: die eine ist dem Buch immanent (jedem Werk der imitativen Kunst), und die andere gibt der Leser, ohne sich um die Logik des Werkes zu kümmern. Im Buch erfährt Mme de Merteuil eine negative Wertung, Mme de Tourvel hingegen ist eine Heilige usw. Jede Tat unterliegt hier einer Wertung, obwohl es nicht die des Autoren oder unsere sein kann (und das ist eins der Kriterien, über die wir verfügen, um über den Erfolg des Autoren zu urteilen).

Diese Wertungsebene bringt uns dem Bild des Erzählers näher. Dazu ist es nicht nötig, daß dieser uns »direkt« anspricht: in diesem Fall würde er sich durch die Kraft der literarischen Konvention mit den Personen gleichsetzen. Um diese Wertungsebene verstehen zu können, nehmen wir einen Code von Prinzipien und psychologischen Reaktionen zu Hilfe, von denen der Erzähler angibt, daß sie dem Leser und ihm selbst eigen sind (da dieser Code von uns nicht angewandt wird, sind wir in der Lage, die Akzente bei der Einschätzung anders zu verteilen). Im Fall unserer Erzählung kann dieser Code auf einige hinreichend banale Maximen reduziert werden: tut nichts Böses, seid ehrlich; widersteht der Leidenschaft usw. Zugleich stützt sich der Erzähler auf eine wertende Graduierung der psychischen Qualitäten; aufgrund davon respektieren und fürchten wir Valmont und Merteuil (wegen der Kraft ihres Geistes, wegen ihrer Fähigkeit vorauszusehen) oder ziehen Tourvel Cécile Volanges vor.

Das Bild des Erzählers ist kein alleinstehendes Bild. Sobald es erscheint, von der ersten Seite an, ist es begleitet von dem »Bild des Lesers«. Das Bild hat offensichtlich genauso wenig Beziehungen zum konkreten Leser wie das Bild des Erzählers zum realen Autoren. Die beiden stehen in enger Abhängigkeit voneinander, und sobald das Bild des Erzählers deutlicher wird, sieht sich auch der imaginäre Leser mit mehr Genauigkeit gezeichnet. Diese beiden Bilder gehören zu jedem fingierten Werk: das Bewußtsein, einen Roman zu lesen und nicht ein Dokument, verpflichtet uns, die Rolle des imaginären Lesers zu spielen und gleichzeitig taucht der Erzähler auf, der uns die Erzählung vermittelt, da die Erzählung selbst imaginär ist. Diese Abhängigkeit bestätigt das allgemeine semiologische Gesetz, nach dem »ich« und »du«, der Sender und Empfänger einer Aussage immer zusammen auftreten.

Diese Bilder bilden sich nach den Konventionen, die die Geschichte in den Diskurs umwandeln. Die Tatsache selbst, daß wir das Buch von Anfang bis Ende lesen (d. h. wie es der Erzähler wollte) verpflichtet uns, die Rolle des Lesers zu spielen. Im Fall des Briefromans sind diese Konventionen theoretisch auf ein Minimum beschränkt; es ist, als ob wir eine wirkliche Briefsammlung lesen würden, der Autor übernimmt die Rede, der Stil ist immer direkt. Aber im Vorwort des Herausgebers zerstört Laclos schon diese Illusion. Die anderen Konventionen betreffen die Anordnung der Geschehnisse selbst und besonders die Existenz von verschiedenen Aspekten. Zum Beispiel bemerken wir unsere Rolle als Leser, sobald wir mehr wissen als die Personen, denn diese Situation widerspricht einer Ähnlichkeit mit dem Erlebten.

III. VERSCHIEBUNG DES ORDNUNGSSYSTEMS

Über die bis jetzt gemachten Beobachtungen können wir zusammenfassend sagen, daß der Untersuchungsgegenstand die literarische Struktur des Werkes war oder, wie wir von jetzt ab sagen werden, ein bestimmtes *Ordnungssystem*. Wir verwenden diesen Terminus als eine Gattungsbezeichnung für alle Grundbeziehungen und -strukturen, die wir untersucht haben. Aber unsere Darstellung enthält keinen Hinweis auf den Ablauf in der Erzählung; beim Austausch der Erzählteile würde sich diese Darstellung nicht merklich verändern. Wir werden jetzt bei dem entscheidenden Punkt im Ablauf der Erzählung, der »Lösung«, stehen bleiben, die tatsächlich eine Verschiebung im früheren Ordnungssystem darstellt. Wir untersuchen diese Verschiebung an dem Beispiel der *Liaisons dangereuses*.

Die Verschiebung in der Geschichte. Diese Verschiebung ist im ganzen letzten Teil des Buches zu bemerken, besonders bei den Briefen 142 bis 162, d. h. zwischen dem Bruch von Valmont mit Tourvel und dem Tod von Valmont. Diese Verschiebung betrifft zunächst das Bild von Valmont selbst, die Hauptperson der Erzählung. Der vierte Teil beginnt mit dem Unglück von Tourvel. Valmont gibt in seinem Brief 125 vor, daß es sich um ein Abenteuer handelt, das sich in nichts von den anderen unterscheidet, aber der Leser bemerkt leicht, besonders mit Hilfe von Mme de Merteuil, daß der Ton eine andere Beziehung verrät als die, welche vorgegeben wird. Dieses Mal handelt es sich um dieselbe Leidenschaft, die alle »Opfer« bewegt. Als Valmont seinen Wunsch nach Besitz und die darauffolgende Gleichgültigkeit durch Liebe ersetzt, verläßt er seine Gruppe und zerstört schon eine erste Einteilung. Er opfert zwar später diese Liebe, um den Anklagen von Mme de Merteuil zu entgehen, aber dieses Opfer löst die Ambivalenz seines vorhergehenden Benehmens nicht auf. Später geht Valmont andere Wege, die ihn Tourvel näher bringen müßten (er schreibt ihr, er schreibt Volanges, seiner letzten Vertrauten); und sein Wunsch nach Rache an Merteuil müßte uns auch zeigen, daß er seine erste Geste bedauert. Aber der Zweifel wird nicht beseitigt; der Herausgeber gibt es deutlich in einer seiner Bemerkungen (Brief 154) über den Brief von Valmont, der an Mme de Volanges geschickt wurde, damit er Mme de Tourvel übergeben wird, zu. Dieser Brief ist nicht im Buch abgedruckt: »C'est parce qu'on n'a rien trouvé dans la suite de cette Correspondance qui pût résoudre ce doute, qu'on a pris le parti de supprimer la lettre de M. de Valmont.«[16]

Das Benehmen von Valmont gegenüber Mme de Merteuil ist gemessen an der Logik, die wir vorher skizziert haben, genauso befremdend. Diese Beziehung scheint drei verschiedene und für uns bis jetzt unvereinbare Elemente zu vereinen: den Wunsch nach Besitz, aber auch den Widerspruch und das Vertrauen. Dieser letzte Zug (also ein Verstoß gegen die vierte Regel) erweist sich als entscheidend für das Schicksal von Valmont; er fährt fort, sich der Marquise anzuvertrauen auch nach der »Kriegserklärung«. Der Verstoß gegen das Gesetz wird mit dem Tod bestraft. Ebenso vergißt Valmont, daß er auf zwei Ebenen handeln kann, um seine Wünsche zu realisieren, was er früher geschickt ausgenutzt hat; in seinen Briefen an die Marquise gesteht er naiv seine Wünsche, ohne sie zu verstecken oder eine geschmeidigere Taktik anzunehmen zu versuchen (was er wegen des Benehmens von Merteuil machen müßte). Selbst wenn der Leser sich nicht auf die Briefe der Marquise an Danceny bezieht, so muß er bemerken, daß sie ihr freundschaftliches Verhältnis zu Valmont beendet hat.

Die Verschiebung im Diskurs. Wir gestehen hier ein, daß die Verschiebung nicht einfach im Benehmen von Valmont zusammenzufassen ist, das nicht mehr mit den Regeln und aufgestellten Einteilungen übereinstimmt. Die Verschiebung betrifft auch die Art der Mitteilung. In der ganzen Erzählung waren wir uns sicher über die Wahrheit oder Falschheit der Taten und der berichteten Gefühle; der ständige Kommentar von Merteuil und Valmont unterrichtete uns über den Inhalt der Taten selbst, er gab uns das »Sein« selbst wieder, nicht nur den »Schein«. Aber die »Lösung« besteht genau in der Aufhebung des Vertrauens zwischen den Protagonisten; diese hören auf, sich irgend jemanden anzuvertrauen, und wir sind plötzlich des sicheren Wissens und des Einblicks in das Sein beraubt und müssen allein versuchen, es durch den Schein hindurch zu erkennen. Aus diesem Grund wissen wir nicht, ob Valmont die Präsidentin liebt oder nicht liebt, aus demselben Grund wissen wir nichts sicher über die wirklichen Gründe, die Merteuil zum Handeln treiben (während bis zu diesem Punkt alle Elemente der Erzählung eine befriedigende Interpretation erhalten hatten). Wollte sie Valmont wirklich töten, ohne die Entdeckungen zu fürchten, die er machen kann? Oder auch: ist Danceny zu weit in seiner Wut gegangen und ist er nicht mehr nur eine einfache Waffe in den Händen von Merteuil? Wir werden es nie erfahren.

Wir haben vorher bemerkt, daß vor dieser Verschiebung der *Bericht* in den Briefen von Valmont an Merteuil enthalten war und später in den Briefen von Mme de Volanges. Dieser Wechsel ist kein einfaches Austauschen, sondern die Wahl einer neuen Perspektive; während sich in den ersten drei Teilen des Buches der Bericht auf die Ebene des Seins stellte, nimmt sie im letzten die des äußeren Scheins ein: Mme de Volanges versteht die Geschehnisse nicht, die um sie herum vorgehen, sie begreift nur die Erscheinungen (selbst Mme de Rosemonde ist besser informiert als sie, aber diese berichtet nichts). Dieser Wechsel der Perspektive in der Erzählung ist besonders spürbar bei Cécile; da es im vierten Teil des Buches keinen Brief von ihr gibt (der einzige, den sie unterschreibt, ist von Valmont diktiert), haben wir keine Möglichkeit mehr zu erfahren, was zu diesem Zeitpunkt ihr »Sein« ist. So hat der Herausgeber recht, wenn er uns in seiner Schlußbemerkung neue Abenteuer von Cécile verspricht; wir kennen die wahren Gründe ihres Verhaltens nicht, ihr Schicksal ist nicht klar, ihre Zukunft ist rätselhaft.

Wert der Verschiebung. Kann man sich für den Roman einen anderen vierten Teil vorstellen, einen Teil, der nicht das vorhergehende Ordnungssystem verschiebt? Valmont hätte sicher ein zartes Mittel finden können, um mit Tourvel zu brechen; er hätte einen Konflikt zwischen sich und Merteuil mit mehr Geschick zu lösen gewußt, ohne sich so viel Gefahren auszusetzen. Die »Roués« hätten eine Lösung finden können, die ihnen ermöglicht hätte, die Angriffe der eigenen Opfer zu vermeiden. Am Ende des Buches hätten wir die beiden Felder genau wie am Anfang getrennt und die beiden Komplizen genauso mächtig vorgefunden. Selbst wenn das Duell mit Danceny stattgefunden hätte, hätte Valmont verstehen können, sich der tödlichen Gefahr nicht auszusetzen ...

Es ist unnütz fortzufahren; auch wenn man keine psychologische Interpretation gibt, ist offensichtlich, daß ein so konzipierter Roman nicht mehr derselbe wäre; er wäre sogar nichts mehr. Wir hätten nichts weiter vor uns als eine Erzählung eines galanten Abenteuers, die Eroberung einer »Prüden« mit einem »spaßhaften« Ende. Es handelt sich hier also nicht um einen kleinen Teil der Konstruktion, sondern um den Zentralpunkt; die ganze Erzählung scheint aus dem Weg zu dieser »Lösung« zu bestehen.

Die Tatsache, daß die Erzählung ihre ganze ästhetische und moralische Dichte verlöre, wenn sie nicht diese Lösung hätte, zeigt sich im Roman selbst symbolisiert. Die Geschichte ist tatsächlich so dargestellt, daß sie ihre eigene Existenz der Verschiebung des Ordnungssystems verdankt. Wenn Valmont nicht die Gesetze seiner eigenen Moral übersprungen hätte (und die der Romanstruktur), so wäre nie sein Briefwechsel noch der von Merteuil veröffentlicht worden; die Veröffentlichung ihres Briefwechsels ist eine Folge ihres Bruches und, allgemeiner gesagt, der Verschiebung. Dieses Detail ist nicht zufällig, wie man glauben könnte; die ganze Geschichte rechtfertigt sich in dem Maße, in dem es eine Bestrafung des Schlechten gibt, das im Roman geschildert wird. Wenn Valmont nicht sein anfängliches Bild verraten hätte, so hätte das Buch kein Recht zu existieren.

Die zwei Ordnungssysteme. Bis jetzt haben wir die Verschiebung nur auf negative Weise charakterisiert, als Negation des vorhergehenden Ordnungssystems. Was ist nun der positive Gehalt dieser Handlungen, was ist das System, das ihnen zugrunde liegt. Betrachten wir zunächst seine Elemente: Valmont, der vornehme Wüstling, verliebt sich in eine einfache Frau; Valmont vergißt, bei Mme de Merteuil seine List anzuwenden, Cécile geht ins Kloster, um für ihre Sünden zu büßen; Mme de Volanges übernimmt die Rolle der Klugschwätzerin ... Alle diese Handlungen haben einen gemeinsamen Nenner: sie gehorchen der konventionellen Moral, so wie sie z. Z. von Laclos (oder auch später) existierte. Das Ordnungssystem, das die Handlungen der Personen in und nach der Lösung bestimmt, ist also einfach die Konvention, das außerhalb der Welt des Buches liegende Ordnungssystem. Eine Bestätigung dieser Hypothese kann auch gegeben werden, wenn man darauf hinweist, daß die Affäre Prévan wieder aufgerollt wird. Am Ende des Buches sehen wir Prévan in seiner alten Größe wiederhergestellt, wir erinnern uns jedoch, daß in dem Konflikt mit der Marquise beide genau dieselben verborgenen und offenkundigen Wünsche hatten. Merteuil war es jedoch gelungen, die Schnellere zu sein, sie war nicht die Schuldigere. Es ist also keine höhere Gerechtigkeit, keine höhere Ordnung, die sich am Ende des Buches einstellt; es ist ganz einfach die konventionelle Moral der zeitgenössischen Gesellschaft, schamhaft und scheinheilig, darum anders als die Moral, die Valmont und Merteuil im anderen Teil des Buches zeigen. Auf diese Weise wird das »Leben« ein wesentlicher Teil des Werkes: seine Existenz ist ein essentielles Element, das wir kennen müssen, um die Struktur der Erzählung zu begreifen. Nur an dieser Stelle unserer Analyse rechtfertigt sich die Verbindung mit dem sozialen Aspekt; und sie ist auch tatsächlich nötig. Das Buch kann enden, weil es die Ordnung errichtet, die in der Realität existiert.

Sind die Elemente der konventionellen Moral in dieser Perspektive angeordnet, können wir erkennen, daß sie schon vorher vorhanden waren; und sie erklären die Geschehnisse und die Handlungen, die nicht zu dem System gehören konnten, das wir beschrieben haben. Hierher gehört z. B. die Handlungsweise von Mme de Volanges gegenüber Tourvel und Valmont, eine Widerstandshaltung, die nicht dieselben Beweggründe hat wie die Handlungen, die von R 3 wiedergegeben werden. Mme de Volanges haßt Valmont, nicht weil sie zu der Zahl von Frauen gehört, die er im Stich gelassen hat, sondern in Übereinstimmung mit ihren moralischen Prinzipien. Das gleiche gilt für die Haltung des Beichtvaters von Cécile, der auch zum Gegenspieler wird: die konventionelle Moral außerhalb der Romanwelt lenkt seine Schritte. Das sind Handlungen, deren Motivation oder Beweggründe nicht im Roman, sondern außerhalb liegen; man handelt so, weil man muß. Das ist die gewöhnliche Haltung, die keiner Rechtfertigung bedarf. Schließlich können wir hier auch die Erklärung für die Haltung der Tourvel finden, die sich verbissen ihren eigenen Gefühlen widersetzt im Namen einer ethischen Norm, die da sagt, daß eine Frau ihren Ehemann nicht betrügen darf.

So sehen wir die ganze Erzählung in einer neuen Perspektive. Es ist nicht die einfache Darstellung einer Handlung, sondern die Geschichte des Konflikts zwischen zwei Ordnungssystemen: dem des Buches und dem des sozialen Kontextes. In unserem Fall errichten die *Liaisons dangereuses* bis zur Lösung eine neue Ordnung, die von der des äußeren Milieus verschieden ist. Die äußere Ordnung ist hier nur als Beweggrund für bestimmte Handlungen vorhanden. Die Lösung stellt eine Verschiebung dieses Ordnungssystems im Buche dar und das, was aus ihr folgt, führt uns zu derselben äußeren Ordnung, zur Wiederherstellung dessen, was durch die vorhergehende Erzählung zerstört wurde. Die Darstellung dieses Teils des strukturellen Schemas in unserem Roman ist besonders aufschlußreich: unterstützt von den verschiedenen *Aspekten* der Erzählung vermeidet es Laclos, sich gegen diese Wiederherstellung zu wehren. Wenn die vorhergehende Erzählung auf der Ebene des Seins geführt wird, ist das Ende der Erzählung Schein. Wir kennen die Wahrheit nicht, nur den äußeren Schein, wir kennen die genaue Stellung des Autoren nicht; denn die Wertungsebene ist verschwunden. Die einzige Moral, die uns bekannt wird, ist die von Mme de Volanges, nun wird aber, wie durch ein besonderes Ereignis, Mme de Volanges in ihren letzten Briefen als eine oberflächliche Frau, ohne eigene Meinung, klatschsüchtig usw. gekennzeichnet. Als ob der Autor uns daran hindert, den Urteilen, die sie fällt, zuviel Vertrauen zu schenken! Die Moral am Ende des Buches setzt Prévan wieder in seine Rechte ein; ist das die Moral von Laclos? Diese tiefe Ambivalenz, diese Offenheit gegenüber gegenteiligen Interpretationen unterscheidet den Roman von Laclos von zahlreichen »gut konstruierten« Romanen und hebt ihn in den Rang eines Meisterwerks.

Die Verschiebung als typologisches Kriterium. Die Beziehung zwischen der Ordnung in der Erzählung und der Ordnung im Leben, das sie umgibt, braucht nicht immer dieselbe zu sein wie in den *Liaisons dangereuses.* Die umgekehrte Möglichkeit kann auch existieren: die Erzählung, die in ihrem Ablauf die außerhalb der Erzählung herrschende Ordnung erklärt und deren Lösung eine neue Ordnung einführen würde, die der Romanwelt. Denken wir z. B. an die Romane von Dickens, in denen die umgekehrte Struktur dargestellt wird: im ganzen Buch beherrscht die äußere Ordnung, die Ordnung des Lebens, die Handlungen der Personen, in der Lösung vollzieht sich ein Wunder, irgendeine reiche Person entpuppt sich plötzlich als großzügiges Wesen und macht die Errichtung einer neuen Ordnung möglich. Diese neue Ordnung – die Herrschaft der Tugend – gibt es offensichtlich nur im Buch, aber sie triumphiert nach der Lösung.

Sicherlich kann man nicht in allen Erzählungen eine vergleichbare Verschiebung finden. Einige moderne Romane können nicht als Konflikt zwischen zwei Ordnungssystemen dargestellt werden, sondern eher als eine Reihe von abgestuften Variationen über dasselbe Thema. So stellt sich die Struktur in den Romanen von Kafka, Beckett usw. dar. In jedem Fall könnte der Begriff der Verschiebung wie alle Begriffe, die die Struktur des Werkes betreffen, als Kriterium für eine zukünftige Typologie der literarischen Erzählungen dienen.

Wir beenden hier unsere Skizze über einen Rahmen zur Untersuchung der literarischen Erzählung.

Hoffen wir, daß diese Studie über einen gemeinsamen Nenner in den bisherigen Untersuchungen die künftigen fruchtbarer macht.

ANMERKUNGEN

1. Vgl. Tynjanow, De l'évolution littéraire *Théorie de la Littérature,* du Seuil, Paris, 1965, S. 123 (deutsch in *Texte der russischen Formalisten,* Hrsg. Jurij Striedter, Bd. 1, München 1969, S. 433. Hinweise auf die russischen Formalisten werden stets auf den Sammelband *Théorie de la littérature,* Hrsg. T. Todorov, Paris, 1965, bezogen; von nun an mit *TL* abgekürzt.

2. Tomachevski, *TL,* S. 268.

3. Dénouement – deutsch: Lösung ist der Dramentheorie entlehnt (Aristoteles: Ex-

position, Peripetie und Katastrophe = Lösung sind die drei Begriffe zur Aufgliederung des Handlungsablaufs) Anm. d. Übersetzers.

4. Schklovskij's *O xudozhestvennoj proze*, S. 439.

5. Todorov verwendet drei Begriffe, deren wörtliche Übersetzung »Erzählung« ist, die jedoch im Französischen unterschiedliche Bedeutungen besitzen:

histoire: Grundform in der zumeist simultane Geschehnisse in die sukzessive Erzählweise übergehen.

narration: Nacherzählung.

récit: Erzählweise.

6. Choderlos de Laclos: Les liaisons dangereuses, in: *Œuvres complètes*, Paris, 1959 (Pléiade), S. 260. »Ich muß jetzt schließen, da es fast ein Uhr ist und M. de Valmont sich nicht verspätet.«

7. l.c. S. 317. »Ich kann unmöglich weiter schreiben, denn er (Valmont) hat versprochen, zu dieser Zeit zu kommen und jeder andere Gedanke verläßt mich.«

8. Vgl. Bremond, Claude, Le message narratif, *Communications*, 4, S. 4–32.

9. Vgl. Bremond op. cit. über das triadische Modell und über das homologe Modell Pierre Marande s. u. II_1 der Bibliographie dieses Bandes.

10. L.c. Laclos, S. 353. »Schließlich fügte sie in der grausamen Art, die ihr zueigen war, hinzu: »Ich glaubte zu sterben, und ich hatte den Mut dazu, aber mein Unglück und meine Schande zu überleben, das ist mir unmöglich.«

11. Vygotski, Lev., *Psychologie de l'art*, 1965, S. 196.

12. Lecture und écriture beziehen sich nicht auf empirische Leser oder Autoren, es sind vielmehr funktionale Begriffe; écriture gibt den Bereich der Wiedergabe an, lecture die Aktualisierung dieses Bereiches. Anm. d. Übers.

13. Hammet, Dashiel, *Der gläserne Schlüssel*, Frankfurt, 1958.

14. Gustave Flaubert, L'éducation sentimentale, *Œuvres*. Band 11, Paris, 1952, S. 315.

»Sie bogen in die Rue Caumartin ein, als es plötzlich hinter ihnen knallte, *als ob ein großes Stück Seide zerrissen würde.* Das war der Feuerwechsel auf dem Boulevard des Capucines. *»Ah, man tötet einige Bürger«,* sagte Frédéric ruhig. *»Denn es gibt Situationen, in denen der Mensch, der am wenigsten grausam ist, so von den anderen abgesondert ist, daß er das menschliche Geschlecht ohne einen Herzschlag untergehen sieht.«*

15. Vgl. Benveniste, Emile, De la subjectivité dans le langage, *Problèmes de linguistique générale*, Paris, 1966.

16. L.c. Laclos, S. 363. »Weil man in dem weiteren Briefwechsel nichts gefunden hat, das diesen Zweifel lösen kann, so hat man sich entschlossen, den Brief von M. de Valmont wegzulassen.«

Struktur der Maxime[1]

SERGE MELEUC

1. EINLEITUNG

1.1. Der traditionelle Begriff Maxime, wie man ihn im Lexikon definiert findet oder wie er, mehr empirisch, dem allgemeinen Gebrauch entspringt, liefert uns sicherlich keine präzisen Kriterien, um die Beschaffenheit dieses so sonderbaren Typus von literarischem Diskurs zu bestimmen, aber er gibt uns dennoch zwei Grundgedanken, die wir *a priori* als zutreffend festhalten können.

Der erste ist, daß die Maxime, genau wie das Sprichwort, ein Universelles über den Menschen aussagt; diesen Sachverhalt halten wir graphisch fest, indem wir dieses Wort groß schreiben werden; die Maxime spricht also vom MENSCHEN mit seinen spezifischen Merkmalen: Geist, Denken, Moral. Der erste Eintrag im Artikel »Maxime« des »Dictionnaire Robert« ist folgender:

»Verhaltensregel, Moralregel.«

Aber diesem Eintrag geht eine wesentliche Information voraus, die auf der Etymologie des Wortes beruht:

»maxima *(sententia)* (Sentenz): die größte, die allgemeinste«

und diese Information wird am Ende des I. Eintrags wiederaufgenommen:

»Wertung oder Urteil allgemeiner Art.«

Der zweite Grundgedanke ist, daß dieser Diskurs typisch didaktisch ist; das beinhaltet ja bereits die Definition »Verhaltens*regel*, Moral*regel*«, und es wird unterstrichen durch die Worte, die der Lexikograph als austauschbar (commutes) mit dem Wort Maxime angibt unter gewissen Bedingungen, die wir nicht untersuchen wollen:

»Vorschrift, Prinzip, Axiom, Sentenz.«

Das sprachliche Beispiel im Wörterbuch paßt in dieser Hinsicht noch besser:

»Eine Maxime in Praxis umsetzen, sie ausführen«,

denn es pronenciert die besondere Beziehung, die den Sender und den Empfänger der Botschaft verbindet, und die darin besteht, daß der Sender den Empfänger überzeugen will, wobei der erste Lehrmeister, der zweite Schüler ist, aber diesen beiden Termen ein rein relationaler Inhalt gegeben wird. Anders gesagt, der ausgesendete Text hat das interne Ziel, von dem, der ihn empfängt, akzeptiert zu werden. Ausgangspunkt dieser Studie ist, diese beiden einfachen und undiskutierten Begriffe als grundlegend zu betrachten, sie irgendwie »wörtlich« nehmen, zu zeigen, daß sie tatsächlich einen bestimmten, ganz und gar determinierten Typ von Diskurs definieren und daß sie eine starke Einschränkung darstellen, die, unab-

Im Original: Meleuc, Serge, Structure de la maxime, *Langage*, 13, 1969, S. 69–99. Übersetzt von Irmela und Jochen Rehbein. Druck mit freundlicher Erlaubnis des Autors und des Verlages Librairie Larousse.

hängig vom Autor, die spezifische Form der Aussage reguliert, manchmal bis in winzige Details (wie z. B. die Anwesenheit dieses oder jenes Adverbs) hinein.

1.2. Die Entscheidung für die *Maximes* von La Rochefoucauld in der Ausgabe von 1678[2] als Korpus der Untersuchung ist völlig arbiträr, sie wurde *a priori* nach folgenden, gänzlich empirischen Kriterien getroffen:

La Rochefoucauld ist allgemein bekannt als Autor von Maximen, seine Aussagen stimmen mit unserer empirischen Auffassung von dem, was eine Maxime ist, überein. Wir sind der Meinung, daß z. B. ein französisches Wörterbuch in seinem Artikel »Maxime« weder die Erwähnung dieses Autors noch eine seiner Aussagen selbst weglassen kann, andernfalls der Lexikograph die heftige Kritik seiner Leser riskiert; faktisch wird er nicht ihrer Erwartung entsprechen und ihrem »soziokulturellen Modell« widersprechen.

Ein letzter Grund für die Wahl des Textes, dessen Wichtigkeit sich eingestandenermaßen erst nach einer vorgängigen Untersuchung ergibt, ist der, daß der Text nicht eine ungeordnete Folge von Aussagen ist, sondern ein Buch, offensichtlich mit demselben Anspruch wie z. B. *Les Charactères* von La Bruyère. Die Ausgabe von 1678 ist tatsächlich in den Augen derer, die den Text von La Rochefoucauld untersucht und ediert haben, die bevorzugte Ausgabe, die mit gutem Recht als »das Buch« von La Rouchefoucauld angesehen werden kann. Diese Tatsachen interessieren uns nicht als solche, sondern scheinen uns eine *a priori* ausreichende Rechtfertigung der Wahl eines bestimmten Korpus zur Untersuchung der Maxime.

1.3. Wenn wir uns auf die Ebene des Buches der *Maximes* stellen, d. h. des Korpus-Ganzen, können wir zweierlei Bemerkungen machen.

Mit dem Buch taucht das Phänomen der *Lektüre* auf. Man nimmt nicht mehr einen Paragraphen wahr, sondern eine Folge von Paragraphen, die durch weiße Stellen (blancs) getrennt sind. Die Lektüre dieses Textes ist also eine besondere, sie besteht in einem raschen Wechsel Lektüre-Pause, die im Gegensatz zur gewöhnlichen literarischen Lektüre, eines Romans z. B., steht. Innerhalb einer Pause wird der Leser gezwungen, den Text zu *sehen*, den er soeben aufgenommen hat, er wird notwendigerweise dazu gebracht, sich davon zu distanzieren und ihn in dem Maße, in dem der Text eine Behauptung enthält, die seinem eigenen Konzept, seinem eigenen »Modell« entgegengestellt ist, vielleicht abzulehnen. Die verschiedenen Adverbien sind vielleicht nur so reichlich, damit sie verhindern, daß, wenn zu zahlreiche Aussagen und vielleicht der ganze Text abgelehnt wird, die Lektüre keine Unterbrechung erfährt. So haben wir auf gut Glück, d. h. AUSSERHALB JEDES KONTEXTES, folgende Maxime gefunden:

»C'est se donner part aux belles actions, que de les louer de bon cœur«,* während die Aussage von La Rochefoucauld lautet:

»C'est *en quelque sorte* se donner part aux belles actions, que de les louer de bon cœur.« (M. 432)**

---

* Schöne Handlungen aufrichtig loben, heißt, sie mitbegehen. (A. d. Ü.)
** Schöne Handlungen aufrichtig loben, heißt, sie *gewissermaßen* mitbegehen. (A. d. Ü.)

Diese Tatsache ist sicher kein Beweis, sondern nur ein Indiz, das mit der Natur der Paragraphen und des Korpus als solchen zusammenhängt. Dieses Phänomen der Lektüre erklärt auch, daß beim schnellen Durchblättern der Sammlung die graphische Kürze längst nicht gleichförmig ist. Wenn die Paragraphen vom Umfang eines einzigen, kurzen Satzes am häufigsten sind, wird ihre Sukzession Punkt für Punkt unterbrochen; mit ihnen alternieren graphisch ausgedehntere Abschnitte, die sehr häufig fünf bis sieben Zeilen einnehmen und in seltenen Fällen diese Länge sogar überschreiten. Das ist der Fall bei den Maximen 139, 215, 233 und 504, übrigens mit zunehmender Länge. Man sieht, daß diese Maximen nur durch ihre Numerierung auf verschiedene Stellen des Buches verteilt sind; die ersten drei bleiben unter einer Seite, die Maxime 504 streckt sich über zweiundeinhalb Seiten hin.

Die zweite Frage, die man zu dem Buch stellen kann und die unsere letzte Bemerkung schon enthält, ist, ob es eine Ordnung in unserem Korpus gibt und welche. Offensichtlich ist es die numerische Ordnung von 1 bis 504. Ihr allgemeines Merkmal ist die reine Abfolge und der Ausschluß jeder Konstruktion und jeder Logik, deren Funktion stets darin besteht, die der Sprache innewohnende Linearität auf der Ebene der Performanz zu durchbrechen. Es genügt, an irgendeine Erzählung zu denken, um sich darüber Rechenschaft abzulegen; die strukturale Analyse der Erzählungen, wie sie Propp und die russischen Formalisten versucht haben, oder Barthes, Bremond usw.[3] wiederaufgenommen haben, ist bestrebt, Licht auf die genaue Rolle jeder Erzähleinheit zu werfen, die auf ihrer Ebene definiert und durch Bezug auf die Ebenen die integrierende ist; man kommt zu einer Abbildung in der Form von übereinandergelagerten, d. h. strukturierten Ebenen. Und der Roman hat nur Sinn durch die permanente Integration seiner Einheiten. Je stärker die Integration ist, desto besser ist sie spürbar.

Der Autor ist sich völlig des alogischen Charakters der Zahlenordnung bewußt, weil er sie, wie er selbst sagt, als ein *Fehlen* von Ordnung empfindet:

»Pour ce qui est de l'ordre de ces réflexions, on n'aura pas de peine à juger que comme elles sont toutes sur des matières différentes, il était difficile d'y en observer.« (Le libraire au lecteur.)*

Bemerken wir, daß dies Fehlen von Ordnung mehr an den formalen Charakter der Aussage gebunden ist als an ihre Bedeutung. Vorausgesetzt sei, was wir von der graphischen Einheit der Maxime einer kurzen und geschlossenen Aussage wissen, und was wir über die Ordnung gesagt haben: dann können wir unseren Korpus auf folgende Weise darstellen:

$$[(1) . (2) . (3) . (4) . (n) \ldots (504) .] \ldots (n)$$

wobei die runden Klammern den Abschluß jedes Paragraphen in sich selbst symbolisieren, die eckigen Klammern die Grenzen des Korpus. Sehen wir nun: wenn

---

* Was die Ordnung dieser Reflexionen anbelangt, so wird man unschwer zu dem Urteil kommen, daß man schwerlich eine beobachten kann, da jene alle verschiedene Gegenstände behandeln. (A. d. Ü.)

die eckige Klammer nach dem Paragraphen 504 steht, dann nur aus reinem Zufall, aus reiner Kontingenz. Die Zahlenordnung impliziert tatsächlich keine hervorragende Zahl, die der Folge ein Ende setzen würde. Diese Ordnung ist von Natur aus unabgeschlossen, sie verlängert sich ins Unendliche, sie kann keine wirkliche Ordnung errichten noch eine Aussage abschließen. Sie steht daher im Widerspruch zur geordneten, also notwendigen und abgeschlossenen Sequenz, die ein Buch darstellt, und dieser Widerspruch ist nicht auflösbar.

2. GRAMMATIK DER PROPOSITION

Dieses erste Kapitel soll dazu dienen, die Modalitäten der Realisierung des allgemeinen Schemas »affirmation, il, partout, toujours« auf dem Satzniveau genauer zu fassen, einer Einheit, die wir für unseren Zweck nicht näher zu definieren brauchen. Die Untersuchung stellt sich auf die Ebene der klassischen grammatikalischen Kategorien: die Determinanten des Nomens, die Nicht-Person, die dargestellt wird durch die Präsenz des Pronomens der dritten Person oder durch das Fehlen jedes Pronomens oder Agens, Nomen und Verb (1).

2.1. *Die Determinanten des Nomens*

Der Aussagetyp, den wir in der Einleitung definiert haben, führt eine bestimmte einleuchtende Reduktion des Determinanten-Systems herbei. Betrachten wir die unterstrichenen Artikel in den folgenden Paragraphen:

»*L*'homme croit souvent se conduire lorsqu'il est conduit.« (M. 32)*

»*La* jalousie se nourrit dans *les* doutes . . .« (M. 32)**

»*L*'intérêt, qui aveugle les uns, fait la lumière des autres.« (M. 40)***

»*La* fortune fait paraître nos vertus et nos vices, comme *la* lumière fait paraître *les* objets.« (M. 380)+

Der Artikel, der aus diesen Nomina Nominal-Syntagmen (SN) macht, hat die Eigenschaft, kein Segment innerhalb des Diskurses zu referieren. Da die Aussage in keine Situation eingeschlossen ist, auf die sich bestimmte Elemente beziehen und

* Der Mensch glaubt oft selbst zu gehen, wenn er geführt wird. (A. d. Ü.)
** Eifersucht nährt sich von Zweifeln. (A. d. Ü.)
*** Der Eigennutz, der die einen blind macht, erleuchtet die anderen. (A. d. Ü.)
+ Das Schicksal läßt unsere Tugenden und Laster hervortreten wie das Licht die Gegenstände. (A. d. Ü.)

definieren können, hat der Artikel demnach keinen wahrnehmbaren Referenten. In diesem Fall besteht seine Funktion darin, das Nomen zu referieren, dem er im linguistischen Kode vorausgeht und das er nicht *determiniert*, da er es (das Nomen, A. d. Ü.) in nichts bestimmt.

»In dem Satz: *la neige tombe à gros flocons*, identifiziert *la* das SN: *la neige* mit irgendeinem Nominalsegment, wobei *neige* als bekannt angenommen wird.«[4]

Der hier realisierte Artikel stellt das Nomen in das Universale der Sprache. Das SN *la vanité* in unserem Beispiel ist mit dem Nomen *vanité* der Wörterbuch- oder der Grammatiklexikoneintragung[5] identisch. Der Artikel ist aus dieser Perspektive nichts weiter als das Zeichen des Diskurses, der Diskurs macht ihn notwendig. Wenn man das Vorhandensein des obigen Artikels mit dem Fehlen des Artikels vergleicht, wie im Sprichwort, sieht man, daß ersteres keine zusätzliche Information in bezug auf letzteres beibringt. Semantisch weisen beide in gleichem Maß auf die Nicht-Aktualisierung der Aussage hin, sind unserer Meinung nach einander völlig äquivalent. Die Differenz, die sich formal manifestiert, gehört zu einer anderen Ordnung. Die lexikalische Einheit, die wir oben zitiert haben, gehört der Tiefenstruktur an, der Basiskomponente. Wenn diese Struktur in irgendeinem Diskurs aktualisiert wird, erscheint der Artikel und transformiert die lexikalische Einheit in eine Diskurseinheit. Die Maxime zwingt deshalb, nur dann der Grammatik zu gehorchen, wenn sie SN liefert und nicht Nomina; der Diskurs läßt tatsächlich Nomina ohne Determinanten nur zu, wenn es Eigennamen sind. Das Sprichwort dagegen, ein anderer Diskurstyp, verwendet alle Substantive ohne Artikel, überschreitet also das grammatikalische Modell. Das scheint uns der Tatsache zu entspringen, daß das Sprichwort stark kodiert ist, d. h., daß seine formalen Merkmale in einem bestimmten kulturellen Modell wurzeln, noch reduzierter und spezifischer sind, als die der Maxime, was bewirkt, daß es trotz jener Überschreitungen verstanden wird. Die Maxime dagegen sollte sich als ein literarischer Diskurs unter anderen definieren können und sollte als solcher den grammatikalischen Regeln der Sprache ebenso unterworfen sein wie ein romanesker, journalistischer, didaktischer Diskurs eines anderen Typs usw. Im Rahmen dieser Respektierung der Grammatik verfährt die Spezifikation, die den besonderen Diskurs, die Maxime, definiert. Diese Vergleichung schien uns nützlich, um die tiefe Ähnlichkeit zwischen diesen beiden verschiedenen Realisierungen zu zeigen.

Wenn man jetzt diesen Gebrauch des derart definierten Artikels *le* mit dem des Artikels *un* vergleicht, ist man mehr über Ähnlichkeiten als über Unterschiede erstaunt. Da das *un*, das das SN konstituiert, von vornherein seines Zahlenwertes[6] (2) wegen der Einschränkung des Universalen, die der Maxime eigentümlich ist, beraubt ist, kann es nur noch die gesamte Klasse des Nomens bezeichnen, dem es vorangeht; so erhält man die folgenden Aussagen:

»*Un* sot n'a jamais assez d'étoffe pour être bon.« (M. 387)*

---

* Ein Dummkopf hat nicht das Zeug dazu, gut zu sein. (A. d. Ü.)

»*Un* honnête homme peut être amoureux comme *un* fou, mais non pas comme *un* sot.« (M. 353)*

Die Analyse von Pottier[7] ist in dieser Hinsicht interessant; sie zeigt uns die Zugehörigkeit der beiden Formen zum Universalen, wobei die eine durch »la somme des individualités« (die Summe der Individualitäten, A. d. Ü.), die andere durch »l'extension de l'individualité« (die Extension der Individualität, A. d. Ü.) gebildet wird; die Analyse trägt deutlich dem identischen Funktionieren beider Formen Rechnung, die wir in dieser Aussage festgestellt haben, in der sie sich tatsächlich im Universalen miteinander verbinden.

Auch ein anderer Funktionstyp des Artikels ist möglich; wir nennen ihn die »textuelle Referenz«:

»Ce que prenons pour des vertus n'est souvent qu'*un* assemblage *de diverses actions* et *de divers intérêts.*« (M. 1)**

»*La* modération *des personnes heureuses* vient *du* calme *que la bonne fortune donne à leur humeur.*« (M. 17)***

»Il y a diverses sortes de curiosité: *l'*une *d'intérêt*, qui nous porte à ..., et *l'*autre *d'orgueil*, qui vient *du* désir *de savoir ce que les autres ignorent.*« (M. 173)+

Wenn das Substantiv *modération* (Gelassenheit) oder *désir* (Wunsch) von einem einzigen Artikel eingeleitet wird, hat es nicht seine vollständige Bedeutung, es wird außerdem determiniert durch eine Expansion, die sich von einem anderen Substantiv, dem ein *de* vorangeht, bis zu einem vollständigen durch *que* eingeleiteten Satz erstreckt; einige von diesen Substantiven könnten einen autonomen Status haben und haben ihn übrigens auch, wie *modération*, *curiosité*, andere müssen auf die Weise determiniert werden wie *assemblage* in M. 1.

Die Untersuchung der Demonstrativpronomen tritt wie die der Possessivpronomen in dieselbe Gebrauchskategorie, nämlich die textuelle Referenz, ein. So:

»*Ces grandes et éclatantes* actions *qui éblouissent les yeux* sont représentées par la politiques comme les effets des grands desseins, au lieu que ce sont.« (M. 7)++

---

* Ein rechter Mann kann wie ein Narr verliebt sein, aber nicht wie ein Dummkopf. (A. d. Ü.)
** Was wir für Tugend halten, ist oft nur ein Zusammentreffen unterschiedlicher Handlungen und Vorteile. (A. d. Ü.)
*** Die Gelassenheit glücklicher Menschen entspringt der Windstille, die das gute Geschick über ihr Gemüt gebracht hat. (A. d. Ü.)
+ Es gibt verschiedene Arten von Neugierde: eine aus Eigennutz, welche uns treibt, zu ..., die andere aus Eigendünkel, die dem Wunsche entspringt, mehr zu wissen als andere. (A. d. Ü.)
++ Die großen glänzenden Taten, welche wir geblendet anstaunen, werden stets von den Politikern als die Folgen großer Absichten dargestellt, während sie sich woanders herleiten. (A. d. Ü.)

»*Cette* clémence *dont on fait une vertu* se pratique tantôt par vanité.« (M. 16)*

»*Cette* valeur *si célèbre parmi les hommes.*« (M. 213)**

Man kann Demonstrativa und Possessiva auf folgende Weise darstellen:
Le + N + de + (S) N
  que + P
Wenn diese syntagmatische Folge die Form:
Le + orgeuil + de + nous,
hat, hat der realisierte Satz die Form:
Notre orgeuil.
Wenn die syntagmatische Folge ist:
La + action + que + P,
kann der gebildete Satz die Form haben:
Ces + actions + que + P.

Aber in diesem Fall – das gilt auch für den Gebrauch des Artikels, den wir vorher untersucht haben – bleiben der Satz oder das SN, mit einem Wort, die Referierten, stets realisiert, da die Referenz nur textuell sein kann. Wir werden weiter unten die Folgerungen aus dieser Redundanz für das Demonstrativpronomen sehen.

Da sich andererseits die Aussage graphisch nicht wie eine normale Aussage ausdehnt, kann man nur schwer »anaphorische« [regressive] textuelle Referenz der Form finden:

La clémence . . . *Cette* clémence (Referiertes ø) est . . .

Die längeren Aussagen 215 und 233 und vor allem 504 können indessen ein Beispiel dafür geben. Die Possessivpronomen dagegen kennen diese Realisierung und sogar das Fehlen von anaphorischer oder kataphorischer (regressiver oder progressiver) Referenz, denn sie haben, wie das obige Schema zeigt, das universale *nous* als Referiertes. Da dieser Basisterm immer und allein das menschliche Universale repräsentiert, ist er nicht ambig; *nos, notre* ist folglich nur die stilistische Variation von *nous*, das übrigens nicht in der Aussage ausgedrückt sein muß. Die statistische Aufstellung macht lediglich einen Unterschied in der Frequenz deutlich; es gibt viele Maximen dieses Typs:

»*Notre* mérite *nous* attire l'estime des honnêtes gens, et *notre* étoile celle du public.« (M. 165)***

---

* Die Milde, die man gar zur Tugend stempelte, wird manchmal aus Eitelkeit geübt. (A. d. Ü.)
** Die unter den Menschen so gar gerühmte Tapferkeit (A. d. Ü.)
*** Unser Wert erwirbt uns die Schätzung der rechtschaffenen Menschen und unser Stern die des Publikums. (A. d. Ü.)

»*Nous* oublions aisément *nos* fautes lorsqu'elles ne sont sues que de *nous*.« (M. 196)*

und nur einige des Typs:

»La fortune fait paraître *nos* vertus et *nos* vices comme la lumière fait paraître les objects.« (M. 380)**

Dagegen müssen die deiktischen Demonstrativa, da sie kein situationelles Referiertes bei sich haben, immer von ihrem textuellen Referierten gefolgt werden, das wir oben erwähnt haben. Unter diesen Bedingungen wird das Demonstrativum der stilistisch markierte Term einer Opposition, von der der Artikel unter denselben Bedingungen der Verwendung der unmarkierte Term ist; das Demonstrativum ist ein reines Verfahren der Emphase; der Vergleich zweier Abschnitte ist in dieser Hinsicht beweiskräftig:

»*La* clémence *des princes* n'est souvent qu'une politique pour ...« (M. 15)***

unmarkierte Aussage:

»*Cette* clémence *dont on fait une vertu* se pratique tantôt par vanité, tantôt ...« (M. 16)+

markierte Aussage:

Diese Markierung ist übrigens immer an eine darauf bezogene Aussage gebunden, deren Irrelevanz sie unterstreicht, wie es die Maximen 7, 16, 213, die bereits zitiert wurden, zeigen, oder folgender Auszug aus dem Paragraphen 504:

»J'entends parler de *ce* mépris *de la mort que les païens se vantent de tirer de leur propre force*, ...« (M. 504)++

Es ist auch aus den oben zusammengestellten Gründen einsichtig, warum das Demonstrativpronomen selten in der Maxime vorkommt.

2.2. Die pronominalen Substitute

Wir verweilen nicht bei den Pronomina des folgenden Typs, deren Funktionsweise regelmäßig ist und keine besondere Information beibringt:

---

* Wir vergessen unsere Fehler gar leicht, wenn sie keiner kennt – außer uns. (A. d. Ü.)
** Das Schicksal läßt unsere Tugenden und unsere Laster hervortreten wie das Licht die Gegenstände. (A. d. Ü.)
*** Die Milde der Fürsten ist oft nur eine Art Staatsklugheit, um ... (A. d. Ü.)
+ Die Milde, die man zur Tugend stempelt, wird geübt, einmal aus Eitelkeit, manchmal ... (A. d. Ü.)
++ Ich höre von jener Verachtung des Todes reden, welche die Heiden aus eigenen Kräften sich aufzubringen rühmen ... (A. d. Ü.)

»La jalousie est le plus grand de tous les maux, et *celui* qui fait le moins de pitié aux personnes qui *le* causent.« (M. 503)*

»De toutes les passions violentes, *celle* qui sied le moins mal aux femmes, c'est l'amour.« (M. 465)**

Es handelt sich hier in der Tat um die normale Funktionsweise der Pronomen der 3. Person. Wir werden hingegen bei den formalen Oppositionen im Inneren des Systems der Nicht-Person verweilen, die *il, on* und *ø* in Relation bringen, und bei der Opposition aller dieser Formen zu *nous*.

Il ist der Basisterm einer sehr umfangreichen Klasse, die die Substitute umfaßt, von denen wir soeben zwei Beispiele gegeben haben *(celui, celle, ceux, il(s), elle(s))*. Selbst wenn diese Klasse ganz uniform ist, bleibt sie eine erste interessante Klasse, die durch die Form *on* repräsentiert wird, welche von J. Dubois betitelt wurde als »la suppression de la référence personnelle« (die Eliminierung der personalen Referenz)[8].

Wir wissen, daß *il* die Nicht-Person ist; in unserer Aussage und ganz allgemein sagen wir also, daß *on* die Eliminierung des Agens, das einen spezifischen semantischen Inhalt hat, bedeutet. So:

(1) »*On* pardonne tant que l'*on* aime.« (M. 330)***

(2) »*Les femmes* ne connaissent pas toute leur coquetterie.« (M. 332)+

(3) »*La jalousie* naît toujours avec *l'amour*, mais *elle* ne meurt pas toujours avec *lui*.« (M. 361)++

In diesem Paragraphen wird *on* in Opposition zu *il* und zu seiner Klasse gesetzt als
(1) die gesamte Klasse der   (2) Agens X, das verschieden von
möglichen Agens   Agens Y und verschieden von Agens Z ist.
On hält den Platz des Agenten des Verbs, ohne irgendeine besondere Klasse zu spezifizieren; wie J. Dubois sagt: »La quantité d'information apporté par *on* est la moindre de tout le système.« (Die Menge der Information, die von *on* beigebracht wird, ist die geringste im ganzen System.)[9]

---

* Eifersucht ist das größte aller Leiden, und jenes, das das geringste Mitleid in den Menschen, die es verursachen, erweckt. (A. d. Ü.)
** Von allen heftigen Leidenschaften kleidet Liebe die Weiber am wenigsten schlecht. (A. d. Ü.)
*** Man vergibt, wie man liebt. (A. d. Ü.)
+ Weiber sind koketter als sie wissen. (A. d. Ü.)
++ Eifersucht wird stets mit der Liebe geboren, aber sie stirbt nicht immer mit ihr. (A. d. Ü.)

On repräsentiert das Universale der Agens.

Andererseits sind *on* und *nous* äquivalent; *nous* vereinigt *il*, Nicht-Person +*je*, *tu*, Personen, *nous* repräsentiert wie *on* das Universale der Agens, aber mit einer zusätzlichen Information, welche die Protagonisten des Aussage-Aktes, das *je* des Autors und *tu* des Lesers mit einschließt. Dieser Unterschied gestattet, wie man sehen wird, eine Opposition. Die beiden Formen *nous* und *on* stehen zusammen in Opposition zu *il*, das einzig geeignet ist, das SN Unbelebt oder Abstrakt zu repräsentieren; also: außer der oben gesehenen Opposition zwischen *on* und *il* (den Personen + semantischem Qualifikativ vs allen Agens), stehen *nous* und *on* in Opposition zu *il* wie: Unbelebt oder Abstrakt vs Belebt-Person.

»*Les passions* ont une injustice et un propre intérêt qui fait qu'il est dangereux de *les* suivre, et qu'*on s'en* doit défier, lors même qu'*elles* paraissent *les* plus raisonnables.«
(M. 9)*

Aber wenn diese drei Formen im Inneren ein und desselben Paragraphen in Opposition treten, dann werden ihre unterschiedlichen Merkmale eklatant. Dennoch wird dies nicht immer verifiziert, wie diese Maxime zeigt:

»*Un habile homme* doit régler le rang de ses intérêts et les conduire chacun dans son ordre. *Notre* avidité le trouble souvent en *nous* faisant courir à tant de choses à la fois que, pour désirer les moins importantes, *on* manque les plus considérables.«
(M. 66)**

Zehn Maximen, die eben zitierte eingeschlossen, lassen die drei Formen gleichzeitig erscheinen, nämlich die Maximen 55, 66, 117, 191, 197, 198, 233, 360, 403, 504. Wir geben daraus drei Beispiele. Die Maxime 55 vereinigt *on* und *nous*, die kommutierbar sind, und stellt sie in Opposition zu *il*, das durch ein SN repräsentiert wird: *les favoris* (die Günstlinge) und deren Substitute:

»La haine pour *les favoris* n'est autre chose que l'amour de la faveur. Le dépit de ne la pas posséder se console et s'adoucit par le mépris que l'*on* témoigne de *ceux qui* la possèdent; et *nous leur* refusons *nos* hommages, ne pouvant *leur* ôter ce qui *leur* attire ceux de tout le monde.« (M. 55)***

---

* Alle Leidenschaften sind unbillig und selbstsüchtig, es ist daher gefährlich, ihnen zu folgen, man soll ihnen mißtrauen, selbst wenn sie noch so vernünftig erscheinen. (A. d. Ü.)
** Ein kluger Mann soll unter seinen Vorteilen bestimmte Rangstufen herstellen und einen jeden nur nach dieser Ordnung verfolgen. Unsere Begehrlichkeit bringt sie gar oft durcheinander und läßt uns so vielen Dingen auf einmal nachjagen, daß uns die wichtigen entgehen, gerade während wir die kleinen beim Schopfe fassen (A. d. Ü.)
*** Der Haß auf Günstlinge ist nichts weiter als Liebe zur Gunst. Der Verdruß, ihrer nicht teilhaftig zu sein, tröstet und lindert sich durch die Verachtung, die wir dem Günstling zollen: wir versagen ihm unsere Schätzung nur, weil wir ihm das nicht rauben können, was ihm die Schätzung aller Welt einträgt. (A. d. Ü.)

Die Maxime 360 dagegen stellt *on* und *nous* in Opposition:
»*On* se décrie beaucoup plus auprès de *nous* par les moindres infidélités qu'*on nous* fait, que par les plus grandes qu'*on* fait aux autres.« (M. 360)*

Einerseits haben wir das Agens des Verbs, das durch *on* repräsentiert wird, andererseits zwei Klassen von passivischen Agens, die durch *nous* und *»les autres«* repräsentiert werden. Dieser Aussagetyp hat die Besonderheit, dem Leser eine bestimmte Perspektive zum Aussageprozeß zu imponieren; diese wird natürlich als *nous* eingesetzt und opponiert »les autres«, die unterschiedslos durch SN, *il(s)* oder *on* repräsentiert werden.

Man sieht also, daß die Oppositionen benutzt werden, um die Protagonisten der Aussage zu differenzieren, aber meistens zu stilistischen Zwecken. Sie sind Teile formaler Alternanzen, die wir als Zeichen für das Buch in der Einleitung angeführt haben. Wenn sich die drei Pronominalformen vermöge ihrer grammatikalischen Natur differenzieren, dann ist klar, daß alle drei gleichermaßen fähig sind, die Maxime zu etablieren, welche so unterschiedslos *on*, *nous* oder *il* in ihre Konstitution aufnehmen kann.

Die Eliminierung des Verbagens kann durch einen Passivsatz realisiert werden, dessen Agens unter bestimmten Bedingungen eliminiert worden ist. Eine dieser Bedingungen ist, daß dieses Agens indefinit ist; daher eignen sich Aktivsätze mit dem Subjekt *on* besonders gut für diese Transformation.

*On ne peut pas regarder le soleil fixement:*** P aktiv.

Le soleil ne peut pas être fixement regard par on: P passiv.
Le soleil ne peut pas être regardé fixement: Eliminierung des Agens.

Dieser Satztyp steht nicht im untersuchten Korpus, aber wir finden das Beispiel eines äquivalenten Satzes, der aus der Reflexivtransformation des obigen Endsatzes (phrase terminale) hervorgegangen ist:

Le soleil ne peut pas se regarder fixement: T reflexiv.

Die Aussage, die in dem Korpus realisiert wird, ist genau die folgende, die sich von der vorherigen nur durch eine Generalisierungs-Transformation unterscheidet, welche zwei Propositionen koordiniert hat, und durch eine geringfügig abweichende Anordnung der negativen Segmente:

»Le soleil ni la mort ne se peuvent regarder fixement.« (M. 26)***

Unser einziges Verfahren hat gezeigt, daß diese Wendung, obwohl formal verschieden, den Aktivsätzen mit dem Subjekt *on* äquivalent ist; sie setzt übrigens die

---

* Man schadet sich bei uns viel mehr durch die kleinste Treulosigkeit gegen uns, als durch die größte gegen andere. (A. d. Ü.)
** Man kann die Sonne nicht genau ansehen. (A. d. Ü.)
*** Weder der Sonne noch dem Tod kann man fest ins Antlitz schaun. (A. d. Ü.)

gesamte Klasse der Agens genauso wie die letzten voraus. Man kann also nicht von einer unterschiedlichen Grammatik für die unterschiedlichen Beispieltypen sprechen.

2.3. Das Verbalsystem

Die Merkmale des Verbalsystems zeigen, daß die Rolle des Verbs in unserem Diskurstyp eingeschränkt ist. Das Verb ist hier tatsächlich der Mehrzahl der Markierungen, die ihm eigen sind, beraubt, weil die durch diese Markierungen gelieferte Information ausgeschlossen wird. Einzig die Variation im Numerus wird aufrechterhalten, aber sie ist unwichtig für die Definition des Diskurstyps. Die einzige Opposition, die man hier findet, ist die zwischen vollendet (perfektiv)-unvollendet (durativ) (accompli – non accompli), die durch die formale Opposition: einfache Form – zusammengesetzte Form (forme simple – forme composé) unterstützt wird[10].

»Le bien que nous *avons reçu* de quelqu'un veut que nous respecions le mal qu'il nous fait.« (M. 229)*

»L'approbation que l'on donne à ceux qui *entrent* dans le monde vient souvent de l'envie secrète que l'on porte à ceux qui y *sont établis*.« (M. 280)**

»L'accent du pays où l'un *est né demeure* dans l'esprit et dans le cœur, comme dans le langage.« (M. 342)***

»Le plus dangereux ridicule des vieilles personnes qui *ont été* aimables, c'est d'oublier qu'elles ne le *sont* plus.« (M. 408)+

Wir haben bis jetzt die Klassifizierung dieser Formen zurückgestellt, denn man sieht wohl, daß sie gar keine Tempora sind, wie die Formen des Imperfekts und des Passé défini. Die mögliche Tempusfunktion dieser Formen ist der Opposition vollendet – unvollendet untergeordnet und realisiert sich nur situationell.

Die Erforschung des Korpus zeigt andererseits den statistischen Vorrang des Verbs *être* gegenüber allen anderen Verben, natürlich in der Form: est. Der Herausgeber der *Maximes* spricht vom Überfluß an »Definitionen« und bindet diese Tatsache an einen Zug der Epoche:

---

* Das Gute, das uns jemand getan hat, will, daß wir das Böse hinnehmen, das er uns tut. (A. d. Ü.)
** Der Beifall, den wir dem neuen Manne zollen, entspringt oft heimlichem Neide auf den anerkannten.
*** Der Tonfall des Landes, in dem man geboren ist, verbleibt im Geiste und im Herzen ebensogut wie in der Sprache. (A. d. Ü.)
+ Die gefährlichste Lächerlichkeit alter Leute, die einst liebenswert waren, besteht darin, zu vergessen, daß sie es nicht mehr sind. (A. d. Ü.)

... »les définitions abondent, ce qui est un trait d'époque; n'est-ce pas le moment de la composition des dictionnaires de l'Académie et de Furetière?«[11]*

Die Verbindung zwischen der Aussage der Maxime und der des Wörterbuchs ist an sich interessant, aber die historische Erklärung, die damit verknüpft ist, kann nicht befriedigen. Nehmen wir nur zwei oder drei Beispiele dieses Maximetyps:

»L'esprit est toujours la dupe du cœur.« (M. 102)**

»La faiblesse est le seul défaut que l'on ne saurait corriger.« (M. 130)***

»La sincérité est une ouverture du cœur.« (M. 62)+

Die Form dieser Paragraphen, von der die »Definition« (in der das Segment Subjekt äquivalent zu dem Segment Prädikativum steht, wie im letzten Beispiel) nur ein besonderer Fall ist, wird direkt aus der Einschränkung des Universalen gewonnen, an dem beide, Maxime und Wörterbuch, partizipieren, wie wir es weiter unten zeigen wollen.

Zu dieser Klasse müssen unserer Meinung nach auch jene Aussagen gezählt werden, die mit *il y a ... (qui)* eingeleitet werden:

»Il y a de bons mariages, mais il n'y en a point de délicieux.« (M. 113)++

»Il y a diverses sortes de curiosité.« (M. 173)+++

»Il y a des héros en mal comme en bien.« (M. 185)†

Diese beiden Formen haben als gemeinsames Merkmal, »doter l'énoncé d'un prédicat de réalité ..., d'organiser en une structure complète les éléments de l'énoncé.«[12]††

---

* Die Definitionen nehmen überhand, das ist ein Zug der Epoche; ist das nicht der Augenblick, an dem die Dictionnaires der Akademie und von Furetière zusammengestellt werden. (A. d. Ü.)
** Der Kopf ist stets der Narr des Herzens.
*** Schwäche ist der einzige Fehler, den man nicht verbessern kann. (A. d. Ü.)
+ Aufrichtigkeit ist Herzensoffenheit. (A. d. Ü.)
++ Es gibt gute Ehen, aber keine glücklichen.
+++ Es gibt verschiedene Arten der Neugierde (A. d. Ü.)
† Es gibt Helden im Bösen wie im Guten. (A. d. Ü.)
†† ... die Aussage mit einem realen Prädikat zu versehen, ... die Elemente der Aussage in einer vollständigen Struktur zu organisieren (A. d. Ü.)

Diese Verben scheinen uns nur die reine Verbfunktion wiederzugeben, in dem Sinn wie sie Benveniste definiert hat, ohne anderen semantischen Inhalt als eben diese Basisbedeutung. Die Schlüsse von Benveniste über den Nominalsatz können auch auf die oben zitierten Sätze angewendet werden:

»La phrase nominale en indo-européen asserte une certaine ›qualité‹ comme propre au sujet de l'énoncé, mais hors de toute détermination temporelle ou autre et hors de toute relation avec le locuteur.« *

Est oder *il y a* konstatieren diese »Qualität«, ohne daß ein anderer »Sinn« dazu-kommt. Das sind in gewisser Weise die Formen der reinen Behauptung, und die Merkmale des Verbsegments entsprechen vollkommen der totalen Nicht-Deter-minierung des Nominalsatzes. Man sieht folglich, daß die »Definitionen« bevorzugte Formen sind und daß sie sehr eng mit den Hauptmerkmalen dieser Aussage zu-sammenhängen, die ihr präzise formale Eigenschaften zuweisen; in diesem Fall eine propositionelle Syntax, die der des Nominalsatzes benachbart wenn nicht identisch mit ihr ist, die man in bestimmten indo-europäischen Sprachen, und besonders im Griechischen, realisiert findet.

Es ist auch nicht gleichgültig, festzustellen, daß der Nominalsatz im Französischen in einem besonderen Diskurstyp, dem Sprichwort, vorkommt. Der literarische Diskurs, zu dem die Maxime gehört, verbietet die Realisierung dieser syntaktischen Form, aber man kann die Strukturen, die wir soeben betrachtet haben, als äquiva-lent ansehen. Wir bemerken auf der Ebene der Syntax des Satzes eine Tatsache, die hierzu parallel schon bei dem Artikel festgestellt wurde, daß nämlich das Vorhan-densein des Verbsegments an die Einschränkung selbst des Diskurses gebunden ist, aber daß diese Form im Verbsegment einer Form ø äquivalent ist, die in einem anderen Diskurstyp vorkommt, aber mit einer anderen Grammatik versehen ist. Man könnte in generativer Terminologie sagen, daß die Tiefenstruktur beider Aussagen identisch ist und daß die formalen Variationen, die man zwischen Artikel/Artikel ø oder besser: est, il y a/ Verb ø beobachtet, auf der Transfor-mationsstufe auftreten, auf der die spezifischen Regeln jedes Diskurstyps operieren. Denn die fundamentale Syntax erscheint oft ähnlich, was wohl durch die semanti-sche Identität der beiden Aussagen erklärt wird: *il, partout, toujours* und *affirmativ.*

2.4. Die Nominaltransformation

Die Einschränkungen, die auf dem Verb lasten und seinen Gebrauch reduzieren, haben eine Ausdehnung des Nominalsatzes zur Folge, und zwar durch das, was wir mit den Worten der transformationellen generativen Grammatik die »Nominal-transformation« nennen. Die theoretischen Grundlagen dieser Analyse werden durch die Werke von Chomsky, Ruwet, Dubois an die Hand gegeben. Wir unter-

---

* Der Nominalsatz konstatiert im Indo-Europäischen eine bestimmte Qualität als dem Subjekt der Aussage zugehörig, aber außerhalb jeder temporalen oder anderen Determinierung und außerhalb jeder Beziehung zum Sprecher. (A. d. Ü.)

suchen hier daher nicht die Nomen unter semantischem Gesichtspunkt, sondern die abgeleiteten Nominalstrukturen, besonders den Infinitiv, denn diese Form ist hervorragend in dem Korpus vertreten, weil sie in allen Punkten den Einschränkungen des Diskurses Maxime entspricht.

Betrachten wir folgende Aussage:

»Pour être un grand homme, il faut savoir profiter de toute sa fortune.« (M. 343)*, die wir für die Untersuchung unterteilen:

(Pour être und grand homme$_1$) + (il faut$_3$) +

(savoir profiter de toute sa fortune$_2$).

Aus der Sicht der Transformationsgrammatik sagen wir, daß dieser Satz eine komplexe Oberflächenstruktur ist, die mittels einer Reihe grammatikalischer Operationen aus mehreren Basispropositionen oder »syntagmatischen Endketten«, die die Tiefenstruktur bilden, hervorgegangen ist. Diese Aussage hier ist einer relativ hohen Anzahl von Basispropositionen entsprungen, die nacheinander nominalisiert und ineinander eingebettet werden.

Die erste Sequenz:

(1) Pour être un grand homme

ist durch eine generalisierte Transformation (generalisierte T) zweier Basissätze entstanden, von denen einer Matrixsatz (P Matrix), der andere Konstituentensatz (P Konstituente) genannt wird, nach der Terminologie von Lees, die von Ruwet übernommen wurde.

P Matrix (Pm): SN + vouloir + TPS + SN Objekt

P Konstituente (Pc): SN + être + TPS + SN

In diesen Ketten sind »vouloir« und »être« nur Symbole, was ebenso wahr für die anderen Konstituenten ist. Die formalen Realisationen der Ketten gehen allein aus der Oberflächenstruktur nach der Anwendung der phonologischen Regeln der Grammatik hervor.

Folge der geordneten Transformationen:

a) Nominalisierung von Pc.

Qu + SN + être + TPS + SN

b) Einbettung von nominalisiertem Pc in Pm, indem Pc die Konstituente SN Objekt leer (postiche)[13] substituiert, welches notwendigerweise durch Transformation ersetzt werden muß:

SN$_1$ + vouloir + TPS + SN$_2$ + être + TPS + SN

c) Infinitivtransformation von nominalisiertem und eingebettetem Pc, indem ein infinitives Affix (Af) die Konstituente TPS des Verbs ersetzt und durch Eliminierung der Satzgrenze Qu, die unnötig geworden ist, da die Funktion der Demarkation durch die hierarchische Differenzierung der beiden Verbalformen: V + TPS/V + Af gesichert ist. Diese Infinitivtransformation ist außerdem der Bedingung unterworfen,

---

* Um ein großer Mann zu werden, muß man sein ganzes Schicksal zu nützen wissen. (A. d. Ü.)

daß das SN Subjekt im Pm identisch mit dem Subjekt von Pc ist, d. h., daß $SN_1 = SN_2$ ist, eine Bedingung, die hier erfüllt wird ($SN_1 = ON$, $SN_2 = ON$).

SN + vouloir + TPS + être + Af Inf + SN

Die Kette, die man auf diese Weise erhält, wird transformationelle Terminalkette genannt; sie könnte tatsächlich durch direkte Anwendung morphologischer Regeln der Grammatik in einen Satz überführt werden, der in der Sprache realisiert ist:

vouloir + Präsens → veut

être + A Inf → être

Terminalkette → on veut être un grand homme.

Aber die Nominaltransformation kann auch fortgesetzt werden, wie wir es nach der Untersuchung von (3) sehen werden, da in der obengenannten Kette eine Konstituente TPS bleibt, die geeignet ist, durch ein Nominalaffix wie oben ersetzt zu werden.

(2) savoir profiter de toute sa fortune.

Pm : SN + savoir + TPS + SN Objekt

Pc : SN + profiter + TPS + de + SN

Transformationsfolge:

a) Nominalisierung von Pc

Qu + SN + profiter + TPS + de + SN

b) Einbettung von nominalisiertem Pc in Pm

SN_1 + savoir + TPS + Qu + SN_2 + profiter + TPS + de + SN

c) Infinitivtransformation von eingebettetem Pc unter denselben Bedingungen wie (1), d. h. $SN_1 = SN_2$

SN + savoir + TPS + profiter + Af Inf + de + SN

Wie vorher könnte die Terminalkette in einem wohl geformten Satz der Konfiguration:

On sait profiter de toute sa fortune

überführt werden.

(3) il faut

Dieses Element ist der Angelpunkt des in der Aussage gegebenen Gesamtsatzes, es ist dessen Matrixsatz (Pm). Die Syntax kann auf folgende Weise dargestellt werden:

P → SN + SV

SV → V + SN_1 (+ SN_2 circonstanciel),

wobei die Klammern den fakultativen Charakter von SN_2 (Präpositionalobjekt) angeben (üblicherweise CIRC abgekürzt).

P → [il] + [[falloir + TPS] + SN_1 Objekt + (CIRC)]
     SN   V

SN_1 ist die Konstituente, die notwendigerweise durch Transformation sowie SN_2 fakultativ ersetzt wird. Es gibt tatsächlich Sätze vom Typ: Il *le* faut, il faut *venir*, aber keine von der Form: *il faut pour être heureux, *il faut quand on est vieux. Die Gesamtstruktur der Aussage, die der Lektüre vorliegt, wird also durch eine neue Einbettung der Ketten (1) und (2) erreicht, die noch einmal durch denselben Prozeß wie vorher in P(3) nominalisiert werden.

P (2):

a) Nominaltransformation.

QU + SN + savoir + TPS + profiter + Af Inf + de + SN

b) Einbettung von P(2) in P(3), indem P(2) die Konstituente SN_1 Objekt von P(3) substituiert. Obligatorische Transformation.

SN_1 + falloir + TPS + QU + SN_2 + savoir + TPS
    + profiter + Af Inf + de + SN

c) Infinitivtransformation von eingebettetem P(2).

Ein Problem taucht hier auf, das die Infinitivtransformation blockieren könnte, nämlich die offensichtliche Nicht-Identität der Subjekte SN_1 und SN_2. Indessen scheint uns diese Nicht-Identität von der Oberflächenstruktur und nicht von der Basiskomponente abzuhängen. Auf dieser letzten Ebene sind die Formen »il faut« und »on doit«, die bei der Lektüre als unterschieden wahrgenommen werden, identisch, und man kann $SN_1 = SN_2$ setzen. Die Transformation kann also angewandt werden.

SN + falloir + TPS + savoir + Af Inf + profiter
    + Af Inf + de + SN + (CIRC)

was die phonologischen Regeln übertragen in:

Il faut savoir profiter de toute sa fortune.

P (1):

a) Nominaltransformation.

QU + SN + vouloir + TPS + être + Af Inf + SN

b) Einbettung von P(1) in P(3), indem P(1) die Konstituente CIRC von P(3) substituiert.

SN + falloir + TPS + P(2) + QU + SN + vouloir
    + TPS + être + Af Inf + SN

c) Infinitivtransformation. Die Inf T von P(1) stellt ein Problem, das anders ist als das von P(2), usw. aufgrund der Demarkation CIRC. Die Beschaffenheit von CIRC wird nicht durch die Syntax von: il faut gegeben. Sie hängt darum völlig von der Tiefenstruktur des Konstituentensatzes (Pc) ab. In dem vorliegenden Fall wird die realisierte Endform des Satzes an das Vorhandensein einer Konstituente *Futur* oder *vouloir* im eingebetteten P gebunden, wie es bereits unsere Anfangsdarstellung dieses Satzes vor jeder Transformation zeigt; die Schwierigkeit besteht darin, formal über die Transformation Aufschluß zu geben, die den Übergang von der syntagmatischen Terminalkette zur transformationellen Terminalkette schafft. Als Hypothese schlagen wir folgende Operationen vor:

Die Demarkation von CIRC, POUR, wird durch die Nominaldemarkation QU substituiert und zwar vor der Infinitiv T von P(1), welche QU zum Verschwinden bringt. Diese Substitution ist an die Bedingung geknüpft, daß die Demarkation QU sich in dem Kontext/; *vouloir:* findet:

QU/. vouloir → POUR

Diese Ersetzung (réécriture) ist fakultativ. Sie zieht, wenn sie angewendet wird, die Eliminierung der Konstituenten *vouloir* nach sich (mit den Konstituenten, die daran gebunden sind, insbesondere TPS), die für POUR redundant geworden ist. Diese Eliminierungstransformation ist obligatorisch. Man stellt deshalb die Operationsfolge so dar:

1. QU + SN + vouloir + TPS | Demarkations-
2. POUR + SN + vouloir + TPS | Transformation.
3. POUR + SN + ø + être + Af Inf ... | Eliminierung von V.
4. POUR + ø   + être + Af Inf ... | Eliminierung von SN.

Endkette, die die phonologischen Regeln übertragen in:
pour être ...

Diese Interpretation haben wir angenommen, die in unseren Augen die zusammenhängendste ist, nicht um eine isolierte Aussage zu analysieren, sondern aufgrund einer allgemeineren grammatikalischen Tatsache: Die »Präposition« POUR hat niemals ihre Bedeutung »Ziel«, wenn sie mit *vouloir* zusammensteht, sondern stets eine konzessive oder kausale Bedeutung; *pour* und *vouloir* haben komplementäre Distribution.

Das Interesse einer solchen Analyse, die auf den ersten Blick ein leeres formales Spiel scheinen kann, ist vielfältig; sie gestattet eine große Zahl von Aussagen in Beziehung zu setzen, deren Oberflächenstruktur eine Annäherung *a priori* nicht gestattet. Man sieht im nächsten Kapitel, daß ein solches Verfahren gestattet, über die interpropositionelle Struktur einer großen Anzahl einförmiger und einfacher Aussagen Auskunft zu geben, wobei die syntaktische Regelmäßigkeit sich tatsächlich optimal auf der Ebene der Tiefenstruktur zeigt.

Der oben analysierte Paragraph zeigt, welchen wichtigen Platz die Nominaltransformationen in der Syntax der Aussage einnehmen; wir können diese Maxime als repräsentativ für den Korpus angeben, in dem die Häufigkeit der Infinitive sehr hoch ist; man kann das als besonderes und charakteristisches Merkmal dieses Diskurstyps ansehen und sich fragen, warum es so ist.

Die hier angewendete Formalisierung zeigt an sich selbst, worin die Charakteristika des Infinitivs liegen: Der Infinitiv ist eine Nominalform, die Infinitivtransformation kommt immer erst *nach* einer ersten mit QU durchgeführten Transformation, die den Satz nominalisiert. Überdies sieht man, daß das Infinitivaffix die Konstituente TPS des Verbs substituiert, die wir vorher nicht analysiert haben, die aber Ruwet ersetzt[14]:

$$\text{»TPS} \rightarrow (R) \left\{ \begin{array}{c} \text{Prst} \\ \text{Impft} \end{array} \right\}\text{«}$$

was uns zeigt, daß der Modus »Konditional« darin enthalten ist. Man sieht also das Band besser, das die Nominalisierung und die Merkmale des besonderen Typs von Nomen, den Infinitiv, verbindet, der überhaupt keine Verboppositionen kennt: Tempus/Nicht-Tempus, Modus/Nicht-Modus, Person/Nicht-Person, und darum auf der negativen Seite dieser Oppositionen steht.

Jakobson schreibt:

»(–) Parmi toutes les formes verbales, l'infinitif est celle qui véhicule l'information minimale. Il ne dit rien ni sur le protagoniste du procès de l'énoncé, ni sur la relation de ce procès aux autres procès de l'énoncé ou au procès de l'énonciation. L'infinitif exclut ainsi la personne, le genre, le nombre, l'ordre et le temps.«[15]*

Alles in allem ist der Infinitiv trotz seiner formalen und semantischen Verwandtschaft mit verbaler Wurzel und Form (»Parmi toutes les formes verbales« . . . Unter allen Verbformen . . ., sagt Jakobson), ein Glied der Nominalklasse. Die Transformation einer bestimmten Anzahl von Verben in *Nomen* stimmt also, wenn man jene Implikationen, die wir soeben gesehen haben, berücksichtigt, völlig mit den Einschränkungen, die auf der Maxime lasten, überein. Sie ist dadurch eine bevorzugte Form, daß sie einen bestimmten Vorgang ausdrückt wie das Verb, ohne das Kennzeichen des Verbs.

Schließlich kann man sich, wenn man die verschiedenen Operationen, die wir entwickelt haben, untersucht, klarmachen, daß der Infinitiv, der aus Nominal- und Einbettungstransformationen hervorgegangen ist, immer eine Reduktion des Diskurses darstellt, weil er mit einer bestimmten Anzahl von *Eliminierungen* verbunden ist, was sogar auf der graphischen Ebene ins Auge fällt. Die Nominaltransformation des Infinitivs ist darum in diesem Aussagetyp ebenso bevorrechtigt, für den wir gesagt haben, daß die Kürze eine starke Einschränkung ist, die an den didaktischen Stil der Maxime gebunden ist.

3. INTERPROPOSITIONELLE SYNTAX
DIE NEGATIVTRANSFORMATION

»Pauvreté n'est pas vice.«

Dieses Sprichwort stellt sich als ein Negativsatz dar. Wenn wir es wörtlich nehmen, stellen wir fest, daß es die Nicht-Identität der beiden Nominalsegmente: »pauvreté« und »vice« affirmativ bestimmt. Diese beiden Segmente sind aber nun im linguistischen Kode selbst tatsächlich distinkt (cf. unten). So verstanden ist das Sprichwort auf der Diskursebene nur rein redundant in bezug auf eine in der Sprache signifikante Opposition; wir besitzen gerade durch unser sprachliches Modell die Information, die die Aussage uns zuträgt, er bringt uns daher nichts neues bei, was völlig in Widerspruch zum didaktischen Ziel des Diskurses ist.

Es ist jedoch nicht so, und man sieht, daß die signifikante Opposition oder, wenn man will, der Einschub der Negation, dort eben nicht vorkommt. Diese

---

* Unter allen Verbformen ist der Infinitiv die Form, die am wenigsten Information beibringt. Sie sagt nichts aus, weder über den Protagonisten des Aussageprozesses, noch über die Beziehung dieses Prozesses zu anderen Aussageprozessen oder zum Prozeß des Aussagens. Der Infinitiv schließt so die Person, das Geschlecht, den Numerus, die Ordnung und das Tempus aus. (A. d. Ü.)

Aussage bekommt ihre Bedeutung nur durch Beziehung auf die affirmative Aussage, deren negative Entsprechung sie ist:

»Pauvreté est vice.«

Das Sprichwort ist also die Negativtransformation einer Aussage, die durch einen bestimmten sozio-kulturellen Kode imponiert wird, der aus zwei distinkten Klassen eine einzige gemacht hat. Wir haben in der Sprache zwei Reihen von Oppositionen:

(1) pauvre   vs riche
(2) bon   vs mauvais

Zur Opposition (1) wird die Konnotation der Opposition (2) hinzugefügt:

pauvre (mauvais) vs riche (bon)

Die Opposition auf der Nominalebene ist also:

pauvreté (vice)   vs richesse (vertu)

Diese Aussage ist möglich, da die beiden Klassen »pauvreté« und »vice« einen Überschneidungsbereich haben: sie werden von derselben generischen Opposition ausgedrückt:

qualité   vs défaut.

Auf der Ebene von »défaut« finden wir ein Ganzes von möglichen Termen und unter ihnen:

manque de richesse: pauvreté

manque de vertu: vice

Die Angleichung von einem Term an einen anderen durch die Aussage findet auf dieser Ebene statt.

Die Aussage ist also:

La pauvreté est un vice.

Das Sprichwort bekommt nur seinen Sinn, wenn es in Beziehung zur gesamten Aussage, deren Negation sie ist, gebracht wird. Man kann sagen, daß hier das Sprichwort den Unterschied der beiden linguistischen Klassen wieder aufrichtet (pauvreté unterschiedlich von vice), den eine andere von einem bestimmten sozio-kulturellen Kode hervorgebrachte Aussage mißbräuchlich abgeschafft hatte; es stellt also eine Unterscheidung der *Sprache* wieder her, die durch einen Diskurs pervertiert wurde.

Bemerken wir, daß es, in Übereinstimmung mit dem, was wir über den Artikel in der Maxime gesagt haben, ausreicht, die Determinanten, die der Aussage eigen sind, hinzuzufügen, damit das betrachtete Sprichwort, wenigstens nach der formalen Grammatik, die wir bis hierher aufgestellt haben, eine Maxime wird:

»La pauvreté n'est pas un vice.«

Unsere Untersuchungshypothese ist also folgende: ist die Maxime nicht, zumindest häufig, die Negation einer bestimmten Aussage des Lesers (d. h. aller möglichen Leser)? Besteht nicht die Maxime in der Negation einer »wohlgeformten Aussage«, d. h. einer den Regeln der Sprache konformen, in der Negation des Lesers durch den Autor, und zwar in dem Maße, in dem die Klasse der Leser nur durch ihre linguistische Kompetenz, die Botschaft aufzunehmen, definiert ist, d. h. durch die Sprache, die Leser und Autor gemeinsam haben? Wir werden mehrere Beispielgruppen untersuchen.

3.1. Die zitierte Aussage und die Negativtransformation

(1) »La force et la faiblesse de l'esprit sont mal nommées; elles ne sont en effet que la bonne ou la mauvaise disposition des organes du corps.« (M. 44)*

(2) »Ce que les hommes ont nommé amitié n'est qu'une société qu'un ménagement réciproque d'intérêts et qu'un échange de bons offices; ce n'est enfin qu'un commerce où l'amour-propre se propose toujours quelque chose à gagner.« (M. 83)**

(3) »On s'est trompé lorsqu'on a cru que l'esprit et le jugement étaient deux choses différentes. Le jugement … etc. (M. 97)***

Bei diesen drei Aussagen sieht man, daß ein bestimmter Teil der Gesamtaussage eine zitierte Aussage ist, in bezug auf die sich der Autor distanziert. Die Morphologie des Textes selbst gestattet es, zwei unterschiedliche Teile zu isolieren, der zweite unterteilt sich nocheinmal in zwei, nämlich in ein Zeichen der Distanzierung und die Aussage des Autors. Wir stellen diese drei Segmente in der Tabelle dar:

Zitierte Aussage	Zeichen für die Distanzierung	Aussage des Autors
(1) La force et la faiblesse de l'esprit	sont mal nommées ne…que	elles … sont en effet …
(2) Amitié	Ce que les hommes ont nommé… ne…que	est une…
(3) L'esprit et le jugement sont deux choses différentes	On s'est trompé lorsqu'on a cru que…	Le jugement est…

Betrachten wir aus dieser Perspektive die Aussage (1). Die zitierte Aussage stellt sich als SN dar, das die Nominaltransformation der beiden koordinierten Basissätze ist:

SN ← Basis P

. . . . z

la force		est fort
et	de l'esprit ← l'esprit	et
la faiblesse		est faible

---

* Geisteskraft und Geistesschwäche sind schlecht benannt; in Wirklichkeit sind sie nichts weiter als gute oder schlechte Bereitschaft der Organe unseres Körpers. (A. d. Ü.)
** Was die Menschen Freundschaft genannt haben, ist nur Begründung einer Handelsgesellschaft, gegenseitige Interessenschonung, Austausch guter Dienste und endlich ein Geschäft, von dem die Selbstsucht sich stets irgendeinen Gewinn verspricht. (A. d. Ü.)
*** Man hat sich getäuscht, als man wähnte, Geist und Urteil seien zwei verschiedene Dinge: das Urteil ist vielmehr usw. (A. d. Ü.)

Dieser Basissatz reicht noch nicht hin, um über die zitierte Aussage Auskunft zu geben, er ist aus einer komplexeren Tiefenstruktur entstanden, einem kausativen Satz von der Form:

l'esprit fait que l'esprit est fort
l'esprit fait que l'esprit est faible.

Diese zugrundeliegende Struktur konstituierte die zitierte Aussage und gibt über das Syntagma Aufschluß, das uns in der Oberflächenstruktur gegeben ist; man muß tatsächlich eine solche Konfiguration annehmen, um den Einschub der Negation zu verstehen. Die zitierte Aussage taucht zweifach auf:

1. in rein negativer Form durch die Reihen »sont mal nommées« und »ne ... que«, die die zitierte Aussage verwerfen. Man kann sehen, daß sie die Tiefenstruktur der letzteren verändern, indem sie darin ein bestimmtes abstraktes negatives Element einschließen, dessen Einschub noch nicht präzisiert werden kann:

$$
\left[\; \text{l'esprit fait que l'esprit est} \; \begin{matrix} \text{fort} \\[4pt] \text{faible} \end{matrix} \;\right] + [\text{NÉG}]
$$

2. in positiver Form in der Folge der Paragraphen, durch »elles ... sont en effet ... la bonne ou la mauvaise disposition des organes du corps«.

Dieser letzte Satz ist analysierbar in (A), eine zitierte Aussage, die bereits untersucht wurde und die repräsentiert wird durch das Substitut »elles«, und in (B), das unterteilt wird in B' und B'':

$$
\text{(A)} \left[\; \text{l'esprit est} \begin{matrix} \text{fort} \\[4pt] \text{faible} \end{matrix} \;\right] + \text{(B)} \left[\; \begin{matrix} \text{(le corps a des organes) B'} \\[4pt] + \\[10pt] \text{(les organes sont} \left\{ \begin{matrix} \text{bien} \\[4pt] \text{mal} \end{matrix} \right\} \text{disposés)} \qquad \text{B''} \end{matrix} \;\right]
$$

Zwischen (A) und (B) wird das relationale Element der Äquivalenz »est« plaziert.

Die Reihen B' und B'' können noch folgendermaßen reduziert werden, wobei das Intermediärelement »les organes« für unsere Analyse völlig sekundär ist:

$$
\text{(B) les corps est} \left\{ \begin{matrix} \text{bien} \\[4pt] \text{mal} \end{matrix} \right\} \text{disposé.}
$$

Aber es wurde noch kein Aufschluß über den genauen Sinn der Relation gegeben, die (A) und (B) in der Aussage des Autors verbindet, da man sich begnügte, die Form »est« zu erwähnen; es ist jedoch wie vorher offensichtlich, daß diese Relation eine Beziehung von Ursache und Folge ist, aber hier in umgekehrter Ordnung:

Folge ← Ursache. (A) + (B) wird also in der Form (B) → (A) repräsentiert, indem die Beziehung einfach mit Hilfe des Kausativums wiederhergestellt wird, das den Pfeil im theoretischen Schema ersetzt.

(B)	→	(A)
bien		fort
le corps (est disposé)	fait que	l'esprit est
mal		faible.

In (B) sind die beiden Prädikativpropositionen »est bien ou mal disposé« sekundär, sie sind der Alternative »fort, faible« im Inneren der zitierten Aussage entsprungen, und drücken nur die doppelte Verbindung kausal-konsekutiv aus: »fort« entspricht »bien disposé«, »faible« entspricht »mal disposé«; daher haben wir es auch in Klammern gesetzt, um zu zeigen, daß es fakultativ ist.

Wenn wir jetzt Aussage des Autors und zitierte Aussage gegenüberstellen, nachdem sie in ihrer Tiefenstruktur analysiert sind, erhalten wir:

l'esprit fait que l'esprit est fort/faible (Leser)

le corps fait que l'esprit est fort/faible (Autor).

Worin unterscheiden sich diese beiden Aussagen zu guter Letzt? Sie haben zwei unterschiedliche Terme als Subjekt desselben faktitiven Verbs, das von derselben Ergänzungsproposition gefolgt wird; überdies ist die Relation zwischen diesen beiden Termen eine bevorrechtigte Relation, die zwei Lexeme verbindet, welche antithetisch jenes semantische Feld ausdrücken, das man hier als das des Menschen allgemein beschreiben kann; diese Relation ist darstellbar durch:

A vs —A

Wenn wir jetzt zur Maxime als Ganze zurückkehren, fällt uns auf, daß die Segmente, die wir als die Zeichen der zitierten Aussage definiert haben, völlig verschwinden können, ohne den Sinn der Aussage anzutasten; die Maxime könnte in diesem Fall die Form haben:

La force et la faiblesse de l'esprit ne sont que la bonne ou la mauvaise disposition des organes du corps.

Derart formuliert wird sie einer großen Zahl von Maximen in unserem Korpus ähnlich, die wir ganz abstrakt folgendermaßen formulieren können:

X n'est que Y.

Als Funktion der vorhergehenden Analyse betrachten wir »ne...que« als Demarkationszeichen zwischen einer bestimmten Kette (A) und einer bestimmten Kette (B);

(A)/ne que/(B);

diese Symbole sind folgendermaßen zu lesen: eine bestimmte Kette (A) in dem Kontext, der *ne que* vorausgeht, ist eine zitierte Aussage des Lesers, die durch eine andere Aussage ausgeschlossen und ersetzt werden soll. Eine bestimmte Kette (B) in dem Kontext, der *ne que* folgt, ist die Aussage des Autors. Die Relation, die (A) und (B) oder ein Element der Kette (A) mit einem Element der Kette (B) verbindet, ist nicht notwendigerweise von ein und demselben Typ, sondern sie kann sich sehr oft in der Form darstellen, die in der vorhergehenden Analyse bewiesen wurde:

A vs $-$A

oder:

X von (A) vs Y von (B) oder Y $= -$X.

Betrachten wir jetzt das Beispiel (2). Die zitierte Aussage ist hierbei auf ein einziges Nominalsegment beschränkt, das von einem Basissatz abgeleitet worden ist:

on aime quelqu'un → l'amitié

X aime Y

Die Markierung der Distanznahme »ce que les hommes ont nommé« weist darauf hin, daß die Aussage des Lesers als eine Definition auf der Ebene des Substantivs angesehen werden muß, das vom Basissatz abgeleitet worden ist, der dann folgende Form hätte:

l'amitié /est/ l'amitié.

In dieser Reihe ist das zweite zwischen Schrägstriche gestellte Element der Repräsentant einer Klasse, die man aufrollen könnte durch: Sympathie, Liebe, Zuneigung usw., Terme, die unter bestimmten kontextuellen Bedingungen mit »amitié« kommutativ ausgetauscht werden können; diese Äquivalenzklasse deckt im großen und ganzen das, was man im Wörterbuch unter der Eintragung »amitié« finden kann.

Die Aussage des Autors ist auf der ersten Ebene wie in (1):

(A) l'amitié est l'amitié $+$ NÉG

Auf der zweiten Ebene ist sie komplexer und differenzierter als unser erstes Beispiel:

(B) l'amitié est (B1) un ménagement réciproque d'intérêts

(B2) un échange de bons offices

(B3) un commerce

(B4) où l'amour-propre se propose

Jedes dieser Syntagmen ist die Nominaltransformation einer zugrundeliegenden Kette. Sofort bemerken wir, daß eine zweifache Darstellung von B1 aufgrund des Adjektivs »réciproque« unnötig ist. Dieses Adjektiv weist ebenso wie die Nomina »échange«, »commerce« nur auf eine zweifache Relation hin, weil das SN »l'amitié« den Sinn der Relation nicht präzisiert, und deshalb die beiden Sinnbezüge koexistent läßt gemäß der eigenen Nicht-Determination von SN: X aime Y $+$ Y aime X. Die Aussage des Lesers setzt zwei Protagonisten voraus, und die Aussagen des Autors müssen ebenfalls, um kohärent zu sein, in diese doppelte Relation eingeschlossen werden. Für die Formalisierung wirkt sich das ökonomisch aus.

(B1) X ménage l'intérêt de Y

(B2) X échange des bons offices avec Y

(B3) X commerce avec Y

(B4) X a de l'amour-propre ($+$ l'amour-propre veut gagner quelque chose).

Verglichen mit dem Basissatz des Lesers bringen diese Reihen aufs neue zwei distinkte Klassen hervor, jetzt auf der Ebene des Verbs und des Objekts:

(A) aime vs ménage l'intérêt (B1)
              échange de bons offices (B2)
              commerce avec (B3)
X aime Y vs X aime X (B4)

Die Relation zwischen (A) und (B1, 2, 3) hat nicht dieselbe bevorzugte Eigenschaft wie die im ersten Beispiel. Die drei Terme der Klasse (B) sind eher der Term ø zwischen »aimer« A und »haïr« — A.

A: aimer ne pas aimer — A: haïr
       ne pas haïr ici: non A
              ici: non — A

Da — A nicht im untersuchten Paragraphen auftritt, bezeichnet man (B1, 2, 3) als ici: non — A

Die Relation von (A) zu (B4) verdient besondere Beachtung; die beiden Syntagmen und ihr Basissatz sind, wenn sie in Opposition gebracht werden:
l'amitié   vs   l'amour-propre
X aime Y   X aime X.

Die Opposition beider Sätze ist also streng syntaktisch: Nicht-Reflexiv vs Reflexiv. Die Aussage des Autors verwirft die nicht-reflexive Konstruktion, die notwendigerweise der SN »amitié« zugrundeliegt und ersetzt sie durch die reflexive Konstruktion, die der SN »l'amour-propre« zugrundeliegt.

Die Aussage des Autors hat auf der Ebene von (B4) die Form:
X aime Y est X aime X
gegenüber der Aussage des Lesers:
X aime Y est X aime Y

Diese Opposition wohnt dem Kode inne, sie ist wie in Beispiel (1) in der Tiefenstruktur, da durch sie jede transitive Verb-Syntax ausgedrückt wird. Man kann sie als äquivalent zur lexematischen Einteilung ansehen: corps vs esprit und sie formal auf dieselbe Weise darstellen:
A vs — A

Die Aussage des Autors beruht in dieser Analyse darauf, zwei Strukturen, deren linguistische Artikulation zum selben Aussagetyp wie oben gehört, d. h. zur Negativtransformation, auf dieselbe Schicht zu stellen und sie durch die Kopula »est« als äquivalent auszugeben.

(3) Wir stellen auf schematischere Weise die Operationsfolge für diese letzte Analyse der zitierten Aussage dar.
(A) le jugement est différent de l'esprit
(B) 1. (A) + NÉG
     2. le jugement est l'esprit.

Die Aussage des Autors ist in den Kategorien der Sprache redundant, die zwei verschiedene Nominalsegmente unterscheiden, ohne sie in Opposition zu bringen. Sie sind insofern zwei Terme derselben Klasse, als diese zu einer anderen Klasse in Opposition gestellt wird, in der wir z. B. finden:
{sottise, bêtise, aveuglement ...}

Die Aussage reduziert diese beiden Elemente, die in der Sprache unterschieden sind, auf ein einziges, das sich dann als »l'esprit« herausstellt (cf. die Fortsetzung des Paragraphen). Die Tatsache, daß diese beiden Terme derselben semantischen Klasse angehören und also nicht die Pole einer Opposition sind, beschränkt die Kraft der Maxime, d. h. ihre didaktische Wirkungsbreite. Die Aussage des Autors wird tatsächlich nicht als Negation desselben Typs wie die vorhergehenden wiedererkannt, da das Modell des Lesers schwach artikuliert ist im Gegensatz zu den vorhergehenden. Man kann demgegenüber, um diese Tatsache besser zu erfassen, die Analyse der Maximen 258, 355 und 456 betrachten, deren semantisches Feld dasselbe ist, deren Behandlung durch den Autor aber eine ganz unterschiedliche ist.

Die eben durchgeführten Analysen sind methodologische Einleitungen zu einer Systematik, die mit demselben Analyseverfahren verwirklicht wird; dieses Verfahren kann tatsächlich eine beträchtliche Zahl von Aussagen erfassen. Die drei untersuchten Paragraphen hatten allein darin ein Privileg, daß sie eine zitierte Aussage, deren »Sprecher« übrigens immer völlig undeterminiert war (les hommes, on, ø), auf der Ebene der Oberflächenstruktur deutlich machten. Da diese Aussage syntaktisch und semantisch wohlgeformt war, war sie die Aussage eines jeden Lesers der Maximen; wie wir es im ersten Beispiel gezeigt haben, als wir von »ne … que« sprachen, können wir von jetzt an die ausdrücklichen Zeichen der zitierten Aussage entbehren, indem wir diese Tatsache für gesichert halten. Andererseits können wir auch das empirische Kriterium hinter uns lassen, das uns die einzigen Aussagen betrachten ließ, die die negativen Segmente: ne…pas, ne…que, quelque…que, usw. enthielten; ebenso geht es mit ne…que. Dieses Segment ist wie alle anderen nur ein »Formativ«, das zur Oberflächenstruktur gehört, die aus der transformationellen Endkette hervorgegangen ist, und nur die abstrakte Konstituente NÉG ist ein Morphem, das in der Endkette S gegeben ist, die tiefenstrukturell jeder Aussage zugrundeliegt[16]. Und:

»Le rôle des transformations se bornera uniquement à convertir, obligatoirement, des structures profondes possédant le constituant NÉG en structures superficielles possédant les éléments *ne* et *pas**.[17]

In diesem Text könnten wir von den Elementen, die in der Oberflächenstruktur erscheinen, eine *Liste* aufstellen, die ne…que, ne…jamais, plus…que, moins… que usw. enthielte. Das vorliegende Verfahren besteht daher von jetzt ab darin, die Aussage des Lesers (A) zu suchen mit der Hypothese, daß die gegebene Aussage als zugrundeliegende syntagmatische Kette

NÉG + (A)

hat, und weiter darin zu verifizieren, ob diese sehr allgemeine Struktur sich tatsächlich auf der Oberflächenebene in den verschiedensten Formen realisiert, die wir bei unserem Vorhaben nicht zu untersuchen brauchen. Die verschiedenen Para-

---

* Die Rolle von Transformationen wird sich allein darauf beschränken, Tiefenstrukturen, die die Konstituente NÉG haben, obligatorisch in Oberflächenstrukturen zu überführen, die die Elemente *ne* und *pas* haben. (A. d. Ü.)

graphen, die die Folge des Kapitels angeben, stellen jeweils eine bestimmte »Figur« dar, die auf den lexikalischen Klassen oder den syntaktischen Strukturen der Sprache beruht.

3.2 Die lexikalische Inversion

A. *Zwei distinkte Klassen (Leser)* → *Eine Klasse (Autor)*.

Für diese Inversion haben wir schon ein Beispiel in der Maxime 97 von der Form gefunden:

$$\left| \begin{matrix} \text{jugement} \\ \text{esprit} \end{matrix} \right. \qquad \longrightarrow \text{esprit}$$

Die häufigsten Fälle sind jedoch die, in denen die Artikulation zwischen den Termen stärker ist als oben, so:

»Plus on aime une maîtresse, plus on est près de la haïr.« (M. 111)*

$$\begin{matrix} \text{aimer} & \text{vs} & \text{haïr} \rightarrow \\ \text{A} & & -\text{A} \end{matrix} \quad \left| \begin{matrix} \text{aimer} \\ \text{haïr} \end{matrix} \right.$$

»Il y a des reproches qui louent, et des reproches qui médisent.« (M. 148)**

$$\begin{matrix} \text{louer} & \text{vs} \end{matrix} \quad \left| \begin{matrix} \text{médire} \\ \text{reprocher} \end{matrix} \right. \quad \rightarrow \quad \left| \begin{matrix} \text{louer} \\ \text{médire} \\ \text{reprocher} \end{matrix} \right.$$

In diesem letzten Beispiel ist die Assimilation der Klassen verdoppelt; die Aussage des Autors ist tatsächlich:

$$\text{louer} \leftarrow \text{est} \rightarrow \quad \left| \begin{matrix} \text{médire} \\ \text{reprocher} \end{matrix} \right.$$

»Le refus des louanges est un désir d'être loué deux fois.« (M. 149)***

$$\begin{matrix} \text{refus} & \text{vs} & \text{désir} \rightarrow \end{matrix} \quad \left| \begin{matrix} \text{refus} \\ \text{désir} \end{matrix} \right.$$

Die Aussage hat jenseits der nominalen Realisation die allgemeine Form:

$$\begin{matrix} \text{on veut que} & \text{est} & \text{on ne veut pas que} \\ \text{A} & = & -\text{A} \end{matrix}$$

---

* Je heißer man eine Geliebte liebt, desto näher daran ist man, sie zu hassen. (A. d. Ü.)
** Es gibt lobenden Tadel und tadelndes Lob. (A. d. Ü.)
*** Das Zurückweisen eines Lobes ist der Wunsch, zweimal gelobt zu werden. (A. d. Ü.)

Bemerken wir hier, daß die Nominaltransformation der Ergänzungen die Identität der beiden Reihen verdeckt:

louanges   =   être loué
   ↑   ↑
on est loué   on est loué

Aus derselben Opposition entsteht die Maxime 248:
»La magnanimité méprise tout pour avoir tout.« (M. 248)*

Die lexikalische Opposition vom Typ A gestattet über die Syntax der Aussagen 175, 210, 246, 254, 251, 263, 320, 321, 377, 451 ... Aufschluß zu geben.

B. *Eine Klasse → Zwei distinkte Klassen.*
»Il est aussi ordinaire de voir changer le goûts qu'il est extraordinaire de voir changer les inclinations.« (M. 252)**

Wir haben in diesem Paragraphen zwei Worte, die derselben semantischen Klasse angehören: *goût* und *inclination*, wie vorher *jugement* und *esprit* distinkt waren; hier ist die Sinnähe noch größer; jeder dieser Terme hat eine unterschiedliche Nachbarschaft; die Relation dieser Kontexte ist vom Typ:

ordinaire vs extraordinaire
    A   vs   − A

Wir haben also wohl das umgekehrte Schema wie im Fall A:

| goût | → goût vs inclination |
| inclination | |

»Le bon goût vient plus du jugement que de l'esprit.« (M. 258)***

| jugement | → jugement vs esprit |
| esprit | |

Eine Abweichung ist hier hinzuzufügen, aber nur wenn man die Oberflächenstruktur berücksichtigt; die gegebene Aussage wird durch eine vergleichende Struktur ausgedrückt, d. h. eine, die die Negation modalisiert, abschwächt. Aber das NÉG-Element muß in der tiefenstrukturellen Kette vorhanden sein, damit man durch Transformation: plus ... que erhalten kann. Diese Maxime ist zusammen mit der Maxime 456 (cf. unten) semantisch kontradiktorisch zur Maxime 97 (cf. oben).

---

* Großherzigkeit macht um nichts ein Aufhebens, um alles einzustecken. (A. d. Ü.)
** Es ist ebenso gewöhnlich den Geschmack wechseln zu sehen, wie es ungewöhnlich ist, die Neigungen wechseln zu sehen. (A. d. Ü.)
*** Guter Geschmack entspringt mehr der Vernunft als dem Verstand. (A. d. Ü.)

»On trouve des moyens pour guérir de la folie, mais on n'en trouve point pour redresser un esprit de travers.« (M. 318)*

| folie | $\rightarrow$ folie vs esprit de travers |
| esprit de travers | |

»On perd quelquefois des personnes qu'on regrette plus qu'on n'en est affligé; et d'autres dont on est affligé, et qu'on ne regrette guère.« (M. 355)**

| regretter | $\rightarrow$ regretter vs être affligé. |
| être affligé | |

Diese Aussage ist dem sprachlichen Modell des Lesers derart entgegengesetzt, daß alle Herausgeber nach den Lesern des 17. Jahrhunderts dafür eine »Interpretation« vorgeschlagen haben, falls sie sie nicht als »unverständlich« verworfen haben[18].

C. *Vereinigung der beiden Modelle A. + B.*
»On est quelquefois sot avec de l'esprit, on ne l'est jamais avec du jugement.« (M. 456)***

Man findet hier die beiden Modelle zugleich realisiert:

| esprit | vs sottise $\rightarrow$ | esprit | vs jugement |
| jugement | | sottise | |

Aus dieser Klasse heraus entsteht der Paragraph 128:
»La trop grande subtilité est une fausse délicatesse, et la véritable délicatesse est une solide subtilité.« (M. 128)+

Der erste Teil der Aussage teilt eine Klasse in zwei oppositionelle Klassen ein:
subtilité + Quantificateur est fausse délicatesse.
—   —   *n'est pas* délicatesse.
Der zweite Teil stellt die Klasse, nachdem er sie disjungiert hat, wieder her, mit Inversion der Termenfolge, die fausse délicatesse an véritable délicatesse annähert und so den Übergang von: non-délicatesse zu délicatesse unterstreicht.

---

* Man findet Mittel, den Wahnsinn zu heilen, aber keine, einen Querkopf einzurenken. (A. d. Ü.)
** Man verliert bisweilen Menschen, welche man mehr bedauert, als man sich um sie grämt – und andere, um die man sich grämt, betrauert man kaum. (A. d. Ü.)
*** Man ist bisweilen ein Dummkopf mit Geist, niemals aber einer mit Verstand. (A. d. Ü.)
+ Allzu große Feinfühligkeit ist falscher Zartsinn, und echte Zartsinnigkeit ist sicheres Feingefühl. (A. d. Ü.)

»Le ridicule déshonore plus que le déshonneur.« (M. 326)*

»Il n'est pas si dangereux de faire du mal à la plupart des gens que de leur faire trop de bien.« (M. 238)**

»L'avarice est plus opposé à l'économie que la liberalité.« (M. 167)***

»Nous plaisons plus souvent dans le commerce de la vie par nos défauts que par nos bonnes qualitées.« (M. 90)+

3. Die syntaktische Inversion

A. *Aktiv vs Passiv → Aktiv est Passiv.*
»On ne loue d'ordinaire que pour être loué.« (M. 146)++

»L'intention de ne jamais tromper nous expose à être souvent trompés.« (M. 118)+++

»L'homme croit souvent se conduire lorsqu'il est conduit.« (M. 43). Übersetzung vergleiche S. 304.

Wir untersuchen nicht jedes Beispiel für sich, sondern wir berücksichtigen lieber die logische Struktur dieser Figur; es handelt sich hier nicht um die Passiv-*Transformation*, die in Beziehung setzt:

X loue Y → Y est loué par X.

Eine zusätzliche Operation wird von der Aussage supponiert, die Agens und Patiens des Passivsatzes permutiert, ohne daß das Verbsegment verändert wird:

$$Y \text{ est loué par } X \to X \text{ est loué par } Y.$$
$$\text{T Permutation X, Y}$$

Die beiden Aussagen machen, wenn sie gegenübergestellt werden, deutlich, daß die einseitige grammatikalische Relation Agens → Patiens wie eine zweiseitige Relation behandelt wird, so z. B. die reflexive Relation, in der die Permutation indifferent ist.

---

* Lächerlichkeit entehrt mehr als Unehre. (A. d. Ü.)
** Es ist lange nicht so gefährlich, den meisten Menschen Böses zu tun, wie ihnen allzuviel Gutes zu erweisen. (A. d. Ü.)
*** Geiz ist der Sparsamkeit entgegengesetzter als Freigebigkeit. (A. d. Ü.)
+ Wir gefallen im Treiben des Lebens weit öfter durch unsere Fehler als durch unsere guten Eigenschaften. (A. d. Ü.)
++ Man lobt gewöhnlich nur, um gelobt zu werden. (A. d. Ü.)
+++ Die Absicht, niemals zu täuschen, setzt der Gefahr aus, oft getäuscht zu werden. (A. d. Ü.)

B. *Non-Réfléchi vs Réfléchi* → *Non-Réfléchi [Nicht-Reflexiv] est Réfléchi*

Diese syntaktische Figur kann es bei allen Verben mit Belebt-Personalem Subjekt und Objekt geben. So bringt der größte Teil der aufgezeigten Beispiele Verben wie: tromper, louer, flatter, trahir, und vor allem: aimer hervor.

Die Aussage des Lesers hat die Form:

$$X \text{ aime, trompe, loue } \ldots Y$$

Die Aussage des Autors ersetzt sie immer durch eine Aussage von der Form:

$$X \text{ aime, trompe, loue } \ldots X$$

Wir haben diesen Aussagetyp bereits angetroffen, als wir die zitierte Aussage mittels der Opposition (A) vs (B4) der Maxime 83 (S. 315 oben) untersucht haben. Die Zahl der Beispiele ist hoch, wir verringern sie gleichermaßen:

»Les finesses et les trahisons ne viennent que de manque d'habileté.« (M. 126)*

»Le vrai moyen d'être trompé, c'est de se croire plus fin que les autres.« (M. 127)**

»Il y a de certaines larmes qui nous trompent souvent nous-mêmes après avoir trompé les autres.« (M. 373)***

»C'est plutôt par l'estime de nos propos sentiments que nous exagérons les bonnes qualités des autres, que par l'estime de leur mérite; et nous voulons nous attirer des louanges, lorsqu'il semble que nous leur en donnons.« (M. 143)+

»La pitié est souvent un sentiment de nos propres maux dans les maux d'autrui. C'est une habile prévoyance des malheurs où nous pouvons tomber; nous donnons du secours aux autres pour les engager à nous en donner en de semblables occasions; et ces services que nous leur rendons sont à proprement parler des biens que nous nous faisons à nous-mêmes par avance.« (M. 264)++

---

* List und Verrat entspringen nur einem Mangel an geistiger Gewandtheit (A. d. Ü.)
** Das sicherste Mittel, betrogen zu werden: sich für klüger zu halten als andere. (A. d. Ü.)
*** Gewisse Tränen täuschen schließlich uns selber, nachdem sie andere getäuscht haben. (A. d. Ü.)
+ Viel mehr aus Bewunderung unserer eigenen Gefühle als aus Bewunderung des Wertes eines anderen übertreiben wir dessen gute Eigenschaften und fischen nach Lobsprüchen, während wir welche auszuteilen haben. (A. d. Ü.)
++ Mitleiden ist oft ein Empfinden unserer Leiden in den Leiden anderer – eine kluge Voraussicht der Übel, die uns zustoßen könnten. Wir helfen also anderen, um sie zu verpflichten, uns bei ähnlichen Gelegenheiten ein Gleiches zu tun, und die ihnen erwiesenen Dienste sind eigentlich Wohltaten, die wir uns im voraus selber erweisen. (A. d. Ü.)

Die Paragraphen, die auf der Syntax des Verbs *aimer* beruhen, verdienen besondere Aufmerksamkeit: seiner großen Häufigkeit entspricht tatsächlich ein syntaktisches Faktum, das ohne auf den besonderen Gedanken des Autors Bezug zu nehmen, zur Erklärung ausreichen könnte. Alle vorhergehenden Verben haben gemeinsam, daß die Opposition Reflexiv vs Nicht-Reflexiv nur durch die verbale Konstruktion erhalten wurde. Damit die Figur entsteht, muß das Verb konjugiert sein, um schließlich Subjekt und Objekt zum Erscheinen zu bringen; cf. z. B. den Paragraphen 373, der bereits zitiert wurde. Das Verb *aimer* hat den Vorzug, daß diese Opposition auf die Ebene des Nomens durch die Opposition: amour vs amour-propre übertragen wird.

$$X \text{ aime } Y \quad vs \quad X \text{ aime } X$$
$$\text{l'amour} \qquad \text{l'amour-propre}$$

Überdies bekommt jedes Nominalsegment auf dieser Ebene eine inverse Konnotation:

$$\text{l'amour (bon)} \quad vs \quad \text{l'amour-propre (mauvais)}$$

Schließlich kann ein anderer Nominalterm in derselben Opposition Funktion übernehmen: amitié, deren Reflexivum gleichermaßen amour-propre ist.

»Il y a dans la jalousie plus d'amour-propre que d'amour.« (M. 324)*

»L'amour-propre nous augmente ou nous diminue les bonnes qualités de nos amis à proportion de la satisfaction que nous avons d'eux; et nous jugeons de leur mérite par la manière dont ils vivent avec nous.« (M. 88)**

»Si on croit aimer sa maîtresse pour l'amour d'elle, on est bien trompé.« (M. 374)***

»Il n'y a point de passion où l'amour de soi-même règne si puissamment que dans l'amour; et on est toujours plus disposé à sacrifier le repos de ce qu'on aime au'à perdre le sien.« (M. 262)+

Angesichts der Wichtigkeit dieses Modells und seiner Vorteile kann man sich also fragen, ob die berühmte Proposition, die man so sehr zum Angelpunkt für das

---

* Eifersucht birgt mehr Eigenliebe als Liebe. (A. d. Ü.)
** Eigenliebe mehrt und mindert uns die guten Eigenschaften unserer Freunde im Verhältnis zum Selbstgenuß, den wir in ihrem Umgang empfinden, ihr Wert für uns beruht also in der Art und Weise, in der sie mit uns umgehen. (A. d. Ü.)
*** Wenn man seine Geliebte um ihretwillen zu lieben glaubt, täuscht man sich gründlich. (A. d. Ü.)
+ In keiner Leidenschaft herrscht die Eigenliebe mächtiger als in der Liebe, und stets ist man eher geneigt, die Ruhe dessen zu opfern, den man liebt, als die seine zu verlieren. (A. d. Ü.)

Denken dieses Autors gemacht hat, daß, wer auch die Maximen nicht gelesen hat, dennoch den Namen La Rochefoucauld mit einer Theorie der Eigenliebe, d. h. der Allmacht der Eigenliebe verbindet – ob diese Proposition nicht einen ganz anderen Ursprung hat als jenen, den man ihr gemeinhin zuschreibt; sie könnte die direkte Folgerung aus einer privilegierten Syntax sein, die sich bemerkenswert gut zum rhetorischen Spiel, das den Diskurs charakterisiert, eignet.

C. *Agens Belebt-Personal vs A. Unbelebt-Abstrakt* → *Agens B.-P. ist A. U.-A.*
In diesem Fall ist die besondere Natur des Verbs gleichgültig, mit der Einschränkung, daß es ein Belebt-Personales Subjekt zuläßt. Man kann es durch das Kausativum darstellen:

Belebt-Personal → fait que → Ergänzung
Nous, On, l'homme,
usw.

Die Aussage des Autors ersetzt dieses Subjekt durch einen Term, der als Abstraktum charakterisiert ist. Wir geben hier einige Beispiele:

»Si nous résistons à nos passions, c'est plus par leur faiblesse que par notre force.« (M. 122)*

»On parle peu quand la vanité ne fait pas parler.« (M. 137)**

»Notre sagesse n'est pas moins à la merci de la fortune que nos biens.« (M. 323)***

»L'on fait plus souvent des trahisons par la faiblesse que par un dessein formé de trahir.« (M. 120)+

»La force et la faiblesse de l'esprit sont mal nommées; elles ne sont en effet que la bonne ou la mauvaise disposition des organes du corps.« (M. 44)++

Diese letzte Maxime läßt zwei Nominalklassen hervortreten, die tiefenstrukturell der allgemeinen syntaktischen Opposition unterliegen; Belebt = esprit, volonté, usw. Unbelebt-Abstrakt = corps, faiblesse, passions, fortune usw. Der Gebrauch des Lexikons ist hier der allgemeinen Artikulation untergeordnet: Belebt-Personal fait que (Modell des Lesers) vs Unbelebt-Abstrakt fait que (Modell des Autors).

* Wenn wir unseren Leidenschaften widerstehen, geschieht es mehr durch ihre Schwäche, als durch unsere Kraft. (A. d. Ü.)
** Man spricht wenig, wenn Eitelkeit einen nicht zum Sprechen treibt. (A. d. Ü.)
*** Unsere Weisheit ist nicht weniger der Willkür des Schicksals ausgesetzt als unsere Habe. (A. d. Ü.)
+ Man begeht Verrat öfter aus Schwäche als aus Absicht zu verraten. (A. d. Ü.)
++ Übers. vergleiche S. 315.

Auf diese Weise kann man über die Paragraphen 1, 7, 17, 58, 101, 109, 153, 154, 169, 189, 192, 195, 220, 232, 404, 439 ... Aufschluß geben.

Das muß uns dazu bringen, auf eine radikal neue Weise das Verhältnis des Autors zu seiner Aussage aufzustellen, die nicht mehr so einfach und direkt erscheint, daß sie *a priori* glaubwürdig ist. Die untersuchte Aussage ist tatsächlich nicht der alleinigen schöpferischen Freiheit des Autors entsprungen. Das literarische Werk, das uns gegeben ist, entstammt zunächst einem bestimmten Kode, dem der Autor sich unterwerfen mußte, unter der Strafe stehend, etwas anderes als Maximen zu schreiben. In einem solchen Diskurs ist die Schreibfreiheit beträchtlich eingeschränkt, obwohl sie auf der Ebene der stilistischen Realisationen bestehen bleibt. Unser Ziel war unter anderem, auszumachen, was zu der Einschränkung des Kodes gehörte, und was nicht daraus hervorging. Die Nominaltransformation z. B. entspringt völlig dem Kode, und einzig die Variation zwischen den verschiedenen Nominalformen (die affixen oder Infinitivnomen) kann als stilistisch angesehen werden, d. h. der Wahlfreiheit des Autors entsprungen.

Daraus folgt meines Erachtens dasselbe für die Syntax, die eine besondere Oberflächenrhetorik erzeugt. Wir haben sie mit den Worten: Negativtransformation gekennzeichnet, obwohl dieser Terminus nicht mehr den letzten Entwicklungen der generativen Transformationsgrammatik entspricht; sie ist eine Negativtransformation insofern, als im selben Paragraphen immer eine Aussage (A) und eine Aussage (B), welche als (A) + (NÉG) definiert wird, verbunden sind. Wir haben ohne Zweifel nicht die gesamte interpropositionelle Struktur mit diesen wenigen Figuren berücksichtigt, die wir analysiert haben, aber ein wichtiger Punkt scheint uns geklärt; die allgemeine Syntax der Maxime qua Diskurstyp kann durch die Formel:

Aussage des Lesers + NÉG

repräsentiert werden.

Diese Struktur gilt für die meisten Paragraphen, welche Form diese Konstituente NÉG auch annehmen kann, sei sie direkt übersetzt durch die binären Gliederungen A vs —A der Sprache, sei sie modifiziert durch verschiedene Transformationen auf der Ebene der Oberflächenkonfiguration. Diese Tiefenstruktur scheint uns im übrigen mit der Intuition des Lesers übereinzustimmen, die in seine Attitüde vor dem Buch, das er liest, übersetzt wird: Mischung aus Überraschung über den gelesenen Paragraphen und Erwartung des folgenden, mehr noch als Beifall, Zweifel oder Abweisung.

Eine solche Syntax legt die Vermutung nahe, daß die Maxime als ein *polemischer* didaktischer Diskurs definiert wird. Das ist die nichtformulierte Hypothese zahlreicher Kritiken, die z. B. den »jansenistischen Einfluß« in den *Maximen* von La Rochefoucauld untersuchen. Aus den ausgeführten syntaktischen Analysen entspringt indessen die Tatsache, daß die verneinte Aussage des Lesers nicht die einer bestimmten definierten Klasse von Lesern ist, sondern aller möglichen Leser. Die Maxime muß vom universalen Leser rezipiert werden. Die Aussagen:

l'amitié   est   l'amitié

avarice   vs   libéralité

économie
amour   vs   haine
jugement vs   sottise
esprit
usw.

scheinen uns mit keiner historischen oder kulturellen Markierung ausgestattet zu
sein; die Negativtransformation, mit der die Maxime operiert, ist nicht die eines
determinierten Diskurs, der ein semantisches Feld organisiert hätte, das ihm eigentümlich ist, und auf das das Buch der Maximen zugeordnet wäre. Vielmehr glauben
wir zu sehen, daß sich die Negation auf die Gliederungen der Sprache stützte und
dadurch sogar jene Rhetorik hervorbrachte, die besser als jedes andere Merkmal
die Maxime zu definieren scheint. Diese Interpretation scheint uns eng mit den
beiden Eigenschaften zusammenzuhängen, die wir *a priori* in diesem Diskurs erkannt haben.

Die »Rhetorizität« der Aussage ist wesentlicher Bestandteil seiner Didaktik. Und
wenn sich diese Rhetorik auf der binären Gliederung A vs — A in den meisten Fällen
gründet, so darum, weil durch eine einfache und doch strenge Logik gehalten wird,
weil diese binäre Tiefenstruktur oft direkt in Oberfläche in Form von Lexemen oder
invertierter Syntax überführt wird, bleibt die Oberflächenaussage sehr nahe an der
binären Tiefenartikulation; da stammt die außerordentlich starke rhetorische
Dichte, die, wie wir sagten, die Maxime kennzeichnet, her.

Andererseits ist sozusagen die Maxime per definitionem ein Diskurs, der keine
Vorstellungen einschließen kann, die nicht die »von aller Welt« sind. Die Maxime
kann nicht entstehen, wenn sie von einem charakteristischen semantischen Feld,
einer definierten Kategorie von Lesern ausgeht. Ein Inhalt dieses Typs wäre grundsätzlich widersprüchlich zur Universalität des Diskurses, der im Fall einer Bindung
an einen spezifischen kulturellen Kode nicht mehr optimal vom Leser rezipiert
werden würde und im Grenzfall von überhaupt keinem mehr. Das trennt unserer
Meinung nach die *Maximes* von La Rochefoucauld von einem wahrhaft polemischen
Diskurs wie den *Provinciales* von Pascal oder dem *Dictionnaire philosophique* von
Voltaire. Wenn man ihn, was immer möglich ist, unter soziologischem Gesichtspunkt untersuchen würde, so muß er, scheint uns, in den Kontext einer Literatur
gestellt werden, in dem es weniger darum geht, eine besondere Moraltheorie zu entwickeln, was nämlich eine spezifische begriffliche Ausarbeitung, vielleicht eine
Terminologie, eine Ausdehnung der Aussage, alles Kategorien, die der Universalität,
dem Schematismus und der Kürze unseres Diskurses entgegengesetzt sind, voraussetzen würde; hier geht es vielmehr darum, mit den Möglichkeiten der Sprache
(langage) selbst und um des Spieles willen selbst zu spielen.

Die Maxime erscheint also als eine spezifische didaktische Aussage, die das Universale in seiner weitesten Bedeutung verwirklicht; nicht nur durch die Grammatik,
die der Diskurs übernehmen muß, *il, partout, toujours*, sondern durch ihre Syntax
selbst, die auf der Negativtransformation des linguistischen Universalen beruht. Als
Funktion dieser Syntax entwickelt die Maxime keinen besonderen Sinn und kann

es nicht; die Begrenzung und die Merkmale jedes Paragraphen können nicht auf die Ebene des Buches hin überschritten werden.

Zu Ende der Untersuchung konnten wir eine bestimmte Anzahl von grammatikalischen Merkmalen präzisieren, die eine bessere Definition der Maxime qua spezifischen Typ von literarischem Diskurs gestatten. Wir konnten verifizieren, daß die beiden empirischen Begriffe, die als Eingangshypothesen gegeben wurden, hinreichten, um über diese Grammatik Aufschluß zu geben. Die linguistische, d. h. wissenschaftliche Erkenntnis der Sprachformen erlaubte, die formalen Realisierungen bis ins Detail hinein zu verstehen, und so, wenn es nötig wäre, die Gültigkeit der theoretischen Analysen der Linguisten zu bestätigen, deren Modelle sich als effizient erwiesen haben.

Wir haben andererseits niemals den globalen Sinn der Paragraphen berücksichtigt und noch weniger den der lexikalischen Einheiten, aus denen sie zusammengesetzt sind, so haben wir der Tatsache keinerlei Beachtung geschenkt, daß »la vanité« von »l'orgeuil« verschieden ist, der seinerseits von »la peur« verschieden ist usw. und haben uns auch nicht gefragt, ob die Begriffe in distinkten und determinierten semantischen Feldern artikuliert seien. Tatsächlich war der Diskurs auf der Ebene, auf die wir uns gestellt haben, semantisch hinreichend definiert durch die verringerte Zahl von Merkmalen, die wir in unserem letzten Kapitel analysiert haben. Diese Haltung dem Lexikon gegenüber kommt, wie andererseits bei stilistischen Realisationen, von dem Untersuchungsgegenstand selbst, der nicht darin bestand, die besonderen Realisationen, die der Unendlichkeit der Performanzen angehören, zu beschreiben; es handelte sich eher darum, sich auf eine allgemeinere Ebene zu stellen, die syntaktischen und semantischen Regeln zu beschreiben, die über diese Performanzen Aufschluß gaben, jene formalen Einschränkungen herauszupräparieren, die allein für die Produktion des Diskurses maßgebend waren.

»... il s'agit (toujours) au prix d'une ceraine abstraction, et en se situant à un niveau qui n'est pas celui des apparences immédiates, de dégager des règles générales là où l'observation empirique ne constate qu'un ensemble de faits disparates.«[*][19]

Deshalb haben wir diese Arbeit »Struktur der Maxime« genannt. Die Schlüsse, zu denen wir gekommen sind, sollten allein nicht für das Korpus gelten, aus dem wir sie gewonnen haben. Außer im Lauf der Einleitung haben wir niemals vom Korpus in der Terminologie der Besonderheit gesprochen, sondern immer in der Terminologie von allgemeinen formalen Einschränkungen. In dem Maße, in dem der untersuchte Diskurstyp tatsächlich weniger aus der Schreibfreiheit eines gegebenen Autors hervorgegangen ist, als aus einem literarischen Kode, der selbst durch eine allgemeine

---

* Es handelt sich stets um den Preis einer gewissen Abstraktion und nur, wenn man ein von unmittelbarer Evidenz unterschiedenes Niveau einnimmt darum, dort allgemeine Regeln herauszusondern, wo die empirische Beobachtung eine ungeordnete Menge disparater Fakten konstatiert. (A. d. Ü.)

linguistische Notwendigkeit etabliert wird, ist uns dieses vielleicht etwas zu hoch-
trabende Ziel doch vernünftig erschienen.

Diese Untersuchung verschreibt sich also einer allgemeineren kritischen Richtung, in der von Begriffen, die die Linguistik bereitstellt und von einem bestimmten
Korpus ausgehend, die Definition eines Diskurstyps versucht wird, und zwar in
Hinblick auf eine allgemeinere Typologie, und in der man sich zwingt, über eine
gegebene Aussage in der Terminologie der Regularität zu sprechen.

ANMERKUNGEN

1. Vorbemerkung der Übersetzer:
Für einige in dieser Arbeit wichtige Ausdrücke und Formalisierungen ließ sich nur
annäherungsweise eine adäquate deutsche Übersetzung finden. Sie sind der Übersicht
halber im folgenden zusammengestellt:

agent	Agens
arbitraire	fakultativ
assertif	deklarativ
base de la grammaire	Basis komponente
blanc	weiße Stelle
CIRC	
contrainte	Einschränkung
enchâssement	Einbettung
énoncé	Aussage
énonciation	Aussagen
entrée	Eintragung
formant	Formativ
indicateur syntagmatique	Phrase-Marker
NÉG – Negation	Verneinung
N – Nom	Nomen
paragraph	Paragraph (hier: eine Maxime)
patient	Patiens
pertinent	passend, relevant
P – phrase	Satz
P de base	Basissatz
P active	Aktivsatz
P matrice	Matrixsatz
P constituente	Konstituentensatz
P terminale	Endsatz
progressif	kataphorisch
proposition	Proposition
QU – Quantificateur	Angabe, daß ein Satz untergeordnet ist. Quantifikator
réécriture	Ersetzung (rewriting)
regressif	anaphorisch
segment	Segment
sens	Sinn

signification	Bedeutung
suite	Kette
SN – syntagme nominale	Nominal-Syntagma
suppression	Eliminierung
terme	Term
TPS – Temps	Tempus

2. Zitiert wird wahrscheinlich nach: La Rochefoucauld, *Maximes*, Ed. Truchet. (Anm. d. Übers.)

3. Vgl. die Bibliographie zu diesem Band.

4. Dubois, Jean, *Grammaire structurale du français, nom et pronom*, Langue et Langage, Paris, 1965, S. 149.

5. Chomsky, Noam, *Aspects of the Theory of Syntax*, Cambridge, Mass., 1965, S. 85–90 deutsch, Frankfurt, 1969.

6. Außer in dem Fall, in dem es einer anderen Numerus-Angabe entgegengesetzt wird, um eine rhetorische Figur zu bewirken. Es ist dann im allgemeinen verstärkt durch ein »seul«; cf. M. 195.

7. Pottier, Bernard, *Introduction à l'étude de la morphosyntaxe espagnole*, Ediciones hispano-americanas, Paris, 1966, S. 43.

8. Dubois, Jean, op. cit., S. 111.

9. –, op. cit., S. 114.

10. –, *Grammaire structurale du français, le verbe*, Langue et Langage, Paris, 1967, S. 178 bis 180.

11. Éd. Truchet, S. XLV.

12. Benveniste, Emile, *Problèmes de linguistique générale*, Paris, 1966, S. 154.

13. Ruwet, Nicolas, *Introduction à la grammaire générative*, Recherches en sciences humaines, 22, Paris, 1968, S. 272–273.

14. Op. cit., S. 181.

15. Jakobson, Roman, *Essais de linguistique générale*, Paris, 1963, S. 191.

16. Vgl. Ruwet, op. cit., S. 343.

17. Op. cit., S. 343.

18. Vgl. Anm. 2, éd. Truchet, S. 85.

19. Ruwet, op. cit., S. 206.

Die Einheit der Handlung in *Andromaque* und *Lorenzaccio*

STEEN JANSEN

I

Die meisten Untersuchungen über die romantischen Dramen von Alfred de Musset behaupten, dieser habe zwar das französische Theater reformiert, indessen – wie alle Romantiker – die Regel von der Einheit der Handlung respektiert. Van Tieghem stimmt, soweit wir sehen, als einziger dieser Meinung nicht zu. Lafoscade[1] sagt z. B. über *Lorenzaccio:*

»Wer ein Theaterstück der Regel über die Einheiten gemäß beurteilt, wird finden, daß Musset mit der Einheit von Zeit und Ort ziemlich frei umspringt. Hingegen besteht kein Anlaß, ihm die Einheit der Handlung streitig zu machen. Er hat sie eingehalten.«

Uns fällt es schwer, *Lorenzaccio* als ein Stück zu betrachten, in dem die Einheit der Handlung gewahrt bleibt. Und dies sind unsere Gründe:

Wenn man von der Einheit der Handlung spricht, bezieht man sich immer irgendwie, ob ausdrücklich oder nicht, auf die französische Dramaturgie des 17. Jahrhunderts. Wenn man sagt, *Lorenzaccio* respektiere die Einheit der Handlung, so unterstellt man damit, dieses Stück und ein anderes, das die dramaturgischen Prinzipien des 17. Jahrhunderts vorführt – wir haben zu diesem Zweck *Andromaque* ausgewählt –, hätten ungefähr dieselbe Struktur, da sie ja beide die Einheit der Handlung wahren.

Da beide Stücke jedoch unbestreitbar große Unterschiede aufweisen, wenden wir gegen diese Behauptung folgendes ein: Entweder ist die Einheit der Handlung ein so unpräziser Begriff, daß er über keines der beiden Stücke mehr etwas aussagt (man könnte ebensogut sagen, beide seien Theaterstücke), oder aber die Einheit der Handlung ist ein präziser Begriff, und dann wird sie entweder in dem einen oder dem anderen Stück respektiert, nicht in beiden zugleich.

Die Beschreibung dramatischer Werke würde unnötig kompliziert – bei Tragödien oder Komödien genausogut wie bei romantischen Dramen –, wenn man den Begriff »Einheit der Handlung« so definierte, daß er mit positivem Resultat auf *Lorenzaccio* und nicht auf *Andromaque* anwendbar wäre.

Wollen wir die Einheit der Handlung als präzisen Begriff handhaben, wird es also am einfachsten und am natürlichsten sein, ihn als in *Andromaque* respektierten bzw. realisierten anzusehen. Hat man die Einheit der Handlung mit Hilfe einer

Im Original: Steen Jansen, L'unité d'action dans ›Andromaque‹ et dans ›Lorenzaccio‹, *Revue Romane*, 1, 1968, S. 16–29, und 2, 1968, S. 116–129. Übersetzt von Erika Höhnisch. Druck mit freundlicher Erlaubnis des Autors.

Analyse des letztgenannten Stückes beschrieben, kann hernach eine Analyse von *Lorenzaccio* zeigen, wie die Struktur des Mussetschen Dramas beschaffen ist. Dies ist die Absicht unserer beiden Artikel. Im ersten versuchen wir, den Begriff »Einheit der Handlung« als technischen oder formalen Terminus zu präzisieren, dann wenden wir ihn in ausführlicherer Analyse auf den Text von *Andromaque* an. Im zweiten Artikel wenden wir ihn genauso auf *Lorenzaccio* an, um zu zeigen, daß er dort nicht realisiert wird und daß dieses Stück anders konstruiert ist.

1. Die Einheit der Handlung

Wenn es zu präzisieren gilt, was man unter »Einheit der Handlung« zu verstehen hat, muß man sie zuallererst als ein Werkzeug der Analyse betrachten, d. h. die Einheit der Handlung muß ein Begriff sein, der auf so viel wie möglich dramatische Texte – mit positivem oder negativem Ergebnis – anwendbar ist und zwar gleichermaßen durch verschiedene Leser.

Es geht hierbei um die Formalisierung eines Begriffs, damit die Analyse oder Beschreibung dramatischer Werke so objektiv wie möglich durchgeführt werden kann. Wir glauben dies mit Erfolg tun zu können, wenn wir die Einheit der Handlung ausgehend von Elementen definieren, die so weit wie möglich generalisierbar und eben dadurch in sich ohne deskriptiven Wert sind, und wenn wir uns dabei und bei der eigentlichen Definition bemühen, nur solche Konzepte zu verwenden, die es später auch anderen gestatten, die Beschreibung eines konkreten Textes zu kontrollieren, zu verifizieren oder zu falsifizieren.

Die generalisierbaren Elemente

Die generalisierbaren Elemente, die wir verwenden wollen, sind Teil eines theoretischen Modells der dramatischen Form. Dieses Modell[2] ist eine Art Arbeitshypothese, eine Art Schema für die Analyse, das jeder Beschreibung konkreter Werke als Richtschnur dienen soll. Wir entnehmen diesem Modell nur das für unser gegenwärtiges Arbeitsziel Notwendige.

Jeder dramatische Text wird – ob er nun ein dramatisches Werk ist oder nicht – von einer oder mehreren Situationen geprägt bzw. ist in solche eingeteilt. Die Szenen in *Andromaque* sind solche Situationen und, um die Sache nicht zu komplizieren, sprechen wir im weiteren von Szenen und nicht von Situationen.

Einen aus mehreren Szenen bestehenden dramatischen Text kann man auf zweierlei Art betrachten:

als eine *Abfolge* von Szenen
als ein *Gesamt* von Szenen.

Die Abfolge entspricht der Aufnahme des Textes bei der Normallektüre, und sie kann formal so charakterisiert werden, daß Beziehungen zwischen den Szenen innerhalb der Abfolge nur von einer Szene zur *vorhergehenden* bestehen, niemals aber zu einer folgenden, denn man kennt die folgenden Szenen ja noch gar nicht, sie sind sozusagen noch *inexistent*.

Das Gesamt entspricht einer Retrospektive nach abgeschlossener Lektüre, wobei man alle Szenen des Textes zugleich überblickt. Beziehungen der Szenen untereinander gibt es also beim Gesamt auch zwischen beliebigen Szenen, unabhängig von deren Platz innerhalb der linearen Abfolge. (Einer der Gründe, diese Unterscheidung zwischen Abfolge und Gesamt zu treffen, beruht auf unserer Annahme, man könne so die Konzeption eines dramatischen Werkes genausogut als dynamische Einheit – offen, prozeßhaft – wie als statische Einheit – in sich geschlossen, abgeschlossen – formalisieren. Daraus folgt, daß die Konzepte Abfolge und Gesamt den linguistischen Konzepten Sukzession und System nicht entsprechen.)

Wenn mehrere Szenen in einen Text eingebaut sind, so bedeutet das nicht unbedingt, daß sie formal vereinheitlicht sind, daß sie von formalem Gesichtspunkt aus ein kohärentes Ganzes bilden. So mag man sich einer *Anthologie großer Szenen des klassischen Theaters* gegenüber sehen. Diese würden zwar einen dramatischen Text, aber kein dramatisches Werk ergeben.

Wir nennen einen Text (oder den Teil eines Textes) nämlich nur dann kohärent, wenn eine der beiden folgenden Bedingungen erfüllt ist:
– wenn die Szenen innerhalb der Abfolge eine *Kette* bilden, d. h. wenn sie ihre Stellen nicht vertauschen können;
– oder wenn die Szenen im Gesamt ein *System* bilden, d. h., wenn keine ohne daraus folgende Veränderung der anderen ausfallen kann.

Hinsichtlich der Beziehungen zwischen den Szenen werden wir eine solche, die zwischen zwei Szenen innerhalb derselben Kette besteht, eine Beziehung der *Voranstellung* nennen (eine Szene ist der anderen vorangestellt) und die zwischen zwei Szenen innerhalb desselben Systems eine Beziehung der *Voraussetzung* (eine Szene setzt die als unerläßlich ausgewiesene voraus).

Was hier für einzelne Szenen festgestellt wurde, kann man gleichermaßen für Szenengruppen oder Szenenteile (Repliken, Rede und Widerrede, Personen und Personengruppen) geltend machen.

Um bei der Analyse eines konkreten Textes entscheiden zu können, ob eine Beziehung der Abhängigkeit (Voranstellung oder Voraussetzung) zwischen zwei Szenen besteht, muß man eine Art Beweis, eine Art Operation »erfinden«, die generalisierbar sind.

Es käme bei einer Beziehung der Voranstellung auf einen Beweis durch Austausch, bei einer Beziehung der Voraussetzung auf einen Beweis durch Auslassung an. Damit prüft man jede Szene daraufhin, ob sie austauschbar/auslaßbar ist, ohne daß dadurch der »Inhalt« anderer Szenen berührt würde. Wenn das der Fall ist, besteht keine Beziehung der Abhängigkeit; wenn nicht, so besteht sie.

Man kann mit Recht annehmen, dieser Beweis müsse zugleich mit einem negativen Ergebnis das Element ausweisen, durch das dieses Ergebnis negativ ausfällt. Das Kriterium eines solchen Ergebnisses bestünde also darin, ob dieses Element im Text der geprüften Szenen zum Ausdruck kommt, ausdrücklich namhaft gemacht wird. Fehlt ein solches Element, wird man auf ein positives Ergebnis schließen dürfen. Zwar sind diese Beweise nicht gänzlich zufriedenstellend, aber man ist nun einmal genötigt, sich solche Beweise zu schmieden, denn die von der Analyse erarbeiteten Beziehungen müssen kontrollierbar sein.

Aus dem vorigen geht hervor, daß diese Beweise ebenso auf Szenengruppen wie auf Szenenteile angewendet werden können.

Bis jetzt haben wir eigentlich nur vom dramatischen Text und noch nicht vom dramatischen Werk gesprochen. Mit Hilfe des eben Gesagten wollen wir die Form eben dieses Werkes zu bestimmen oder zu charakterisieren suchen.

Gewöhnlich charakterisiert man das Drama wie jedes literarische Werk durch seine Einheit, seine Kohärenz. Auch wir werden dieses Kriterium hier verwenden, allerdings versuchen, es zu präzisieren und zu formalisieren.

Damit ein Text also als dramatischer gelten kann, müssen zwischen den Szenen solche Beziehungen bestehen, daß sie als ein kohärentes Ganzes aufgenommen oder vorgestellt werden können. Das heißt, der Text muß eine der beiden folgenden Formen realisieren: eine oder mehrere Ketten innerhalb *eines* Systems, oder aber ein oder mehrere Systeme innerhalb *einer* Kette.

Die erste dieser Formen ist am weitaus häufigsten. In der Praxis wird es wahrscheinlich nicht sehr nützlich sein, zu verlangen, daß alle Szenen eines dramatischen Werkes immer Teil eines einzigen Systems (oder einer einzigen Kette) sind. Um die Beschreibung nicht allzusehr zu komplizieren, und das heißt hier, um die traditionellen Vorstellungen nicht allzusehr zu erschüttern, muß man wohl etwas losere Strukturen ins Blickfeld rücken, in denen eine nicht allzu große Zahl von Szenen, wenn man streng urteilt, nicht *in* das System (oder die Kette), das den eigentlichen »Kern« des Werkes bildet, Eingang finden, sondern um diesen herum gruppiert sind.

(Hier können wir den Vergleich zwischen der linguistischen und der dramaturgischen Analyse, wie wir sie verstehen, wieder aufnehmen und die Unterschiede notieren: Bei der linguistischen Analyse kann man einen Text als eine Sukzession auffassen, die von einem System zeugt; bei unserer Analyse hingegen muß man das Werk als eine oder mehrere Ketten + einem System (oder umgekehrt) auffassen, die von einer Komposition zeugen.)

Das wird für unsere Zwecke genügen. Das Vorangegangene stellt eine ganz allgemeine Theorie (oder einen Teil davon) dar. Man mag sie in der Wahl ihrer Distinktionen und Konzepte willkürlich finden, wir behaupten jedenfalls, sie sei insofern adäquat, als sie auf jeden beliebigen dramatischen Text anwendbar ist und eine soweit wie möglich kontrollierbare Beschreibung dieser Texte gewährleistet.

Die eigentliche Definition

Wir werden uns nun auf die oben erarbeiteten Konzepte, auf die Kette und das System, auf die Beziehungen der Voranstellung und der Voraussetzung stützen, um den Begriff »Einheit der Handlung« genauer zu formalisieren.

Dieser Begriff gehört im Unterschied zu den vorher behandelten Konzepten nicht zum theoretischen Modell der dramatischen Form. Er ist eine bestimmte

Art, die formale Einheit, die ein Werk ausmacht, zu schaffen, eine Art – oder eine Komposition –, die charakteristisch und den sehr zahlreichen dramatischen Werken einer bestimmten Gruppe gemeinsam ist.

Wenn man bestimmen soll, was unter »Einheit der Handlung« zu verstehen ist, bietet sich eine Analyse der verschiedenen Werke dieser Gruppe mit Hilfe eines theoretischen Modells und seiner Konzepte an, damit ihre Weise, die formale Einheit herzustellen, beschreibbar wird; d. h. man legt in jedem Werk die Ketten und Systeme frei und prüft hernach, ob sie derart gebaut und gruppiert sind, daß es alle Werke, also die ganze Gruppe charakterisiert.

Genau das wird man dann als die die Gruppe charakterisierende formale Komposition auffassen müssen, und diese wiederum zeigt oder realisiert jedes Werk.

Was jetzt folgt, sind die Ergebnisse einer Analyse, die wir aufgrund der vorangegangenen Angaben versucht haben. Sehr vieles haben wir den Analysen von Jacques Schérer[3] zu verdanken. Wenn wir nicht immer zu den gleichen Resultaten kommen wie er, so liegt das daran, daß wir nicht von demselben theoretischen Modell ausgehen.

In allen Stücken, die dem allgemeinen Urteil nach die Einheit der Handlung durchführen, entdeckt man, daß die formale Einheit des Werkes durch ein System von Szenen gesichert wird, ein System, das wir den Ausdruck einer *Handlung* nennen. Das bedeutet, daß alle Szenen des Stücks im Innern einer einzigen und gleichen Handlung angesiedelt sind bzw. um diese herum.

Dieses mit der Handlung sich deckende System stellt sich bei genauerem Hinsehen als eines heraus, das aus einer oder mehreren Ketten von Szenen besteht, Ketten, die wir als Ausdruck von *Intrigen* begreifen. In der Tat ist jede der Szenen vermittels der Ketten Teil des Systems. Sie sind zunächst durch Beziehungen der Voranstellung miteinander zu Ketten verbunden, und die so gebildeten globalen Einheiten oder Gruppen werden hernach durch Beziehungen der Voraussetzung miteinander verknüpft. In der Praxis sagen wir, eine Kette setze eine andere voraus, wenn eine (oder mehrere) Szene(n) der einen eine (oder mehrere) Szene(n) der anderen voraussetzt. Es zeigt sich dann, daß die Kette, die der Ausdruck einer Intrige ist, durch eine Kette von »Szenenscheibchen« (vielfältige, in jeder Szene enthaltene Ausdruckseinheiten) gebildet wird, die mit denselben Beziehungen zwischen Personen des Stücks verbunden sind. Wir nennen eine solche Kette den Ausdruck eines *Konfliktes*.

Es kommt vor, daß dieselbe Intrigenkette – nacheinander oder gleichzeitig (in letzterem Falle ist die Intrige doppelt determiniert) – mehrere solcher Ketten »enthält«, d. h. mehrere Konfliktketten, die mit verschiedenen Beziehungen verbunden sind.

Schließlich liegt der Konfliktkette als Ausdruck, von dem alles ausgeht, der Ausdruck eines Oppositionsverhältnisses zwischen zwei Personen oder zwei Personengruppen zugrunde.

Dieses Oppositionsverhältnis erscheint in der Tat als feststehendes Element innerhalb der verschiedenen Arten, wie der Konflikt sich nacheinander ausdrückt, was zur Folge hat, daß diese verschiedenen Arten insgesamt den Ausdruck eines einzigen Konfliktes ausmachen.

So betrachtet, ist das Oppositionsverhältnis nicht immer von Anfang bis Ende der Konfliktkette an ein und dasselbe konkrete Paar gebunden. Die eventuelle Ablösung eines Paares (oder eines der »Opponenten«) durch ein anderes initiiert aber eine Beziehung der Voranstellung zwischen einem Ausdruck und dem ihm in derselben Kette vorangehenden. Und man stellt auch fest, daß nicht alle Arten, in denen ein Konflikt sich ausdrückt, immer diese Opposition ausdrücken, sondern zuweilen die Folgen des Oppositionsverhältnisses. Man wird also in der Praxis sagen müssen, der Konflikt sei die Entwicklung jenes Oppositionsverhältnisses, eine Entwicklung, weil eine Kette vorliegt, die den verschiedenen Ausdrucksarten einen Platzwechsel untersagt.

Weiter scheint man in der Generalisierung der den untersuchten Stücken gemeinsamen Züge nicht gehen zu können.

Diese Beschreibung gestattet es nun, die Definition der Einheit der Handlung auf folgende Weise zu formalisieren: Das Kompositionsprinzip oder die Kompositionsstruktur, die man *Einheit der Handlung* nennt, hat die Funktion, die für das dramatische Werk nötige Einheit durch ein und dieselbe Handlung zu stiften. (Ein anderes dramatisches Werk könnte sehr wohl verschiedene Handlungen haben, die durch ein anderes Prinzip zur Einheit gelangen.)

Die *Handlung* hat die Funktion, ein Gesamt von Szenen zu einem System zu fügen. Sie unterscheidet sich von anderen Mitteln mit gleicher Funktion dadurch, daß sie es durch eine oder mehrere Intrigen erreicht.

Die *Intrige* hat die Funktion, eine Abfolge von Szenen zu einer Kette zu fügen. Sie unterscheidet sich von anderen Mitteln (z. B. Zeitangaben) dadurch, daß sie es mit Hilfe eines oder mehrerer Konflikte erreicht.

Der *Konflikt* hat die Funktion, eine Abfolge von verschiedenen Ausdruckskomplexen, die mit Beziehungen zwischen den Personen einer gleichen Gruppe verbunden sind, zu einer oder mehreren Ketten zu fügen. (In Wirklichkeit hat der Konflikt eine Doppelfunktion: die uns hier interessierende und diejenige, zwischen den Personen dieser Gruppe Beziehungen herzustellen.) Der Konflikt unterscheidet sich von anderen Mitteln mit gleicher Funktion dadurch, daß sein feststehendes Element ein Oppositionsverhältnis zwischen zwei Personen(gruppen) ist, ein Verhältnis, das sich gleich am Anfang der Kette ausdrückt, die der Ausdruck eines Konflikts ist. (Angesichts des oben Gesagten könnte man sich aber einem Oppositionsverhältnis gegenüber sehen, das sich nicht entwickelt, oder auch etwas anderem [einer Person z. B.], das sich entwickelt. In keinem der beiden Fälle hätte man einen Konflikt.)

Aus dieser Definition wird man umgekehrt die Minimalbedingungen ableiten können, die ein Stück erfüllen muß, damit man in ihm die Einhaltung der Einheit der Handlung anerkenne.

Man muß in ihm den Ausdruck eines Oppositionsverhältnisses finden, das der erste Ausdruck einer Kette ist, die selbst Ausdruck der Entwicklung dieser Opposition ist. Diese Konfliktkette muß dazu dienen, eine Kette von Szenen zu bilden, die man Intrige nennt, und diese wiederum muß Teil eines Systems von Szenen sein, das man Handlung nennt. Dieses System schließlich muß es sein, das dem Stück seine Einheit gibt und es zu einem kohärenten Ganzen macht.

Somit fehlt einem nur noch ein Mittel, um zu entscheiden, ob dieser oder jener Ausdruck der Ausdruck eines Oppositionsverhältnisses ist oder nicht. Eine – wahrscheinlich provisorische – Lösung wäre es, eine Aufstellung der zwischen den Personen möglichen Beziehungen zu machen: ein Verhältnis der Opposition, ein Verhältnis der Unterstützung (d. h. meistens das zwischen Protagonist und Vertrautem bestehende) und ein Verhältnis der Gleichgültigkeit.

Analysiert man ein dramatisches Werk, um zu erfahren, ob es die Einheit der Handlung durchführt oder nicht, so wird man natürlich in der soeben angegebenen Weise verfahren, d. h. man wird zuerst nach dem Ausdruck (oder mehreren) von Oppositionsverhältnissen forschen und darauf prüfen, ob sie Konflikte ergeben usw. Genauso behandeln wir zuerst *Andromaque*, dann *Lorenzaccio*, und zwar den ersten Akt jeweils im Detail, die übrigen in großen Zügen.

2. Die Einheit der Handlung in »Andromaque«

I, 1 – die 1. Szene des Stückes ist bereits Ausdruck von vier verschiedenen Oppositionsverhältnissen. Orest und Pylades sprechen von dem zwischen Orest und Hermione bestehenden:

»Die Liebe heißt mich hier eine Unmenschliche suchen« (V. 27; vgl. auch V. 51 ff.);

dem zwischen Orest und Pyrrhus:

»Ich höre von allen Seiten, daß man Pyrrhus drohe« (V. 67),
»Man schickt mich zu Pyrrhus; ich unternehme die Reise.
Ich will sehen, ob seinen Armen man entreißen kann
Dieses Kind, dessen Leben so viele Staaten schreckt« (V. 90 ff.);

dem zwischen Pyrrhus und Hermione:

»Man sagt, Hermiones Reizen wenig zugetan,
Bring mein Rivale Herz und Krone andren dar« (V. 77 ff.; vgl. auch V. 125 ff.);

dem zwischen Pyrrhus und Andromache:

»Für Hektors Witwe ist er entbrannt.
Er liebt sie, doch diese Unmenschliche
Hat bisher seine Liebe nur mit Haß belohnt« (V. 108 ff.).

Der konkrete Ausdruck dieser Oppositionsverhältnisse fungiert also als eine Art Signalreihe. Wahrscheinlich, aber nicht notwendigerweise, wird man diese als Ausgangspunkt von Konflikten erkennen. Man sieht, daß die Oppositionsverhältnisse, so wie sie hier ausgedrückt sind, sich schon in dieser Szene derart ineinander »verzahnen«, daß wahrscheinlich keines von beiden sich entwickeln kann, ohne daß die anderen es auch täten. Das liegt nicht nur daran, daß dieselbe Person in mehreren verschiedenen Verhältnissen auftaucht, sondern auch und vor allem daran, daß die geplante oder erstrebte »Neutralisierung« einer der Oppositionen auch die der anderen zur Folge haben wird (so sind die beiden ersten Oppositionsverhältnisse an die Verse 93 ff. und die beiden letzten an die Verse 115 ff. gebunden).

I,2 stellt Orest und Pyrrhus gegenüber. Diese Szene drückt insofern eine Entwicklung im Verhältnis dieser beiden Personen aus, als Orest hier, wie in der vorigen Szene angekündigt, Pyrrhus eine Bitte vorträgt. Somit stellt Szene 2 die Szene 1 voran; indessen glauben wir nicht, daß eine Beziehung der Voraussetzung besteht, da wir in dem Gespräch Orest-Pyrrhus nichts finden, was irgend etwas aus dem Gespräch Orest-Pylades zur Voraussetzung hätte.

Diese Behauptung muß nachprüfbar sein. Die ihr eigene Form der Negation macht es uns allerdings unmöglich, dies auf zugleich erschöpfende und knappe Art zu tun. Aber man könnte sie z. B. mit einem Detail aus der Interpretation des Stückes durch Lucien Goldmann vergleichen. Wenn dieser die Szene folgendermaßen charakterisiert: »Die Szene, in der Orest in der Hoffnung, nichts zu erlangen (›Drängt ihn, verlangt alles, auf daß Ihr nichts erlangt‹, sagt Pylades in V. 140), Pyrrhus um das bittet, was dieser unter fadenscheinigen Vorwänden verweigert«[3a], so scheint er nach unserer Terminologie insofern eine Beziehung der Voraussetzung darin zu sehen, als Orests Haltung Pylades, Rat voraussetzt. Wäre dies wahr, müßte sich Orests Haltung von Szene 1 zu Szene 2 wandeln; der Text aber bezeugt einen solchen Wandel nicht. Die Verse 171 ff.: »Vernichtet einen Feind, der um so gefährlicher ist, als er sich an Euch versuchen wird, bevor er gegen jene kämpft«, drücken das Oppositionsverhältnis zwischen Orest und Pyrrhus nicht anders aus als die weiter oben zitierten Verse 91 f.

I,3 setzt I,2 voraus (und stellt es somit auch im uns interessierenden Kontext von Konflikten und Intrigen voran), genauer gesagt dessen Ende, wo Pyrrhus dem Orest gestattet, Hermione aufzusuchen. Die Überraschung von Phoenix (V. 249) und die »Offenbarung« des Pyrrhus (V. 253 ff.) deuten darauf hin, daß die von letzterem gegebene Erlaubnis das Oppositionsverhältnis zwischen Orest und Hermione in ein neues Entwicklungsstadium gebracht hat, da Orest ja ein Hindernis überwunden hat: Pyrrhus nämlich, der es hätte verhindern müssen, daß Orest Kontakte zu Hermione aufnehmen kann.

In Wirklichkeit ist die »Offenbarung« des Pyrrhus gar keine: Sie drückt, genau gesagt, keine Entwicklung des Oppositionsverhältnisses zwischen Pyrrhus und Hermione aus (und dies, obwohl sie es vertieft), wenn man sie mit der in I,1 gemachten Bemerkung vergleicht: Die beiden »Szenenscheibchen«, in denen diese Beziehung zum Ausdruck kommt, könnten ihren Platz ohne Abänderung wechseln. I,4 schließlich setzt offenbar I,2 voraus, da Pyrrhus Andromache mitteilt, was Orest von ihm verlangt hat. Als Pyrrhus Andromache zu einer Entscheidung drängt und diese sich weigert, ihn zu heiraten, bringt das Entwicklung in das zwischen ihnen bestehende Oppositionsverhältnis. Die zwischen den Szenen I,4 und I,2 hergestellte Beziehung bewirkt, daß man sich an dieser Stelle oder in diesem Moment der Abfolge schon sagen kann, der Konflikt Orest-Pyrrhus werde in einen Konflikt Pyrrhus-Andromache »übergehen«. Oder, um unserer Formalisierung treu zu bleiben, die Szenen 1, 2 und 4 drückten einen einzigen Konflikt aus, in dem Orest jetzt durch Andromache ersetzt wird. Da wir aber in der Folge einen – relativ unabhängigen – Ausdruck des einen wie des anderen Konfliktes finden, wollen wir sagen, die hier ausgedrückte Entwicklung des Oppositionsverhältnisses zwischen Pyrrhus und Andromache lasse indirekt auch das andere sich entwickeln.

Hingegen setzt I, 4 durch den Ausdruck von Oppositionsverhältnissen I, 3 weder voran noch voraus. Unter dem hier interessierenden Gesichtspunkt sind beide Szenen nebengeordnet. (Immerhin stellt I, 4 die Szene I, 3 durch ein anderes Mittel voran: Die Personenkombination »Pyrrhus-Andromache-(Céphise)« stellt die Kombination »Phyrrus-(Phoenix)« + »Stichwort des Übergangs«: »Andromache erscheint!« (V. 258) voran.)

Wir sehen also, daß sich im 1. Akt drei Oppositionsverhältnisse entwickeln und folglich ebenso viele Konflikte. Das vierte darin ausgedrückte Oppositionsverhältnis erfährt keine Entwicklung (zumindest nicht direkt; vielleicht indirekt, wenn man so will, da es mit den anderen verbunden ist): Das Verhältnis zwischen Pyrrhus und Hermione bleibt von Anfang bis Ende des Aktes gleich und stets von derselben Ungewißheit.

Mit Hilfe der Konflikte bilden sich zwei Intrigenstränge. Man kann die in diesem Akt sich ergebenden Ketten von Szenen auf zweierlei Art beschreiben: Entweder sagt man, es gebe eine Kette I, 1–2 und dann zwei Ketten I, 2–3 und I, 2–4, oder aber man sagt, es gebe zwei Ketten I, 1–2–3 und I, 1–2–4, die sich demnach auf der Ebene der Abfolge teilweise überschneiden. Wenn es um Intrigenstränge geht, dürfte die zweite Lösung am praktischsten sein.

Wir können das Ergebnis folgendermaßen schematisieren:

$$(1) - 2 - 3 \text{―――}$$
$$\text{|―――} 4$$

Die Linien stellen die Intrigenstränge dar. Zwischen zwei Szenen, die sich auf zwei verschiedenen Linien befinden (also in zwei verschiedenen Intrigen), gibt es keine direkte Beziehung. Sie können ihre Stellung zueinander wechseln, die eine setzt die andere nicht direkt voraus. Zwischen zwei Szenen auf der gleichen Linie kann es zwei Beziehungen geben: Die zweite Szene kann allein die erste voranstellen (was durch eine Klammer angedeutet ist), oder sie kann sie voraussetzen (und zugleich voranstellen).

Es wäre unmöglich und langweilig, die Analyse hier weiter so detailliert bis zum Ende des Stücks fortzusetzen. Tut man das aber, so ergibt die Analyse für das ganze Stück folgendes Ergebnis:

Es gibt fünf Konflikte. Zu den bereits erwähnten Oppositionsverhältnissen gesellt sich ein fünftes, das in II, 1 zum Ausdruck kommt, wo Hermione und Andromache in Gegensatz gestellt werden:

»Schon hab ich ihren Zorn auf des Sohnes Haupt gelenkt,
Jetzt will ich, daß man ihm die Mutter auch noch nehme.
Heimzahlen will ich ihr die Qualen, die sie mir geschenkt.
Sie soll ihn nur ins Verderben stürzen, oder er sie.« (V. 445 ff.)

Dieser Konflikt entwickelt sich aber erst vom Ende der Szene III,3 an:

Kleone: »Verstellt Euch! Eure Rivalin kommt in Tränen
Und bringt Euch auf Knien gewiß ihre Leiden dar!«

Hermione: »Ihr Götter! Darf meine Seele ich der Freude denn nicht weihen?
Gehen wir: Was soll ich ihr sonst sagen?« (V. 855 ff.)

Es bildet sich (in den Szenen 3, 4, 5 und 6) ein Konflikt heraus, in dessen Verlauf Hermiones Weigerung Andromache dazu bewegt – mit beträchtlicher Unterstützung durch Céphise –, sich neuerlich an Pyrrhus zu wenden. Tatsächlich also ist es Hermione, die, ohne es zu ahnen, die endgültige Übereinkunft zwischen Pyrrhus und Andromache herbeiführt.

Durch diese fünf Konflikte erstellt sich ein Netz von Intrigensträngen, das man schematisch etwa so skizzieren kann:

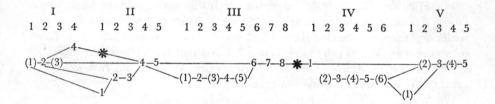

(Die Linien stellen die Intrigenstränge oder Szenenketten dar, und die Klammern bedeuten, daß eine Szene dem folgenden nur vorangestellt und von diesem nicht vorausgesetzt wird.)

Man sieht, daß die Szene I,1 der Szene I,2 nur vorangestellt ist, von II,1 aber vorausgesetzt wird. Die Verse 385 ff.:

»Diese Freude will ich ihm gern noch machen.
Pylades wird ihn alsbald hierher geleiten«,

setzen jene anderen voraus:

»... So geh denn und mach die Grausame geneigt,
einen Liebenden wiederzusehen, der nur um ihretwillen kam.« (V. 141 f.)

Außerdem haben wir drei auf Voraussetzung beruhende Beziehungen mit zwei Kreuzen versehen. Es handelt sich um die Beziehungen, die die Sezne II,4 mit der Szene I,4 einerseits und die Szenen IV,1 und IV,2 mit der Szene III,8 andererseits verbinden. In beiden Fällen zeigt das Kreuz eine Episode an, die nicht direkt beschrieben ist, ohne die aber keine Beziehung der Voraussetzung bestünde. In beiden Fällen ist die Episode eine Unterhaltung zwischen Pyrrhus und Andromache, in der diese zu den Vorschlägen Pyrrhus' zuerst »ja« und dann »nein« sagt.

Die Szene II, 5 gibt über die erste Unterhaltung Auskunft, und erst hier wird die Beziehung der Voraussetzung zwischen I, 4 und II, 4 geknüpft. II, 4 verweist nämlich ausdrücklich nur auf I, 2, und in dem Augenblick, da Pyrrhus Orest von seinem Entschluß in Kenntnis setzt, Astyanax auszuliefern und Hermione zu heiraten, weiß man noch nicht, ob das aus »purer Laune« geschieht oder nicht.

Die zweite Unterredung wird in den Versen 1053 ff. erwähnt: »Pyrrhus hat es Euch versprochen. Ihr habt es soeben gehört.« Durch diese Unterredung (und nicht durch den »Besuch an Hektors Grab«, der gewöhnlich als wichtigste Episode zwischen dem dritten und dem vierten Akt gilt) ergeben sich die Beziehungen von IV, 1 und IV, 2 zu III, 8.

(Man sieht also wohl, daß wir diese Episoden in die Beschreibung der Intrigenstränge nur einführen konnten, indem wir die Ergebnisse der Analyse des Gesamts in die Analyse der Abfolge einbrachten. Es geschah in dem Wunsch nach Vereinfachung. Anderenfalls hätte man zuerst ein Schema der Ketten innerhalb der Abfolge geben und dieses danach durch ein Schema des Systems innerhalb des Gesamts korrigieren müssen.)

Das Schema zeigt, daß sich die verschiedenen Intrigenstränge an vier Stellen entweder decken oder überschneiden: I, 1, II, 4, III, 6–7–8 und schließlich V, 3–4–5. Die erste Stelle entspricht dem Ingangsetzen der Handlung durch Orests Erscheinen und die drei anderen den Peripetien der Handlung: den unerwarteten Kehrtwendungen des Pyrrhus (an der zweiten und dritten Stelle) und Hermiones (an der letzten).

Da es Beziehungen der Voraussetzung zwischen jedem Gesamt von Szenen gibt, das die Intrigenketten ausmachen, schließen sich diese Gesamtkomplexe zu einem einzigen System, dem Ausdruck einer Handlung zusammen. Und da alle Szenen Teil dieses Systems sind, können wir sagen, daß die Einheit der Handlung in *Andromaque* durchgeführt ist.

Läßt man den Begriff »Einheit der Handlung« nur in einem engeren Sinne zu, wie Jacques Schérer, der von Einheitgebung im Stück nur dann sprechen will, wenn eine der Intrigen (oder ein Teil von ihnen) direkt oder indirekt alle anderen voraussetzt (und nicht, wenn alle Intrigen eine einzige voraussetzen), so führt *Andromaque* die Einheit der Handlung nicht völlig durch, da die beiden Szenen IV, 1 und V, 1 jede für sich eine Intrigenkette (oder einen Teil davon) bilden, die im Verhältnis zum Folgenden nur vorangestellt und nicht vorausgesetzt sind, obwohl sie alle beide das Vorhergehende voraussetzen.

Diese Deutung ist gerechtfertigt, wenn es den Anschein hat, als sei das der Sinn des Begriffs »Einheit der Handlung« zu Lebzeiten Racines gewesen. Die beiden fraglichen Szenen werden dann nicht ins System eingebaut, sondern nur um das System herum gruppiert, das Ausdruck der Handlung ist.

Das scheint insbesondere für die erste Szene von Wichtigkeit: Beide Szenen zeichnen in erster Linie den Charakter der Protagonistinnen; die erste Szene aber, die Andromache beschreibt, ist im Verhältnis zu allen übrigen Szenen, in denen sie auftritt, viel wichtiger, als es die zweite hinsichtlich der Szenen ist, in denen

Hermione auftritt. Der Mangel an Beziehungen der Voraussetzung berührt also weniger den Platz, den die Handlung im Stück Hermione zuweist, als den Platz, den es Andromache gibt (vgl. Jansen 1967).

Man wird uns vielleicht vorhalten, diese Analyse sei unnötig kompliziert, wenn sie nur zu dem Resultat führt, die Einheit der Handlung sei gewahrt. Unsere Antwort lautet: Wir sehen, auch wenn diese Analyse kompliziert ist, keine andere Möglichkeit, um *Andromaque* und *Lorenzaccio* zu vergleichen.

II

In seiner kritischen Ausgabe von *Lorenzaccio*, nach der wir zitieren werden, schreibt Paul Dimoff:

»Die Umstände, unter denen *Lorenzaccio* konzipiert und geschrieben wurde, stellen einen seltenen und, wenn ich nicht irre, einzigartigen Fall in unserer Literaturgeschichte dar.«[3b]

Die »Literaturgeschichte« stellt hinsichtlich *Lorenzaccio* selbst einen fast ebenso seltenen Fall dar: Nachdem man das Drama ganz und gar und dann in seiner Eigenschaft als Drama für schlecht befunden, hernach wieder als sehr wertvoll, aber unspielbar erachtet hatte, gelangt man heute dahin, es als einzigen echten Erfolg des romantischen Dramas zu betrachten.

Diese Entwicklung spiegelt sich auch in den Urteilen über die Kohärenz und von daher über die »Einheit der Handlung« in dem Stück. Bei der eher reservierten Aufnahme von *Lorenzaccio* durch Mussets Zeitgenossen ist von der Einheit der Handlung nicht ausdrücklich die Rede. Als man das Drama aber inkohärent, aufgeschwemmt, schlecht gebaut[4] nannte, geschah das wohl, weil man die Einheit der Handlung oder überhaupt die Handlung vermißte, die ihm hätte Kohärenz geben müssen. Man konnte sich schwer vorstellen, daß ein Autor ein Drama schreiben will, ohne zu bedenken, daß die Handlung einheitlich zu sein hat.

Als das Ansehen des Stücks die Kritiker allmählich dazu bewegte, es gelten zu lassen, versuchte man, sich ihm zunächst durch Verständnis für das Lorenzo-Porträt zu nähern[5]. Und schließlich gelangt man jetzt dazu, die Einheit der Handlung in dem Stück realisiert zu sehen. Wir haben schon früher die These von Lafoscade zitiert, die eine solche Vorstellung vertritt, eine Vorstellung, die in jüngeren Editionen oft aufgegriffen wird[6].

Nur hat man eben stark den Eindruck, daß der Begriff »Einheit der Handlung«, der eher ein terminus technicus von einiger Präzision ist, hier zum Wertbegriff wird. Wenn man dieses oder jenes Stück gut findet, leitet man daraus auch sogleich ab, es müsse notwendig die Regeln der Einheit der Handlung wahren, und ist dieser Begriff hinlänglich unpräzis, so findet man diese Einheit der Handlung unschwer realisiert.

Wir haben bereits ausgeführt, warum wir es für wenig nützlich halten, aus der Einheit der Handlung einen so unpräzisen Wertbegriff zu machen, daß er die Behauptung gestattet, beide Stücke, die uns hier interessieren, realisierten sie gleichermaßen. Nach unserem Versuch, den Begriff »Einheit der Handlung« formal zu definieren, und nach dessen Anwendung in der Analyse von *Andromaque* (mit positivem Ergebnis) wollen wir nun zeigen, daß *Lorenzaccio* die Einheit der Handlung nicht durchführt[7].

3. Die Einheit der Handlung in »Lorenzaccio«

In *Andromaque* waren die Szenen – wie sie die Textangaben abstecken – Situationen; Einheiten, aus denen jeder dramatische Text besteht, und die Analyse hatte zum Ziel, die zwischen diesen Einheiten eingegangenen Beziehungen freizulegen.

Bei *Lorenzaccio* verhält es sich anders. Die Szenen genannten Teile des Textes umfassen fast alle mehrere Situationen.

Ein analytisches Verfahren, das dem bei *Andromaque* angewendeten genau entspräche, müßte also – nach Abgrenzung all dieser Situationen – jede einzelne prüfen, um die unter ihnen bestehenden Beziehungen ausfindig zu machen. Da sich aber die Zahl der Situationen allein im 1. Akt auf siebenunddreißig beläuft, wird man verstehen, daß eine solche Analyse den Rahmen unseres Artikels schnell sprengen würde.

Es wird daher besser sein, kurz die formalen Prinzipien darzulegen, denen entsprechend die Situationen zu Szeneneinheiten gefügt sind, und von daher einen grundlegenden Unterschied zwischen den Szenen in *Andromaque* und in *Lorenzaccio* herauszuarbeiten. Dann wird man, ohne die Situationen und ihre Beziehungen völlig zu vernachlässigen, sich stärker mit den Beziehungen beschäftigen, die aus dem Gesamt der *Szenen* ein kohärentes Werk machen.

Die Situationen werden mit Hilfe des ihnen gemeinsamen konkreten Schauplatzes zu Szenen gruppiert, und umgekehrt wird jeder Übergang von einer Szene zur anderen von einem Ortswechsel begleitet oder angezeigt. Die Szenen in *Lorenzaccio* sind, einem Ausdruck von Hassan el Nouty[8] entsprechend, »Trauben« von Situationen.

Zwar verbindet nicht immer der Ort allein die Situationen ein und derselben Szene (andere Mittel, insbesondere der Ausdruck eines Konfliktes, können das ebenso tun), aber der Ort, der die Einheit der Szene entweder garantiert oder verstärkt, ist stets vorhanden. Man kann sagen, der Aufbau des Stücks verleihe auf dieser Ebene den konkreten Orten eine innerhalb der Abfolge der Situationen einheitgebende Funktion, so wie es – wir werden das später noch sehen – der Person des Herzogs eine ebensolche Funktion verleiht, allerdings im Gesamt aller Einheiten, die die Szenen darstellen.

Diese Art, die Szenen zu bauen, impliziert, daß die im Innern jeder Szene zwischen den Situationen hergestellten Beziehungen nicht immer die für die Herausbildung einer Intrige nötigen sind und von einer Handlung ausgehen.

Man wird also im folgenden, wenn wir eine Beziehung feststellen können, die von einer Szene zur anderen hin eine Intrige knüpft, beachten müssen, daß es sich möglicherweise nur um eine Beziehung zwischen *einer* Situation in der einen und *einer*

Situation in einer anderen Szene handelt. Die übrigen Situationen bilden in jeder Szene also eine Art »Aureole« um solche Situationen, die Verknüpfungen schaffen. Andererseits, aber aus denselben Gründen, kann ein und dieselbe Szene zwei Situationen enthalten, die zu zwei verschiedenen Intrigen gehören, d. h. voneinander unabhängig sind.

Nach diesen wenigen Worten über die Szenen in *Lorenzaccio* werden wir jede Szene des 1. Aktes analysieren, den Ausdruck von Oppositionsverhältnissen suchen und prüfen, wie diese – oder ob diese – miteinander verbunden sind.

Vier Situationen bilden die 1. Szene[9]. Erst in der dritten findet man den klären Ausdruck eines Oppositionsverhältnisses, nämlich desjenigen zwischen Maffio und Giomo:

Maffio: Wer seid Ihr? Holla! Stehenbleiben!
Giomo: Du ehrliche Haut, wir sind deine Freunde!
Maffio: Wo ist meine Schwester? Was sucht Ihr hier?
Giomo: Deine Schwester haben wir aufgespürt, alte Kanaille. Los, mach das
          Gartentor auf!
Maffio: Zieh deinen Degen und verteidige dich, du Mörder!

(Linien 85–95)

Der Ausdruck des Oppositionsverhältnisses zwischen Maffio und dem Herzog in der folgenden Situation (der letzten dieser Szene) setzt die eben angeführte voraus. Es entsteht also ein Konflikt. Die Opposition »Maffio-Giomo« entwickelt sich zu einer Opposition »Maffio-Herzog«, und beide Situationen bilden eine Intrigenkette.

Die drei ersten Situationen sind ebenfalls zu einer Kette geordnet (deren letzte Situation ist demnach die erste in der eben genannten Intrige); aber diese Ordnung erwächst nicht aus dem Ausdruck von Oppositionsverhältnissen, sondern aus den Gabrielle betreffenden Bemerkungen. Obwohl die vier Situationen der 1. Szene verkettet sind, gehören die beiden ersten, genau besehen, nicht zu der Intrigenkette, die die beiden letzten bilden.

Die 2. Szene im 1. Akt ist insofern bewegter, als sie mehr Situationen enthält (12) und viel mehr Personen auftreten[10]. Verschiedene Oppositionsverhältnisse kommen hier zum Ausdruck: zwischen dem Goldschmied und dem Händler (Zeilen 170–285), zwischen dem Provveditore und Lorenzo (Zeilen 353–374) usw. Ein einziges von ihnen, das zwischen Julien Salviati und Louise Strozzi (Zeilen 375–393 und 394–399), ist so ausgedrückt, daß es eine Kette bildet, also einen Konflikt. So stellt die letzte Szene durch das in ihr Ausgedrückte die vorletzte voran, und es folgt daraus eine neue Intrige.

(Eine Beziehung der Voranstellung wird zudem, wenn auch weniger ausdrücklich, zwischen der vorletzten Situation und der siebenten, der Wechselrede zwischen dem Herzog und Julien (Zeilen 332–344), hergestellt, nicht aber vermittels eines Oppositionsverhältnisses, denn es gibt in der siebenten Situation gar keines, sondern in beiden Situationen wird eine Beziehung sichtbar durch die Anwesenheit Juliens und dessen Antwort:

»Sie ist von dämonischer Schönheit. – Laßt mich nur machen! Wenn ich meine Frau loswerden kann!« (Zeilen 342–343.)

Die siebente Situation gehört also nicht zur Intrige der Situationen 11 und 12, aber die hier erkannte Beziehung wird von einigem Gewicht sein, wenn wir die Rolle des Herzogs näher bestimmen müssen.)

Die Szene I,3 enthält vier Situationen, die die Familie Cibo beschreiben. Man findet darin zwei Oppositionsverhältnisse: das zwischen dem Kardinal und der Cibo und das zwischen der Cibo und dem Herzog. Letzteres wird indirekt durch das, was der Kardinal und die Cibo über ihn sagen, vorgeführt.

Diese beiden Verhältnisse sind derart miteinander verbunden, daß sie sich gegenseitig genauso beeinflussen wie die Oppositionsverhältnisse in *Andromaque*. Hier tritt die Cibo in ein Oppositionsverhältnis zum Kardinal, weil dieser für den Herzog Partei ergreift, dem sie selbst mit recht komplexer, aber dennoch deutlich opponierender Haltung gegenübersteht. (Wir werden später sehen, daß die Beziehung dieser beiden Verhältnisse sich etwas wandelt.)

Der Ausdruck dieser beiden Verhältnisse ordnet die Situationen 2 und 4 (Zeilen 464–531 und 535–562), wodurch somit eine Intrige entsteht. Die 3. Situation, wo der Kardinal allein Agnolo ruft, ist der vierten vorangestellt, indessen bedingt sie selbst nicht die Voranstellung der 2. Situation (Agnolo hätte zufällig kommen können, ohne daß eine Veränderung der anderen Situationen nötig geworden wäre).

Die Szene I,4, die »Degenszene«, enthält ebenfalls vier Situationen, die jeweils Oppositionsverhältnisse zwischen Lorenzo und anderen Personen ausdrücken. Da diese Verhältnisse aber untereinander unverbunden bleiben, bildet sich weder Konflikt noch Intrige. (Übrigens: Der einzige, der zu Lorenzo – oder zu dem Lorenzo – nicht in Opposition steht, ist der Herzog.)

Diese ersten vier Szenen des 1. Aktes sind untereinander also nicht derart verknüpft, daß sie eine Intrige bilden. Wenn sie sich zur Kette ordnen, so vermittels zeitlicher Angaben (vor allem solcher, die die Nasi-Hochzeit erwähnen) und dank der Anwesenheit gleicher Personen in verschiedenen Szenen, was impliziert, daß diese allenfalls teilweise simultan denkbar sind.

Angesichts unserer Fragestellung (nach Intrigenketten) können diese vier Szenen demnach als nebengeordnet gelten. Die beiden letzten Szenen hingegen sind in der uns interessierenden Weise mit zwei der vorangehenden Szenen verknüpft.

In der Szene I,5 findet man zwei bereits in I,2 eingeführte Oppositionsverhältnisse. Es handelt sich erstens um das zwischen Händler und Goldschmied. Sie sprechen nicht direkt miteinander; die Opposition zwischen ihren Charakteren drückt sich in der gegensätzlichen Einschätzung gleicher Personen oder Umstände aus (Zeilen 818–845 und 880–897). Da dieses Oppositionsverhältnis sich hier aber so ausdrückt, daß keinerlei Entwicklung erkennbar wird, wenn man mit I,2 vergleicht, kann eine Beziehung der Voranstellung zwischen den fraglichen Situationen sich nicht auf den Ausdruck dieses Verhältnisses gründen[11].

Indessen stellen die Passagen, wo das andere Verhältnis zum Ausdruck kommt, eine solche Beziehung zwischen den Szenen 2 und 5 her: Als Julien Salviati Léon

Strozzi beleidigt, weist der Ausdruck dieses Oppositionsverhältnisses es als die Entwicklung jenes anderen zwischen Julien und Louise in I,2 aus, denn Julien macht die Beleidigung der Louise Strozzi zu einer Beleidigung gegen alle Strozzis, wenn er u. a. sagt:

»Wie liebe ich diesen braven kleinen Prior, der bei einem Wort über seine Schwester prompt sein übriges Geld vergißt. Sollte man nicht meinen, alle Tugend von Florenz habe sich zu den Strozzis geflüchtet?« (Zeilen 987–990.)

Die letzten Situationen der 5. Szene stellen also die letzten Situationen der 2. Szene durch mehrfachen Ausdruck eines Konflikts voran, und eine Intrige ist geknüpft. Um etwas zu vereinfachen – wie wir weiter oben erläuterten –, sagen wir, die beiden Szenen reihten sich eine nach der anderen vollständig in dieselbe Intrigenkette ein.

Schließlich enthält die letzte Szene des Aktes (I,6) vier Situationen. Die erste ist ziemlich lang (Zeile 995–1110) und dem Gespräch Marie Sodérini/Catherine gewidmet. Darin findet sich der Ausdruck des Oppositionsverhältnisses zwischen Lorenzo und seiner Mutter, Marie. So wie es sich hier darstellt, entspringt dieses Oppositionsverhältnis unmittelbar dem Verhalten Lorenzos beim Duell in I,4. Wenn es zwischen den beiden Szenen eine Beziehung der Voranstellung gibt, so ist den Worten Maries jedoch nicht der Ausdruck der Oppositionsverhältnisse zwischen Lorenzo und anderen Personen in Szene 4 vorangestellt, sondern einzig Lorenzos Verhalten. Es existiert von der einen zur anderen dieser Szenen keine Entwicklung ein und desselben Oppositionsverhältnisses. Wir glauben demnach, sagen zu können, daß der Konflikt, der sich (wie wir sehen werden) zwischen Lorenzo und seiner Mutter noch weiterentwickelt, hier seinen Ursprung hat und nicht in der Szene I,4.

Die zweite Hälfte der Szene (mit drei Situationen) beschreibt den Abschied der Verbannten, unter denen jetzt Maffio ist. Maffios Worte stellen eine Beziehung zum mißglückten Duell der 1. Szene her, so daß die Szenen I,1 und I,6 eine Intrige bilden.

Wenn wir nun versuchen, das Schema der Intrigenketten zu erstellen, die sich im 1. Akt herausbilden (ähnlich wie wir es bei *Andromaque* getan haben), erhalten wir folgendes Ergebnis:

$$
\begin{array}{ccccccc}
1 & 2 & 3 & 4 & 5 & 6 \\
1 & \text{---} & \text{---} & \text{---} & \text{---} & 6 \\
& 2 & \text{---} & \text{---} & 5 \\
& & 3 \\
& & & 4
\end{array}
$$

Der 1. Akt gliedert sich also in vier Szenengruppen, vier nebengeordnete Einheiten, zwei Intrigen und zwei Szenen, die im Augenblick »isoliert« bleiben.

In einer stärker ins Detail gehenden Analyse wird man noch zu bestimmen haben, ob die zu Intrigen führenden Beziehungen solche der Voranstellung oder der Voraussetzung sind.

Geben wir ruhig zu, daß uns die Unterscheidung dieser beiden Arten von Beziehungen, zumindest auf dieser Ebene der Analyse, heute noch schwieriger zu treffen scheint, als wir zuerst glaubten.

Jedoch meinen wir, sagen zu dürfen, daß in der zweiten Intrige eine Beziehung der Voraussetzung besteht: Die Lüge Juliens auf Kosten von Louise Strozzi – die gesagt haben soll, sie müßten »so schnell wie möglich miteinander schlafen« (Zeile 969) – gehört zum Ausdruck seines bewußten Willens, die Opposition zwischen sich und den Strozzis noch zu verschärfen, und für uns zum Ausdruck des Konflikts. Und wenn man die 2. Szene wegließe, müßte man in der 5. Szene Textveränderungen vornehmen, um verständlich zu machen, daß diese Lüge ausgesprochen wurde, und das heißt letzten Endes, daß zwischen beiden Szenen eine Beziehung der Voraussetzung besteht.

Was die andere Intrige angeht, so sehen wir in ihr eher eine Beziehung der Voranstellung. Uns scheint, da, wo Maffio den Verbannten erzählt, was ihm in der 1. Szene und seither zugestoßen ist (Zeilen 1130–1142), mache nichts es nötig, Episoden aus I, 1 auf die Bühne zu bringen. Jede beliebige hätte wiederum durch jede beliebige ersetzt werden können.

(Da diese Intrige im ganzen Stück indessen nur diese beiden Szenen und den Anfang von II, 1 umfaßt, sähe man, wenn I, 1 ausfiele, wahrscheinlich nicht den Ausdruck eines Konflikts in den folgenden Situationen der beiden anderen Szenen. Das aber bedeutet nach unserer Definition noch keine Beziehung der Voraussetzung.)

Wenn wir den Aufbau des 1. Aktes so formalisieren, berücksichtigen wir lediglich den Ausdruck eines Konfliktes. Wir haben weiter oben gesehen, welche Rolle Zeitangaben spielen können. Sie bringen alle sechs Szenen im Verlauf eines Tages unter, so daß die 3. und 4. Szene (bis zum Eintreten des Kardinals) teilweise simultan ablaufen könnten, und beide zusammen können zur gleichen Zeit wie die 5. Szene spielen. Mit dieser Ausnahme folgen die Szenen zeitlich ebenso aufeinander wie in der Abfolge des Stücks. Aber die so gebildeten Ketten von Situationen sind keine Intrigen. Man kann im übrigen sagen, daß Zeitangaben für die Herausbildung von Ketten im Gesamt des Stücks wenig Bedeutung haben. So besteht im 5. Akt sogar ein gewisser Widerspruch zwischen den Zeitangaben einer jeden Szene und ihrer linearen Abfolge im Stück. Anders als in den meisten Theaterstücken bilden die Zeitangaben an sich hier noch keine mit der Abfolge identische Kette.

Im vorausgehenden haben wir gezeigt, wie die Analyse im Detail verfahren soll. Würde man auf diese Art alle Szenen von *Lorenzaccio* durchprüfen, käme man auf eine bestimmte Zahl von Konflikten und würde ein Gesamt von verschiedenen Intrigen entdecken, das auf den ersten Blick recht komplex und ziemlich inkohärent wirkt.

Hier sollen zuerst die Konflikte jeweils mit dem Namen der »dominierenden Paare« genannt werden, und zwar in der Reihenfolge, in der die Oppositionsverhältnisse, auf die sie sich gründen, in Erscheinung treten:

a: Herzog – Maffio
b: Herzog – die Strozzis
c^1: Herzog – die Cibo
c^2: die Cibo – der Kardinal
d: Lorenzo – Marie Sodérini
e: Herzog – Catherine
f: Herzog – Lorenzo

Noch andere Oppositionsverhältnisse werden im Laufe des Stücks zum Ausdruck gebracht; da sie jedoch keine Konflikte erzeugen, berücksichtigen wir sie nicht.

Nun können wir die Intrigen von *Lorenzaccio* insgesamt derart formalisieren, daß ein Schema entsteht, das dem für *Andromaque* erstellten vergleichbar ist. Allerdings ist es, wie man sieht, weit komplexer:

Schema der Intrigen in *Lorenzaccio:*

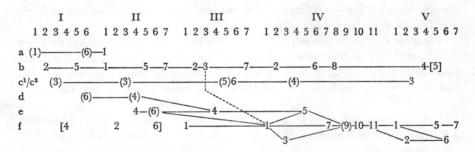

Links haben wir die Konflikte aufgeführt, von denen sich die Intrigen herleiten. Die Linien bezeichnen wieder wie in der Skizze für *Andromaque* die Intrigen (oder deren Ausdruck), und die Klammern bedeuten, daß eine Szene im Verhältnis zum Folgenden nur vorangestellt, nicht vorausgesetzt ist. Die eckigen Klammern und die gestrichelte Linie beziehen sich auf schwieriger zu bestimmende Beziehungen. Da diese Analyse von *Lorenzaccio* darauf abzielt, festzustellen, wie die formale Einheit des Stückes im Vergleich zu *Andromaque* erreicht wird, erläutern wir hier nicht im Detail, wie wir diese verschiedenen Beziehungen zwischen den Szenen hergestellt haben. Nun gibt es in diesem Schema allerdings einige Beziehungen, die wir mit Hilfe unserer grundsätzlichen Begriffe von Formanalyse nicht bestimmen konnten und die uns dennoch zu wichtig scheinen, um sie beiseite zu lassen. So müssen wir für diese Fälle einen Kommentar anfügen. Wie man sieht, stehen vier Szenen in eckigen Klammern: V, 5 auf der b-Linie und I, 4, II, 2 und II, 6 auf der f-Linie. Nach unserer Definition von Konflikt und Intrige gehören diese Szenen oder vielmehr die Situationen dieser Szenen nicht zu den Intrigenketten, unter denen sie aufgereiht sind. Dennoch sind sie mit diesen verbunden.

In der Szene V, 5 handelt es sich um die beiden Erzieher der Söhne von Salviati

und Strozzi. Sie setzt die Szene V,4, wo Pierre Strozzi der florentinischen Aufstandsbewegung lebewohl sagt, um sich der Armee des französischen Königs anzu-
schließen, weder voraus, noch stellt sie sie voran. Dennoch bewirkt diese Szene im
Konflikt zwischen den Strozzis und dem Herzog eine gewisse Entwicklung – allerdings »Entwicklung« hier in einem etwas anderen Sinn als bisher in diesem For-
malisierungsversuch –, denn sie zeigt, daß dieser Konflikt, der zwar vorübergehend
ein politischer war, letzten Endes wieder zur Privatfehde zwischen zwei großen
Familien wird.

Gleichen Überlegungen folgend, setzten wir die drei anderen Szenen auf der
f-Linie in eckige Klammern. Das Oppositionsverhältnis, das den Konflikt »Herzog-
Lorenzo« erzeugt, wird erst in III,1 ausgedrückt, und auch da noch, ohne daß klar
gesagt würde, gegen wen Lorenzo auftritt. Trotzdem zeigen die drei Szenen, wie
Lorenzo sich auf den Mord und damit den Höhepunkt des Konflikts vorbereitet.
Betrachten wir z. B. I,4:

Wir haben weiter oben ausgeführt, warum diese Szene auch in eckigen Klammern vor der Szene I,6 auf der d-Linie stehen könnte. Es scheint uns aber nun
nach der Analyse der ganzen Szenenabfolge einfacher, die fraglichen drei Szenen
zusammenzufassen: In III,1 begreift man, daß Lorenzos Ohnmacht vor dem Degen des Sire Maurice eine Finte gewesen sein muß, und späterhin auch, daß sein
Verhalten in diesem Augenblick nur zu seinen vorbereitenden Aktionen gehörte.
Es muß aber betont werden, daß diese Szene noch nicht den Ausdruck des Oppositionsverhältnisses zwischen Lorenzo und dem Herzog ist. Trotz der Schlußworte des
Kardinals kann man nicht behaupten, daß sie Lorenzos wahre Absichten enthülle[12].

Bevor wir die Beschreibung dieser vier Szenen beenden, sei noch gesagt, daß das
Schema sie als die einzigen ausweist, die sich in keine der Intrigen des Stückes, wie
wir sie freigelegt haben, einfügen lassen.

Andererseits haben wir in unserer Skizze eine Beziehung – die gestrichelte
Linie – eingezeichnet, die von der Szene IV,1 zu III,3 führt. Es handelt sich um
keine intrigenbildende Beziehung. Der Konflikt zwischen Lorenzo und dem Herzog entwickelt sich unabhängig von dem großen Dialog in III,3 zwischen Philippe
Strozzi und Lorenzo. Indessen enthüllt dieser Dialog zum erstenmal ausdrücklich,
daß Lorenzo die Absicht hat, den Herzog zu ermorden. Diese Enthüllung macht
den Doppelsinn aller Gespräche Lorenzos mit dem Herzog begreiflich und ermöglicht es, seine verschiedenen Aktivitäten – vor und nach dieser Enthüllung – als
Vorbereitungen zu verstehen, die den Konflikt hin zum Mord entwickeln. Das
bedeutet aber nicht, daß Lorenzos Worte und Handlungen den Dialog III,3 voranstellen oder voraussetzen[13].

Sehen wir uns nun die Konfliktverteilung innerhalb der Intrigen und die In-
trigenverteilung innerhalb des Stücks an.

Aus der Skizze geht hervor, daß die Intrigen sich in vier sehr deutlich unter-
schiedene Gruppen gliedern.

Die drei ersten Intrigen sind insofern unabhängig, als keine von ihnen irgendeine
der übrigen beiden teilweise oder ganz voraussetzt, d. h. jede von ihnen ist Aus-

druck einer Intrige und ist – oder wird, wenn man die Szenen als ein Gesamt und nicht mehr als Abfolge betrachtet, – identisch mit dem Ausdruck einer Handlung.

Die beiden ersten Handlungen sind jeweils auf einen einzigen Konflikt gegründet, während die letzte deren zwei enthält. In dieser nun haben wir den Kardinal nicht nur als eine Person gesehen, die den Herzog im Konflikt mit der Cibo stützt, denn die Szenen dieser Handlung – oder die Intrige – verketten sich bald aufgrund des einen, bald aufgrund des anderen der beiden hier festgestellten Konflikte. Primär von beiden ist der zwischen dem Herzog und der Cibo, denn der Kardinal bezieht gegen die Cibo nur Stellung, weil diese sich gegen den Herzog auflehnt (oder gegen die Rolle, die dieser ihr zugedacht hat, was in einer formalen Beschreibung wie der unseren in das Oppositionsverhältnis zwischen dem Herzog und der Cibo zu übersetzen ist).

Die vierte Gruppe vereint alle anderen Intrigen, die nunmehr den Ausdruck einer einzigen Handlung bilden, analog derjenigen, die in *Andromaque* das Gesamt der Intrigen im Stück vereint.

Die Intrigen dieser Gruppe erwachsen aus drei Konflikten. Die Verzahnung der Intrigen macht es schwieriger, ihre genaue Zahl zu ermitteln, was bei *Andromaque* übrigens auch der Fall war. Wir wollen nur auf einige Details zu diesem Problem eingehen.

Zuerst kann man drei Intrigen unterscheiden, jede auf einen eigenen Konflikt gegründet; dann aber »vereinen« und »unterscheiden« sie sich in ziemlich mutwilliger Art:

Die Szene III,4 stellt voran die beiden Szenen II,4 (durch den Konflikt »Lorenzo-Marie Sodérini«, der außerdem die Beziehung zwischen II,4 und I,6 herstellt) und II,6 (durch den Konflikt »Herzog-Catherine«, der ebenfalls die Beziehung von II,6 zu II,4 knüpft, d. h. zu einer anderen Situation dieser Szene als in der vorhergehenden Kette). Man kann also sagen, daß sich in der Szene III,4 zwei bis dahin getrennte Intrigenketten vereinen und sich hernach überschneiden, da die Szene IV,5 die Szene III,4 aufgrund beider Konflikte zugleich voraussetzt.

Umgekehrt bewirkt ein und derselbe Konflikt, nämlich der zwischen Lorenzo und dem Herzog, daß die drei Szenen des 4. Aktes (3, 5 und 7) in drei verschiedenen Intrigen ihren Platz haben: Die drei Szenen zeigen, wie Lorenzo den Mord vorbereitet. In IV,1 beschließt er, entsprechende Vorbereitungen zu treffen, im großen Monolog in IV,9 bezeichnet er sie als abgeschlossen (die Kette 1–5–9 ist im übrigen nacheinander von den beiden anderen Konflikten dieser Handlung determiniert). Aber die Szenen können innerhalb der von den Szenen 1 und 9 gesteckten »Grenzen« durchaus ihren Platz zueinander wechseln. Es bilden sich also drei unterschiedliche Intrigen heraus. Im 5. Akt dient derselbe Konflikt »Herzog-Lorenzo« nochmals zur Erstellung von zwei verschiedenen Intrigen, allerdings in etwas komplexerer Art. Es geht um IV, 11–V, 1–V, 5–V, 7 und um IV, 11–V, 2–V, 6. Man kann sie so beschreiben: Das Oppositionsverhältnis »Herzog-Lorenzo« entwickelt sich in der ersten Intrige zu einem Verhältnis, in dem der Kardinal den Herzog ersetzt und die Republikaner Lorenzo, und in der zweiten zu einem Verhältnis, in dem allein der Herzog durch den Kardinal ersetzt wird (oder durch die von dem Kardinal unterstützten Acht).

Es handelt sich hier um eine Entwicklung des Oppositionsverhältnisses durch Ersatz der Opponenten, analog zu der, auf die der Konflikt »Herzog-Strozzis« zum großen Teil beruht. Da der Ersatz beider Opponenten zugleich aber in einer der Intrigen mit der Herausbildung von zwei verschiedenen Intrigen einhergeht, könnte man vielleicht sagen, es trete hier ein neuer Konflikt in Erscheinung. Nur: Welche von beiden Intrigen stellt dann den neuen Konflikt dar? Auf den ersten Blick scheint es die erste zu sein, in der Kardinal und Republikaner einander gegenüberstehen. Aber die Antwort ist gar nicht so einfach, denn mit dieser Intrige endet das Stück, und sie würde die Entwicklung des Konfliktes »Herzog-Lorenzo« ganz natürlich fortzusetzen scheinen, d. h. zu ihr gehören, wenn man die beiden Szenen wegließe, die die andere Intrige bilden (was man ohne anderweitige Änderung tun könnte, worauf es hier ja ankommt). Indessen ist eine Lösung dieses Problems gar nicht nötig, um zu dem unserer Analyse gesteckten Ziel zu gelangen.

Bevor wir *Lorenzaccio* abschließen, sollen noch einige Worte über die Zeitangaben des 5. Aktes gesagt werden. Wir haben festgestellt, daß zwischen diesen und der Abfolge der Szenen ein gewisser Widerspruch besteht. Es vergehen in der ersten Intrige zwischen der Szene IV, 11 bis zur Szene V, 7 kaum zwei Tage, während in der anderen Intrige allein zwischen IV, 11 und V, 6 viel mehr Zeit verrinnt. Musset scheint zugleich den Eindruck erwecken zu wollen, er habe im Text Geschichte und Wahrscheinlichkeit respektiert und im Aufbau eine Kurzfassung, ein Konzentrat dieses letzten Aktes gegeben[14].

Nachdem wir gezeigt haben, wie sich die Intrigen in *Lorenzaccio* verteilen, glauben wir schließen zu dürfen, daß, wenn es in *Andromaque* eine einzige Handlung gibt, die die Einheit des Werkes sichert, demgegenüber in *Lorenzaccio* vier verschiedene Handlungen anzutreffen sind. Die Einheit dieses Stücks ist keine »Einheit der Handlung«. (Dieser Schluß setzt natürlich voraus, daß man unser analytisches Verfahren und die daraus folgende Definition des Begriffs »Einheit der Handlung« akzeptiert.)

Hierauf bleibt noch zu zeigen, welches Element unserer Ansicht nach die formale Einheit von *Lorenzaccio* gewährleistet. Es ist die Person des Herzogs. Er ist das von allen vier Handlungen vorausgesetzte gemeinsame Element, das diese eben dadurch zu einem kohärenten Ganzen vereint. Er ist die Zentralfigur des Stückes, und wenn er nicht zum Protagonisten wird – eine Rolle, die zweifellos Lorenzo zufällt, – so weil die Beschreibung von Lorenzos Charakter viel gründlicher ist und mehr Platz einnimmt. Der Charakter des Herzogs ist sozusagen darauf reduziert, nur das zu sein, was ihm seine Rolle in den verschiedenen Konflikten vorschreibt[15].

Schließlich können wir versuchen, die Funktion eines jeden Handlungsstranges in diesem durch die Person des Herzogs zur Einheit gefügten Gesamt kurz und knapp zu bestimmen.

Die rund um den Konflikt zwischen Herzog und Lorenzo entstehende Handlung wird auf ganz natürliche Weise zur Haupthandlung. Diejenige, in der die Strozzis sich gegen den Herzog stellen, schafft eine Art »Grundlage«: Es ist die klarste und ausgedehnteste Handlung. Sie bildet einen »roten Faden« in der Abfolge der Szenen, der besonders am Anfang wichtig ist, bevor Lorenzos Plan enthüllt ist. Man könnte diese Handlung die zentrale, jedoch im Verhältnis zur Haupthandlung sekundäre nennen, eine Unterscheidung, die analog der zwischen Herzog und Lorenzo getroffenen verläuft.

Die Handlung, in der der Kardinal und die Cibo eine Rolle spielen, muß in erster Linie dazu dienen, eine Beschreibung des Kardinals zu geben. Diese Handlung macht seine Pläne und seine Macht deutlicher als eine einfache Beschreibung, und dies, ohne daß die ihm am Ende der Haupthandlung zugewiesene Rolle irgendwie vorbereitet würde[16].

Schließlich die letzte Handlung (rund um den Konflikt »Herzog-Maffio«). Sie ist eine Art Prolog. Da sie im wesentlichen durch die Szenen 1 und 6 des 1. Aktes gebildet wird, wirkt sie wie ein von den übrigen Episoden dieses Aktes klar abgehobener Rahmen. Sie ähnelt dadurch der ersten Intrige im 5. Akt der Haupthandlung, wo der Kardinal und die Republikaner in Opposition stehen, eine Intrige, die man als Epilog des Dramas bezeichnen könnte.

Außerdem hat man beinahe den Eindruck, Musset wolle mit dieser kleinen Prologhandlung (die nicht zeigt, was die Bürger von Florenz in der gegenwärtigen Situation an den Rand des Aufstands bringt) wie durch ein Exempel illustrieren, was er für den eigentlichen oder wahren Grund dafür hält, daß der Herzog gestürzt wird, nämlich die Art, wie er mit den Frauen der Stadt sein Spiel treibt. Das heißt, die Liebe spielt in diesem Stück – entgegen herkömmlicher Ansicht – ebenso eine Rolle wie in den meisten Stücken Mussets, hier aber nur in der einigermaßen seltenen Form einer recht brutalen Sexualität.

4. Schluß

Man übertreibt gewiß nicht, wenn man die Regel von den drei Einheiten zu den grundlegenden Merkmalen klassischer Dramaturgie zählt. Unsere Analyse müßte zeigen, daß die Einheit der Handlung, so wie wir sie definiert haben, in *Andromaque* tatsächlich verwirklicht ist, einem konkreten Stück und Modellfall jener klassischen Dramaturgie, auf die wir unsere Definition innerhalb einer formalistischen Theorie gegründet haben. Akzeptiert man diese Definition, kann man unmöglich weiter behaupten, *Lorenzaccio* entspräche ihr genauso. Hierdurch weicht das Drama Mussets von dem ab, was die Theoretiker des romantischen Dramas besonders preisen, falls es dazu nicht sogar in Opposition gerät[17]. Diese Theoretiker unterscheiden sehr deutlich zwischen der Einheit der Handlung einerseits und den Einheiten der Zeit und des Ortes andererseits. So sagt Hugo:

»Wir sprechen von zwei und nicht von *drei* Einheiten, da die Einheit der Handlung oder der Gesamtheit, die einzig wahre und begründete, ohnehin seit langem nicht mehr in Frage steht ... Die dritte Einheit, die Einheit der Handlung, die einzig anerkannte von allen, da sie einer Tatsache entspringt: Weder Auge noch Geist des Menschen vermögen mehr als eine Gesamtheit zugleich zu erfassen.«[18]

Die berühmte Definition Stendhals:

»die auf die Tragödie übertragene Romantik, *das heißt eine Tragödie in Prosa, die mehrere Monate dauert und an verschiedenen Orten spielt*«[19],
greift zwar die Regel von zwei Einheiten an, aber Stendhal scheint den Wert und die Notwendigkeit der Einheit der Handlung nicht in Zweifel zu ziehen, da er über seinen Plan zu einer romantischen Tragödie, *Le retour de l'Ile d'Elbe*, schreibt:
»Sie ist schön, weil sie ein einziges Ereignis ist.«[20]

Daher ist es wahrscheinlich kaum richtig, wenn man *Lorenzaccio* dahingehend beurteilt, es verwirkliche als einziges Beispiel die Vorstellung Stendhals vom romantischen Drama (wie wir es selbst 1967 getan haben[21]).

Um *Lorenzaccios* Stellung näher zu bestimmen, könnte man sich fragen, ob die von Hugo und Stendhal propagierte und von Musset realisierte neue Form auf einen gemeinsamen Nenner gebracht werden kann. Als Hypothese ließe sich sagen, alle Romantiker opponierten gegen die »Tyrannei der klassischen Tragödie«, weil ihnen allen die konkreten, »äußeren« Situationen der Wirklichkeit, wie sie sie sehen und in ihren Werken wiedergeben wollen, viel zu komplex erscheinen, um innerhalb festumrissener Grenzen (= 3 Einheiten) beschrieben zu werden[22]. Das bringt Stendhal klar zum Ausdruck, wenn er schreibt: »Die Tragödie Racines kann immer nur die letzten 36 Stunden einer Handlung umfassen, also niemals die Entwicklung der Leidenschaften. Welche Verschwörung kann sich in 36 Stunden anbahnen, welche Volksbewegung entwickeln?«[23]

Und Hugo sagt ungefähr dasselbe, wenn er auf dem Unterschied zwischen der Einheit und der Einfachheit der Handlung besteht und behauptet, eine außerordentlich komplexe Handlung sei keineswegs in einem Drama, das die Einheit der Handlung wahrt, auszuschließen[24].

Um diese Komplexität beschreiben zu können, würden Hugo und Stendhal sich vornehmen, die *Entwicklung* einer Situation wiederzugeben, d. h. eine Vielzahl aufeinander folgender und verschiedener Ereignisse, die gemeinsam diese Situation bestimmen und dennoch eine einzige Handlung bilden[25], statt sich auf die Beschreibung einer *Krisen*situation zu beschränken, wozu sie die Einhaltung der Einheit der Handlung nötigen würde.

Sie müssen also in erster Linie den zeitlichen Rahmen erweitern, in dem die Handlung wiedergegeben wird, was später die Erweiterung des Raums nach sich zieht, in dem die Ereignisse des Dramas abrollen, so daß die Aufgabe der Handlungseinheit im Vergleich mit dem Verschwinden der zeitlichen Einheit sekundär wird.

Nicht alle romantischen Dramen folgen den Ratschlägen dieser beiden Theoretiker. Vielerlei Schattierungen unterscheiden *Chatterton* (Vigny), ein Krisendrama mit Einheit der Zeit, und *La Jacquerie* (Mérimée), worin die Entwicklung einer Aufstandsbewegung dargestellt ist, die »mehrere Monate dauert und an verschiedenen Orten spielt«. Trotz aller Ausnahmen scheint aber doch die von Hugo und Stendhal vorgeschlagene Lösung (Einheit der Zeit und folglich auch des Ortes nachlässig zu behandeln) einer für die Romantiker (bzw. für jene unter ihnen, die eine »neue Komplexität« beschreiben wollen) grundlegenden Tendenz zu entsprechen.

(Paradoxerweise ist sogar das *Cromwell*-Drama Hugos – im Unterschied zu *Hernani* und *Ruy Blas* – wahrscheinlich unter die Ausnahmen zu zählen. Es beschreibt eher eine Krisis als eine Entwicklung. Es ist formal ein ebenso komplexes Stück wie *Lorenzaccio*, aber auf ganz andere Weise. Jedenfalls handelt es sich, wie gesagt, um eine Hypothese, die beim Generalisieren notwendig gewisse Schattierungen außer acht läßt und natürlich – auch auf die Gefahr hin, verworfen zu werden, – durch noch mehr und genauere Analysen konkreter Texte verifiziert werden muß.)

Mit Bezug auf diese Tendenz kann man *Lorenzaccio* einordnen. In dem Versuch, eben das Problem der »komplexen Realität« zu lösen, gelangt Musset hier zu einem anderen Schluß. Um die Komplexität der Aufstandsbewegung in Florenz hervortreten zu lassen, sucht er sie nicht in erster Linie als Entwicklung darzustellen, vielmehr als einen Moment der Geschichte, in dem sich verschiedene Ereignisreihen treffen, die unabhängig voneinander sind und nur ein gemeinsames Ziel haben: die Macht des Herzogs zu beschränken.

Die Handlung, in der die Strozzis sich gegen den Herzog stellen, hat ganz den Charakter einer Entwicklung, aber sie ist nur ein Teil der im Stück beschriebenen Bewegung, und die Haupthandlung mit der Opposition »Lorenzo-Herzog« gibt eher die Krisis, den Höhepunkt einer seit langem vorbereiteten Verschwörung wieder. Andererseits hat die Prologhandlung (die den Herzog und Maffio in Opposition stellt) die Funktion, mit der Episode, die – ohne daß dem so ist – dem Aufstand hätte zugrunde liegen können, ein Exempel abzugeben. Es ist dies auch ein Mittel, deutlich zu machen, daß das Drama erst am Ende, in der Nähe der Krisis, zu dieser Bewegung findet und hier nicht zur Quelle zurückführt, wie es der Fall gewesen wäre, wenn Musset die Episode als wirklichen und unmittelbaren Grund für die Aufstandsbewegung dargestellt hätte. Ebenso sollen die Zeitangaben im 5. Akt den Eindruck zeitlicher Verkürzung erwecken, woraus natürlich keine so strenge Einschränkung wie bei gänzlicher Einheit der Zeit erwächst, immerhin aber doch ein Gegensatz zur Erweiterung des zeitlichen Rahmens, wie sie die Beschreibung einer Entwicklung begünstigt hätte.

Der Verzicht auf Einheit der Handlung ist also Mussets Hauptmittel, ein allen Romantikern gegenwärtiges Problem zu lösen. Daß die Einheit der Zeit (nach dem Verständnis der Klassik der 24-Stunden-Rahmen) nicht eingehalten wird, ist von sekundärer Bedeutung. Daher müssen auch die mangelnde Einheit des Ortes und das heißt die vielen verschiedenen Schauplätze nicht so sehr als ein Mittel aufgefaßt werden, den zeitlichen Rahmen zu erweitern, denn vielmehr als ein Mittel, eine Pluralität von Handlungen zu beschreiben.

ANMERKUNGEN

1. Lafoscade, Léon, *Le théâtre d'Alfred de Musset*, Paris, 1901, S. 238.
2. Die vorliegende Arbeit versucht, einige Begriffe der theoretischen Arbeit des Verfassers, Esquisse d'une théorie de la forme dramatique, *Langages* 12, 1968, S. 71–93 in einer konkreten Analyse zu bewähren [Anm. d. Hrsg.].

3. Schérer, Jacques, *La dramaturgie classique en France*, Paris 1964.

3a. Goldmann, Lucien, *Racine*, Paris 1956, S. 91.

3b. Dimoff, S. VII, vgl. Anm. 11.

4. Man vgl. die Rezension des *Spectacle dans un fauteuil*, 2e *livraison* von Louis de Maynard: »/. . ./ dieses ewige Kommen und Gehen ohne Sinn und Verstand, diese ständigen Ortswechsel und Tausende von Szenen zu kaum drei Worten /. . ./ Aus diesem häufigen Schauplatzwechsel ergibt sich früher oder später eine ärgerliche Verwirrung.« *Revue de Paris* 9, 1834, S. 274f. Das in den *Classiques Larousse* zitierte Urteil Sainte-Beuves ist etwa gleichlautend.

5. So z. B. Emile Faguet, *Dix-neuvième siècle, Etudes Littéraires*, Paris, 1890: »Nie wird er einen großen Roman schreiben, noch ein Gedicht, noch ein großes Drama, oder aber ein einziges und sehr schönes, wir werden noch sehen, warum /. . ./ Sein Atem ist kurz, und seine zarte Kunst unfähig zu großen Konstruktionen« (S. 270). Und ein paar Seiten weiter über die Figur des Lorenzo: »Kraftvolle Zeichnung; in einem schlecht gemachten Drama, in dem es wimmelt von Unwahrscheinlichkeiten, ein machtvoll gezeichneter Charakter« (S. 282). Vgl. auch das Urteil Lemaîtres in der Ausgabe der *Classiques Larousse*.

6. »Wenn die Einheiten des Ortes und der Zeit systematisch erschüttert wurden, so nur, um die Einheit der Handlung desto stärker hervorzuheben.« (Ausgabe: *Les petits classiques Bordas*, S. 32) Und in den *Classiques Larousse* (S. 12) heißt es nach einem Vergleich zwischen *Andromaque* und *Lorenzaccio* hinsichtlich der Stellen, in die der Mord eingebaut ist: »Die Einheit der Handlung kann man schwerlich überbieten.«

7. Wir haben früher eine andere Analyse vom Aufbau des *Lorenzaccio* vorgetragen (Steen Jansen, *Alfred de Musset som dramatiker*, Kopenhagen, 1967, S. 108–114). Sie basierte auf Prinzipien, die uns zureichend erscheinen, solange es um eine Analyse der Werke von Musset allein geht, unzureichend aber, sobald man eine klassische Tragödie und ein romantisches Drama vergleichen muß.

8. El Nouty, Hassan, Esthétique de ›Lorenzaccio‹, *Revue des Sciences Humaines*, 1962, S. 589–611.

9. Die Grenzen der Situationen befinden sich in der 1. Szene in den Zeilen 57, 78, 118.

10. Hassan el Nouty, der – freilich auf andere Weise als wir – drei Intrigen in *Lorenzaccio* unterscheidet, sagt zu Szenen wie dieser: »Sittengemälde und Schilderungen der Volksmenge gehören keiner Intrige speziell an. Sie färben sozusagen den Hintergrund ein, gegen den sich die Intrigen abzeichnen« (S. 593, Fußnote).

11. Dieses Oppositionsverhältnis, genauer das zwischen Goldschmied und politischem Regime, scheint aber bei der Entstehung des Dramas in einem bestimmten Augenblick einen wichtigeren Platz eingenommen zu haben, denn Musset läßt in seinem zweiten Entwurf die Mitglieder einer Familie Mondella auftreten (Pierre, Jean, Juliette). Letztere ersetzt eine Julia Fiamma aus dem ersten Entwurf, so wie Pierre und Jean Antonio und Giomo Fiamma ersetzen. Sie erscheinen in Episoden, die den Herzog und Lorenzo in Opposition stellen. Vgl. Dimoff, Paul, *La Genèse de Lorenzaccio*, Paris ²1964, S. 157 und Anm. 3. Da man außerdem bemerken wird, daß weder Maffio noch Pierre oder Léon Strozzi in diesem Entwurf auftauchen, ist man versucht, folgende Hypothese aufzustellen: Aus einem einzigen Konflikt (»Herzog – die Mondellas«), der nur den Dramenanfang füllt, habe Musset zwei Konflikte entwickelt; einen, der wiederum auf den 1. Akt beschränkt bleibt (»Herzog – Maffio«), und einen anderen (»Herzog – die Strozzis«), den er von Anfang bis zum Schluß des Stücks durchführt. Er hätte demnach hieraus die

Kerne zweier unabhängiger Handlungen gemacht. Das Wesentliche bestünde für uns dann darin, daß Musset die Handlungen auf diese Weise allmählich und ganz bewußt vervielfacht und variiert hat, um eine Pluralität von Handlungen zu erhalten, die dann das Charakteristikum des fertigen Stücks geworden ist.

12. Daß Musset das ganz bewußt so gewollt hat, bestätigt sich durch einen Vergleich zwischen seinem eigenen Text und dem, der ihm als Vorlage dient, nämlich der 1. Szene in *Une conspiration en 1537* von George Sand, worin folgende, von Musset nicht verwendete Dialogstücke zu lesen sind:

Herzog (lachend): Nun, Lorenzino, wollen sehen, ob dein Geist deinem Leib zur Rüstung dient.

Lorenzo: Man reiche mir einen Degen! (Beiseite:) Wie unbesonnen! Fast hätt' ich mich verraten (Er nimmt verlegen den Degen und tut so, als zögere er.).

. . .

Lorenzo (Beiseite): Das ist eine Prüfung. Spielen wir die Rolle also! (Er läßt sich fallen.) (Dimoff 1964, S. 97 f.)

In dieser Szene behält Lorenzo das letzte Wort:

Lorenzo (für sich): (Er liegt auf den Knien und schaut vorsichtig um sich.) Ja, Lorenzaccio, Castrataccio, das ist's! (Er erhebt sich und schüttelt den Staub von seinem Gewand.) Staub? Ist's Dreck? Werft ihn nur mit vollen Händen auf mich, das ist schon recht! (Dimoff 1964, S. 100).

13. Man beachte: Die von III, 7 vorausgesetzte Situation aus III, 3 ist nicht die des Dialogs, sondern die von Pierres und Thomas' Verhaftung, die der Dialogsituation vorausgeht. Tatsächlich sind Philippes Worte und Taten während des Banketts in nichts durch die vorherige Unterhaltung mit Lorenzo beeinflußt. Die wesentliche Funktion des Dialogs scheint in der Beschreibung von Lorenzos Charakter zu bestehen, die Musset sich offenbar auswachsen ließ, ohne sich sonderlich darum zu kümmern, wie sie direkt mit der Entwicklung der Konflikte verknüpft werden könnte. Aus den Entwürfen für das Stück geht hervor, daß der Dialog ein Einfall erst des dritten und letzten Entwurfs ist, und zu diesem Zeitpunkt steht er wie III, 6 *nach* dem Bankett (II, 5). Vgl. Dimoff 1964, S. 162 und 164.

14. Hier die Zeitangaben, von denen die Rede ist. (Wir verweisen auf die Zeilen der Seiten 433–471 der Ausgabe von Dimoff).) 1. Intrige: V, 1: Ihr habt ihn (= den Herzog) gestern abend gesehen (1.31). Haben wir bis heute abend oder morgen früh keinen Herzog, ist's vorbei mit uns (1.98). Côme wird im Laufe des morgigen Vormittags hier eintreffen (1.203); V, 5: Côme trifft heute ein (1.486); in V, 7 trifft Côme tatsächlich ein und wird vom Kardinal zum Herzog gekrönt. – 2. Intrige: V, 2: Seit deinem Aufbruch hast du keinerlei Nachricht, und du bist schon mehrere Tage unterwegs (1.298)! V, 6: Euer Geist quält sich mit dem Müßiggang herum (1.639), eine Bemerkung, die darauf hinzuweisen scheint, daß Lorenzo schon ziemlich lange da ist.

15. Musset hat den Herzog wahrscheinlich seiner Rolle wegen zu einer Oberflächenfigur gemacht, damit man ihn nicht zum Protagonisten stempeln konnte. Das scheint zumindest eine legitime Interpretation, wenn man in dem Stück von George Sand die folgende Beschreibung sieht, die recht gut auch die des Herzogs in *Lorenzaccio* hätte sein können, wenn das Verhalten der Figur etwas näher »belegt«, etwas mehr erklärt werden sollte. Aber Musset hat diese Beschreibung nicht verwendet. – George Sand läßt den Herzog sagen: »Exzellenz, der Haß des Heiligen Vaters soll gestillt werden, denn es gibt am Hofe von Florenz kein gemeineres Subjekt als Lorenzo. Die geheuchelte Freund-

schaft, die ich ihm entgegenbringe, täuscht hier vielleicht nur Euch und ihn. Oh, Beleidigungen, wie er sie mir einst zufügte, verzeiht man nie, laßt Euch das gesagt sein. Aber wahre Rache liegt nicht im Fieber des Augenblicks, sondern im Genuß – und das ein Leben lang! Seinen Feind töten heißt ihn loswerden, nicht aber sich an ihm rächen. Das wäre die Gerechtigkeit des Herrn, eine Sicherheitsvorkehrung. Aber ihn lange leiden lassen, ihn mit Füßen treten, ihn herabwürdigen, das ist der Triumph eines Siegers, ist die Wonne eines Fürsten« (Dimoff 1964, S. 92). Wir sahen, wie Musset im Gegenteil die Beschreibung Lorenzos fast übermäßig ausweitet, ohne sie mit den Konflikten zu verknüpfen.

16. Hassan el Nouty (1962, S. 593) erklärt die Existenz der Episoden, die in dem Drama die Cibo betreffen, so: »Nun ist aber wohlgemerkt nicht der Herzog der wahre Widersacher Lorenzos, sondern der Kardinal.« Obwohl z. T. einverstanden, hätten wir doch auf dieser Interpretationsebene eher gesagt, Lorenzo stehe in Opposition zum Herzog, zum Kardinal und zu Philippe Strozzi.

17. Dieser Ansicht ist Louis de Maynard: »Die Form dieser Dramen ... ist der französischen Bühne fremd. Ich will den Autor zwar nicht, mit Corneilles oder Racines Poetik in der Hand, richten, aber ich bediene mich, wenn er will, des neuen, durch unsere jüngste literarische Revolution eingeführten Codes und zweifle nicht, daß Musset ihn akzeptiert, zumal bei uns noch nichts Liberaleres verkündet wurde«. *Revue de Paris* 9, 1834, S. 274.

18. Hugo, Victor, Préface de Cromwell, in V.H., *Théâtre complet*, Bd. 1 (Bibliothèque de la Pléiade, 166), Paris 1963, S. 409–454, hier S. 427 und 430.

19. Stendhal, *Racine et Shakespeare*, Paris 1965 (éd. Libertés), S. 126.

20. Stendhal, S. 182.

21. Jansen, Steen, Sur les rôles des personnages dans »Andromaque«, *Orbis litterarum* 22, 1967, S. 77–87.

22. Mit dem Willen, die Komplexität und Variationsbreite der konkreten Wirklichkeit zu berücksichtigen, tritt das romantische Drama »in Wettstreit« mit dem Roman; und genau das ist vielleicht der »Urgrund« für die Schöpfung dieser neuen Form innerhalb der dramatischen Gattung (vgl. Barrière, Pierre, La vie intellectuelle en France du XVIe siècle à l'époque contemporaine, Paris 1961, S. 493. »Das unüberwindliche Hindernis für das romantische Theater angesichts eines orientierungslosen Publikums war die Tatsache, daß es nicht auf die Tragödie, noch auf das Melodram, noch auch späterhin auf eine Rückkehr zum bürgerlichen Drama stieß, sondern auf die triumphierende Konkurrenz des zur vollsten Blüte gelangten Romans, der mit größerem Abwechslungsreichtum und vor allem größerer Leichtigkeit gleichwertige und überlegene Eigenschaften auf dem Gebiet der Beschreibung, des Dramas, der Lyrik, des Denkens, der Realität und der Fiktion präsentierte.«

23. Stendhal, S. 71.

24. Vgl. Hugo, 1963, S. 430 und auch S. 429: »Eine Handlung, die durch Zwang in den 24-Stunden-Rahmen gepreßt wird, ist ebenso lächerlich wie eine aufs Vestibül beschränkte. Jede Handlung hat eine ihr eigene Dauer und einen ihr eigenen Schauplatz ... Was in der Chronik lebendig war, ist in der Tragödie tot.«

25. Stendhal hat offenbar nur diese Lösung im Auge, während Hugo gewiß an mehrere denkt. Seine Vorstellungen sind großzügiger – und viel ungenauer.

DRITTER TEIL

Strukturale Filmtheorie

Die Gliederungen des filmischen Kode

UMBERTO ECO

Das Thema meines Vortrages sind einige Untersuchungen über die Semiotik visueller Kodes, an denen ich gerade arbeite; ihre Anwendung auf den Problemkreis des Films hat für mich den Wert einer partiellen Verifikation und erhebt keinerlei Anspruch auf Systematik. Im besonderen werde ich mich auf einige Anmerkungen über die möglichen Gliederungen eines filmischen Kode beschränken, ohne auf die Untersuchungen der Stilistik und Rhetorik und die Kodifikation der großen Syntagmatik des Films näher einzugehen. Mit anderen Worten: Ich beabsichtige, einige Wege vorzuschlagen, um eine angenommene Sprache des Films zu analysieren, *als ob* der Film bis heute nur *L'arrivée du train à la gare* oder *L'arroseur arrosé* hervorgebracht hätte (wie wenn eine erste Fühlungnahme mit den Möglichkeiten, das Sprachsystem zu formalisieren, das Hildebrandslied als hinreichenden Bezugspunkt nähme).

Bei diesen Ausführungen gehe ich von zwei Beiträgen aus, die zu einer Semiotik des Films geleistet wurden und mich am meisten angeregt haben; ich meine die von Metz und Pasolini. Ich beziehe mich bei Metz auf dessen Essay *Le cinéma: langue ou langage?*[1] und bei Pasolini auf seinen Vortrag[2] anläßlich der II. Internationalen Schau des neuen Films in Pesaro 1966.

1. In seinen Überlegungen über die Möglichkeiten einer semiotischen Analyse des Films weist Metz auf das Vorhandensein eines *Primum* hin, das nicht weiter analysierbar, nicht weiter auf *diskrete* Einheiten, die es hervorbrächten, reduzierbar sei, und dieses *Primum* sei das *Bild*. Es erscheint hier eine Auffassung des Bildes als eines Etwas, das nicht willkürlich ist, das zutiefst begründet erscheint, eine Art *Analogon* der Wirklichkeit, das nicht auf die Konventionen einer Sprache zurückführbar ist; daher müsse die Semiotik des Films Semiotik eines Sprechaktes sein, der keine Sprache hinter sich habe, und Semiotik gewisser Sprechakttypen, nämlich der großen syntagmatischen Einheiten, deren Kombinatorik die filmische Aussage begründe. Unser heutiges Problem ist zu untersuchen, ob eine Konvention, ein Kode, eine Gliederung innerhalb des Bildes als einheitlichen Faktums gefunden werden kann.

2. Pasolini dagegen ist der Auffassung, daß man eine Sprache des Films festlegen könne, und behauptet (unserer Meinung nach) mit Recht, es sei nicht nötig, daß diese Sprache, um mit Recht Sprache genannt zu werden, eine zweifache Gliederung aufweise, wie sie die Sprachwissenschaftler der Wortsprache zuschreiben. Aber im Suchen nach den artikulatorischen Einheiten dieser Sprache macht Pasolini an der Grenze eines diskutablen Realitätsbegriffes halt, demzufolge die primären Elemente

Aus: Eco, Umberto, Die Gliederung des filmischen Kode, *Sprache im Technischen Zeitalter*, 27, 1968, S. 230–252. Druck mit freundlicher Erlaubnis des Autors und *Sprache im Technischen Zeitalter*.

einer filmischen Aussage (einer audio-visuellen Sprache) die Gegenstände selbst seien, die uns die Kamera in ihrer unverfälschten Autonomie vermittle, als eine Wirklichkeit, welche der Konvention vorangehe. Ja, Pasolini spricht sogar von einer möglichen »Semiotik der Wirklichkeit«, von einem Spiegelbild der natürlichen Sprache menschlicher Handlung.

Unser heutiges Problem ist zu untersuchen, ob man von einer Wirklichkeit und einer Handlung in reinem Zustand sprechen kann, die frei und unbeschadet von jeglichem konventionalisierenden Eingriff der Kultur sind. Denn wir sind der Ansicht, eine semiotische Analyse müsse vor allem, so weit dies möglich ist, jede Spontaneität auf Konvention, jedes Faktum der Natur auf Faktum der Kultur, jede Analogie auf Übereinstimmung in den Kodes, jeden Gegenstand auf Zeichen, jeden Referenten auf Bedeutung und damit Wirklichkeit auf Gesellschaft reduzieren.

Ehe ich daran gehe, die methodologischen Richtlinien, an die ich mich bei diesem Versuch zu halten gedenke, in den Hauptpunkten aufzuzählen, halte ich es für angebracht, daran zu erinnern, warum dieser Versuch einen Sinn und welchen Sinn er hat (unter besonderer Berücksichtigung des Themas unseres diesjährigen Zusammentreffens).

Wenn es eine bestimmte Richtung gibt, in der eine semiotische Analyse vorzugehen hat, so ist es diese, jedes kommunikative Phänomen auf eine Dialektik zwischen den *Kodes* und den *Nachrichten* zu reduzieren. Ich betone die Verwendung des Terminus »Kode«, dessen ich mich von nun an an Stelle des Terminus »Sprache« bedienen werde, da ich es als Quelle von Mißverständnissen erachte, die verschiedenen kommunikativen Kodes nach dem Muster jenes speziellen und in besonderem Maße systematisierten, zweifach gegliederten Kodes, den die Wortsprache darstellt, beschreiben zu wollen.

Die semiotische Analyse geht von dem Prinzip aus, daß Kommunikation dann und nur dann stattfindet, wenn sich der Sender eines Systems von konventionell durch die Gesellschaft (wenn auch auf unbewußter Ebene) festgelegten Regeln – eben der Kodes – bedient.

Auch dort, wo eine noch so freie und erfinderische Ausdrucksweise vorzuliegen scheint (wo der Übermittler die Art der Kommunikation im Übermittlungsakt selbst zu erfinden scheint), weist die Tatsache, daß der Empfänger die Nachricht versteht, darauf hin, daß sie auf einem Kode gegründet ist. Auch wenn wir ihn nicht erkennen, so bedeutet das nicht, daß er nicht vorhanden ist, sondern nur, daß wir ihn noch finden müssen. Es kann sein, daß es sich um einen äußerst schwachen, vorübergehenden Kode handelt, der sich erst seit kurzem gebildet hat und bestimmt ist, sich binnen kurzem umzubilden; aber er muß vorhanden sein.

Das bedeutet natürlich nicht, daß es demnach keine Kommunikation geben kann, die neue Arten der interpersonalen Beziehungen einführt, erfindet oder die bestehenden verändert. Die *Nachricht mit ästhetischer Funktion* ist das Beispiel einer Nachricht, die den Kode in Frage stellt und durch den eigenen Kontext eine derart ungewöhnliche Beziehung zwischen den Zeichen herstellt, daß von diesem Augenblick an unsere Art, die Möglichkeiten des Kode zu sehen, sich ändern muß: In diesem

Sinne ist die Nachricht in höchstem Grade informativ und erschließt sich einer Übermittlung von konnotativen Komponenten. Aber es gibt keine Information, die sich nicht auf redundante Anteile stützt. Man kann gegen den Kode nur bis zu einem bestimmten Grade verstoßen und muß ihn in anderen Punkten respektieren. Andernfalls entsteht keine Kommunikation, sondern »Geräusch« (noise), keine Information als Dialektik zwischen beherrschter Unordnung und in Frage gestellter Ordnung, sondern nur Unordnung in reinem Zustande. Man kann demnach nicht zu einer Aufdeckung der erfinderischen Akte übergehen, wenn man nicht vorher die Ebene der Kodes festgelegt hat, auf der die Nachricht entsteht. Wenn man die Kodes nicht kennt, kann man auch nicht sagen, wo die Erfindung eingesetzt hat.

In diesem Sinne sucht die semiotische Analyse, die anscheinend einem totalen Determinismus zuzustreben scheint, in Wirklichkeit durch die Aufdeckung der Determination die freien Akte ihrer Mystifikation zu entkleiden, den Spielraum der Erfindung auf das Mindestmaß zu beschränken, um ihn dort zu erkennen, *wo er wirklich vorhanden ist.* Die Semiotik scheint behaupten zu wollen, daß wir Sprache sprechen, aber auch von der Sprache *gesprochen werden:* Und sie tut dies, weil die Fälle, in denen wir nicht von der Sprache gesprochen werden, seltener sind, als man glaubt, und sich immer *sub aliqua conditione* einstellen.

Die Grenzen festzulegen, innerhalb deren die Sprache *durch uns spricht,* bedeutet, sich nichts vorzumachen in bezug auf die falschen Ergüsse schöpferischen Geistes, ungehemmter Phantasie, des reinen Wortes, das nur aus eigner Kraft heraus vermittelt und durch Magie überzeugt. Und dies zu dem Zwecke, realistisch und mit Vorsicht die Fälle zu erkennen, in denen wirklich der sprachliche Akt, die Nachricht, uns etwas vermittelt, was noch nicht Konvention war, was Gesellschaft werden kann, aber von der Gesellschaft noch nicht vorgesehen war.

Aber die Aufgabe der Semiotik ist noch wichtiger und radikaler im Hinblick auf das Verständnis der historischen und sozialen Welt, in der wir leben. Denn indem die Semiotik *Kodes als Systeme von Erwartungen entwirft, welche in der Zeichenwelt gültig sind,* entwirft sie auch die dazugehörigen Systeme von Erwartungen in der Welt der psychologischen Verhaltensweisen und der vorgegebenen Denkarten. *Die Semiotik zeigt uns in der in Kodes und Unterkodes gegliederten Zeichenwelt die Welt der Ideologien, die sich in den vorgegebenen Arten, die Sprache zu gebrauchen, abzeichnen.*

Wenn wir imstande sind, einen Kode zu finden, wo wir ihn nicht vermuteten, werden wir die ideologische Determination, die sich in den Kommunikationsverhältnissen ausdrückt, dort finden, wo wir nur Freiheit zu finden vermeinten. In diesem Sinne erkennt die Semiotik also, je mehr sie darin fortschreitet, ihre Richtlinien festzulegen, desto mehr die sozialen Begründungen (umgesetzt in kommunikative Begründungen, in rhetorische Determinationen) unserer angeblich schöpferischen Verhaltensweisen. Und dies nicht um die Möglichkeiten der Innovation, Kritik und Anfechtung der Systeme abzuleugnen, sondern um diese nur dort zu erkennen, wo sie wirklich vorhanden sind, und um zu sehen, unter welchen Bedingungen sie entstehen konnten.

Wir übertragen diese Überlegungen auf die Welt der Konventionen des Films.

Daß es Konventionen, Kodes, Sprache, wenn man will, auf der Ebene der großen syntagmatischen Zusammenhänge, der Handlung nämlich (wie Metz treffend sagt), oder auf der Ebene der Technik der visuellen Rhetorik (welche hinlänglich von Pasolini in seiner Unterscheidung zwischen »poetischem« und »prosaischem« Film untersucht wird) gibt, ist erwiesen und bedarf keiner weiteren Erörterung.

Unser Problem ist nun dieses, zu sehen, ob es möglich ist, die Sprache des Bildes auf einen Kode, die angebliche Sprache der Handlung auf eine Konvention zu reduzieren. Dies verlangt eine neuerliche Betrachtung des traditionellen Begriffs *Ikon* bzw. *ikonisches Zeichen* und eine Erörterung des Begriffs Handlung als Kommunikation.

ERSTER TEIL: KRITIK DES BILDES

Die natürliche Ähnlichkeit eines Bildes mit der Wirklichkeit, die es darstellt, ist theoretisch durch den Begriff »*ikonisches Zeichen*« ausgedrückt. Nun wird dieser Begriff immer wieder einer Revision unterzogen, von der wir hier nur die grundlegenden Züge angeben.

Von Peirce über Morris bis zur heutigen Semiotik sprach man ohne Bedenken von einem ikonischen Zeichen als von *einem Zeichen, das einige Eigenschaften des dargestellten Objektes besitzt.* Nun zeigt eine einfache phänomenologische Untersuchung eines beliebigen figürlichen Gebildes, etwa einer Zeichnung oder eines Photos, daß ein Bild keinerlei Eigenschaft des dargestellten Objekts besitzt; und die Naturgesetzlichkeit des ikonischen Zeichens, die uns unanfechtbar erschien im Gegensatz zur Willkür des sprachlichen Zeichens, bricht zusammen und läßt in uns den Verdacht zurück, daß auch das ikonische Zeichen gänzlich willkürlich, konventionell und unbegründet ist.

Eine genauere Untersuchung der Tatsachen führt uns jedoch zu einer ersten Konzession: Die ikonischen Zeichen reproduzieren einige Wahrnehmungsverhältnisse, die auf den normalen Wahrnehmungskodes gründen, mit anderen Worten, wir nehmen das Bild wahr als eine auf einen gegebenen Kode bezogene Nachricht; dieser Kode jedoch ist der normale Wahrnehmungskode, der jedem Erkenntnisakt vorangeht. Zwar »*reproduziert*« das ikonische Zeichen die Wahrnehmungsverhältnisse, doch reproduziert es nur »*einige*«: Wir stehen also vor dem Problem einer neuen Transkription und Auswahl.

Es gibt ein ökonomisches Prinzip, das wirksam ist, wenn wir uns an wahrgenommene Dinge erinnern oder schon bekannte Dinge wiedererkennen; dieses besteht in der Anwendung der von mir so benannten *Erkennungskodes;* diese Kodes wählen gewisse Züge des Objektes als die für die Erinnerung und die zukünftigen Kommunikationen sinnvollsten aus; zum Beispiel erkenne ich von weitem ein Zebra, auch ohne der genauen Kopfform oder dem Verhältnis von Rumpf und Beinen besondere Beachtung zu schenken, indem ich mich nur auf zwei Grundmerkmale beschränke: *Vierfüßler* und *Streifen*.

Diese Erkennungskodes gehen der Auswahl der Wahrnehmungsverhältnisse voran, zu deren Übertragung wir uns entschließen, wenn wir ein ikonisches Zeichen realisieren wollen. So stellen wir ein Zebra ganz allgemein als einen Vierfüßler mit Streifen dar, während bei einem Negerstamm, in dem nur Zebras und Hyänen, also Vierfüßler mit gestreiftem Fell, als einzige Vierfüßler bekannt sind, die Darstellung einige andere Wahrnehmungsverhältnisse betonen müßte, um die beiden Ikone zu unterscheiden. Sind aber erst einmal die Verhältnisse der Wiedergabe gewählt, so werden diese nach den Gesetzen eines graphischen Kode übertragen, welcher der eigentliche ikonische Kode ist und demzufolge ich die Beine mit einem Strich, einem Farbstreifen oder mit anderen Mitteln andeuten kann.

Tatsächlich gibt es zahlreiche ikonische Kodes, so daß die Darstellung eines Körpers von einer einzigen fortlaufenden Linie (die einzige Eigenschaft, die ein Objekt sicher *nicht hat*, ist gerade diese Umrißlinie ...) bis zu jenem Spiel des Nebeneinander von Farbtönen und Helligkeitsstufen gehen kann, aus denen konventionshalber solche Wahrnehmungsverhältnisse entstehen, die mir die Erkennung einer Figur oder eines Hintergrundes erlauben. Dies gilt z. B. (mit verschiedener Intensität) sowohl für das Aquarell als auch für die Photographie. Diese These vom Photo als einem Analogon der Wirklichkeit ist auch von denen, die sie einst vertreten haben, aufgegeben worden; wir wissen, daß wir *geschult* werden müssen, um eine photographische Wiedergabe zu erkennen; wir wissen, daß das Bild, das sich auf dem Film abzeichnet, Analogien zu dem Netzhautbild besitzen kann, aber nicht zu dem, das wir wahrnehmen; wir wissen, daß die Sinnesphänomene, die sich in der Wirklichkeit abspielen, mit bestimmten Mitteln auf die photographische Platte übertragen werden – die zwar mit den realen Phänomenen in einem Ursache-Wirkung-Zusammenhang stehen, aber ihnen gegenüber ganz willkürlich erscheinen, wenn sie erst einmal graphisches Faktum geworden sind. Natürlich gibt es verschiedene Grade der Willkür und der Naturgesetzlichkeit, ein Aspekt, der vertieft werden muß. Aber es ändert nichts an der Tatsache, daß – jeweils in verschiedenem Grade – *jedes Bild aus einer Reihe aufeinanderfolgender Transkriptionen entsteht*.

Man könnte bemerken, daß ein ikonisches Zeichen in einer anderen *Materie* die gleiche *Form* der wahrgenommenen Gegenstände realisiert, daß also das ikonische Zeichen auf demselben Vorgang beruht, der es ermöglicht, hinsichtlich zweier Phänomene eine identische Struktur vorauszusagen (das etwa Identitäten oder Entsprechungen zwischen einem System von Positionen und Differenzen einer Sprache und einem System von Positionen und Differenzen eines Verwandtschaftsverhältnisses entspricht). In der Tat ist der Entwurf eines Strukturmodells genau der Entwurf eines Kodes. Die Struktur ist nicht an sich vorhanden, sondern wird in einem Akt theoretischer Erfindung, einer Wahl operativer Konventionen gesetzt.

Diese operativen Konventionen stützen sich auf ein System von Wahlen und Oppositionen; das Strukturskelett, das auf magische Weise in zwei verschiedenen Dingen als das gleiche erscheint, ist kein Phänomen analoger Ähnlichkeit, das sich einer Analyse entzöge: Es ist zurückführbar auf Zweier-Entscheidungen.

Wie schon Barthes in seinem *Éléments de Sémiologie* ausführt, ereignet sich im Innern ein und desselben Systems ein Aufeinandertreffen von Analogem und Digitalem. Aber dieses Aufeinandertreffen bedingt notwendigerweise eine Kreisbewegung auf Grund der zweifachen Tendenz, das Unbegründete zur Natur und das Begründete zur Kultur zu machen; denn im Grunde sind die am natürlichsten erscheinenden und anscheinend auf analoge Verhältnisse beruhenden Phänomene, wie z. B. die Wahrnehmung, heute auf digitale Vorgänge zurückführbar; die Formen zeichnen sich im Gehirn auf der Grundlage von Zweier-Entscheidungen ab. Darüber belehrt uns z. B. der genetische Strukturalismus von Piaget und die neurophysiologischen Theorien, die auf kybernetischen Modellentwürfen gründen.

Wir werden also sagen, daß alles das, was in den Bildern uns noch analog, kontinuierlich, begründet, natürlich und damit irrational erscheint, einfach etwas ist, was wir mit unseren heutigen Kenntnissen und operationalen Fähigkeiten *noch nicht* auf Diskretes, Digitales, rein Differenziertes *zurückführen können*. Vorläufig möge es genügen, im Innern des geheimnisvollen Phänomens »Bild«, welches Ähnlichkeiten aufweist, Kodifikationsvorgänge zu erkennen, die sich in die Mechanismen der Wahrnehmung selbst eingenistet haben. Wenn es auf dieser Ebene eine Kodifikation gibt, so gibt es sie erst recht auf der Ebene der ikonologischen Konventionen, der Syntagmen mit erworbenem stilistischem Wert usw.

Ohne Zweifel sind ikonische Kodes schwächer und vorübergehender, mehr auf beschränkte Gruppen und die Wahl einer einzigen Person begrenzt als die starken, kräftigen der Wortsprache; auch herrschen in ihnen die fakultativen Varianten gegenüber den eigentlichen relevanten Eigenschaften vor. Aber man hat uns gelehrt, daß auch die fakultativen Varianten genauso wie die suprasegmentalen Eigenschaften (d. h. die Intonationen, die bestimmte Bedeutungen auf phonetischer Ebene den phonologischen Gliederungen beifügen) der Konventionalisierung unterworfen werden können.

Ohne Zweifel ist es schwierig, ein ikonisches Zeichen klar und deutlich in seine primären Gliederungselemente zu zerlegen. Ein ikonisches Zeichen ist fast immer ein *Sema*, d. h. etwas, was nicht einem Wort, sondern einer Aussage der Wortsprache entspricht: Das Bild eines Pferdes bedeutet nicht »Pferd«, sondern mindestens »weißes Pferd ist hier, stehend, im Profil«. Und die Schule von Martinet (ich beziehe mich insbesondere auf die jüngsten Untersuchungen von Prieto) hat bewiesen, daß es Kodes gibt, welche »*Semata*«, die nicht weiter in kleinere Gliederungseinheiten unterteilbar sind, konventionalisieren; so gibt es Kodes mit einer einzigen Gliederungsebene, der ersten oder der zweiten (auf diesen Punkt werden wir später noch zurückkommen). Es würde also im Hinblick auf eine semiotische Analyse genügen, ein Verzeichnis konventioneller Semata anzulegen und Kodifikation auf dieser Ebene zu erkennen; aber unsere bisherigen Ausführungen erlauben uns, eine Liste der möglichen Gliederungen anzufertigen, wenn auch nur aus dem Grunde, die Richtung zukünftiger Verifikationen anzudeuten.

Um das bisher Gesagte zusammenzufassen, möchte ich folgendes Verzeichnis aufstellen:

1. Wahrnehmungskodes

Untersuchungsgegenstand der Wahrnehmungspsychologie. Sie legen die Verhältnisse für eine hinreichende Wahrnehmung fest.

2. Erkennungskodes

Sie gestatten Zusammenhänge von Wahrnehmungsverhältnissen zu Sematen, welche Bedeutungszusammenhänge sind (z. B. schwarze Streifen auf weißem Fell), auf Grund derer wir wahrzunehmende Objekte erkennen und uns an wahrgenommene Objekte erinnern. Auf ihrer Grundlage klassifiziert man häufig die Objekte. Sie sind Gegenstand der Untersuchung einer Psychologie der Intelligenz, des Gedächtnisses und des Lernens oder der kulturellen Anthropologie selbst (siehe die Arten der Taxonomie bei den primitiven Völkern).

3. Übertragungskodes

Sie gestalten die Bedingungen für das Auftreten einer im Hinblick auf eine Wahrnehmung von Bildern nützliche Sensation, z. B. der Raster einer gedruckten Photographie oder der Standard der Zeilen, die das Fernsehbild ermöglichen. Sie sind auf der Grundlage der physikalischen Informationstheorie analysierbar und legen fest, wie man eine Sensation, nicht wie man eine schon fertiggestellte Wahrnehmung übertragen kann. Indem sie die Struktur eines bestimmten Bildes festlegen, beeinflussen sie die ästhetische Funktion der Nachricht oder bereichern die tonalen und die stilistischen Kodes, die Kodes des Geschmacks und die des Unterbewußtseins.

4. Tonale Kodes

Wir bezeichnen damit die verschiedenen Systeme fakultativer Varianten, die bereits konventionalisiert wurden; die suprasegmentalen Eigenschaften, die besondere Intonationen des Zeichens (wie Nachdruck, Spannung usw.) und ganze Konnotationssysteme bedeuten (wie z. B. das »Graziöse« oder das »Ausdrucksvolle«). Solche Systeme von Konventionen begleiten als zusätzliche und komplementäre Nachricht die Elemente der eigentlichen ikonischen Kodes.

5. Ikonische Kodes

In der Hauptsache gründen sie auf wahrnehmbaren Elementen, die auf der Grundlage von Übertragungskodes realisiert sind. Sie gliedern sich in *figurae*, *Zeichen* und *Semata*.

a) figurae

Es sind Wahrnehmungsverhältnisse (z. B. Figur-Hintergrund-Beziehungen, Lichtkontraste, geometrische Verhältnisse), transkribiert in graphische Zeichen nach Modalitäten, die der Kode festlegt. Ihre Zahl ist nicht endlich und nicht immer sind sie diskret. Deshalb erscheint die zweite Gliederungsebene des ikonischen Kode als ein Kontinuum von Möglichkeiten, aus dem viele individuelle Nachrichten hervorgehen, die auf Grund des Kontextes entzifferbar, aber nicht auf einen feststehenden Kode zurückführbar sind. Tatsächlich ist der Kode noch nicht erkennbar, aber daraus darf man nicht sein Nicht-Vorhandensein folgern, denn es zeigt sich, daß bei einer Änderung in den Beziehungen zwischen den figurae, die ein gewisses Maß übersteigt, die Wahrnehmungsverhältnisse nicht mehr denotativ sind.

b) Zeichen

Sie bezeichnen denotativ vermittels konventionell festgelegter graphischer Kunstgriffe Erkennungssemata (Nase, Auge, Himmel, Wolke) bzw. »abstrakte Modelle«, Symbole, begriffliche Diagramme des Objekts (Sonne als Kreis mit Strichen als Strahlen). Häufig schwer analysierbar innerhalb eines Semas, da sie nicht diskret, sondern in einem graphischen Kontinuum auftreten. Erkennbar nur auf Grund des Kontext-Semas.

c) Semata

Sie sind das, was wir gewöhnlich unter »Bild« oder sogar unter einem »ikonischen Zeichen« verstehen (»ein Mann«, »ein Pferd« usw.). In der Tat stellen sie eine komplexe ikonische Aussage dar (wie z. B.: »Dies ist ein stehendes Pferd im Profil« oder überhaupt »Hier ist ein Pferd«). Es sind die, welche am besten katalogisierbar sind, weshalb ein ikonischer Kode häufig bei ihrem Niveau haltmacht. Sie machen den Kontext aus, der gegebenenfalls die Erkennung der ikonischen Zeichen erlaubt, und zugleich das System, das sie in signifikante Opposition versetzt. Die ikonischen Kodes ändern sich schnell innerhalb ein und desselben kulturellen Modells, häufig innerhalb ein und derselben Darstellung, wo die »figura« im Vordergrund vermittels deutlicher Zeichen gegeben ist und so die Wahrnehmungsverhältnisse in »figurae« gliedert, während die Gebilde des Hintergrundes auf der Grundlage großer Erkennungssemata zusammengefaßt sind und so andere überschatten (in diesem Sinne erscheinen die »figurae« des Hintergrundes etwa eines barocken Bildes, isoliert und vergrößert, als Beispiele moderner Malerei, da diese immer mehr auf die Wiedergabe von Wahrnehmungsverhältnissen verzichtet und nur mehr auf die Abbildung einiger Erkennungssemata aus ist).

6. Ikonographische Kodes

Sie wählen als Signifikanten die Signifikate der ikonischen Kodes aus, um komplexere und Kulturgut gewordene Semata konnotativ zu bezeichnen (nicht »Mann« oder »Pferd«, sondern »Mann-Monarch«, »Pegasus«, »Buzephalus« oder »Eselin von Balaam«). Sie sind erkennbar auf Grund der ikonischen Variationen, da sie sich auf auffällige Erkennungssemata gründen. Aus ihnen gehen sehr komplexe syntagmatische Darstellungen hervor, die aber dennoch unmittelbar zu erkennen und zu katalogisieren sind, in der Art etwa: »Christi Geburt«, »Jüngstes Gericht«, »Vier Reiter der Apokalypse«.

7. Kodes des Geschmacks und der Sensibilität

Sie legen (bei größter Veränderlichkeit) die konnotativen Komponenten fest, die die Semata der obengenannten Kodes hervorrufen. Ein griechischer Tempel kann die konnotative Komponente »harmonische Schönheit«, »Ideal griechischer Gesinnung«, »Antike« besitzen. Eine Fahne im Wind kann »Patriotismus« oder »Krieg« konnotativ bezeichnen; alles konnotative Komponenten, die von der Situation, in der sie zum Ausdruck gebracht werden, abhängen. So bezeichnet in konnotativer Weise der Typ einer Schauspielerin in der einen Epoche »Grazie und Schönheit«, während er in einer anderen Epoche lächerlich erscheint. Die Tatsache, daß dieser kommunikative Prozeß von unmittelbaren Reaktionen der Sinne (im Sinne von erotischen Anreizen) überlagert wird, bedeutet nicht, daß die Reaktion natürlich und nicht kulturell sei; es ist die Konvention, die einen gewissen Typ physisch anziehend erscheinen läßt oder nicht. Kodifikationen des Geschmacks sind auch jene, denen zufolge ein Ikon »Mann mit schwarzer Augenbinde«, das einem ikonologischen Kode zufolge die konnotative Komponente »Pirat« besitzt, mittels Überlagerung »anziehender Mann« bedeuten kann, während ein anderes Ikon »böse« bedeutet usw.

8. Rhetorische Kodes

Sie entstehen durch Konventionalisierung neuer ikonischer Lösungen, die dann vom Gesellschaftskörper assimiliert und zu Modellen oder Kommunikationsnormen werden. Man unterscheidet, wie überhaupt bei rhetorischen Kodes, zwischen *Tropen, Prämissen* und *Topois.*

a) visuelle rhetorische figurae

Sie sind auf die sprachlichen rhetorischen figurae, die zu visuellen gemacht wurden, zurückführbar. Wir können als Beispiele Metaphern, Metonymien, Litotes, Erweiterungen usw. anführen.

b) visuelle rhetorische Prämissen

Es sind dies ikonographische Semata, reich an besonderen emotiven und geschmacksbedingten Bedeutungen: z. B. das Bild eines einzelnen Mannes, der sich in einer perspektivisch dargestellten Allee entfernt, besitzt die konnotative Komponente »Einsamkeit«; das Bild zweier erwachsener Menschen verschiedenen Geschlechts, die liebevoll ein Kind ansehen, ein Bild, das einem ikonographischen Kode zufolge die konnotative Komponente »Familie« besitzt, wird zu einer Prämisse vom Wert eines Topos: »Welch glückliche Familie!« –

c) visuelle rhetorische Topoi

Es sind dies echte syntagmatische Verkettungen, versehen mit dem Charakter von Topois; man trifft sie im Verlauf einer Filmmontage an, und zwar in der Weise, daß die Folge-Opposition verschiedener Bildausschnitte wirklich komplexe Aussagen vermitteln, etwa: »Die Person nähert sich dem Ort des Verbrechens und blickt mit zweideutigem Gebaren auf die Leiche, also ist es sicher der Schuldige oder zumindest eine Person, die sich über den gelungenen Mord freut.«

9. Stilistische Kodes

Bestimmte originelle Lösungen oder solche, die von der Rhetorik kodifiziert oder nur ein einziges Mal verwirklicht worden sind, besitzen immer, wenn sie angeführt werden, die konnotative Komponente einer stilistischen Leistung, das Kennzeichen des Autors (z. B. »Mann, der sich auf einer perspektivisch verlaufenden Straße entfernt«, am Ende eines Films = Chaplin) oder die typische Verwirklichung einer emotiven Situation (»Frau, die sich mit schmachtendem Ausdruck an die Vorhänge eines Alkovens klammert« = Erotik der Belle Époque) oder endlich eine für ein ästhetisches, stilistisch-technisches usw. Ideal typische Verwirklichung.

10. Kodes des Unterbewußtseins

Sie gestalten bestimmte ikonische oder ikonologische, rhetorische oder stilistische Darstellungen, denen man auf Grund von Konventionen das Vermögen zuschreibt, gewisse Identifizierungen oder Projektionen möglich zu machen, gegebene Reaktionen hervorzurufen, psychologische Situationen auszudrücken. Besonders gerne verwandt, wenn es darum geht, zu überzeugen.

ZWEITER TEIL: KRITIK DES BEGRIFFES »HANDLUNG«

In seiner Semiotik des Films als einer »geschriebenen Sprache der Handlung« stellt Pier Paolo Pasolini vier interessante Behauptungen auf: 1. ist er der Auffassung, daß eine »Sprache« (wir würden sagen: »Kode«) des Films, ja der visuellen Technik überhaupt, kodifiziert werden kann und daß diese Kodifikation nicht notwendigerweise dem Modell der zweifachen Gliederung der Wortsprache folgen muß; 2. ist er der Auffassung, daß der Film nichts anderes ist als die Aufzeichnung einer bereits existenten Sprache, der Sprache der Handlung; aus diesem Grunde erscheint seine Semiotik vor allem als eine Semiotik der Wirklichkeit; 3. versucht er die Sprache des Films in *Moneme*, welche Einheiten von äußerst komplexen Bedeutungen seien und den Bildausschnitten entsprechen würden, und in *Kineme* zu gliedern, welche die Objekte und die mit einer eigenen Bedeutung versehenen Vorgänge der Wirklichkeit selbst seien, Elemente der zweiten Gliederungsebene, nicht konventionell, sondern natürlich signifikant, und doch diskret und begrenzt, wie es die Formen der Dinge seien, denen wir im alltäglichen Leben begegnen; 4. entwickelt er auf Grund dieser Sprache eine Grammatik, Rhetorik und Stilistik, welche man auf operative Gesetze zurückführen könne, Gesetze, die eben jene Kodes seien, von denen der ausgehe, der in der Folge mehr oder weniger erfinderisch, die filmische Aussage entwickeln will. Die Punkte 1 und 4 erscheinen mir annehmbar, Punkt 2 möchte ich zurückweisen, während meine Bemerkungen bezüglich Punkt 3 den Wert eines korrektiven und integrativen Vorschlages besitzen, zu dem Zwecke, eine Fortführung der Untersuchungen zu ermöglichen – und in diesem Sinne, hoffe ich, werden sie aufgefaßt.

Kritik zu Punkt 2

Zu sagen, daß die Handlung eine Sprache sei, ist zwar semiotisch interessant, aber Pasolini gebraucht hier den Ausdruck in zwei verschiedenen Bedeutungen. Wenn er sagt, daß die vorzeitlichen Funde Veränderungen der Wirklichkeit seien, die von ausgeführten Handlungen herrührten, versteht er unter Handlung einen physischen Prozeß, der Zeichen-Objekte hervorgebracht hat, die wir als solche erkennen, aber nicht, weil sie Handlungen sind (auch wenn man in ihnen die Spur von Handlungen wie in jedem Kommunikationsvorgang erkennen kann). Diese Zeichen sind dieselben, von denen Lévi-Strauss spricht, wenn er die Gebrauchsgegenstände eines Volkes als Elemente eines Kommunikationssystems interpretiert, welches die Kultur im ganzen ausmacht. Dieser Kommunikationstyp hat aber nichts mit der Handlung als bedeutungsvoller Gebärde zu tun, um die es Pasolini geht, wenn er von einer Sprache des Films spricht. Wir gehen also zu dieser zweiten Bedeutung der Handlung über: Ich bewege die Augen, hebe den Arm, nehme eine Stellung ein, lache, tanze, raufe; all diese Gebärden sind kommunikative Akte, mit denen ich anderen etwas mitteilen will oder aus denen die anderen auf irgend etwas, mich Betreffendes, schließen.

Aber dieses Gebärden-Ausführen ist nicht »Natur«, ist also nicht »Wirklichkeit« im Sinne von Natur, Irrationalem, Vor-Kultur, vielmehr ist es Konvention und Kultur. Denn es zeigt sich, daß es von dieser »Sprache der Handlung« schon eine Semiotik gibt, die *Kinesik* genannt wird. Wenn auch diese Disziplin noch im Aufbau begriffen ist und Zusammenhänge mit der Prossemik aufweist (eine Disziplin, die die Bedeutung der Entfernungen zwischen den Gesprächspartnern studiert), so beabsichtigt doch gerade die Kinesik, die menschlichen Gebärden als Bedeutungseinheiten zu kodifizieren und als System aufzubauen. Wie Pittinger und Lee Smith sagen: »Gebärden und Körperbewegungen sind nicht instinktive menschliche Natur, sondern lernbare Verhaltenssysteme, die von Kulturkreis zu Kulturkreis sich deutlich unterscheiden« (wie die Leser des herrlichen Essays von Mauss über die Körpertechniken wohl wissen); und Ray Birdwhistell hat schon ein System konventioneller Aufzeichnung der Bewegungen ausgearbeitet, indem er Kodes nach der Zone, die er jeweils untersuchte, unterschied; auch hat er festgelegt, die kleinsten isolierbaren und mit autonomer Bedeutung versehenen Bewegungseinheiten *Kine* zu nennen; während er mittels Kommutationsversuchen die Existenz größerer semantischer Einheiten nachwies, in denen die Kombination zweier Kine eine komplexe Bedeutungseinheit hervorruft, die er *Kinemorphe* nennt. Von hier aus ist leicht die Möglichkeit einer tiefergehenden *kinesischen Syntax* zu erkennen, welche die Existenz großer kodifizierbarer syntagmatischer Einheiten beleuchtet. In diesem Zusammenhang jedoch interessiert uns nur das eine: Auch dort, wo wir vitale Spontaneität vermuteten, liegt Kultur, Konvention, System, Kode und damit Ideologie vor. Auch hier feiert die Semiotik auf ihre eigene Art Triumphe, welche darin bestehen, die Natur in Gesellschaft und Kultur umzusetzen. Und wenn die Prossemik imstande ist, die konventionellen und bedeutungsvollen Verhältnisse zu untersuchen, die die bloße Entfernung zwischen zwei Gesprächspartnern regeln, die mechanischen Modalitäten eines Kusses oder den Entfernungsbetrag, der aus einem Gruß einen verzweifelten Abschied statt eines Auf-Wiedersehens macht, erweist sich, daß die gesamte Welt der Handlung, die der Film transkribiert, *schon eine Zeichenwelt ist.*

Eine Semiotik des Films darf nicht nur die Semiotik einer Transkription natürlicher Spontaneität sein; sie muß sich auf eine Kinesik stützen, die Möglichkeiten ikonischer Transkription untersuchen und festlegen, in welchem Maß die stilisierte Art von Gebärden, die dem Film eigen ist, auf die bestehenden kinesischen Kodes einwirkt und sie verändert. Der Stummfilm mußte offensichtlich die normalen Kine übertreiben, die Filme Antonionis dagegen scheinen ihre Intensität zu vermindern; in beiden Fällen beeinflußt die künstliche, stilistischen Bedürfnissen entsprungene Kinesik die Gewohnheiten der Gruppe, die die filmische Nachricht empfängt, und verändert ihre kinesischen Kodes. Das ist ein interessanter Gegenstand für eine Semiotik des Films, so wie die Untersuchung der Veränderungen, der Kommutationen, der Erkennungsschwellen der Kine. Aber in jedem Fall sind wir schon im Bestimmungskreis der Kodes, und der Film erscheint uns nicht mehr wie eine als Wunder sich vollziehende Wiedergabe der Wirklichkeit, sondern wie eine Sprache, die eine bereits bestehende Sprache spricht, welche beide mit ihren Systemen von Konventionen sich wechselseitig beeinflussen. Es ist jedoch an diesem Punkt ebenfalls schon klar, daß die Möglichkeit einer semiotischen Analyse genau auf jener Ebene der Bewegungseinheiten liegt, die als nicht weiter analysierbare Elemente der Kommunikation des Films erschienen waren.

Kritik zu Punkt 3

Pasolini behauptet, daß die Sprache des Films eine eigene zweifache Gliederung besitze, auch wenn diese nicht der zweifachen Gliederung der Sprache entspreche. Diesbezüglich führt er einige Begriffe ein, die analysiert werden müssen:

a) die kleinsten Einheiten der Filmsprache sind die verschiedenen realen Objekte, aus denen ein Bildausschnitt sich zusammensetzt;

b) diese kleinsten Einheiten, die Formen der Wirklichkeit sind, müßten *Kineme* genannt werden, in Analogie zu den Phonemen;

c) die Kineme setzen sich zu einer größeren Einheit zusammen, nämlich den Bildausschnitt, der dem *Monem* der Wortsprache entspricht.

Diese Behauptungen müssen in folgender Weise korrigiert werden:

a1) Die verschiedenen realen Objekte, aus denen der Bildausschnitt sich zusammensetzt, sind die, welche wir bereits ikonische Semata genannt haben; und wir haben gesehen, daß sie nicht reale Fakten einer unmittelbar begründeten Bedeutung darstellen, sondern Auswirkungen von Konventionalisierungen; wenn wir ein Objekt erkennen, ordnen wir einer signifikanten Darstellung aufgrund ikonischer Kodes ein Signifikat zu. Indem Pasolini einem angeblich realen Objekt die Funktion des Signifikanten zuwies, unterscheidet er nicht deutlich genug zwischen Zeichen, Signifikant, Signifikat und Referenten; und wenn es etwas gibt, was die Semiotik nicht hinnehmen kann, so ist es dies, das Signifikat mit dem Referenten zu vertauschen.

b2) Indessen sind diese kleinsten Einheiten nicht definierbar als Äquivalente der sprachlichen Phoneme. Wie wir in der folgenden Erörterung sehen werden, sind die Phoneme Elemente, aus denen sich ein Monem, eine Bedeutungseinheit zusammensetzt und *die keine Anteile der zerlegten Bedeutung darstellen.* Pasolinis Kineme (Bilder der verschiedenen erkennbaren Objekte) dagegen sind noch Bedeutungseinheiten;

c3) Die größere Einheit, der Bildausschnitt, entspricht nicht dem Monem, eher (und darauf hatte bereits Metz hingewiesen) der Aussage (z. B. »hier gibt es einen großen blonden Lehrer im Profil, mit Brille und kariertem Anzug, der zu zehn Schülern spricht, die zu zweit in Bänken aus wurmstichigem Holz sitzen« usw.).

Warum kritisieren wir Pasolinis Nomenklatur? Aus folgendem Grunde: Entweder will man einen Kode auf seine Gliederungen hin analysieren oder man will es nicht. Wenn man es nicht will (wie Metz), genügt es zuzugeben, daß der Film von der Kombination nicht analysierbarer Einheiten ausgehe (wie der nicht fixierten, kontinuierlichen, der reproduzierten Wirklichkeit analogen *Fläche*), und daß die Kodes auf der Ebene der großen syntagmatischen Einheiten zu suchen sind. Aber wenn man nach einer »Sprache« des Films suchen will (und ich glaube, daß Pasolinis Unternehmen einen Sinn hat), dann muß man mit derselben Strenge vorgehen, mit der bis jetzt auch andere nichtsprachliche Kodes analysiert wurden.

Bevor ich also dazu übergehe, einige semiotische Vorschläge hinsichtlich des filmischen Kodes zu unterbreiten, bin ich gezwungen, auf die Untersuchungen von Luis Prieto über die verschiedenen Gliederungen der Kodes zurückzugehen.

DRITTER TEIL: KODES UND GLIEDERUNGEN

Es ist falsch zu glauben: 1. daß jeder kommunikative Akt auf einer Sprache beruhe, die den Kodes der Wortsprache ähnlich sei; 2. daß jede Sprache zwei feststehende Gliederungen besitzen müsse. Es ist produktiver zu bestimmen: 1. daß jeder kommunikative Akt auf einem Kode beruht; 2. daß jeder Kode nicht notwendigerweise zwei feststehende Gliederungen besitzt (daß er nicht zwei besitzt, und daß diese nicht feststehend sind).

Man bezeichnet als »zweite Gliederung« die Ebene jener Elemente, die keine Faktoren der denotativen oder konnotativen Bedeutung der Elemente der ersten Gliederungsebene darstellen, sondern nur einen differenzierenden Wert (vermittels Position und Opposition) besitzen; und man entschließt sich, sie *figurae* zu nennen (da man sie, hat man erst einmal das Modell der Wortsprache verlassen, nicht Phoneme nennen kann); die Elemente der ersten Gliederungsebene (Moneme) dagegen sind *Zeichen* (Signifikanten, die denotativ oder konnotativ ein Signifikat bezeichnen).

Wie bereits gesagt, definieren wir indes das *Sema* als ein besonderes Zeichen, dessen Bedeutung nicht einem Zeichen, sondern einer Aussage der Sprache entspricht.

Wir befinden uns also in Gegenwart von *figurae*, *Zeichen* und *Semata* (alle angeblichen visuellen Zeichen sind in Wirklichkeit Semata).

Es ist nun möglich, Semata zu finden, die in figurae, aber nicht in Zeichen zerlegbar sind: Das heißt, zerlegbar in Elemente differenzierenden Wertes, die aber einzeln genommen bedeutungslos sind.

Es ist klar, daß die Gliederungselemente die *figurae* (in Zeichen gliederbar) und die *Zeichen* (in Syntagmen gliederbar) sind. Da die Sprachwissenschaft ihre Untersuchungen auf den Satz beschränkt, hat sie sich nie das Problem einer weiteren Gliederung gestellt. Auch wenn es zweifelsohne möglich ist, Semata zu finden, die untereinander verbindbar sind, kann man doch nicht von einer weiteren Gliederung sprechen, da wir uns nunmehr auf der Ebene der unendlichen und freien Kombinationsmöglichkeiten der syntagmatischen Folgen befinden. So ist es möglich, daß auf einer Straße mehrere Semata (Verkehrszeichen) kombiniert wurden, um uns etwa mitzuteilen: »Einbahnstraße – Hupverbot – Durchfahrverbot für Lastwagen«, aber hier handelt es sich nicht um eine weitere Gliederung der Semata zu dem Zwecke, kodifizierbare semantische Einheiten zu bilden; es handelt sich vielmehr um eine »Rede«, um eine komplexe syntagmatische Folge.

Versuchen wir nun aber, die verschiedenen Kodetypen mit verschiedenen Gliederungstypen aufzustellen, so ergibt sich folgendes Bild:

A – *Kodes ohne Gliederung:* Sie beziehen sich auf nicht weiter zerlegbare Semata.

Beispiele:

1. *Kodes bestehend aus einem einzigen Sema*, z. B. der weiße Stock des Blinden: Sein Vorhandensein bedeutet »ich bin blind«, während sein Nicht-Vorhandensein nicht notwendigerweise eine Alternativ-Bedeutung besitzt, wie es dagegen bei den Kodes mit Null-Signifikanten geschehen kann.

2. *Kodes mit Null-Signifikanten:* Die Admiralsflagge auf einem Schiff. Ihr Vorhandensein bedeutet »Admiral ist an Bord«, ihr Nicht-Vorhandensein »Admiral ist nicht an Bord«; die richtungsanzeigenden Blinklichter des Autos, bei denen das Nicht-Aufblinken der Lichter bedeutet »Ich fahre geradeaus«.

3. *Die Ampel:* Jedes Sema bezeichnet einen zu unternehmenden Schritt. Die Semata sind untereinander nicht zu einem komplexen Zeichen gliederbar, noch zerlegbar.

4. *Autobuslinien mit einstelligen Ziffern oder Buchstaben.*

B – *Kodes, die nur die zweite Gliederungsebene aufweisen:* Die Semata sind nicht in Zeichen, sondern nur in figurae zerlegbar, die keine Bruchstücke der Bedeutung darstellen.

Beispiele:
1. *Autobuslinien mit zweistelligen Ziffern,* z. B. bedeutet Linie 63 »Strecke von der Örtlichkeit X zu der Örtlichkeit Y«; das Sema ist in die bedeutungslosen figurae »6« und »3« zerlegbar.
2. *Signale mit Schiffsflaggen:* Es sind verschiedene figurae vorgesehen, die von verschiedenen Stellungen des linken und rechten Armes gebildet werden. Zwei figurae verbinden sich zu einem Buchstaben. Dieser Buchstabe ist aber kein Zeichen, da er bedeutungslos ist, und erlangt Bedeutung nur, wenn er als Gliederungselement der Wortsprache angesehen und nach den Gesetzen der Sprache gegliedert wird; da ihm jedoch der Wert einer Bedeutung im Kode auferlegt werden kann, wird er zu einem Sema, das einen komplexen Satz denotativ bezeichnet.

C – *Kodes, die nur die erste Gliederungsebene aufweisen:* Die Semata sind in Zeichen, aber nicht weiter in figurae zerlegbar.

Beispiele:
1. *Die Numerierung der Hotelzimmer:* Das Sema »20« bedeutet gewöhnlich »Erstes Zimmer des zweiten Stockes«; das Sema ist zerlegbar in das Zeichen »2« mit der Bedeutung »zweiter Stock« und in das Zeichen »0« mit der Bedeutung »erstes Zimmer«; das Sema »21« wird demnach bedeuten »Zweites Zimmer des zweiten Stockes« usw.
2. *Verkehrszeichen mit einem Sema, das in Zeichen, die auch anderen Verkehrszeichen gemeinsam sind, zerlegbar ist:* Ein roter Kreis, der auf weißem Feld das Sema eines Fahrrades enthält, bedeutet »Fahrverbot für Radfahrer« und ist zerlegbar in das Zeichen »roter Kreis« mit der Bedeutung »Verbot« und in das Zeichen »Fahrrad« mit der Bedeutung »Radfahrer«.
3. *Dezimales Zahlensystem:* Wie bei der Numerierung der Hotelzimmer ist das mehrstellige Sema in einstellige Zeichen zerlegbar, die je nach der Stellung die Einerwerte, die Zehnerwerte, die Hunderterwerte usw. ausmachen.

D – *Kodes mit zwei Gliederungsebenen:* Semata, die in Zeichen zerlegbar sind, welche wieder in figurae zerlegbar sind.

Beispiele:
1. *Die Sprachen:* Die Phoneme gliedern sich zu Monemen und diese zu Syntagmen.
2. *Sechsstellige Telephonnummern:* Zumindest jene, die in zweistellige Gruppen zerlegbar sind, von denen jede je nach der Stellung einen Stadtteil, eine Straße, einen Häuserblock bezeichnet, während jedes zweistellige Zeichen in zwei bedeutungslose figurae zerlegbar ist.

Prieto zählt noch andere Kombinationstypen auf, wie Kodes mit Semata, die in figurae zerlegbar sind, von denen nur einige in einem Signifikanten auftreten. Für uns mag es vorläufig genügen, wenn wir von allen diesen Kodetypen, die im Hinblick auf eine Logik der Signifikanten bzw. eine semiotische Logik unterschieden werden müssen, eine wichtige Charakteristik festhalten, die es uns erlaubt, sie in die Kategorie E einzureihen.

E – *Kodes mit veränderlichen Gliederungen:* Von diesen führen wir nur einige an.

Beispiel:

1. *Tonale Musik:* Die Töne gliedern sich zu Zeichen mit musikalischer Bedeutung (syntaktischer, nicht semantischer Art), wie Intervalle und Akkorde; diese gliedern sich zu musikalischen Syntagmen; aber wenn ich in einer gegebenen musikalischen Folge, die erkennbar ist, unabhängig vom Instrument (und damit der Klangfarbe), mit der sie gespielt wird, bei jedem Ton der Melodie in auffälliger Weise die Klangfarbe wechsle, nehme ich nicht mehr die Melodie wahr, sondern ein Verhältnis zwischen Klangfarben; der Ton hört also auf, relevante Eigenschaft zu sein, und wird zur fakultativen Variante, während die Klangfarbe zur relevanten Eigenschaft wird. Unter anderen Umständen kann die Klangfarbe, statt zur figura, zu einem von kulturellen konnotativen Komponenten angereicherten Zeichen werden (von der Art: Schalmei = Hirtentum).

2. *Die Spielkarten:* Bei den Spielkarten gibt es Elemente der zweiten Gliederungsebene (die Semata oder Farben), die sich zu Zeichen mit Bedeutung hinsichtlich des Kode (Herz-Sieben, Pik-As) verbinden. Diese wiederum verbinden sich zu Semata wie z. B. »full, Primspiel« usw. In diesen Grenzen wäre das Kartenspiel ein Kode mit zwei Gliederungsebenen; aber man muß festhalten, daß es in dem Zeichensystem ohne die zweite Gliederungsebene ikonologische Zeichen wie »König« oder »Königin« gibt, ikonologische Zeichen, die mit anderen Zeichen nicht zu Semata kombinierbar sind, wie der Jolly oder in einigen Spielen der Pik-Bube; daß die figurae sich ihrerseits sowohl in Farbe als auch in Form unterscheiden, und daß es von Spiel zu Spiel möglich ist, die eine oder die andere als relevante Eigenschaft zu nehmen; in einem Spiel also, in dem die Herzreihe eine Vorzugstellung gegenüber der Pikreihe besitzt, sind die figurae nicht mehr bedeutungslos, sondern können als Semata oder Zeichen gedeutet werden und so weiter. Im Kartensystem ist es möglich, Spielkonventionen einzuführen (bis zu jenen der Wahrsagerei), wodurch die Hierarchie der Gliederungen sich ändern kann.

3. *Die militärischen Rangklassen*, bei denen die zweite Gliederung veränderlich ist; z. B.* unterscheidet sich der Feldwebel vom Oberfeldwebel, weil das Rangabzeichen sich in zwei figurae gliedert, die von zwei Dreiecken ohne Grundlinie gebildet werden; aber der Feldwebel unterscheidet sich von dem Gefreiten nicht durch die Auswahl oder Form der Dreiecke, sondern durch die Farbe. Jeweils wird die Form oder die Farbe zur relevanten Eigenschaft. Bei den Offizieren gliedert sich das Zeichen »Sternchen«, das »Subalternoffizier« bedeutet, in ein Sema »drei Sternchen«, das »Hauptmann« bedeutet. Aber wenn diese drei Sternchen von einer goldenen Borte längs der Schulterklappen eingefaßt sind, ändern die Sternchen ihre Bedeutung. Die goldene Borte bedeutet nunmehr »höherer Offizier«, während die Sternchen »Dienstgrad in der Offizierslaufbahn« bedeuten; drei von einer Borte eingefaßte Sternchen bedeuten »Oberst« (dasselbe gilt für die Schulterklappen der Generäle, bei denen die Borte verschwindet und die weiße Unterlage erscheint).

* Es sind Beispiele ital. Militärränge (Anm. d. Hrsg.).

Die relevanten Eigenschaften liegen auf der Ebene des Zeichens, aber sie sind je nach dem Kontext veränderlich. Natürlich könnte man das System auch unter einem anderen Aspekt betrachten, ja unter mehreren verschiedenen Aspekten. Hier einige Möglichkeiten:

a) Es gibt verschiedene Kodes der Rangklassen, den für Subalternoffiziere, für Unteroffiziere, für höhere Offiziere, für Generäle usw.; und jeder von diesen Kodes verleiht den aufgewendeten Zeichen eine andere Bedeutung; in diesem Falle werden wir nur Kodes mit der ersten Gliederungsebene besitzen.

b) Borte und weiße Unterlage sind Semata mit Null-Signifikanten; das Nicht-Vorhandensein der Borte bedeutet dann also »Subalternoffizier«, während die Sternchen »Dienstgrad in der Laufbahn« bezeichnen und sich zum komplexen Sema »Offizier dritten Dienstgrades« zusammensetzen.

c) Die Sternchen sind relevante Eigenschaften (figurae) ohne Bedeutung aus dem Kode »Offiziersgrad«. Indem sie sich untereinander verbinden, geben sie Zeichen von der Art »Offizier dritten Dienstgrades, auf der von der Unterlage angezeigten Stufe« (in der Tat ist die Unterlage ein Zeichen, das »dritter« bedeutet), während die Borte oder das Nicht-Vorhandensein der Borte oder die weiße Unterlage Semata mit Null-Signifikanten sind, die die drei Rangklassen, Subalternoffizier, höherer Offizier und General festlegen; das Zeichen, das aus der Kombination der Sternchen hervorgeht, erlangt nur durch das Sema, in das es eingegliedert ist, seine vollständige Bedeutung; aber in diesem Fall werden wir die Kombination eines Kode ohne Gliederung (der Semata mit Null-Signifikanten betrifft) mit einem Kode mit zwei Gliederungsebenen (Sterne) haben oder die Einreihung in einen Kode mit zwei Gliederungsebenen von einem Sema mit Null-Signifikanten, zu dem Zwecke, mit Hilfe einer komplexeren semantischen Kombination eine sehr einfache Bedeutung denotativ zu bezeichnen, die mit einem einzigen Zeichen der Wortsprache, wie Hauptmann oder Oberst, ausgedrückt werden kann (mit Ausnahme der Fälle, in denen das semantische Syntagma bedeutet: General eines Armeekorps).

Ich habe alle diese Alternativen nur vorgeschlagen, um die Schwierigkeiten aufzuzeigen, die auftreten, wenn man abstrakterweise die Gliederungsebenen einiger Kodes festlegen will. Wichtiger ist, daß man nicht mit aller Gewalt eine feste Zahl von Gliederungen in einem festen Verhältnis identifizieren will. Je nach dem eingenommenen Gesichtspunkt kann ein Element der ersten Gliederungsebene ein Element der zweiten Gliederungsebene werden und umgekehrt.

VIERTER TEIL:
DIE GLIEDERUNGEN DES FILMISCHEN KODE

Erscheint nach dem bisher Gesagten das Vorhandensein von Kodes mit mehr als zwei Gliederungen möglich? Untersuchen wir, welches das Ökonomieprinzip ist, das dem Gebrauch der zwei Gliederungen einer Sprache zugrunde liegt, nämlich eine überaus hohe Zahl von *Zeichen* zur Verfügung zu haben, die sich untereinander kombinieren lassen, indem man zu diesem Zweck eine begrenzte Zahl von Einheiten, die *figurae*, verwendet, die in verschiedenen signifikanten Einheiten fungieren, aber einzeln genommen nur differenzierenden Wert besitzen. Welchen Sinn hätte es also, eine dritte Gliederungsebene einzuführen? Diese würde sich in dem Fall als nützlich erweisen, in dem man der Zeichenkombination eine Art Hypersignifikation entnehmen könnte (ich gebrauche den Terminus analog zum Hyperraum, um etwas zu definieren, was mit den Mitteln der euklidischen Geometrie nicht beschreibbar ist), die man keineswegs durch Kombination von Zeichen mit Zeichen erhielte, sondern die sich dadurch auszeichnete, daß – ist sie einmal identifiziert – die Zeichen, aus denen sie sich zusammensetzt, nicht als Bruchteile von ihr erscheinen, sondern ihr gegenüber dieselbe Funktion erfüllen, welche die figurae den Zeichen gegenüber haben. In einem Kode mit drei Gliederungsebenen hätte man also: *Figurae*, die sich zu Zeichen verbinden, aber nicht Teile ihrer Bedeutungen sind; *Zeichen*, die sich gegebenenfalls zu Syntagmen verbinden; *Elemente* »X«, die durch die Kombination von Zeichen entstehen, die nicht Teile ihrer Bedeutung sind. Einzeln genommen bezeichnet eine figura des Wortzeichens »Hund« nicht einen Teil des Hundes; ebenso dürfte ein Zeichen, aus dem das hypersignifikante Element sich zusammensetzt, einzeln genommen, nicht einen Teil der Bedeutung des Elementes »X« bedeuten.

Nun läßt sich zusammenfassend sagen, daß der filmische Kode der einzige ist, *in dem eine dritte Gliederungsebene auftritt.* Halten wir uns den Bildausschnitt vor Augen, den Pasolini anführt: Ein Lehrer, der in einem Klassenzimmer zu den Schülern spricht. Betrachten wir ihn als eines seiner Photogramme, synchronisch aus dem diachronischen Fluß der in Bewegung befindlichen Bilder herausgegriffen. Wir haben ein Syntagma vor uns, in dem wir folgende Komponenten erkennen können:

Semata, die sich synchronisch untereinander kombinieren. Es sind Semata wie »ein großer blonder Mann ist hier, in hellem Anzug« usw. Diese Semata sind gegebenenfalls in kleinere ikonische Zeichen aufspaltbar, wie »menschliche Nase«, »Auge«, »viereckige Fläche« usw., die aufgrund des Kontextsemas erkannt werden, das ihnen eben kontextliche Bedeutung verleiht und sie sowohl mit denotativen als auch konnotativen Komponenten erfüllt. Die Zeichen könnten auf Grundlage eines Wahrnehmungskodes in visuelle figurae aufgespalten werden: »Winkel«, »Hell-Dunkel-Verhältnisse«, »Krümmungen«, »Figur-Hintergrund-Beziehungen« usw.

Wir betonen: Es mag notwendig sein, das Photogramm in diesem Sinne zu analysieren und es als ein mehr oder weniger konventionalisiertes Sema zu erkennen (einige Aspekte erlauben mir, das ikonographische Sema »Lehrer mit Schülern« zu erkennen und es von dem möglichen Sema »Vater mit vielen Kindern« zu differenzieren); aber das ändert nichts an der Tatsache, daß eine mehr oder weniger analysierbare und auf digitale Verhältnisse zurückführbare Gliederung vorhanden ist.

Wenn wir diese zweifache Gliederung nach den herrschenden linguistischen

Konventionen abbilden müßten, könnten wir zwei in rechtem Winkel zueinander stehende Geraden zu Hilfe nehmen:

angebliche *ikonische figurae*
(den Wahrnehmungskodes entnommen)
sie bilden ein Paradigma, aus denen
man Einheiten auswählen und
verbinden kann zu:

ikonischen Zeichen, verbindbar zu *ikonischen Sematen*, verbindbar zu Photogrammen

Wenn wir jedoch vom Photogramm zum Bildausschnitt übergehen, so zeigt sich, daß die Personen Gebärden ausführen: Die *Ikone* lassen vermittels einer diachronischen Bewegung *Kine* entstehen, und die *Kine* verbinden sich zu *Kinemorphen*. Nur ist es so, daß im Film darüber hinaus noch etwas geschieht. In der Tat hat sich die Kinesik das Problem gestellt, ob die Kinemorphe, also signifikante Einheiten der Gebärden (und also, wenn man will, den Monemen gleichsetzbar, jedenfalls als kinesische Zeichen definierbar) in *kinesische figurae* zerlegbar seien, und zwar in Kine, diskrete Teile der Kinemorphe, die nicht Teile ihrer Bedeutung wären (in dem Sinne, daß viele kleine bedeutungslose Bewegungseinheiten sich zu verschiedenen bedeutungsvollen Gebärdeeinheiten zusammensetzen können).

Nun stößt die Kinesik auf die Schwierigkeit, im Kontinuum der Gebärden diskrete Momente zu unterscheiden.

Die Kamera dagegen nicht. Die Kamera zerlegt die Kinemorphe genau in viele diskrete Einheiten, die einzeln genommen noch nichts bedeuten können, aber differenzierenden Wert anderen diskreten Einheiten gegenüber besitzen. Wenn ich zwei typische Kopfbewegungen wie das Zeichen »Nein« und das Zeichen »Ja« in viele Photogramme zerlege, finde ich viele verschiedene Stellungen, die nicht als die Stellungen der Kinemorphe »Ja« und »Nein« identifiziert werden können. Denn die Stellung »nach rechts geneigter Kopf« kann sowohl die *figura* eines »Ja-*Zeichens*« in Verbindung mit dem *Kine* »Anzeigen des rechten Nachbars« (das *Syntagma* wäre: »Ich sage ja zu meinem rechten Nachbarn), als auch die figura eines »Nein-*Zeichens*« in Verbindung mit dem *Zeichen* »gesenkter Kopf« (das verschiedene Bedeutungen konnotativ bezeichnen kann und sich zu dem *Syntagma* »Verneinung mit gesenktem Kopf« zusammensetzt).

Die Kamera liefert mir also kinesische figurae, die bedeutungsleer sind und im synchronischen Bereich des Photogrammes isoliert werden können, außerdem zu kinesischen Zeichen zusammensetzbar sind, die ihrerseits größere, ins Unendliche fortsetzbare Syntagmen hervorbringen.

Die Folge ist, daß ich, wollte ich diese Situation diagrammatisch darstellen, nicht mehr mit den zwei-dimensionalen Koordinaten auskäme, sondern auf eine drei-dimensionale Darstellung zurückgreifen müßte. Denn indem die ikonischen Zeichen sich zu Sematen verbinden und Photogramme hervorbringen (in einer kontinuierlichen synchronischen Linie), entsteht gleichzeitig eine Art sich in die Tiefe erstreckende Fläche mit diachronischem Durchmesser, der aus einem Teil der Gesamtbewegung innerhalb des Bildausschnittes besteht, Bewegungen, die durch diachronische Kombination eine andere Fläche in rechtem Winkel zu dieser hervorbringen, welche aus der bedeutungsvollen Gebärdeeinheit besteht.

Welchen Sinn hat es, dem Film diese dreifache Gliederung zuzuschreiben?

Die Gliederungen entstehen in einem Kode zu dem Zwecke, ein Maximum an möglichen Vorfällen mit einem Minimum kombinierbarer Elemente zu vermitteln. Es sind Lösungen der Wirtschaftlichkeit. In dem Augenblick, in dem die kombinierbaren Elemente sich festsetzen, zeigt sich ohne Zweifel die Armut des Kode der Wirklichkeit gegenüber, der er Form gibt; aber in dem Augenblick, in dem die Kombinationsmöglichkeiten sich festsetzen, erlangt er *etwas* von jenem Reichtum an Vorkommnissen wieder, die vermittelt werden sollen (auch die geschmeidigste Sprache ist immer ärmer im Vergleich zu den Dingen, die sie aussagen will, denn andernfalls würden polysemische Phänomene nicht auftauchen). So kommt es, daß in dem Augenblick, in dem wir die Wirklichkeit mit Hilfe einer Wortsprache oder mit Hilfe des armen Kode des weißen Blindenstockes benennen, wir unserer Erfahrung ihre Fülle nehmen; aber das ist der Preis, den man zahlen muß, wenn man sie übermitteln will.

Indem die poetische Sprache dem Zeichen Vieldeutigkeit verleiht, versucht sie gerade, den Empfänger der Nachricht zu zwingen, die verlorene Fülle wiederzugewinnen, durch eine gewaltsame Einführung mehrerer gleichzeitig in einem einzigen Kontext vorhandener Bedeutungen.

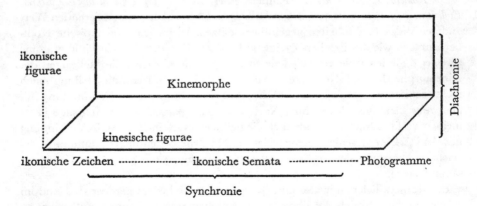

Da wir Kodes ohne Gliederung oder allenfalls mit zwei Gliederungsebenen gewohnt sind, vermittelt uns die plötzliche Erfahrung eines Kode mit drei Gliederungsebenen (der also erlaubt, einen viel tieferen Erfahrungsbereich zu erfassen als irgendein anderer Kode) denselben merkwürdigen Eindruck, den die zweidimensionale Hauptperson von *Flatlandia* verspürte, als sie sich in der dritten Dimension befand . . .

Diesen Eindruck würde man schon verspüren, wenn im Kontext des Bildausschnittes ein einziges kinesisches Zeichen vorkäme; in Wirklichkeit aber verbinden sich im diachronischen Fluß der Photogramme, innerhalb eines Photogramms, mehrere kinesische figurae und im Verlauf des Bildausschnittes mehrere kombinierte Zeichen zu Syntagmen in einer kontextlichen Fülle, die ohne Zweifel den Film zu einem Kommunikationstyp macht, der reicher ist als das Wort; denn im Film wie schon im ikonischen Sema folgen die verschiedenen Bedeutungen nicht längs der syntagmatischen Achse aufeinander, sondern scheinen gleichzeitig vorhanden zu sein und reagieren abwechselnd, dadurch verschiedene konnotative Bedeutungen hervorrufend.

Hinzuzufügen ist noch (und das ist eine wichtige Tatsache, die ich bis jetzt noch nicht angeführt habe, weil meine Erörterung nicht so weit reichte), daß der Eindruck der Wirklichkeit, den die dreifache visuelle Gliederung vermittelt, sich mit den komplementären Gliederungen der Klänge und Worte steigert (aber diese Betrachtungen betreffen nicht mehr den *filmischen Kode*, sondern eine Semiotik der *filmischen Nachricht*).

Wie dem auch sei, es wird genügen, wenn wir bei der Existenz der dreifachen Gliederung haltmachen, und der Schock ist so stark, daß wir angesichts einer reicheren Konventionalisierung, d. h. einer Formalisierung, die lockerer ist als alle anderen, uns einer Sprache gegenüber vermeinen, die uns die Wirklichkeit zurückgibt.

Es ist ein gerechtfertiger Eindruck, der uns aber zu der methodologisch falschen Feststellung führen kann, ein spontanes, vitales, dem Realen analoges Kontinuum dort zu sehen, wo immer noch Kultur ist, umgesetzt in Kode, Konvention, Kombination diskreter Elemente, auch wenn sie uns nicht diskret erscheinen und vielleicht nie erscheinen werden, so wie uns das Proton und Elektron nie erscheinen, und dennoch wissen wir, daß sie da sind und wir theoretische Modelle entwickeln, um sie zu beschreiben und vorauszusetzen.

Diese Parallele zu der Physik ist nicht zufällig: Auch dort treten an die Stelle der Annahmen von der Vitalität und des Organischen, der Unmittelbarkeit und Kontinuität die Postulate der Formalisierbarkeit, der Diskretheit, Zusammensetzbarkeit und Diskontinuität, setzt sich das Analoge ins Digitale um, das Qualitative in das Quantitative.

Die Semiotik arbeitet nicht daran, das Qualitative auf Quantitatives zu reduzieren, weil es für sie nicht nötig ist, zu jenem Grad der Analyse vorzuschreiten, jedoch reduziert sie das Kontinuierliche auf ein System von Differenzen und findet so jenseits der Vitalität den anzestralen und unmittelbaren Vorgang der Kultur, die die Denk- und Weltanschauungsweisen in Ausdrucksweisen systematisiert hat.

ANMERKUNGEN

1. In *Communications* 4, 1964, S. 52–90.
2. Pasolini, Pier Paolo, Die Sprache des Films, *Film* 2, 1966, S. 49ff.

Bibliographie zur Frage einer strukturalen Literaturwissenschaft (in Auswahl)

Sammelbände sind durch ein vorgestelltes + gekennzeichnet.

ÜBERSICHT

Bibliographien

1. Strukturale Linguistik, generative Transformationsgrammatik und Semiotik
2. Strukturale Mythen- und Folkloreforschung
3. Strukturale Linguistik und generative Transformationsgrammatik in der Literaturwissenschaft
4. Strukturale Filmtheorie

I. Allgemeine Literatur zum Strukturalismus

II. Anwendungen

1. Strukturale Mythen- und Folkloreforschung
2. Strukturale Linguistik und generative Transformationsgrammatik in der Literaturwissenschaft
3. Strukturale Filmtheorie

———

BIBLIOGRAPHIEN

1. Strukturale Linguistik, generative Transformationsgrammatik und Semiotik

Barthes, R., Bremond, C., Burgelin, O., Gritti, J., Metz, Ch., Milner, J.C., Tardy, M., Todorov, T., Bibliographie critique, *Communications* 4, 1964, S. 136–144

Dingwall, W.O., Transformational Grammar, Form and Theory, A contribution to the history of linguistics, *Lingua* 12, 1963, S. 233–275

–, *Transformational generative grammar, a bibliography*, Washington D.C., Center for applied linguistics, 1965

Une équipe de recherche sémiotique en France, *Social Science Information* VI, 5, 1967, S. 223–229

Krenn, H., Müllner, K., *Bibliographie zur Transformationsgrammatik*, Heidelberg, 1968

Language and Language Behavior Abstracts, University Microfilms An Arbor

Lyons, John, *Introduction to theoretical Linguistics*, Cambridge at the University Press, 1968

Rice, F., Guss, A., *Information sources in Linguistics: a bibliographical handbook*, Washington D.C., Center for applied linguistics, 1965

Tendences nouvelles en syntaxe générative, *Langages*, 14, 1969, S. 134–144

Todorov, T., Levý, J., Fabbri, P., Bibliographie sémiotique, 1964–1965, *Social Science Information*, VI, 2–3, 1967, S. 77–109

2. Strukturale Mythen- und Folkloreforschung

Bibliographie, principaux comptes rendus et discussions des travaux de Cl. Lévi-Strauss, *L'Arc*, 26, 1965, S. 78–87

Maranda, P., Recherches structurales en mythologie aux Etats-Unis, *Social Science Information*, VI, 5, 1967, S. 213–219

Maranda, P., Lecture mécanographique des mythes, *Social Science Information*, VI, 5, 1967, S. 219–222

3. Strukturale Linguistik und generative Transformationsgrammatik in der Literaturwissenschaft

Baluchatyj, S., *Teorija literatury. Annotirovannaja bibliografia*, Bd. I, Obsčie voprosy, Leningrad, 1928 (photomechanischer Nachdruck, New York, 1966)

Bio-Bibliographie – Roman Jakobson (Auswahl seiner literatur-theoretischen Arbeiten), *Alternative*, 65, 1969, S. 82–83

Glade, H. H., Posner, R., Bibliographie zum Strukturalismus, *Alternative*, 62–63, 1968, S. 229–231

Hendricks, W. O., Review of S. R. Levin, Linguistic structures in poetry, *Language*, 42, 1966, S. 639–648

Ihwe, J., Linguistik und Literaturwissenschaft, *Linguistische Berichte*, 3, 1969, S. 30–44

Milic, L. T., *Style and Stylistics, an analytical bibliography*, New York – London, 1967

Peytard, J., Rapports et interférences de la linguistique et de la littérature (introduction à une bibliographie), *La Nouvelle Critique*, Linguistique et Littérature, Colloque de Cluny, numéro spécial, 1968, S. 8–16

Roberts, Th., Literary Linguists, a bibliography 1946–1961, *Texas Studies in Language and Literature*, 4, 1962, S. 625–629

Todorov, Tzvetan, Les études du style. Bibliographie sélective, *Poétique* 2, 1970, S. 224–232

–, Structuralism and literary criticism, *Yale French Studies*, 36–37, 1966, S. 269–270

4. Strukturale Filmtheorie

Sémiotique du cinéma, Teil IV, 2, Une équipe de recherche sémiotique en France, *Social Science Information*, VI, 5, 1967, S. 223–229

I. ALLGEMEINE LITERATUR ZUM STRUKTURALISMUS

Aletheia, 4, 1966, Le structuralisme

Alternative, 54, 1967, Strukturalismus-Diskussion

Améry, J., Französische Sozialphilosophie im Zeichen der »Linken Frustration«, *Merkur*, 215, 1966, S. 161–177

L'Arc, 26, 1965, Claude Lévi-Strauss

Aut, aut, rivista di filosofia e di cultura, Juli 1965, Claude Lévi-Strauss

Auzias, J. M., Clefs pour le structuralisme, Paris, 1967

Baldinger, Kurt, Traditionelle Sprachwissenschaft und historische Phonologie, *Zeitschrift für romanische Philologie* 79, 1963, S. 530 ff.

Barthes, Roland, Eléments de sémiologie, *Communications*, 4, 1964, S. 91–134

Bastide, Roger, *Sens et usage du terme Structure dans les sciences humaines et sociales*, La Haye, 1962

– (Hrsg.), *Sens et usage du mot structure*, Den Haag, 1965

Baumann, Hans-Heinrich, Über französischen Strukturalismus. Zur Rezeption moderner Linguistik in Frankreich und Deutschland, *Sprache im Technischen Zeitalter*, 30, 1969, S. 157–183

Benveniste, Emile, *Problèmes de linguistique générale*, Paris, 1966

Bierwisch, Manfred, Strukturalismus – Geschichte, Probleme und Methoden, *Kursbuch*, 5, 1966, S. 77–152

Bourdieu, Pierre, *Zur Soziologie der symbolischen Formen*, Theorie 2, Frankfurt/M., 1970

Chomsky, Noam, *Aspekte der Syntax-Theorie*, Frankfurt/M., 1968

Chtvatik, Kvetoslav, *Strukturalismus und Avantgarde*, München 1970

Schiwy, Günther, *Neue Aspekte des Strukturalismus*, München 1971

Coseriu, Eugenio, *Sincronia, diacronia e historia*, Montevideo, 1958

Derrida, Jacques, *L'écriture et la différence*, Paris, 1967

Derrida, Jacques, *De la grammatologie*, Paris, 1967

Derrida, Jacques, Sémiologie et grammatologie, *Social Science Information*, VII, 3, 1968, S. 135–148

Derrida, Jacques, *La voix et le phénomène*, Paris, 1967

Ducrot, O., Todorov, T., u. a., *Qu'est-ce que le structuralisme?* Paris, 1968

Foucault, M., *Les Mots et les choses*, Paris, 1966

Furet, F., Les français et le structuralisme, *Preuves*, Febr. 1967, S. 3–12

Gandillac de, M., Goldmann, L., Piaget, J., *Entretiens sur les notions de génèse et de structure*, La Haye, 1965

Goldmann, Lucien, Structuralisme, marxisme, existentialisme, *L'homme et la société* 2, 1966, S. 105–124

Greimas, Agirdas, Julien, *Sémantique structurale*, Paris, 1966. Deutsche Übersetzung: *Strukturale Semantik*, Braunschweig, 1970

Hädecke, Wolfgang, Strukturalismus – Ideologie des Status quo?, *Neue Rundschau*, 82. Jg., 1. Heft, 1971, S. 45–59

Harris, Zellig S., Analyse du discours, *Langages*, 13, 1969, S. 8–45 = *Language*, 28, 1952, S. 1–30

–, *Discourse Analysis Reprints, Papers in Formal Linguistics*, 2, 1963

–, *Methods in structural linguistics*, Chicago, 1951

Herzberger, H., *Contextual Analysis*, Unpubl. Ph. D. Dissertation, Princeton University, 1961

Hjelmslev, Louis, *Prolegomena to a Theory of Language*, Madison, 1963

–, *Essais linguistiques*, Kopenhagen, 1959

Jaeggi, Urs, *Ordnung und Chaos*, Frankfurt/M., 1968

Jakobson, Roman, *Essais de linguistique générale*, Paris, 1963

Lacan, Jean, *Ecrits*, Paris, 1966

Lévi-Strauss, Claude, Réponses à un questionnaire sur le structuralisme, *Paragone-letteratura*, 182, 1965, S. 125–128

Malmberg, B., Ferdinand de Saussure et l'Ecole de Genève, le structuralisme, Malmberg, B., *Les nouvelles tendances de la linguistique*, 1966, S. 51–81

Martinet, André, *Grundzüge der allgemeinen Sprachwissenschaft*, Stuttgart, 1963
Pensée, La, Nr. 135, 1967, *Structuralisme et Marxisme*.
Piaget, J., *Le Structuralisme*, Paris, 1968
Revue internationale de philosophie, 73–74, 1965, La notion de structure
de Saussure, Ferdinand, *Grundfragen der allgemeinen Sprachwissenschaft*, Berlin, ²1967
Schiwy, Günther, *Der französische Strukturalismus Mode – Methode – Ideologie*. Mit einem Textanhang, Reinbek, 1969 (rde 310/11)
Sebag, Lucien, *Marxismus und Strukturalismus*, Frankfurt/M., 1967
Simonis, Yvan, *Claude Lévi-Strauss ou la »passion de l'inceste«* (Introduction au structuralisme), Paris, 1968
Sontag, Susan, Der Anthropologe als Held, S. Sontag: *Kunst und Antikunst*, Reinbek, 1968, S. 102–113
Spang-Hanssen, Henning, *Recent theories on the nature of the language sign*, Kopenhagen, 1954
Tynjanov, J., und Jakobson, R., Probleme der Literatur- und Sprachforschung, *Kursbuch*, 5, 1966, S. 74–76
Ullmann, Stephen, *Grundzüge der Semantik*, Berlin, 1967
Verstraeten, R., *Exquisse pour une critique de la raison structuraliste*, 1964 (Diss. Brüssel)
Wunderlich, Dieter, Rezension von C. Lévi-Strauss' »Strukturale Anthropologie«, *Philosophischer Literaturanzeiger*, 5, 1968, S. 263

II. ANWENDUNGEN

1. Strukturale Mythen- und Folkloreforschung

Austerlitz, R., Two Gilyak Song-Texts, *To Horor Roman Jacobson, Janua Linguarum*, series maior 31–33, Den Haag, 1967, S. 99–113
Backès, Catherine, Du miel aux cendres: l'envers et l'endroit *L'Arc*, Nr. 26, S. 30–34
Barnes, Daniel R., Folktale Morphology and the Structure of *Beowulf*, *Speculum. A Journal of Medieval Studies* XLV, 3, 1970, S. 416–434
Bourdieu, Pierre und Passeron, Jean-Claude, Sociologues des Mythologies et Mythologies de Sociologues, *Les Temps Modernes*, 211, 1963, S. 998–1021
Bremond, Claude, La logique des possibles narratifs, *Communications*, 8, 1966, S. 60–76
–, Le message narratif, *Communications*, 4, 1964, S. 4–32
–, Morphology of the French Folktale, *Semiotica* II, 3, 1970, S. 247–276
–, Postérité americaine de Propp, *Communications*, 11, 1968, S. 148–164
Chopra, Suneet, Strukturen primitiven Denkens, Fünf Tallensi-Mythen, *Alternative*, 54, 1967, S. 100–106 (um die Einleitung gekürzt); zuerst *Afrasian Journal of the School of Oriental and African Studies Students Union*, 1967
Dundes, Alan, From etic to emic units in the structural study of folktales, *Journal of American Folklore*, 19, 1963, S. 121–129
–, *The Morphology of the North American Indian Folktales*, Helsinki, Suomalainen Tiedeakademia, 1964; Auszug in *FF Communications*, Vol. 81:3, No. 195
+ Dundes, Alan (Hrsg.), *The Study of Folklore*, Englewood Cliffs, N.J., 1965
Emeneau, Murray Barnson, Style and meaning in an oral literature, *Language*, 42, 1966, S. 323–345

Fialkowski, Aline, Paul Ricoeur et l'herméneutique des mythes, *Esprit*, 7–8, 1967, S. 73–89

Greimas, Algirdas Julien, Eléments pour une théorie de l'interpretation du récit mythique, *Communications*, 8, 1966, S. 28–59

Hymes, Dell H., The ›wife‹ who ›goes out‹ like a man. Reinterpretation of a Clackamas chinook myth, *Social Science Information*, VII, 3, 1968, S. 173–199

Ivanov, Viatcheslov Vs., Caractéristiques numériques de la mythologic et des rites romaines, *Tel Quel*, 35, 1968, S. 35–37

Jakobson, Roman, *Selected Writings*, 4; *Slavic Epic Studies*, Den Haag, 1966

Köngäs, Elli Kaija und Maranda, Pierre, Structural models in folklore, *Midwest Folklore*, 3, 1962, S. 133–192

Köngäs-Maranda, Elli, Deep Significance and Surface Significance: Is Cantometrics Possible? *Semiotica* II, 2, 1970, S. 173–184

Lévi-Strauss, Claude, *Mythologies*, I, Le cru et le cuit, Paris, 1964

–, *Mythologies II, Du miel aux cendres*, Paris, 1964

–, *Mythologies III, L'origine des manières de table*, Paris, 1968

–, Four Winnebago myths, A structural sketch, *Culture and history*, hrsg. v. S. Diamond, N.Y., 1960

–, La geste d'Asdival, zuerst 1958 in: *Annaire 1958–59*, Ecole Pratique des Hautes Etudes, Paris, 1958, S. 3–43; auf deutsch *Religionsethymologie*, hrsg. v. C.A. Schmitz, Akademische Reihe, Frankfurt/M., 1964, S. 154–195

+ Maranda, P., und Köngäs-Maranda, E. (Hrsgg.), *Structural analysis of oral tradition*, American Anthropologist (in Vorb.)

Meletinsky, E. M., Problème de la morphologie historique du conte populaire, *Semiotica* II, 2, 1970, S. 128–134

Metz, Christian, Remarques pour une phénomenologie du narratif, *Revue d'Esthétique*, 19 (3–4), Numéro spécial, 1966, S. 333–343

Nøjgaard, Morten, *La fable antique*, Bd. 1, Kopenhagen, 1964

Ogibenin, Boris L., Myth message in metasemiotic research, *Social Science Information*, VII, 5, 1968, S. 87–93

Pop, Mihai, La poétique du conte populaire, *Semiotica* II, 2, 1970, S. 117–127

Propp, Vladimir, *Morphology of the folktale*, Bloomington, Indiana, und Den Haag, 1958 (englische Übersetzung des 1928 auf russisch erschienenen Buches)

–, Transformations des contes fantastiques, *Théorie de la littérature*, Hrsg. T. Todorov, Collection *Tel Quel*, Paris, 1965.

Richard, Phillippe, Analyse des methologiques de Claude Lévi-Strauss, *L'Homme et la société*, 4, 1967, S. 109–133

Riesmann, Paul, Marriage et vol du feu. Quelques catégories de la pensée symbolique des Houssa, *L'Homme*, 4, 1966, S. 82–103

Scholte, Bob, Lévi-Strauss' Penepolean Effort: The Analysis of Myths, *Semiotika*, 1, 1969, 1, S. 99–124

Sebag, Lucien, La geste Kasewatt, *L'Homme*, 2, 1963, S. 22–76

–, Le mythe: code et message, *Les Temps Modernes*, 226, 1965, S. 1607–1623

Sebeok, Thomas A., Approaches to the analysis of folksong texts, *Ural-Altische Jahrbücher*, 31, 1959, S. 392–399

–, Folksong viewed as code and message, *Anthropos*, 54, 1959, S. 141–153

–, Sound and meaning in a Cheremis folksong, *For Roman Jakobson, Essays on the occasion of his sixtieth birthday*, 11. Oktober 1956, hrsg. v. M. Halle u. a., Mouton, Den Haag, 1956, S. 430–439

Weinrich, Harald, Structures narratives du mythe, *Poétique*, 1, 1970, S. 25–34

2. Strukturale Linguistik und generative Transformationsgrammatik in der Literaturwissenschaft

Albérès, R.-M., Qu'est-ce que le »structuralisme« dans la littérature? *Revue de Paris*, 7–8, 1967, S. 8–15

Alexandrescu, Sorin, Perspective ale cercetării literare structurale, *Secolut*, 5, 1967, S. 168–176

–, Structuralismul si cercerarea literară, *Contemporancul*, 1066, 1967, S. 3

–, Le strutture sintattiche nella poesia di Jon Barbu, *Lingua e Stile*, III, 2, 1968, S. 181–193

Allen, Louise, H., »A Structural Analysis of the Epic Style of the Cid«, *Structural Studies on Spanish Themes*, Hg.: H. R. Kahane und A. Pietrangeli, Urbana University of Illinois Press, 1959

+ *Alternative*, 54, 1967, Strukturalismus-Diskussion

+ *Alternative*, 62–63, 1968, Strukturalismus

+ *Alternative*, 65, 1969, Sprachwissenschaft und Literatur

+ *Alternative*, 66, 1969, Revolutionäre Texttheorie, Die Gruppe *Tel Quel* – ein Versuch

Arrivé, Michel, Stylistique littéraire et sémiotique littéraire, *La Nouvelle Critique*, numéro speciale, 1968, S. 171–175

Avalle, D'Arco Silvio, La critica delle strutture formali in Italia (1–3) *Strumenti critici*, I, 4, 1967, S. 337–376; II, 6, 1968, S. 168–206; II, 7, 1968, S. 304–342

Bakhtin, Mihail, L'énoncé dans le roman, *Langages*, 12, 1968, S. 126–132, zuerst in: *Voprosy Literatury*, 9, 8, 1965

Ballet, R., Structures du roman policier, une parodie de rapports équivoques, *La Pensée*, Nr. 135, 1967, S. 165–174

Barthes, Roland, L'arbre du crime, *Tel Quel*, 28, 1967, S. 23–37, deutsch: Der Baum des Verbrechens, *Das Denken von Sade*, Reihe Hanser, 16, München, 1969, S. 39–61

–, Comment parler à dieu, *Tel Quel* 38, 1969, S. 32–54

–, Le degré zéro de l'écriture, Paris, 1953, deutsch: *Am Nullpunkt der Literatur*, *Objekt Literatur*, Hamburg, Claasen, 1959

–, Le discours de l'histoire, *Social Science Information*, 4, 1967, S. 65–75

–, L'écriture de l'événement, *Communications*, 12, 1968, S. 108–112

–, L'effet de réell, *Communications*, 11, 1968, S. 84–89

–, Éléments de Sémiologie, *Communications*, 4, 1964, S. 91–135

, *Essais critiques*, Paris, 1964

–, Introduction à l'analyse structurale des récits, *Communications*, 8, 1966, S. 1–27

–, Leçon d'écriture, *Tel Quel*, 34, 1968, S. 28–33

–, *Kritik und Wahrheit*, edition suhrkamp, 218, Frankfurt, 1967, zuerst französisch, *Critique et vérité*, Paris, 1966

–, Linguistique et littérature, *Langages*, 12, 1968, S. 3–8

–, *Literatur oder Geschichte*, edition suhrkamp, 303, Frankfurt/M., 1969

–, Die Literaturkritik als Metasprache, *Kritiker unserer Zeit*, 2, hrsg. v. Hans Mayer, Pfullingen, 1967, S. 20–26

–, Proust et les noms, to Honor Roman Jakobson, *Janua linguarum*, series maior, 31–33, S. 150–158

–, *Sur Racine*, Paris, 1963

Baudry, Jean-Louis, Écriture, fiction, idéologic, *Théorie d'ensemble*, Paris, 1968, S. 127 bis 147

–, Linguistique et production textuelle, *La Nouvelle Critique*, 1968, Numéro speciale, S. 48–54 = *Theorie d'ensemble*, S. 351–364

–, Le Texte du Rimbaud, I–II, *Tel Quel*, 35, 1968, S. 46–63 und *Tel Quel*, 36, 1968, S. 33–53

Baumgärtner, Klaus, Formale Erklärung poetischer Texte, *Mathematik und Dichtung*, München, 1965, S. 67–84

–, Der methodische Stand einer linguistischen Poetik, *Jahrbuch für Internationale Germanistik*, Jg. 1, Heft 1, 1969, S. 15–43

–, Interpretation und Analyse. Brechts Gedicht »Die Literatur wird durchforscht werden«, *Sinn und Form*, 12, 1960, S. 395–415

–, Synästhesie und das Problem sprachlicher Universalien, *Zeitschrift für deutsche Sprache*, 25, 1–2, 1965, S. 1–20

Bayerdörfer, Hans-P., *Poetik als sprachtheoretisches Problem. Studien zur deutschen Literatur 8*, Tübingen, 1967

+ Beneš, Eduard u. Vachek, Josef (Hrsg.), *Stilistik und Soziolinguistik*. Beiträge der Prager Schule zur strukturellen Sprachbetrachtung und Spracherziehung. Zusammengestellt und eingeleitet von E. Beneš u. J. Vachek = Berichte und Untersuchungen aus der Arbeitsgruppe für Linguistik und für Didaktik der deutschen Sprache und Literatur, hrsg. von Detlef C. Kochan, Serie A, Bericht Nr. 1, Berlin 1971

Bense, Max, *Theorie der Texte*, Köln, 1962

Bernhard, Tobias (Pseudonym), Strukturalismus und Literaturwissenschaft, SFB und NDR III. Programm, Sendereihe vom 23.–27. April 1967, *Strukturen und Formen*.

Bertram, Jean Desales, *The oral experience of Literature, sense, structure and sound*, 1967 (Chandler Publication Co.)

Bezzel, Chris, Grundprobleme einer poetischen Grammatik, *Linguistische Berichte* 9, 1970, S. 1–17

Bickerton, Derek, Prolegomena to a linguistic theory of metaphor, *Foundations of Language*, 1, 1969, S. 34–52

Bierwisch, Manfred, Poetik und Linguistik, *Mathematik und Dichtung*, München, 1965, S. 49–65

–, Strukturalismus. Geschichte, Probleme und Methoden, *Kursbuch*, 5, 1966, S. 77 bis 152

Bloomfield, M. W., Generative Grammar and the Theory of Literature, *Dixième congrès internationale des linguistes, Résumés des communications*, Bukarest, 1967, S. 41

–, The Syncategorematic in Poetry, From Semantics to Syntactics, *To Honor Roman Jakobson, Janua Linguarum*, series maior, 31–33, 1967, S. 309–317

Bonfante, Giuliano, La teoria crociana e la linguistica strutturale, *Proceedings of the Ninth international congress of linguists*, Cambridge, 1962, S. 260 (Da das Verlagsmanuskript verlorenging, mußte der Vortrag ungedruckt bleiben. B's Adresse: Uni. Turin, Vinzaglio 3.)

Bonati, Martînez, *La estructura de la abra literaria*, Chile, 1960

Borgmann, A., Sprache als System und Ereignis. Über linguistische und literaturwissenschaftliche Sprachbetrachtung, *Zeitschrift für philosophische Forschung*, 4, 1967, S. 570 bis 589

Boucon, R., *A quoi sert la notion de structure? Essai sur la signification de la notion de structure dans les sciences humaines*, Paris, 1968

Bourdieu, Pierre, Champs intellectuel et projet créateur, *Les Temps Modernes*, 246, 1966, S. 865–906

Bray, Bernard, Notion de structure et nouvéau roman, *La notion de structure*, hrsg. u. verf. v. Sem Dresden, Lein Geschiere und Bernard Bray, La Haye, 1961, S. 51–68

Brenzimra, André, La Poétique de Jean Cohen, *Les Temps Modernes*, 247, 1966, S. 1085–1093

Chatman, Seymour, Linguistic style, literary style and performance: some distinctions, *Georgetown University monograph series on language and linguistics*, 13, 1962, S. 73–81

–, Linguistics, poetics, and interpretation: the phonemic dimension, *Quaterly Journal of Speech*, 43, 1957, S. 248–256

–, New Ways of Analyzing Norrative Structure, with an Example from Joyce's »Dubliners«, *Language and Style*, 1, 1969, S. 3–36

–, The semantics of style, *Social Science Information*, 4, 1967, S. 77–99

–, On the theory of literary style, *Linguistics*, 27, 1966, S. 13–25

Chatman, Seymour und Levin, S.R. (Hrsgg.), *Essays on the language of literature*, Boston, 1967

Cohen, Jean, La comparaison poétique, essai de systématique, *Langages*, 12, 1968, S. 43–51

–, *Structure du langage poétique*, Paris, 1966

–, Structures de la versification, *Sciences de l'Art*, 2, 1965, S. 1–41

La Collaboration entre littéraires et linguistes est-elle possible? (Konferenzprotokoll), *Les Lettres françaises*, 1164, 1967, S. 3–7

+ *Communications*, 4, 1964, Récherches sémiologiques (1)

+ –, 8, 1966, Recherches sémiologiques (2), l'analyse structurale du recit

+ –, 11, 1968, Recherches sémiologiques (3) Le vraisemblable

Coquet, Jean-Claude, Combinaison et transformation en poesie (Arthur Rimbaud: Les Illuminations), *L'Homme*, IX, 1, 1969, S. 23–41

Cornea, Paul, A supra structuralismulii in critica si istoria literară, *Revista de istorie si teorie literară*, 2, 1967, S. 169–179

Daneš, František, Zur linguistischen Analyse der Textstruktur, *Folia Linguistica* IV, 1–2, 1970, S. 72–78

Derossi, Giorgio, Communicazione, informazione e linguaggio poetice, *Archivo di filosofia. Filosofia e informazione*, 1967, S. 55–86

Dijk, T. A. van, *Aspects d'une théorie générative du texte poétique* (in Vorb. 1971)

–, Zur Grundlegung der Poetik. Methodologische Vorbemerkungen einer generativen Grammatik literarischer Texte, *Zur Grundlegung der Literaturwissenschaft*, hrsg. v. Jens Ihwe, München, 1971 = Grundfragen der Literaturwissenschaft Bd. 5

–, La metateoria del racconto, *Strumenti Critici* 12, 1970, S. 141–163

–, Neuere Entwicklungen in der literarischen Semantik, *textbedeutung, ästhetik*, hrsg. v. Siegfried J. Schmidt, München 1970 = Grundfragen der Literaturwissenschaft Bd. 1

–, Sémantique générative et théorie des textes, *Linguistics* 62, 1970, S. 66–95

–, Sémantique structurale et analyse thématique; un essai de lecture: André du Bouchet »Du Bord de la Faux«, *Lingua*, 23, 1969, S. 28–54

Dischner, Gisela, Linguistische Interpretation eines poetischen Textes. Zu einem Gedicht von Nelly Sachs, *Linguistische Berichte*, 6, 1970, S. 67–69

+ *Dixième Congrès international des linguistes. Résumés des communications*, Bukarest, 1967

Doležel, Lubomír, Model stylistické slozky jazykového kodovane, *Slovo a Slovesnost*, 26, 1965, S. 223–235

–, Prazskà skola statistickà teorie bàsnického jazyhov, *Ceskà Literatura*, 13, 1965, S. 101 bis 113

–, The typology of the Narrator, Point of View in Fiction, *To Honor Roman Jakobson, Janua Linguarum*, series maior, 31–33, 1967, S. 541–552

–, Vers la stylistique structurale, *Travaux Linguistique de Prague*, I, Prag, 1964, S. 257–266

–, Zur statistischen Theorie der Dichtersprache, *Mathematik und Dichtung*, München, 1965, S. 275–293

Donato, Eugenio, Of structuralism and literature, *Modern language notes*, 5, 1967, S. 549 bis 574

Dorfles, Gillo, Pour ou contre une estétique structuraliste, *Revue Internationale de Philosophie*, 73–74, 1965, S. 409–441

Dorfman, Eugene, The Structure of the narrative, A linguistic Approach, *History of Ideas News Letter*, 2, 1956, S. 63–67

Draghetti, Anna, Strutturalismo, stilistica, critica d'arte, *Aut aut*, 57, 1960, S. 162–174

Dressler, Wolfgang, Modelle und Methoden der Textsyntax, *Folia Linguistica* IV, 1–2, 1970, S. 64–71

Dresden, Sem, Critique littéraire et structure, *La notion de structure*, La Haye, 1961, S. 33–50

Dubois, Jean, Énoncé et énonciation, *Langages*, 1, 1969, S. 100–110

Dufrenne, Mikel, L'art est-il langage? *Revue d'Estétique* 19, 1966, S. 1–42

–, Structure et sense. La critique litteraire, *Revue d'Estétique* 20, 1969, S. 1–16

Eaton, Trevor, The Foundations of Literary Semantics, *Linguistics* 62, 1970, S. 5–19

–, The Semantics of Literature, *De proprietatibus litterarum*, series minor, 1, Den Haag, 1966

Eco, Umberto, Die Analyse der Strukturen, *Kritiker unserer Zeit*, 2, hrsg. v. Hans Mayer, Pfullingen, 1967, S. 35–42

–, *Apocalittici e integrati comunicazione di massa e teorie della cultura di massa*, Milano, ²1965

–, James Bond: une combinatoire narrative, *Communications*, 8, 1966, S. 77–93

–, Die erzählerischen Strukturen in Flemings Werk, O. del Buono und U. Eco (Hrsgg.), *Der Fall James Bond* (dtv 360), München, 1966

–, *Opera operta*, Mailand, 1962; Französisch *L'œuvre ouverte*, Paris, 1965

Edeline, F., La poésie et les éléments, *Cahiers internationaux de Symbolisme*, 8, 1965, S. 74–94

Egebak, N., Compte rendu de Roland Barthes »Critique et vérité«, *Revue Romane*, 1–2, 1966, S. 128–131

Ehrmann, Jacques, Structures of exchange in »Cinna«, *Yale French Studies*, 36–37, 1966, S. 169–199, französisch, *Les Temps modernes*, 246, 1966, S. 929–960

Eimermacher, Karl, Entwicklung, Charakter und Probleme des sowjetischen Strukturalismus in der Literaturwissenschaft, *Sprach eim technischen Zeitalter*, 30, 1969, S. 126 bis 157

Enders, Horst, Marginalien zur Theorie und Literatur der Texte, *Sprache im technischen Zeitalter*, 16, 1965, S. 1326–1335

English Verse and what it sounds like, *Kenyon Review*, 18, 1956, S. 411–477 (eine Kontroverse), Inhalt:

Harald Whitehall, From Linguistics to criticism, S. 411–421

Seymour Chatman, Robert Frost's ›Mowing‹, An inquiry into prosodic structure, S. 421–438

Arnold Stein, Donne's Prosody, S. 439–451

Seymour Chatman, Mr. Stein on Donne, S. 443–451

Arnold Stein, A note on meter, S. 451–460

394   *Bibliographie zur Frage einer strukturalen Literaturwissenschaft (in Auswahl)*

John Crowe Ransom, The strange music of English Verse, S. 460–477
+ *Esprit*, 11, 1963, S. 545–653, »La Pensée Sauvage« et le Structuralisme
+ *Essays on Style and Language, Linguistic and Critical Approaches to literary Style*, hrsg. v. R. Fowler, London, 1966
Fialkowski, Aline, Structuralisme et herméneutique, *Esprit*, 7–8, 1966, S. 16–30
Fónagy, Ivan, Der Ausdruck als Inhalt, Ansätze zu einer funktionellen Poetik, *Mathematik und Dichtung*, 1965, S. 243–274
–, Communication in poetry, *Word*, 17, 1961, S. 194–218
–, The information content of word and sound in poetry, *Poetics. Poetyka. Poetica.*, I, Warschau, 1961
–, L'information du style verbal, *Linguistics*, 4, 1964, S. 19–47
–, Form and Function of Poetic Language, *Diogenes*, 51, 1965, S. 72–110
Fowler, Roger, Linguistics, Stylistics, Criticism? *Lingua*, 16, 1966, S. 153–165
–, Structural metrics, *Linguistics*, 27, 1966, S. 49–64
–, Linguistic Theory and the Study of Literature, *Essays on Style and Language*, London, 1966, S. 1–28
–, »Prose Rhythm« and Metre, *Essays on Style and Language*, London, 1966, S. 82–99
Fowler, Roger und Bateson, F. W., Literatur and Linguistics, Argument, II, *Essays in Criticism*, 17, 3, 1967, S. 322–347
Francastel, Pierre, Art, forme, structure, *Revue Internationale de Philosophie*, 73–74, 1965, S. 361–368
Francis, W. Nelson, Syntax and literary interpretation, *Georgetown University Monograph Series on Languages and Linguistics*, 13, 1962, S. 83–92
Freeman, Donald C., Metrical Position Constituency and Generative Metrics, *Language and Style* II, 3, 1969, S. 195–206
Friedrich, Hugo, Strukturalismus und Struktur in literaturwissenschaftlicher Sicht, *Europäische Aufklärung, Herbert Dieckmann zum 60. Geburtstag*, hrsg. v. Hugo Friedrich und Fritz Schalk, München, 1967, S. 77–86
+ Gallas, Helga (Hrsg.), *Strukturalismus als interpretatives Verfahren*, collection alternative, hrsg. v. Hildegard Brenner, Band 2, Neuwied und Berlin, 1971 (in Vorb.)
Gardin, Jean-Claude, Semantic analysis procedures, in the sciences of man, *Social Science Information*, VIII, 1, 1969, S. 17–42
Genette, Gérard, *Figures. Essais*, Paris, Collection Tel Quel, 1966
–, *Figures II, Essais*, Paris, 1969
–, L'homme et les signes, *Critique*, 16, 1965, S. 99–114
–, Une poétique »structurale«? *Tel Quel*, 7, 1961, S. 13–19
Genot, Gérard, L'écriture libératrice, *Communications*, 11 1968, S. 34–58
George, Emery E., Calligrams in Apollinaire and in Trakl, A Psycho-stylistic study, *Language and Style*, 3, 1968, S. 131–193
–, On Seeing and Hearing the Poem: An Experiment with Trakl's »Afra«, *Orbis litterarum*, 21, 1966, S. 202–221
Girard, René, Des fromes aux structures, en littérature et aillaurs, *Modern Language Notes*, 78, 1963, S. 504–519
–, *Mensonge romantique et verité romanesque*, Paris, 1961
–, Racine poète de la gloire, *Critique*, 205, 1964, S. 483–506
Glade, Hans Henning, Leistung und Grenze strukturalistischer Methode in der Literaturwissenschaft, *Colloquia Germanica* (in Vorb.)

Glinz, Hans, Methoden zur Objektivierung des Verstehens von Texten, gezeigt an Kafkas »Kinder auf der Landschaft«, *Jahrbuch für Internationale Germanistik,* Jg. 1, Heft 1, 1969, S. 75–107

Glinz, Hans, Strukturalistische und inhaltsbezogene Methoden der Sprach- und Dichtungsanalyse in der Germanistik, H. Glinz: *Sprachwissenschaft heute,* Stuttgart, 1967, S. 33–48

–, Textanalyse als Vereinigung von Sprachwissenschaft, Literaturwissenschaft und Sprachdidaktik, *Germanistik in Forschung und Lehre,* Berlin, 1965, S. 209–219

Goldmann, Lucien, Le concept de structure significative en histoire de la culture. Sens et usage du term structure dans les sciences humaines et sociales, *Janua Linguarum,* 16, 1962, S. 124–135, hrsg. v. Roger Bastide

–, *Le dieu caché,* Paris, 1955

–, Introduction à une étude structurale des romans de Malraux. *Revue de l'institut de sociologie, Université libre de Bruxelles,* 2, 1963, S. 284–393

–, Le structuralisme génétique en histoire de la littérature, *Modern Language Notes,* 79, 1964, S. 225–239

Gombrowicz, Witold, J'étais structuraliste avant tout le monde. *La Quinzaine littéraire,* 27, Mai 1967

Gôrny, Wojciech, Text Structure against the Background of Language Structure, *Poetics. Poetyka. Poetika,* I, Warschau, 1961, S. 25–37

Grassi, Letizia, Intorno alla struttura d'una lirica gozziana, *Lingua e stile,* 1, 1967, S. 51–74

Greimas, Algirdas Julien, l'écriture cruciverbiste, *To Honor Roman Jakobson, Janua linguarum,* 31–33, Den Haag, 1967, Bd. 1, S. 799–815

–, *Du sens, Essais sémiotiques,* Du seuil, Paris, 1970

–, *Strukturale Semantik. Methodische Untersuchungen.* Autorisierte Übersetzung von Jens Ihwe = Wissenschaftstheorie, Wissenschaft und Philosophie, Bd. 4, Braunschweig, 1971

de Groot, A. Willem, The description of a poem, *Proceedings of the ninth international congress of linguists,* Cambridge, 1962, Den Haag, 1964, S. 294–300 (Diskussion S. 301)

–, Phonetics in its relation to aesthetics, *Manual of phonetics,* hrsg. v. Louise Kaiser, Amsterdam, 1957, S. 385–399

Großklaus, G., Heinrich Heine: »Ideen – Das Buch Le Grand«. Eine textsemantische Beschreibung, *Zur Grundlegung der Literaturwissenschaft,* hrsg. v. Siegfried J. Schmidt, München 1971 = Grundfragen der Literaturwissenschaft Bd. 5

Guedj, Aimé, Structure du monde picaresque, *La nouvelle critique,* numéro spéciale, 1968, S. 82–87

Guenoun, Denis, A propos de l'analyse structurale des récits, *La nouvelle critique,* numéro spéciale, 1968, S. 65–70

Halliday, Michael A.K., Descriptive Linguistics in Literary Studies, Mc Intosh, H./Halliday, M.A.K., *Patterns of Language. Papers in General, Descriptive and Applied Linguistics,* London, 1966, S. 56–69

–, The linguistic study of literary Texts, *Proceedings of the ninth international congress of linguists,* Cambridge, 1962, Den Haag, 1964, S. 302–307 (Diskussion S. 307)

Hamburger, H., The function of the affective verb in some poems by Anna Achtova, *Linguistics* 62, 1970, S. 20–33

Hartman, Geoffrey, Structuralism: the anglo-american adventure, *Yale French Studies,* 36–37, 1966, S. 148–168

Hartmann, Peter, Zur Klassifikation und Abfolge textanalytischer Operationen, *Zur*

Grundlegung der Literaturwissenschaft, hrsg. v. Siegfried J. Schmidt, München 1971 = Grundfragen der Literaturwissenschaft Bd. 5

–, Probleme der semantischen Textanalyse, *text, bedeutung, ästhetik*, hrsg. v. Siegfried J. Schmidt, München 1970 = Grundfragen der Literaturwissenschaft Bd. 1

–, Text, Texte, Klassen von Texten, *Bogawus*, 2, 1964, S. 15–25

–, Textlinguistik als neue Linguistische Teildisziplin, *Replik*, 2, 1968, S. 2–7

–, Zum Begriff des sprachlichen Zeichens, *Zeitschrift für Phonetik, Sprachwissenschaft und Kommunikationsforschung*, 21, 1968, S. 205–222

Harweg, Roland, *Pronomina und Textkonstruktion*. Beiheft zu Poetica, 2, 1968

–, Die Rundfunknachrichten, *Poetica*, 1, 1968, S. 1–14

–, Textanfänge in geschriebener und gesprochener Sprache, *Orbis* XVII, 2, 1968, S. 343–388

Hayes, Curtis W., A transformational-generative approach to style: Samuel Johnson und Edward Gibbon, *Language and Style*, 1, S. 39–48

Hendricks, William O., Folklore and the Structural Analysis of Literary Texts, *Language and Style* III, 2, 1970, S. 83–121

Hendricks, William Oliver, *Linguistics and the structural Analysis of literary Texts*, Phil. Diss. University of Illinois, 1965

–, On the notion »Beyond the Sentence«, *Linguistics*, 37, 1967, S. 12–51

Hill, Archibald A., An analysis of »The Windhover«: an experiment in structural method, *Publications of the Modern Language Association of America*, 70, 1955, S. 968–978

–, The Locus of the Literary Work, *English Studies Today*, hrsg. v. G.J. Duthrie, 3rd series, Edinburg, 1964, S. 41–50

–, A Phonological Description of Poetic Ornaments, *Language and Style* II, 2, 1969, S. 99–123

–, Pippa's Song: Two attemps at structural criticism, *The University of Texas Studies in English*, 35, 1956, S. 51–56, jetzt: in *Readings in Applied English Linguistics*, hrsg. v. Allen, New York, 1958, S. 402–406

–, A program for the definition of literature, *The University of Texas Studies in English*, 37, 1958, S. 46–52, gekürzt jetzt auch in: *Style in Language*, hrsg. v. Sebeok, MIT Press, ²1966, S. 94–95

+ *To Honor Roman Jakobson, Janua Linguarum*, series maior, 31–33, Essays on the Occasion of his seventieth birthday, 11. Oct. 1966, Den Haag, 1967

Hoppe, Alfred, Linguistische Methoden semantischer Textanalyse, *text, bedeutung, ästhetik*, hrsg. v. Siegfried J. Schmidt, München 1970 = Grundfragen der Literaturwissenschaft Bd. 1

Horálek, Karel, Sprachfunktion und funktionelle Stilistik, *Linguistics*, 14, 1965, S. 14–22

Houdebine, J. L., Texte, Structure, Histoire, *La Nouvelle Critique*, Februar 1968

Householder, Fred W. Jr., (Opening statement from the viewpoint of linguists) *Style in language*, hrsg. v. Th. A. Sebeok, MIT Press, ²1966, S. 339–349

Hrushovski, Benjamin, On Free Rhythms in modern poetry, *Style in language*, hrsg. v. Th. A. Sebeok, MIT Press, ²1966, S. 173–190

Hymes, Dell H., Phonological aspects of style, Some English sonnets, *Style in language*, hrsg. v. Th. A. Sebeok, MIT Press ²1966 S. 109–131

–, Some northpacific coast poems: a problem in anthropological philology, *American Anthropologist*, 67, 1965, S. 316–341

Ihwe, Jens, *Linguistik in der Literaturwissenschaft*, München, 1971 (in Vorb.)

–, Linguistik und Literaturwissenschaft: Bemerkungen zur Entwicklung einer strukturalen Literaturwissenschaft (Bibliographie), *Linguistische Berichte*, 3, 1969, S. 30–44

+–, (Hrsg.), *Literaturwissenschaft und Linguistik. Ergebnisse und Perspektiven*, Ars Poetica Texte Bd. 8 (4 Bände), Frankfurt 1971 f

–, Kompetenz und Performanz in der Literaturtheorie, *text, bedeutung, ästhetik*, hrsg. v. Siegfried J. Schmidt, München 1970 = Grundfragen der Literaturwissenschaft Bd. 1

–, Ein Modell der Literaturwissenschaft als Wissenschaft, *Zur Grundlegung der Literaturwissenschaft*, hrsg. v. Siegfried J. Schmidt, München 1971 = Grundfragen der Literaturwissenschaft Bd. 5

Irigoray, Luce, L'énoncé en analyse, *Langages*, 1, 1969, S. 111–122

Ivanov, Viatscheslav, V., Structure d'un poème de Khlebnikov »on me porte à dos d'éléphant . . . « *Tel Quel*, 35, 1968, S. 9–23

–, Toporov, V. M. *Slavjanskie jazykovye modelirujuščie semiotičeskie sistemy*, Moskva, Jzd. Nauka, 1965

Ives, Sumner, Grammatical analysis and literary criticism, *Georgetown University Monograph Series on Language and Linguistics*, 13, 1962, S. 99–107

+ *Jahrbuch für Internationale Germanistik*, Jg. 1, Heft 1, 1969

Jakobson, Roman, The Grammatical Texture of a Sonnet from Sir Philip Sidney's »Arcadia«, *Studies in Language and Literature*, in Honour of M. Schlauch, Warschau, 1966, S. 165–174

– Der grammatische Bau des Gedichts von B. Brecht »Wir sind sie«, *Festschrift Wolfgang Steinitz*, Berlin, 1965; jetzt auch in: *Alternative* 65, 1969, S. 62–74

– Grammatical parallelism and its Russian facet *Language*, 42, 1966, S. 399–429

–, Linguistics and Poetics, *Style in Language*, hrsg. v. Sebeok, S. 350–377, auf französisch in: Jakobson, R., *Essais de linguistique générale*, Paris, 1963

–, Une microscopie du dernier spleen dans les Fleurs du Mal, *Tel Quel*, 29, 1967, S. 12 bis 24

–, Stroka Machi o zove gorlicy, *International Journal of Slavic Linguistics and Poetics*, III, 1960, 87–108

–, Poesie der Grammatik und Grammatik der Poesie, *Mathematik und Dichtung*, München, 1965, S. 21–32, jetzt auch in: *Alternative*, 65, 1969, S. 53–61

–, und Cazacu, B., Analyse du poème »Revedere« de Mihail Eminescu, *Cahiers de linguistique théorique et appliquée*, 1, 1962, S. 47–53

–, und Colaclides, Peter, Grammatical imagery in Cavafy's poem » Θυμήσου, σῶμα . . . «, *Linguistics*, 20, 1966, S. 51–59

–, und Lévi-Strauss, Claude, »Les Chats« de Baudelaire, *L'Homme*, 1, 1962, S. 5–21; deutsch in: *Alternative* 62/63, 1968, S. 156–170, und: *Sprache im technischen Zeitalter*, 29, 1969, S. 2–19

–, et Picchio, Luciana Stegagno, Les Oxymerons dialectiques de Fernando Pessoa, *Langages*, 12, 1968, S. 9–27

Janion, M., Die marxistische Literaturwissenschaft in Polen und der Strukturalismus, *Wissenschaftlicher Dienst für Ostmitteleuropa*, 4, 1967, S. 127–131

–, Sporné problémy literari vedy, *Ceskà Literatura*, 13, 1965, S. 1–15

Jansen, Steen, Esquisse d'une Théorie de la forme dramatique, *Langages*, 12, 1968, S. 71–93

–, L'unité d'action dans »Andromaque« et dans »Lorenzaccio«, *Revue Romane*, I, 1, 1968, S. 16–29, II, 2, 1968, S. 116–125

Jessup, B., On Fictional expression of cognitive meaning, *Journal of Aesthetics and Art Criticism*, 23, 1965, S. 374–388

Jitrik, Noé, Structure et signification de »Fiction« de J.-L. Borgès, *La nouvelle critique*, numéro spécial, 1968, S. 107–114

Johansen, Svend, La notion de signe dans la glossématique et dans l'esthétique, *Recherches structurales, Travaux du Cercle Linguistique de Copenhague (TCLC)*, 5, 1949, S. 288–303

Jones, Lawrence Gaylord, Grammatical Patterns in English and Russian Verse, *To Honor Roman Jakobson, Janua Linguarum*, series maior, 31–33, 1967, S. 1015–1045

Kelkar, Ashov, R., The being of a poem, *Foundations of Language*, 1, 1969, S. 17–33

Klinkenberg, Jean-Marie, Eléments d'une rhétorique généralisée: les metaplasmes, *La nouvelle critique*, numéro spécial, 1968, S. 93–100

Klöpfer, Rolf/Oomen, Ursula, *Die sprachlichen Konstituenten moderner Dichtung. Versuch einer deskriptiven Poetik*, Frankfurt, 1970

Koch, Walter A., Aspekte des Realismus. Eine formal-literarische Studie anhand von russischen Erzählern, *Orbis*, 2, 1967, S. 355–364

–, A linguistic analysis of a satire, *Linguistics*, 33, 1967, S. 68–81

–, Linguistische Analyse und Strukturen der Poetizität, *Orbis*, 17, 1968, S. 5–22

–, A. (Hrsg.), *Vom Morphem zur strukturellen Sprach- und Literaturwissenschaft*, Hildesheim, 1969

–, Problems in the Hierarchization of Text Structures, *Orbis*, 17, 1968, S. 309–342

–, Recurrence and a three-Modal Approach to Poetry = *De proprictatibus litterarum*, series minor, 2, Den Haag, 1966

Krausova, N. Rozpravac v proze, *Slovenska Literature*, 12, 1965, S. 125–153

Kristeva, Julia, L'engendrement de la formal, *Tel Quel*, 37 1969, S. 34–73; 38, 1969, S. 55–81

–, Narration et transformation, *Semiotica*, I, 4, 1969, S. 422–448

–, Σημειωτική, *Recherches pour une sémanalyse*, Collection Tel Quel, du Seuil, Paris, 1969

–, Problèmes de la structuration du texte, *La Nouvelle Critique*, numéro spécial, 1968, S. 55–64, = Théorie d'ensemble, S. 298–317

–, *Le Texte du roman. Approche sémiologique d'une structure discoursive transformationelle.* = Approaches to Semiotics, Th. Sebeoh ed., Bd. 8, Den Haag – Paris 1970

Lakoff, George P., *Structure above the Sentence Level.* Paper presented before the Linguistic Society of America meeting, Indiana University, Summer 1964

+ *Langages*, 12, 1968, Linguistique et littérature

+ *Langages*, 13, 1969, l'analyse du discours

+ *Les langages critiques et les sciences de l'homme.* An international symposium sponsored by the Ford Foundation, Oct. 18–21, 1966. The Johns Hopkins Humanities Center. Section on literature, language, and culture. Erscheint in der Johns Hopkins Press (angekündigt)

Lauteri-Laura, Georges et Tardy, Michel, La révolution étudiante comme discours, *Communications*, 12, 1968, S. 118–147

Leech, Geoffrey, »This bread I break« – language and interpretation, *A review of english literature: new attitudes toward style*, 6, 1965, S. 66–75

–, Linguistics and the Figures of Rhetoric, *Essays on Style and Language*, Hrsg. v. R. Fowler, London, 1966, S. 135–156

Levin, Samuel R., The Analysis of Compression in Poetry, *Foundations of Language* VII, 1, 1971, S. 38–55

Levin, Samuel R., Internal and external deviation in poetry, *Word*, 21, 1965, S. 225 bis 237

–, Linguistic structures in poetry, *Janua Linguarum*, series minor, 23, ²1964

–, Poetry and grammaticalness, *Janua Linguarum*, series maior, 12, S. 308–314 = *Proceedings of the ninth international congress of linguists*, Cambridge, 1962, Den Haag, 1964

–, Statistische und determinierte Abweichungen in poetischer Sprache, *Mathematik und Dichtung*, München, 1965, S. 33–47, zuerst englisch in: *Lingua*, 12, 1963, S. 276–290

–, Chatman, Seymour, Linguistics and Poetics, *Encyclopedia of Poetry and Poetics*, Princeton, 1965, S. 450–457

Levý, Jiři, Bude literarni věda exaktni vědon? *Plamen*, 7, 1965, S. 76–81

–, Generative Poetics, *Sign, Language, Culture* = *Akten der 2. Internationalen Konferenz über Semiotik, Kazimierz nad Wisla*, Polen, 12.–19. Sept. 1966 (in Vorb. bei Mouton)

–, The Meaning of Form and the Forms of Meaning, *Poetics. Poetyka. Poetika*, II, Warsaw, 1966, S. 45–59

–, Teorie literarnich textu, *Slovensky Literatiera*, 12, 1965, S. 75–88

Lier, Henri van, Objet et esthétique, *Communications*, 13, 1969, S. 89–104

Likhachev, Dimitri S., The literary etiquette of the russian middle ages, *Poetics. Poetyka. Poetika*, I, Warschau, 1961, S. 637–649

+ *Literaturwissenschaft und Linguistik: Ergebnisse und Perspektiven*, Hrsg. v. Jens Ihwe, Bad Homburg, Zürich, Berlin, 1970

Lotmann, Jurij M., Lekcii po struktural'noj poetike, *Transactions of the Tartu State University*, 1, 1964

–, Metodi esatti nella scienza letteraria sovietica, *Strumenti critici*, 2, 1967, S. 107–127

–, Le nombre dans la culture, *Tel Quel*, 35, 1968, S. 24–27

–, Sur la délimination linguistique et littéraire de la notion de structure, *Linguistics*, 6, 1964, S. 59–72

–, und Pjatigorskij, A. M., Le texte et la fonction, Colloque de Tartu, 10–20 mai 1968, *Semiotica*, 1, 1969, 2, S. 205–217

Lotz, John, Metric typology, *Style and language*, hrsg. v. Th. A. Sebeok, MIT Press, ²1966, S. 135–148

Macherey, Pierre, L'analyse littéraire, tombeau des structures, *Les Temps Modernes*, 246, 1966, S. 907–928

–, *Pour une théorie de la production littéraire*, Paris, 1966

–, Pour une théorie de la production littéraire, Rez.: von Gennie Luccione, *Esprit*, 7/8, 1967, S. 179–182

Marcus, Salomon, Poétique mathématique non-probabiliste, *Langages*, 12, 1968, S. 52 bis 55

+ *Mathematik und Dichtung*, Hrsg. H. Kreuzer und R. Gunzenhäuser, Sammlung Dialog, München, 1965

Meleuc, Serge, Structure de la maxime, *Langages*, 13, 1969, S. 69–99

Meyer, Herman, Über den Begriff Struktur in der Dichtung, *Neue Deutsche Hefte*, 92, 1963, S. 9–19

Mitterand, Henri, Corrélations lexicales et organisations du récit: le vocabulaire du visage, dans »Thérèse Raquin«, *La Nouvelle Critique*, numéro spécial, 1968, S. 29–34

Morris, Charles W., *Grundlagen der Zeichentheorie* und *Zeichentheorie und Ästhetik*, aus dem Englischen von R. Posner unter der Mitarbeit von J. Rehbein übersetzt, hrsg. v. Friedrich Knilli, München 1972

Morpurgo-Tagliabue, Guido, La stilistica di Aristotele e lo strutturalismo, *Lingua e stile*, 1, 1967, S. 1–26

Mounin, Georges, La notion de situation en linguistique et la poésie, *Les Temps Modernes*, 247, 1966, S. 1065–1085

Mukařovskiý, Jan, La phonologie et la poétique, *Readings in Linguistics*, II, hrsg. 1966, S. 6–14

–, *Kapitel aus der Poetik*, ed. suhrkamp, 230, Frankfurt, 1967, (zuerst tschechisch 1941; ²1948)

Mukařovský, Jan, Littérature et sémiologie, *Poétique*, 3, 1970, S. 386–398

Mukařovský-Festschrift: *Struktura a smysl Literárního díla.* Janu Mukarovskému K. 75. Marozeninám. Redakce: Milan Jankovic, Zdenek Pešat, Felix Vodička. Praha: Československý spisovatel, 1966 (Besprochen in: *Poetica*, 1, 1968, S. 134–139)

O Literárnej avangarde. K 75. výročiu narodenia akademika Jana Mukařovského (Litteraria 9). Bratislava: Vydavatel'stvo Slovenskej akadémie vied, 1966 (Besprochen in: *Poetica*, 1, 1968, S. 134–139)

Nasta, Michel, Les déterminants de la fonction poétique et le problème des monades. *To Honor Roman Jakobson, Janua linguarum*, series maior, 31–33, Den Haag, 1967, S. 1414 bis 1424

Noguez, Dominique, Structure du langage humoristique, *Revue d'Estétique*, 22, 1969, S. 37–54

+ *La nouvelle critique* numéro spécial 1968, *Linguistique et Littérature; Colloque de Cluny*

Ohmann, Richard, Generative grammar and the concept of literary style, *Word*, 20, 1964, S. 423–439

–, Literature as Sentences, *College English*, 27, 1966, S. 261–267

Pagnini, Marcello, Per una semiologia del teatro classico, *Strumenti Critici* 12, 1970, S. 121–140

Paulme, Denise, le Thème des échanges successifs dans la littérature africaine, *L'Homme*, 1, 1969, S. 5–22

Pavel, Toma, Notes pour une description structurale de la métaphore poétique, *Cahiers de linguistique théorique et appliqué*, 1 1962, S. 185–207

Pelc, Jerzy, On the Concept of Narration, *Semiotica* III, 1, 1971, S. 1–19

Pelc, Jerzy, Semantic functions as applied to the analyses of the concept of metaphor. *Poetics, Poetyka, Poetika*, I, Warschau, 1961, S. 305–340

Penzel, Herbert, The Linguistic Interpretation of Scribal Errors in Old High German Texts, *Linguistics*, 32, 1967, S. 79–82

Petöfi, S. János, Notes on the Semantic Interpretation of Verbal Works of Art, *Computational Linguistics*, 7, 1968, S. 80–105

–, Some Problems of the Linguistic Analysis of lyrical Works of Art. Abstract, *Dixième Congrès international des Linguistics*, Bukarest, 1967, S. 282–283

–, On the Structural Linguistic Analysis of Poetic Works of Art, *Computational Linguistics*, 6, 1967, S. 54–82

–, *Transformationsgrammatik und eine strukturelle Theorie von Texten*, Frankfurt (in Vorb.)

Peytard, Jean, L'analyse structurale et la notion de texte comme »Espac«, *La Nouvelle Critique*, numéro spécial, 1968, S. 35–41

–, D'une Linguistique littéraire, *La Nouvelle Critique* 14, 1968

Picard, Raymond, *Nouvelle critique ou nouvelle imposture?* Paris, 1963, Libertés 27

Piemme, Michèle, Du circulaire au linéaire: Analyse structurale d'un fragment de »*La Chanson d'Ève*« de Charles Van Lerberghe, *Linguistics* 62, 1970, S. 34–43

Piirainen, Ilpo Tapani, Zur Linguistisierung der Literaturwissenschaft, *Linguistische Berichte*, 1, 1969, S. 70–73

+ *Poetics. Poetyka. Poetika* – International Conference of Working-Progress Devoted to Problems of *Poetics*, Den Haag, Warschau, 1961

+ *Poetics. Poetyka. Poetika*, II, Warschau, 1966, Problems of General Metrics and the Metrics of Slavic Languages. Papers of the third international Conference devoted to Problems of Poetics, Warsaw, 1964

Posner, Roland, Die Kommentierung – Oder: ein Weg von der Satzgrammatik zur Textlinguistik, *Literaturwissenschaft und Linguistik* 4, 1971

–, Die Kommentierung als Testverfahren in der semantischen und pragmatischen Satzanalyse, Referate des 6. linguistischen Colloquiums, 1971 in Kopenhagen, hrsg. v. Karl Hyldgaad-Jensen und Amanuentis Monika Wesemann, Frankfurt 1972

–, Strukturalismus in der Gedichtinterpretation, *Sprache im Technischen Zeitalter*, 29, 1969, S. 27–58

–, *Theorie des Kommentierens – eine Grundlagenstudie zur Semantik und Pragmatik*, Frankfurt 1972

+ Proceedings of the Ninth International Congress of Linguists Cambridge, 1962, *Janua linguarum*, series maior 12, Den Haag, 1964

Provost, Geneviève, Approche du discours politique: »Socialisme« et »socialiste« chez Javrès, *Langages*, 1, 1969, S. 51–68

Raimondi, Ezio, Techniche e struttore narrative, *Lingua e stile*, 2, 1966, S. 193–215

Rastier, F., *La signifacation chez Mallarmé*, 1966 (diplôme manuscrit)

–, Wissenschaftliche Analyse der Erzählungen und Ideologie der Literatur, *Zur Grundlegung der Literaturwissenschaft*, hrsg. v. Siegfried J. Schmidt, München 1971 = Grundfragen der Literaturwissenschaft Bd. 5

Rauch, Irmgard, Dimensions of sound change in relation to an early Hölderlin poem, *Linguistics*, 34, 1967, S. 46–54

Raymond, Jean, Qu'est-ce que lire, *La Nouvelle Critique*, numéro spécial, 1968, S. 21–28

+ *Recherches Structurales*. Travaux du Cercle Linguistique de Copenhague (TCLC), 5, 1949

+ *Replik* 2, 1968, Textlinguistik

+ *Revue Internationale de Philosophie*, 73–74, 1965, La Notion de structure

Revzin, Isaak Iosifovich, Das Schema einer Sprache mit einer endlichen Anzahl von Zuständen und der Möglichkeiten ihrer Anwendung auf die Poetik (Zum Mechanismus der Parodie – auf russisch, *Poetics. Poetyka. Poetika*, II, 1966, S. 121–131

–, Oceljax strukturnogo izucenija xudozestvennogo tvorcestva, *Voprosy literatury*, 6, 1965, S. 73–87

Richards, Ivor A., Variant readings and misreadings, *Style and language*, hrsg. v. Th. A. Sebeok, MIT Press, ²1966, S. 241–252

Ricoeur, Paul, La structure, le mot, l'événement, *Esprit*, 5, 1967, S. 801–821

–, Le Symbolisme et l'explication structurale, *Cahiers internationaux de Symbolisme*, 4, 1964, S. 81–96

–, Structure et herméneutique, *Esprit*, 11, 1963, S. 596–626

–, Symbolique et temporalité, *Archivio die Filosofia*, 1–2, 1963, S. 5–31 (Diskussion: S. 32–41)

Rieser, H. Allgemeine textlinguistische Ansätze zur Erklärung performativer Strukturen, *Zur Grundlegung der Literaturwissenschaft*, hrsg. v. Siegfried J. Schmidt, München 1971 = Grundfragen der Literaturwissenschaft Bd. 5

Riffaterre, Michael, Criteria for style analysis, *Word*, 15, 1959, S. 154–174

–, Describing poetic structures: Two approaches to Baudelaire's »Les Chats«, *Yale*

French Studies, 36–37, 1966, S. 200–242. Deutsch gekürzt unter dem Titel: Analyse von Baudelaires »Les chats«, *Sprache im Technischen Zeitalter* 29, 1969, S. 19–27

–, Le poème comme représentation, *Poétique*, 4, 1970, S. 401–418

–, Problèmes d'analyse du style littéraire, *Romance Philology*, 14, 1961, S. 216–227

–, Stylistic context, *Word*, 16, 1960, S. 207–218

–, The stylistic function, *Proceedings of the ninth international congress of linguists*, Cambridge, 1962, Den Haag 1964, S. 316–322 (Diskussion S. 322–323)

–, Vers la définition linguistique du style, *Word*, 17, 1961, S. 318–344

Rippere, Victoria L., Towards an anthropology of literature, *Yale French Studies*, 36–37, 1966, S. 243–251

Rohrer, C., Automatic Analysis of a French Text, *Beiträge zur Linguistik und Informationsverarbeitung*, 10, 1967, S. 50–65

Rosiello, L., *Struttura, uso et funzioni della lingua*, Firenze, 1965

Rossi, Aldo, Protocolli sperimentali per la critica, *Paragone – letteratura*, 206, 1967, S. 3–34

–, Storicismo e Strutturalismo, *Paragone – letteratura*, 166, 1963, S. 3–28

–, Strutturalismo e analisi letteraria (II), *Paragone – letteratura*, 180, 1964, S. 24–78

Rousset, Jean, *Forme et signification*, Paris, 1962

–, Notes sur la structure d' »A la recherche du temps perdu« *Revue des sciences humaines*, 1955, 387–399

–, Les réalitès formelles de l'œuvre litteraire, *Paragone – letteratura*, 204, 1967, S. 3–12

Rus, Louis C., Structural ambiguity: a note on meaning and the linguistic analysis of literature, *Language Learning*, 6, 1955, S. 62–67

Russell, William M., Linguistic Stylistics, *Linguistics* 65, 1971, S. 75–82

Ruwet, Nicolas, L'analyse structurale de la poésie, *Linguistics*, 2, 1963, S. 38–59

–, Analyse structurale d'un poème français: un sonnet de Louise Labé, *Linguistics*, 3, 1964, S. 62–83

–, Limites de l'analyse Linguistique en poétique, *Langages*, 12, 1968, S. 56–70

–, Sur un vers de Charles Baudelaire, *Linguistics*, 17, 1965, S. 69–77

Sansone, E. Per un'analisi strutturale dell'endecasillabo, *Lingua e stile*, 2, 1967, S. 179 bis 197

Saporta, Sol, The application of linguistics to the study of poetic language, *Style in language*, hrsg. v. Sebeok, MIT Press, ²1966, S. 82–93 (zuerst 1960)

Schädlich, Hans Joachim, Über Phonologie und Poetik, *Jahrbuch für Internationale Germanistik*, Jg. 1, Heft 1, S. 44–60

Scherer, J., *Structures de Tartuffe*, Paris, 1966

+ Schiwy, Günther, *Der französische Strukturalismus*, rde, Reinbeck, 1969

Schmid, Wolf und Herta; Maurer, Karl, Eine strukturalistische Theorie der Variante? *Poetica*, 3, 1968, S. 404–415

Schmidt, Siegfried J., Alltagssprache und Gedichtsprache, Versuch einer Bestimmung von Differenzqualitäten, *Poetica*, 2, 1968, S. 285–303

–, Einige Grundzüge der Sprachverwendung im »modernen Gedicht« *Bogawus*, 3, 1964, S. 10–18

+–, (Hrsg.), *text, bedeutung, ästhetik*, München, 1970

+–, (Hrsg.), *Zur Grundlegung der Literaturwissenschaft*, München 1971 = Grundfragen der Literaturwissenschaft Bd. 5

+ Stempel, Wolf-Dieter (Hrsg.), *Beiträge zur Textlinguistik*, München 1971

Schober, Rita, »*Im Banne der Sprache*« – *Strukturalismus in der nouvelle critique, speziell bei Roland Barthes*, Halle (Saale), 1968

Sebeok, Thomas A., Decoding a text: Levels and aspects in a Cheremis sonnet *Style in language*, hrsg. v. Th. A. Sebeok, MIT Press, [2]1966, S. 82–93

Segre, Cesare (Hrsg.), Strutturalismo e critica, *Catalogo generale del Saggiatore* (1958/1965), Milano, 1965, S. 1–85

–, La synthèse stylistique, *Social Science Information*, VI, 5, 1967, S. 161–167

Seidler, Herbert, Stilistik als Wissenschaft von der Sprachkunst, *Jahrbuch für Internationale Germanistik*, Jg. 1, Heft 1, S. 129–137

+ SFB und NDR, III. Programm, Sendereihe v. 23.–27. April 1967, *Strukturen und Formen* (Rundfunkmanuskript)

Seiffert, Leslie, Wortfeldtheorie und Strukturalismus; Studien zum Sprachgebrauch Freidanks, *Studien zur Poetik und Geschichte der Literatur*, Bd. 4, 1968, München

Shands, Harley C., Momentary Duty and Personal Myth. A Semiotic Inquiry Using Recorded Psychotherapeutic Material, *Semiotika* II, 1, 1970, S. 1–34

Singer, Horst, Stilistik und Linguistik, *Festgabe für Friedrich Maurer*, Düsseldorf, 1968, S. 69–82

+ *Simpozion po strukturnomu izucenije znakovyx sistem.* Tezisy dokladov, Moskau, 1962

Sörensen, Hans, Littérature et linguistique, *Orbis litterarum*, supplementum II, Kopenhagen, 1958, S. 182–197

Sollers, Philippe, Niveaux sémantique d'un texte moderne. *La nouvelle Critique*, numéro spécial, 1968, S. 69–98; = *Théorie d'ensemble*, S. 318–325, auf deutsch gekürzt in: *Alternative*, 66, 1969, S. 101–106

Spitzer, Leo, *Linguistics and literary history. Essays in Stylistics.* New York, Russel and Russel, 1962

+ *Sprache im Technischen Zeitalter*, 29, 1969, Zur strukturalistischen Interpretation von Gedichten

Stankiewicz, Edward, Expressive Language, *Style in language*, hrsg. v. Th. A. Sebeok, MIT Press, [2]1966, S. 96–97 (Auszug)

–, Linguistics and the study of poetic language, *Style in language*, hrsg. v. Th. A. Sebeok, MIT Press, [2]1966, S. 69–81

–, Poetic and non-poetic language in their interrelation *Poetics. Poetyka. Poetika*, I, Warschau, 1961, S. 11–23

Steinwachs, Gisela, *Surrealismus oder die Rückverwandlung von Geschichte in Natur.* Collection alternative, Berlin und Neuwied, 1971 (in Vorb.)

Stender-Petersen, Adolf, Esquisse d'une théorie structurale de la littérature, *Recherches Structurales*, Travaux du Cercle Linguistique de Copenhague (TCLC), 5, 1949, S. 305 bis 307 (in veränderter Form auf deutsch in: *orbis literarum*, supplementum II, Kopenhagen, 1958, S. 136–152)

Stepankova, J., Geneticky strukturalismus v sociologii literatury: nad knihou L. Goldmanna 'Za sociologii romanu, *Ceskà Literatura*, 13, 1965, S. 245–251

+ *Style in Language*, hrsg. v. Sebeok, T. A. Technology Press of the Massachusetts Institue of Technology, Cambridge, Massachusetts, [2]1966

Sumera, Magdalena, The Temporal Tradition in the: Study of Verse Structure, *Linguistics* 62, 1970, S. 44–65

Sumpf, J., Les problème des typologies, *Langages*, 13, 1969, S. 46–50

–, et Duboi J., Problèmes de L'analyse du discours, *Langages*, 13, 1969, S. 3–7

Sutherland, Ronald, Structural linguistics and English prosody, *The structure of verse*, hrsg. v. Harvey S. Gross, Fawcette, 1966, S. 181–190

+ *Les Temps Modernes*, 246, 1966, Problèmes du Structuralisme

Terracini, Benvenuto, Stilistica al bivio? Storicismo *versus* strutteralismo, *Strumenti critici*, 5, 1968, S. 1–37

–, Strutturalismo e storicismo, *Strumenti Critici*, 3, 1967

+ *Théorie d'ensemble*, Collection *Tel Quel*, Paris, 1968

Thorne, James Peter, Stylistics and generative grammar, *Journal of Linguistics*, 1, 1965, S. 49–59

Todorov, Christo, La hiérarchie des lieus dans le récit, *Semiotica* III, 2, 1971, S. 121–139

–, Logique et temps narrativ, *Social Science Information*, 6, 1968, S. 41–49

Todorov, Tzvetan, L'analyse du récit à Urbino, *Communications*, 11, 1968, S. 165–167

–, Les anomalies sémantiques, *Langages*, 1, 1966, S. 100–123

–, La description de la signification en littérature, *Communications*, 4, 1964, S. 33–39

–, Die Erzähl-Menschen, *Insel Almanach auf das Jahr 1969*, Frankfurt, 1968, Zuerst französisch in: *Tel Quel*, 31, 1967

–, *Grammaire du Décaméron*, Den Haag, 1969

–, La grammaire du récit, *Langage*, 12, 1968, S. 94–102

–, *Introduction à la littérature fantastique*, Seuil, Paris, 1970

–, *Littérature et signification*, Paris, Larousse, 1967

–, Note sur la langage poétique, *Semiotica* I, 3, 1969, S. 322–328

–, Les poètes devant le bon usage, *Revue d'Esthétique*, 18, 1965, S. 300–305

–, Poétique, *Qu'est-ce que le structuralisme?* Paris, 1968, S. 97–166

–, Procédés mathematiques dans les études littéraires, *Annales* (Economies, Sociétés, Civilisations), 20, 1965, S. 503–510

–, Le récit primitif, *Tel Quel*, 30, 1967, S. 47–55

–, Les registres de la parole, *Journal de Psychologie normale et pathologique*, 3, 1967, S. 265 bis 278

–, De la sémiologie à la rhétorique, *Annales* (Économies, Sociétés, Civilisations), 6, 1967, S. 1324–1329

–, les transformations narratives, *Poétique*, 3, 1970, S. 322–333

–, Tropes et figures, *Janua linguarum*, 31–33, Den Haag, 1967, S. 2006–2023, To Honor Roman Jakobson

–, Typologie du roman policier, *Paragone – letteratura*, 202, 1966, S. 3–14

–, Du vraisemblable que l'on ne saurait éviter, *Communications*, 11, 1968, S. 145–147

Togeby, Knud, Littérature et linguistique, *Orbis litterarum*, 22, 1–4, 1967, S. 45–48

Toporov, V.N., Notes on the Analysis of some poetic Texts (on the low levels – auf russisch), *Poetics. Poetyka. Poetika*, II, Warszaw, 1966, S. 61–120

Tort, Michel, De l'interprétation, ou la machine herméneutique. *Les Temps Modernes*, 237, 1966, S. 1461–1493 und 238, 1966, S. 1629–1652

Trabant, Jürgen, *Zur Semiologie des literarischen Kunstwerks. Glossematik und Literaturtheorie.* Internationale Bibliothek, Hrsg. von Eugenio Coseriu, Bd. 6, München, 1970

Ubersfeld, Anni, Structures du Théâtre d'Alexandre Dumas père, *La Nouvelle Critique*, numéro spécial, 1968, S. 146–156

Ullmann, Stephen, *Language and Style*, Oxford, 1964

Uspenskij, Boris, Les problèmes sémiotiques du style à la lumière de la linguistique, *Social Science Information*, VII, 1, 1968, S. 123–140

Utley, Francis Lee, Structural linguistics and the literary critic, *The Journal of Aesthetics and Art Criticism*, 18, 1960, S. 319–328

Venclova, Thomas, Le Colloque Sémiotique de Tartu. *Social Science Information*, VI, 4, 1967, S. 123–129

Veraturini, Joseph, Linguistique et littérature dans l'Italie de la fin du Moyen Age, *La Nouvelle Critique*, numéro spécial, 1968, S. 76–81

Wahl, Eberhard et Moles, Abraham, A., Kitsch et objet, *Communications*, 13, 1969, S. 105–130

Weinrich, Harald, Semantik der Metapher, *Folia linguistica*, 1–2, 1967, S. 3–17

Weintraub, Victor, Formal determinants of realistic style, *Poetics. Poetyka. Poetika*, I, Warschau, 1961, S. 755–760

Wells, Rulon, Is a structural Treatment of Meaning possible? *Proceedings of the Eighth International Conference of Linguistics*, Oslo, University Press, 1958, S. 655

Whitehall, Harold, From linguistics to criticism, *Kenyon Review*, 18, 1956, S. 411–421

–, From linguistics to poetry, *Sound and poetry*, hrsg. v. N. Frye, New York, 1957, S. 134 bis 146

–, und Hill, Archibald A., A report on the Language-Literature Seminar, *Readings in Applied English Linguistics*, hrsg. v. Harold Boughton Allen, New York, 1958, S. 394–397

Wienold, Götz, Probleme der linguistischen Analyse des Romans, *Jahrbuch für Internationale Germanistik*, Jg. 1, Heft 1, 1969, S. 108–128

Wierzbicka, A., Rosyjska szkola poetyki Lingwistycznej a jezykosnawszwo strukturalne, *Pamietnik Literacki*, 56, 1965, S. 447–465

Winter, Werner, Styles as dialect, *Proceedings of the ninth international congress of linguists* – Cambridge, 1962, S. 324–330 (Diskussion S. 330)

+ *Yale French Studies*, 36–37, 1966, Structuralism, hrsg. v. Ehrmann, J., Yale University, French Department, New Haven, Connecticut, 1966

3. Strukturale Filmtheorie

Bizet, Jacques-André, Les structuralistes, la notion de structure et l'esthétique du film, *La Pensée*, 137, 1968, S. 38–49

Deutschmann, Christian und Pehlke, Michael: Vietnam – linker Mythos im Agitationsfilm, *Sprache im Technischen Zeitalter*, 27, 1968, S. 271–289

Eco, Umberto, Die Gliederungen des filmischen Kode, *Sprache im Technischen Zeitalter*, 27, 1968, S. 230–252

Ferentzy, Eors N., Computerfilm und Computergrafik, *Sprache im Technischen Zeitalter*, 27, 1968, S. 261–264

Heidsieck, Arnold, »Filmsprachen« für den Computer, *Sprache im Technischen Zeitalter*, 27, 1968, S. 252–261

Jakobson, Roman, Verfall des Films? *Sprache im Technischen Zeitalter*, 27, 1968, S. 185–191

+ Knilli, Friedrich (Hrsg.), *Semiotik des Films*, München 1971

Lacoste, M., Tableau des segments autonomes du film »Adieu Philippine«, *Image et Son*, 201, 1967, S. 81–94

Metz, Christian, Le cinéma moderne et la narrativité, *Cahiers du Cinéma*, 185, numéro spécial, 1966, S. 43–68

–, Cosiderazioni sugli elementi semiologici del film, *Nuovi Argomenti* (nuova serie), 3, 1966, S. 46–66

–, Le dire et le dit au cinéma: Vers le déclin c'un Vraisemblable? (en italien), *Idéologie* et langage au cinéma (Actes de la Table Ronde du Troisième Festival du nouveau Cinéma de Pesaro, 1967), Milano, 1967

–, Essais sur la signification au cinéma, Paris, 1968

–, Une étape dans la Réflexion sur le cinéma, Critique, 214, 1965, S. 227–248

–, »Montage« et discourse dans le film. Une problème de sémiologie dia chronique du cinéma, Word, XXIII, 1–3, 1967, Linguistic Studies presented to André Martinet, Portone: General Linguistics, ed. by Alphonse Juilland, S. 500–517

–, Probleme der Denotation im Spielfilm, Sprache im Technischen Zeitalter, 27, 1968, S. 205–230 (gekürzt)

–, Problèmes actuels de théorie du cinéma, Revue d'Esthétique, 20, 2–3, numéro spécial, 1967, S. 180–221

–, Un problème de sémiologie du cinéma, Image et Son, 201, 1967, S. 68–79

–, Propositions méthodologiques pour l'analyse du film, Social Science Information, VII, 4, 1968, S. 107–119

–, A proposito dell'impressione di realtà al cìnema, Film-Critica, 163, 1966, S. 22–31

–, Quelques points de sémiologie du cinéma, La Linguistique, 2, 1966, S. 53–69

–, Remarques pour une phénoménologie du narrativ, Revue d'Estétique, 19, 1966, S. 333–343

–, Saggi di semiologia del cìnema, 1967

–, Spécificité des codes et spécificité des langages; Semiotica I, 4, 1969, S. 370–396

–, et Lacoste, M., Étude syntagmatique du film »Adieu Philippine« de Jacques Rozier, Image et Son, 201, 1967, S. 95–98

Mitry, Jean, D'un langage sans signes, Revue d'Estétique 20, 1967, S. 139–152

+ Sprache im Technischen Zeitalter, 27, 1968 Zeichensystem Film, Versuche zu einer Semiotik, hrsg. v. F. Knilli

Undahl, Max, Bildsyntax und Bildsemantik, text, bedeutung, ästhetik, hrsg. v. Siegfried J. Schmidt, München 1970 = Grundfragen der Literaturwissenschaft Bd. 1

Worth, Sol, The Devellopment of a semiotic of Film, Semiotica, 1, 1969, 3, S. 282–321

Zurbuch, Werner, Die Linguistik des Films, Sprache im Technischen Zeitalter, 27, 1968, S. 191–204

Register

Das Register gibt Auskunft über Sachen, Namen und Titel. Zentrale, häufig auftretende Begriffe wie Linguistik, Formationsregel, Diskurs etc. wurden nicht aufgenommen, andere in der Regel nur dann, wenn das Stichwort auf der entsprechenden Seite näher behandelt wird. Kursiv gesetzte Seitenzahlen verweisen auf Anmerkungen bzw. Nachweise.

Register

Kontivetisierung 113
Kontradiktionsrelation 58
Kontrast 136, *232*
Kontrasterlebnis 225 f., 228 f.
Konvention 141, 365, 368
Konventionalisierung 368, 374, 383
Konvergenz 161
Konvertierung 55
Koran 84
Korrelation 52, 158
Korrellate, synästhetische 141
Koskimo 33
Kosmologie 33
Kreation 116
Kreationsprozeß 106 ff.
Kreuzer, Helmut *238, 240f.*
Kriminalroman 85
Kristeva, Julia *237,* 243–262
Kritik 73, 78 f., *88,* 366
Kunst 19, 22, 86, 228
Kunstwerk, Begriff des Seins eines 17
Kunstwerk, lebendiges 120
Kwakiutl-Mythologie 33
Kyanakwe 38 f.

Labdakos 32
Labé, Louise 148–168
Lacan, Jacques *166, 168*
de Laclos 265, 293, *294*
Lacoste, M. *67*
Lafoscade, Léon 333, 344, *356*
Laios 32 ff.
langage 263, 286
langue 13, 17 ff., 22, 111
Lautréamont, Comte de 14, 119, 244, 253, 259
Lawrence, D. H. 102 f., *105*
Lautfigur, reiterative 127
Lautmuster 122
Lauttextur, poetische 141
Lees 97, 104 f.
Legenden, mittelalterliche 119
Leidensgeschichte 281
Lektüre 296 f.
Lektürekontinuum 225
Lektüre-Pause 296
Lemaître *357*
Lepschy, G. C. *262*
Lesbos *231*
Leser 203, 223, 226 f.
Lesererwartung *232*
Leskow 15

Levi, A. *146*
Lévi-Strauss, Claude 25–*46*, 47, 51 f., *67*, 71 ff., 75, 80, *86ff.*, 142, *147*, 184–201, 203, 216 f., 222 ff., *233ff.*, *239ff.*, 251, *261f.*, 268, 373
Levin, Samuel R. *166, 237*
Levý, Jiri 106–117
Liaisons dangereuses 268, 271 f., 277, 280 f., 283 ff., 292
Linearität 297
Literarizität 263
Literatur 79, 83, 85, 120
Literaturgeschichte, strukturale 85
Literaturkritik 120
Literaturmorphologie 75
Literaturtheorie 82, 106, 257
Literaturwissenschaft 69–359, 71–88, 120, 202
Literaturwissenschaftler 72 f.
Löschung 94, 102, *104*
Löschungstransformation 102
Logik der Handlungen 266
Longfellow 120
Lorenzaccio 333–359
Lorenzo 346, 350, *357*
Lotman, J. *262*
Lotz 127
Lykos 34
Lynch, James J. *166*

Macherey, Pierre 202, *229*
Madvig 283
Maffio 346, 348 f.
Majakowski, Vl. 108 f., *117*, 144
Majorca-Erzähler 139
Malinowski, B. *145*
Mallarmé 76, 78, 141, *146*, 244, 253, 259
Mansikka, V. T. *145*
Marande, Pierre *294*
Maretić, T. *145*
Mark Anton 143
Marli, Anton 21
Marshak 114
Martin, H. C. *104*
Marty, A. 122, *145*
Marvell 120
Masauwû 43, *46*
Maßnahme, die 169
Materialität des Textes 72
Matsailema 41
Maurice, Sire 351
Mauron *87*

416